実効的子会社管理のすべて
〔第2版〕

弁護士 松山　遙
弁護士 水野信次
弁護士 野宮　拓　著
弁護士 西本　強
弁護士 小川尚史

HIBIYA PARK LAW OFFICES
日比谷パーク法律事務所

商事法務

●第 2 版はしがき

　初版が刊行されてから約 7 年が経過し、このたび、改訂版を執筆する機
会をいただいた。

　企業グループを取り巻く環境は、初版刊行時から特に変わらず、上場企
業にとって海外子会社を含む子会社管理の重要性は非常に高く、最重要の
経営課題の 1 つとして認識されている。

　その一方で、実効性のある子会社管理体制をどのように構築するべきか
という問いに対して、模範解答のようなモデルケースがないという点も変
わらない。企業グループの成り立ちは千差万別であり、各社各様の事情を
ふまえて工夫を重ね、わが社にとって実効性の高い子会社管理体制を構
築・運用していかなければならない。

　とはいえ、約 7 年の間に少しずつ議論が進んできたことも事実である。
例えば、経済産業省が開催するコーポレート・ガバナンス・システム研究
会において、企業グループ全体の価値向上を図るためのグループガバナン
スの在り方に関して議論が進められ、令和元 (2019) 年 6 月に「グループ・
ガバナンス・システムに関する実務指針（グループガイドライン）」が策
定・公表された。ベストプラクティスとしての一般的なグループガバナン
スの在り方が示されたということであり、これをふまえて、よりよい子会
社管理体制を目指していくことが求められている。また、日本公認会計士
協会においても、令和 5 (2023) 年 1 月、改正監査基準報告書 600「グルー
プ監査における特別な考慮事項」が公表された。これも、リスクベース・
アプローチの重要性など、グループ監査を考える上でのヒントとなり得る
視点が示されている。

　そのほか、世界的な新型コロナウイルスの感染拡大を受けてリモート監
査という手法が取り入れられるなど、実務における様々な工夫も進んでい
る。

　本書は、上記のような初版以降の議論の進捗をふまえて、全体的な加
筆・修正を行ったものである。もっとも、構成については初版と同様であ
り、本書一冊で、子会社管理に関する法規制から裁判例、さらには実務の
最前線、他社における教訓まで押さえることができるように心がけている。

i

第2版はしがき

　子会社管理体制の構築・運用に課題を感じている企業の皆様にとって、本書がベストプラクティス構築に向けた一助となることができれば、望外の喜びである。

　最後に、本書の改訂に当たって多大な支援をしていただいた株式会社商事法務の池田知弘氏及び新嶋さくら氏に、心より御礼申し上げる。

　令和7年5月

執筆者一同

●はしがき

　近年、連結経営・グローバル経営の重要性が高まるにつれて、海外子会社を含む子会社管理の重要性が高まっている。また、最近の不祥事は、そのほとんどが子会社を舞台とした不祥事であると言っても過言ではない。そして子会社・孫会社発の不祥事が、親会社に莫大な損害をもたらし、親会社自体の屋台骨を揺るがせ、経営トップを辞任にまで追い込むような事態が散見されるようになっている。平成30年3月30日に日本取引所自主規制法人が公表した「上場会社における不祥事予防のプリンシプル」においても、グループ全体を貫く実効性ある経営管理の必要性が原則の一つとして取り上げられている。こうした状況をみるにつけ、実効性のある子会社管理体制を構築することは、今や、日本企業にとって喫緊の課題というべき事態にある。

　各企業においても、経営トップから法務・コンプライアンス部などの各事業部門に至るまで、子会社管理の重要性を認識されている方は多い。

　ところが、実際に子会社管理を実行に移すとなると、どこから始めたらよいのか、何をどうしたらよいのかがわからずに困っているという声をよく耳にする。

　確かに、子会社管理といっても、決まった定義があるわけでも、正解があるわけでもない。各社各様の事情に応じた工夫が求められる。まさに、実務上の知恵や対応策が必要になる分野であり、それだけに難しい。

　そこで著者らは、日頃から子会社管理の仕組みづくりやその運用に取り組まれている実務家の方にご協力をお願いし、勉強会を重ねさせて頂いた。本書は、そこで得られた問題意識や実務上の知恵、工夫といったノウハウをふまえて作成している。

　本書の構成としては、まず第1章で、グループガバナンス・子会社管理の意義と必要性を整理した上で、子会社管理に関する法規制と裁判例の状況を押さえ、第2章で、子会社管理の方向性や大きな視点を提示している。

　その上で、第3章で子会社管理の「仕組みづくり」について解説を行っている。ここでは、子会社管理に必要となる規程や経営管理契約等のひな型を用意した。

はしがき

そして第4章で、子会社管理の「運用」上問題となる諸点について解説した。子会社管理の前提となる環境整備から、子会社への役員派遣・人事、グループ内部統制のあり方、さらにはグループ内部通報制度などについて、実務上の問題意識をふまえて解説している。

第5章では、第3章の制度設計、第4章の子会社管理の運用上の留意点をふまえ、主に海外子会社特有の管理上の留意点などをまとめ、第6章では、子会社管理における有事への備えと有事対応について述べている。

そして最後に、第7章として、子会社で実際に生じた不祥事の事例を題材とし、そこから得られる教訓をケーススタディ的に分析している。

このように、本書一冊で、子会社管理に関する法規制から裁判例、さらには実務の最前線、他社における教訓まで押さえることができる。本書が、わが国における子会社管理のベスト・プラクティス構築に向けた一助となることができれば望外の喜びである。

最後に、前述の勉強会にご参加頂き、貴重なご意見等を頂いた実務家の方々、そして本書の企画段階から編集に至るまで、長きに亘って著者らを辛抱強く支えて頂いた株式会社商事法務の岩佐智樹氏及び井上友樹氏に、心より御礼申し上げる。

平成30年4月

執筆者一同

●目　次

第1章　子会社管理の必要性

1　子会社管理の意義と必要性 ………………………………………2

(1)　近年の不祥事の状況　2

(2)　会社法・金商法等の改正経緯　3

(3)　グループ・ガバナンス・システムに関する実務指針　11

2　子会社管理体制に関する規制 ………………………………12

(1)　会社法に基づく「企業集団における内部統制システム」　12

(2)　金商法に基づく「財務報告に係る内部統制」　20

(3)　金融商品取引所規則に基づく「業務の適正を確保するために必要な体制」　23

3　子会社管理責任に関する裁判例 ………………………………24

(1)　子会社の不正行為に関する役員責任　24

(2)　従業員の不正行為に関する役員責任　35

(3)　有価証券報告書等の不実記載に係る会社役員の責任　52

目　次

第2章　子会社管理の方向性

① はじめに ……………………………………………………………………… 66

② 管理の対象とすべき子会社・関連会社 ……………………… 68

③ 議決権保有割合に応じた留意点 ……………………………… 69

(1) 100％子会社の場合　70

(2) 実質支配している場合　71

(3) 関連会社の場合　75

④ 事業規模・特性等に応じた留意点 ………………………… 76

(1) 事業規模が大きい子会社　76

(2) レピュテーション・リスクの高い事業を行っている子会社　78

(3) 買収した子会社　79

(4) 海外子会社　80

⑤ 子会社管理の方向性とメリット・デメリット ………… 81

(1) 経営管理契約等に基づく承認・報告体制　82

(2) 子会社に対する役職員の派遣　85

(3) グループ内部監査　88

⑥ 企業グループ全体を管理する上での留意点 …………… 90

(1) 企業集団のスキーム・機関設計　90

(2) 企業集団全体としてのリスク管理　94

(3) 親会社内部における情報連携・管理体制　96

(4) 純粋持株会社における留意点　98

第3章　子会社管理の仕組みづくり

1 総論（仕組みづくりのアプローチ） ……………………104

2 会社法の規制に対応する仕組みづくり ……………………105

（1）グループ報告体制　107

（2）グループリスク管理体制　111

（3）グループ業務執行体制　115

（4）グループコンプライアンス体制　118

（5）その他企業集団の業務の適正を確保するための体制　122

3 金融商品取引法の規制に対応する仕組みづくり …………124

（1）有価証券報告書による連結財務情報の開示体制　124

（2）子会社管理体制　137

4 金融商品取引所規則の規制に対応する仕組みづくり …141

（1）子会社等の決定事実に係る適時開示体制　141

（2）子会社等の発生事実に係る適時開示体制　143

（3）子会社等の決算及び四半期決算に係る適時開示体制　144

（4）業績予想等に係る適時開示体制　146

（5）開示内容の変更又は訂正並びに業績予想の修正等に係る適時開
示体制　148

（6）支配株主等に関する事項の開示体制　151

（7）非上場の親会社等の決算情報の開示体制　153

5 グループガイドラインをふまえた仕組みづくり …………154

（1）グループ経営管理体制の実態把握の着眼点　156

（2）あるべきグループ経営管理体制構築に向けて取り組むべき課題
抽出の着眼点　163

目　次

6　特有の留意点についての補足的分析 189

(1) 管理手法（仕組みづくりの手法）　189

(2) 管理対象（通則）　191

(3) 管理対象（業法対応）　195

(4) 法規制への留意　200

7　親会社主導で規定化等が容易な場合の仕組みづくり　202

(1) 親会社における一元管理型グループ経営管理規程例　203

(2) 子会社における一元管理型グループ経営管理規程例　215

(3) 親会社における自主性尊重型グループ経営管理規程例　224

(4) 経営管理契約例　228

**8　親会社主導で規定化等ができない場合等における
　　仕組みづくり（資本参加時の契約上の工夫）**　264

(1) 取締役会運営規定　265

(2) 役員指名規定　267

(3) 事前承認規定　268

(4) 情報提供規定　270

(5) 監査等協力規定　273

(6) デッドロック規定　275

(7) イグジット規定　276

第4章　子会社管理上の留意点

1　はじめに　284

2　子会社管理の前提となる環境の整備　285

(1) 親会社による情報提供請求権・内部監査実施権　286

(2) 子会社の社内規程の整備　288

(3) 子会社の締結する秘密保持契約の例外条項の追加　288

viii

目　次

(4)　子会社の取締役・監査役が負う秘密保持義務への配慮　289

(5)　営業秘密の管理への配慮　291

(6)　個人情報保護法への対応　291

3　不正が起きるメカニズム──不正のトライアングル …292

4　子会社への役員派遣・人事 …………………………………296

(1)　日常の情報収集手段としての役員派遣　296

(2)　社外取締役の選任　302

(3)　その他の実務上の課題　303

(4)　子会社社長の人事　304

5　三様監査とグループ内部統制 ………………………………304

(1)　三様監査　304

(2)　内部統制に関する COSO フレームワーク　306

(3)　3 つのディフェンスライン　310

6　3 つのディフェンスラインを活用したグループ内部統制 …………………………………………………………314

(1)　統制環境の整備　314

(2)　第 1 線による管理（業務執行部門）　315

(3)　第 2 線による管理（内部統制部門）　317

(4)　第 3 線による管理（内部監査部門）　318

7　監査役等によるグループ監査 ………………………………320

8　グループ会計監査 ……………………………………………325

9　三様監査における連携 ………………………………………327

10　グループ内部通報制度 ………………………………………332

(1)　子会社管理におけるグループ内部通報制度の重要性　332

ix

目 次

(2) コーポレートガバナンス・コード、内部通報制度に関するガイドライン　334

(3) 各社におけるグループ内部通報制度の運用の実例　335

(4) グループ内部通報制度を設計・運用する際の留意点　338

(5) グループ内部通報制度の運用モデル　340

(6) グループ内部通報制度を機能させるための留意点　348

(7) グループ内部通報制度により生じうる親会社のグループ会社従業員に対する法的責任　349

第5章　グループ類型ごとのガバナンス

1 海外子会社の管理 354

(1) はじめに　354

(2) 子会社化をする際の留意点
（子会社設立の場合とM&Aで子会社化する場合）　356

(3) 具体的な海外子会社の管理体制　366

(4) 各法対応　409

2 持株会社形態でのグループ経営とガバナンス 420

(1) 子会社に対する指揮権に関する法的根拠と経営管理契約　420

(2) 純粋持株会社の取締役と事業持株会社を含む親会社の場合　422

3 上場子会社の管理 423

(1) 上場子会社をめぐる利益相反構造　423

(2) 親会社における対応の在り方　424

(3) 上場子会社におけるガバナンス体制の在り方　425

(4) 上場子会社における役員の指名の在り方　428

(5) 親会社と上場子会社の兼務取締役の善管注意義務　430

(6) 上場子会社の役員報酬の在り方　431

目　次

第6章　有事への備えと有事対応

① 平時における有事への備え ―――――――――――――――――― 434

(1) 不正調査体制の整備　434

(2) 役員、従業員の安全管理体制の整備
（主として海外子会社を念頭に）　435

② 有事対応 ――――――――――――――――――――――――――― 436

(1) 不正の兆候を発見した場合の対応　437

(2) 不正などの不祥事が発覚した場合の有事対応　438

第7章　子会社不祥事の事例と教訓 （ケーススタディ）

① 富士フイルムホールディングス ――――――――――――――― 445

(1) 事案の概要　445

(2) 調査報告書で特定された不祥事の原因　452

(3) 調査報告書で提言された再発防止策　459

(4) 再発防止に向けた留意点　462

② 東レ ――――――――――――――――――――――――――――― 471

(1) 事案の概要　471

(2) 調査報告書で認定された不祥事の原因　473

(3) 調査報告書で提言された再発防止策　474

(4) 再発防止策に関するコメント　476

③ イオンフィナンシャルサービス ――――――――――――――― 479

(1) 事案の概要　479

(2) 調査報告書で認定された不祥事の背景・原因　480

xi

目　次

- (3) 子会社管理の問題点　484
- (4) 調査報告書で提言された再発防止策　487
- (5) 再発防止策に関するコメント　490

4　タマホーム ………………………………………………………………… 491

- (1) 事案の概要　491
- (2) 調査報告書で認定された本件取引の問題点　491
- (3) 調査報告書で認定されたJWにおける内部管理体制　497
- (4) 本件取引の問題点を認識する端緒　499
- (5) 内部管理体制の不備　501
- (6) 調査報告書で認定されたタマホームにおける本件取引に係る JWの管理体制　501
- (7) 調査報告書で提言された再発防止策　502
- (8) 再発防止策に関するコメント　505

5　KDDI ………………………………………………………………………… 508

- (1) 事案の概要　508
- (2) 調査報告書で特定された不祥事の原因　510
- (3) 調査報告書で提言された再発防止策　513
- (4) 再発防止策に関するコメント　517

6　住友ゴム工業 ……………………………………………………………… 520

- (1) 事案の概要　520
- (2) 子会社管理という観点からの指摘事項　520

7　川崎重工業 ………………………………………………………………… 522

- (1) 事案の概要　522
- (2) 原因分析　522
- (3) 子会社管理という観点からの指摘事項　523

8　シャープ …………………………………………………………………… 524

- (1) 事案の概要　524

目　次

（2）　原因分析　525

（3）　子会社管理という観点からの指摘事項　525

9 **ラサ商事**　　　　　　　　　　　　　　　　　　　　527

（1）　事案の概要　527

（2）　原因分析　527

（3）　子会社管理という観点からの指摘事項　527

10 **ナイガイ**　　　　　　　　　　　　　　　　　　　529

（1）　事案の概要　529

（2）　原因分析　529

（3）　子会社管理という観点からの指摘事項　530

11 **ホシザキ**　　　　　　　　　　　　　　　　　　　531

（1）　事案の概要　531

（2）　原因分析　531

（3）　子会社管理という観点からの指摘事項　532

12 **理研ビタミン**　　　　　　　　　　　　　　　　　533

（1）　事案の概要　533

（2）　原因分析　534

（3）　子会社管理という観点からの指摘事項　534

13 **東洋機械金属**　　　　　　　　　　　　　　　　　535

（1）　事案の概要　535

（2）　原因分析　535

（3）　子会社管理という観点からの指摘事項　536

14 **NTT 西日本**　　　　　　　　　　　　　　　　　537

（1）　事案の概要　537

（2）　原因分析　538

（3）　子会社管理という観点からの指摘事項　538

目　次

15　九州旅客鉄道 ……………………………………………… 540

(1)　事案の概要　540

(2)　原因分析　540

(3)　子会社管理という観点からの指摘事項　541

16　東亜建設工業 ……………………………………………… 542

(1)　事案の概要　542

(2)　原因分析　542

(3)　子会社管理という観点からの指摘事項　543

17　DTS ……………………………………………………… 544

(1)　事案の概要　544

(2)　原因分析　544

(3)　子会社管理という観点からの指摘事項　544

18　天馬 ………………………………………………………… 546

(1)　事案の概要　546

(2)　原因分析　546

(3)　子会社管理という観点からの指摘事項　547

索　引 ……………………………………………………………… 551

●執筆者紹介

■松山　遙
日比谷パーク法律事務所　弁護士（パートナー）
1993 年東京大学法学部卒業。1995 年東京地裁判事補任官。2000 年弁護士
登録。日比谷パーク法律事務所入所。㈱三菱 UFJ フィナンシャル・グルー
プ社外取締役（指名委員、報酬委員長）、㈱ T&D ホールディングス社外取締
役、㈱バイテックホールディングス社外取締役（監査等委員）、三井物産㈱
社外監査役を歴任。AGC ㈱社外監査役、東京海上ホールディングス㈱社外
取締役・グループ監査委員長、三菱電機㈱社外取締役・監査委員長。

■水野信次
日比谷パーク法律事務所　弁護士（パートナー）
1995 年名古屋大学法学部卒業。2000 年弁護士登録。2004 年日比谷パーク
法律事務所入所。昭和リース㈱社外監査役、㈱ソフィアホールディングス
社外取締役。

■野宮　拓
日比谷パーク法律事務所　弁護士（パートナー）
1998 年早稲田大学法学部卒業。2000 年弁護士登録。2004 年日比谷パーク
法律事務所入所。2006 年米国ペンシルバニア大学ロースクール修士課程
（LL. M.）修了、ヘインズ・アンド・ブーン法律事務所勤務。2007 年ニュー
ヨーク州弁護士登録。カブドットコム証券㈱社外取締役（指名委員長、報酬
委員長、監査委員）、㈱鉄人化計画社外取締役（監査等委員長）を歴任。（一
社）Ｔリーグ社外理事。

執筆者紹介

■西本　強

日比谷パーク法律事務所　弁護士（パートナー）

1999年東京大学法学部卒業。2000年弁護士登録。2002年日比谷パーク法律事務所入所。2006年米国コロンビア大学ロースクール修士課程（LL. M.）修了、ヒューズハバード＆リード法律事務所勤務。2007年ニューヨーク州弁護士登録。㈱エニグモ社外監査役を歴任。㈱ブロードリーフ社外監査役、㈱島津製作所社外監査役、㈱エニグモ社外取締役（監査等委員）。

■小川尚史

日比谷パーク法律事務所　弁護士（パートナー）

2006年東京大学法学部卒業。2008年東京大学法科大学院修了。2009年弁護士登録、日比谷パーク法律事務所入所。

●凡　例

1　法令

金商法	金融商品取引法
連結財務諸表規則	連結財務諸表の用語、様式及び作成方法に関する規則
財務諸表規則	財務諸表等の用語、様式及び作成方法に関する規則
内部統制府令	財務計算に関する書類その他の情報の適正性を確保するための体制に関する内閣府令
取引規制府令	有価証券の取引等の規制に関する内閣府令
独占禁止法	私的独占の禁止及び公正取引の確保に関する法律
個人情報保護法	個人情報の保護に関する法律
有価証券上場規程	有価証券上場規程（東京証券取引所）
有価証券上場規程施行規則	有価証券上場規程施行規則（東京証券取引所）

2　判例誌等

民集	最高裁判所民事判例集
判時	判例時報
判タ	判例タイムズ
金判	金融・商事判例
金法	金融法務事情
労判	労働判例
商事	旬刊商事法務
資料版商事	資料版商事法務
別冊商事	別冊商事法務
監査役	月刊監査役
経理情報	旬刊経理情報
取締役の法務	月刊取締役の法務

xvii

子会社管理の必要性

1 子会社管理の意義と必要性

(1) 近年の不祥事の状況

　本書（初版）の刊行以降、依然として毎年のように企業不祥事が続いている。特に近年では、日本を代表するメーカーの多くで検査データの改ざん・偽装といった品質不正が相次いだほか、カルテル・贈賄などの組織的な不正行為、従業員による窃盗・横領やインサイダー取引などの個人的な不正行為も発覚し、刑事事件に発展した事案も散見される。これらの企業不祥事の態様・原因は様々であり、その全てが子会社における不祥事ということではないが、グループ経営・連結経営が主流となる中、子会社における不正事案が大きな課題となっていることは論を俟たない。

　企業グループを形成している中で子会社において不正行為が行われれば、当該子会社だけの問題にとどまらず親会社を含めた企業グループ全体のレピュテーションを毀損し、企業グループ全体の売上の減少につながる可能性がある。その結果、親会社の連結決算に（場合によっては決算を延期せざるを得ないほどの）重大な影響を及ぼし、親会社株式の株価下落を招くこともある。上場して株式市場の圧力にさらされているのは親会社であるから、業績悪化・株価下落による批判を受けるのも親会社あるいは親会社役員であり、その際にこぞって指摘されるのが「子会社管理」の責任を尽くしていたかどうかという点である。

　近年、様々な場面で「子会社管理」が問題となっている。子会社での不祥事が報じられるたび、親会社には子会社を管理する責任がある、企業グループ全体のガバナンスやリスク管理を適切に行わなければならないと指摘されている。

　一方で、「子会社管理」として具体的に何をしなければならないのか、親会社役員は何をしていれば子会社管理責任を尽くしたと評価されるのかという問いに対しては、明確な答えは示されていない。会社法・金商法などの法規制を見ても、あるいは、会社法・金商法に基づき役員責任を追及された裁判例を分析しても、子会社管理の必要性は理解できるものの、具体的な子会社管理の体制や方法を具体的に提示するには至っていない。実は、

「子会社管理」の必要性が広く認識されるようになってきたのはここ十数年のことであり、裁判例として子会社管理責任が争われた例は少ないというのが現状である。

しかし、子会社における不正行為によって親会社の決算・株価に大きな影響を及ぼす事案が増えてきている以上、議論が尽くされていないからといって手をこまねいていることはできない。特に近年の不祥事を見ると、子会社における不正行為によって日本を代表する企業ですら屋台骨が揺らぎかねない状況に至った事案も散見される。適切な子会社管理・グループガバナンスの体制を構築することは、上場企業にとって喫緊の課題である。

わが国の上場企業は、傘下に複数の子会社・孫会社を抱えて企業グループを形成していることが通例であり、子会社管理・グループガバナンスの体制をどのように構築・運営するべきなのか、どのような体制を構築・運営していれば「子会社管理」の責任を尽くしたと評価されるのかという点は、非常に大きな経営課題である。

(2) 会社法・金商法等の改正経緯

グループ経営・連結経営を進める企業にとって「子会社管理」は非常に大きな経営課題となっているが、それが広く認識されるようになったのはここ最近のことである。その背景として、平成9年以降の法改正等を経て、企業実務としてはグループ経営・連結経営が主流となったにもかかわらず、会社の機関や運営について定める会社法では、親子会社関係を想定した規律の整備が追いついておらず、現実の実務との間の乖離が大きく広がってきたことが挙げられる。

その一方で、上場企業の情報開示等の在り方について定める金商法では、既に連結ベースでの情報開示へと移行しており、金融商品取引所から求められる適時開示も連結ベースである。

その結果、近年では、会社法の分野では子会社管理体制の在り方や親会社による子会社管理責任についての議論が十分に尽くされておらず、企業の対応も途半ばであるにもかかわらず、金商法や金融商品取引所規則の分野では連結ベースの正確な情報開示が求められ、開示した子会社の情報に虚偽があった場合には上場主体である親会社・親会社役員が厳しく責任追及されるという事態となっている。

第1章　子会社管理の必要性

(a)　会社法による規制

会社法は、平成18年に従前の商法が全面的に改正されてできた法律であるが、商法の時代から一貫して、単体の会社を想定して各種の規律を設けている。

現行会社法の構成を見てみると、総則（第1編）、株式会社（第2編）、持分会社（第3編）、社債（第4編）、組織変更、合併、会社分割、株式交換、株式移転及び株式交付（第5編）、外国会社（第6編）、雑則（第7編）、罰則（第8編）と並んでおり、その中の「第2編　株式会社」では、設立（第1章）、株式（第2章）、新株予約権（第3章）、機関（第4章）、計算等（第5章）、定款の変更（第6章）、事業の譲渡等（第7章）、解散（第8章）、清算（第9章）と整理されている。

このような章の構成からも、会社法とは株式会社が設立されてから清算されるまでの手続や規律をまとめた法律であり、出資者（株主）との関係、機関の在り方、事業年度ごとの決算と株主への報告などの一連の仕組みが定められていることがわかる。このように会社法とは1つの株式会社における仕組み・手続を定めたものであるため、ある株式会社（親会社）が他の株式会社（子会社）を実質的に支配している場合における親子会社間の関係については細かく規律するものではない。

もちろん、親子関係を前提とした条文が全くないかというと、そうではない。例えば、子会社による親会社株式の取得に関する規制（会社法135条）、相互保有株式に関する規制（同法308条1項）については、商法の時代から条文が設けられていた。ただし、これらの規制は親会社の側の支配の公正を担保するためのものであり（子会社は親会社の支配を受けているため、子会社が親会社株式を取得することにより、親会社取締役が自己の会社支配を維持するなどして、親会社の経営を歪めるリスクが生じる）、子会社の適法・公正な経営を担保するという「子会社管理」の観点からの規律ではない。

親会社による「子会社管理」という観点からの規律としては、平成11年商法改正で親会社監査役による子会社調査権（会社法381条3項）と親会社株主による子会社の業務内容等の開示請求権（同法31条3項、125条4項、318条5項、371条5項、433条3項）、平成14年商法改正で連結計算書類制度（同法444条）、さらに平成26年会社法改正で企業集団における内部統制システム構築義務（会社法348条3項4号、362条4項6号）などが定め

られている。

　これらの「子会社管理」という方向性の条文は、平成11年商法改正を
きっかけとして拡充・新設されている。それは、平成11年の商法改正が完
全親子会社関係を円滑に創設するための株式交換・株式移転制度の導入を
主目的とするものだったからである。

　日本政府は、企業経営の効率化を促進して国際的な競争力を確保すると
いう観点から、平成9年以降、企業の再編成のための法制度の整備に取り
組んできた。その一環として、平成9年に独占禁止法が改正され、持株会
社の設立等が原則として解禁された。それと平仄を合わせて、平成9年商
法改正（合併制度の簡素合理化）、平成11年商法改正（株式交換・株式移転制
度の新設）、平成12年商法改正（会社分割制度の新設）が行われた。特に平
成11年商法改正では、親子会社法制に関する諸問題が重要なテーマとさ
れ、完全親子会社を円滑に創設するための制度の導入とそれに伴う親会社
株主の保護の問題が議論されている[1]。

　かかる一連の法改正を受けて、わが国の上場企業は、持株会社を作り、
事業を分社化するなど、企業グループを中心とした経営へと移行した。そ
の結果、商法・会社法（単体の会社を前提とした規律）と現実の実務（企業
グループを前提とした経営）の間に乖離が生じるようになっていった。

　もちろん、法規制としても、多くの上場企業がグループ経営へ移行する
ことを想定し、一定の対応は行っている。平成11年商法改正では、株式交
換・株式移転制度の創設と同時に、親会社の株主等の利益を保護するため、
子会社の業務内容等の開示の充実を図るとともに、親会社の監査役による
子会社調査権等も強化された[2]。また、平成14年商法改正では、企業グ
ループを形成して事業活動を行うことが一般的になっていることをふまえ
て連結計算書類制度を導入し、企業グループ全体の財務内容など情報開示
の充実を図っている[3]。

　しかし、これらの会社法上の規律だけでは、およそ実務で生じる様々な
問題に対応できるレベルに達していない。平成9年以降の法改正を経て、

---

1)　原田晃治ほか『一問一答　平成11年改正商法　株式交換・時価評価』（商事法務
　　研究会、1999年）8頁。
2)　原田ほか・前掲注1）4頁、21頁、97頁。
3)　始関正光編著『Q&A平成14年改正商法』（商事法務、2003年）263頁。

第1章　子会社管理の必要性

非常に多くの上場企業がグループ経営・連結経営へと移行した結果、企業グループとしての業績が強く意識されるようになり、ひとたび子会社・孫会社で不正行為が起きると、親会社の業績・株価に深刻な悪影響を及ぼし得る事態となっている。

　ここで問題となるのは、親会社の株主は、子会社の不正行為によって親会社株式の株価下落という重大な悪影響を受ける立場であるにもかかわらず、子会社の株主ではないため、子会社取締役の責任を直接追及することができないということである。子会社取締役の責任を追及できるのは、子会社の株主である親会社であるが、親会社と子会社は役職員が兼務していることも多く、親会社は子会社の不正行為に関して厳しく責任追及しないことが多い。

　このような状況では親会社の株主が不利益を受ける可能性があるという問題意識から、平成26年会社法改正では再び「親子会社に関する規律」が重要なテーマとされ、改正の過程で親会社における子会社管理責任についても議論された。

　かかる議論をふまえて、平成26年会社法改正では、親会社株主が子会社取締役の責任を直接追及することのできる多重代表訴訟制度が創設されたほか（会社法847条の3）、内部統制システムとして企業集団における業務の適正を確保するために必要な体制を整備する義務があること（同法348条3項4号、362条4項6号）が明文化されるに至ったのである[4]。

　このような改正が行われたとはいえ、多重代表訴訟制度については、濫用を懸念する経済界の声を受けて厳格な要件が求められることとなったため、実際に対象となる子会社を抱える企業は金融持株会社など少数の企業グループに限られる。また、企業集団における内部統制システムを整備するべき義務が明記されたとはいえ、親会社取締役としてどのような子会社管理体制（企業集団における内部統制システム）を整備しておけば子会社管理責任を尽くしたということができるのかについては、未だ議論が尽くされていない。

　しかし、平成26年会社法改正に至る議論の中で、親会社による子会社管理の重要性は強く意識されるようになっており、子会社の不祥事によって

---

4)　坂本三郎編著『一問一答　平成26年改正会社法〔第2版〕』（商事法務、2015年）235頁、176頁。

企業グループ全体に損害が生じるようなケースも続いている現状を考えると、今後は親会社役員に対して子会社管理責任を追及する事例も増えてくる可能性が高いと言わざるを得ない。

このように、親子会社関係の規律がさほど整備されていなかった会社法の分野においても、平成26年会社法改正を経て、親会社による子会社管理体制の構築・運用が重要な経営課題となっている。

(b) 金商法による規制

これに対し、金商法の分野では、平成10年の金融システム改革（金融ビッグ・バン）に基づく証券取引法改正以降、連結ベースでのディスクロージャーが原則とされ、グループ経営・連結経営の時代に即した規律への移行が進んでいる。

金商法は、平成18年の投資サービス法制に係る一連の法改正の中、従前の証券取引法を改正してできた法律であり、その目的は、①企業内容等の開示の制度を整備するとともに、金融商品取引業を行う者に関し必要な事項を定め、金融商品取引所の適切な運営を確保すること等により、②有価証券の発行及び金融商品等の取引等を公正にし、有価証券の流通を円滑にするほか、資本市場の機能の十全な発揮による金融商品等の公正な価格形成等を図り、③もって国民経済の健全な発展及び投資者の保護に資すること、とされている（金商法1条）。

この目的規定では、最初に企業内容等の開示制度の整備について触れられている。適切な情報開示制度（ディスクロージャー制度）を導入し、一般投資家が安心して参加できる証券市場を作り上げることは、第二次世界大戦直後の昭和23年に金商法の前身である証券取引法が制定されたときから意識されていた。その当時から現在に至るまで、適切な情報開示制度を整備することは証券取引法・金商法の目的を達成するための前提条件であったと言うことができる。

とはいえ、わが国では平成9年以降の独占禁止法・商法改正が行われるまで企業グループの形成がさほど進んでいなかったこともあり、企業の情報開示も単体が中心であり、連結での情報開示はあまり見られなかった。この時点では、会社法による規制と金商法による規制の間でさほど大きな差異はなかったと言える。

しかし、バブル崩壊後、株価の長期低落傾向のためにわが国の金融・証

券市場の機能が低下していたことを受けて、平成 10 年、フリー・フェアー・グローバルの理念の下にわが国の金融市場の再生を目指す一連の改革（金融ビッグ・バン）が行われ、その一環として、ディスクロージャー制度についても適用範囲の拡大と連結ベースのディスクロージャーへの移行が行われた。

その結果、平成 11 年 4 月より連結ベースでの開示が義務づけられることとなり、ちょうどその頃、独占禁止法・商法改正を受けて多くの上場企業がグループ経営へと移行していったこともあって、現在では、金商法に基づく情報開示は完全に連結ベースとなっている。

さらに、平成 10 年の金融システム改革（金融ビッグ・バン）以降も証券市場の構造改革のための改正が続き、平成 16 年証券取引法改正では、市場監視機能を強化するための課徴金制度の導入、民事責任制度の改正、証券取引等監視委員会の権限強化などが行われた。平成 19 年に施行された金商法では、財務報告に係る内部統制について評価した内部統制報告書の提出を義務づけ、平成 20 年金商法改正では、課徴金制度の実効性をより一層高めるため、課徴金の水準引上げ、適用範囲の拡大などが行われた[5]。

その結果、上場会社は、連結財務諸表など連結ベースでの情報を記載した有価証券報告書等を作成して継続開示することが求められ、万一その記載内容のうち重要な事項について虚偽や記載漏れ（以下「不実記載」という）があった場合には、当該会社に対して課徴金納付命令（金商法 172 条の 4）や刑事罰（同法 207 条 1 項 1 号）、提出者に対して刑事罰（同法 197 条 1 項 1 号）が科されることとなった。また、有価証券報告書等の不実記載があった場合には、当該会社とその役員は、不実記載の事実を知らないで当該会社の株式を取得した者に対し、損害賠償責任を負うとされた（同法 21 条の2、22 条、24 条の 4）。

ここでいう「重要な事項」に該当するかどうかは、その記載が真実であり、又はその事項が記載されていれば、通常の投資者はそのような条件で有価証券を取得しなかったかどうかという基準により、個別具体的に判断される[6]。前述したとおり、有価証券報告書等における情報開示は連結ベースで行うこととされているため、子会社で決算の数字の水増し等の不

---

5) 近藤光男ほか『金融商品取引法入門〔第 4 版〕』（商事法務、2015 年）10 頁以下など。

正行為が行われ、親会社がそれに気づかずに有価証券報告書等に虚偽の記載を残したまま提出してしまい、その記載が投資判断に影響を及ぼす重要な事項の虚偽等であると判断された場合には、親会社あるいはその役員の責任が追及される可能性があることになる。

このような金商法の改正を受けて、実際にも、有価証券報告書等の不実記載について会社・会社役員の責任を追及する訴訟が増えている。しかも、金商法上の有価証券報告書等の不実記載に基づく会社役員の責任については、会社法上の任務懈怠（善管注意義務・忠実義務違反）に基づく会社役員の責任と比較して、立証責任が転換されるなど役員側に厳しい構造となっている。実際の裁判例を見ても、有価証券報告書等の不実記載に基づく役員責任追及訴訟においては、株主代表訴訟と比較して、会社役員の責任が認められるリスクが高いという印象である。

以上のとおり、金商法の分野では、子会社を含めた連結ベースでの財務情報の正確性を担保するための改正が既に進んでいる。そのため、親会社においては、連結ベースでの財務情報の適正性を確保するための体制を構築・運用することが重要な経営課題となっている。

(c) 金融商品取引所規則における規制

金融商品取引所に上場している会社では、市場に対して投資判断材料となるべき情報を適切に開示することが求められており、金商法に基づく継続開示だけでなく、金融商品取引所に求められる適時開示も行わなければならない。

適時開示制度とは、金融商品取引所の規則により、重要な会社情報を上場会社から投資者に提供するために設けられているものであり、報道機関等又は TDnet（適時開示情報伝達システム）を通じて、より直接に、広く、タイムリーに情報を伝達するという特徴がある。

有価証券上場規程では、上場会社は、投資者への適時適切な会社情報の開示が健全な金融商品市場の根幹をなすものであることを十分に認識し、常に投資者の視点に立った迅速、正確かつ公平な会社情報の開示を徹底するなど、誠実な業務遂行に努めなければならないとされている（有価証券上場規程401条）。

---

6) 神田秀樹ほか編著『金融商品取引法コンメンタール1〔第2版〕』（商事法務、2018年）444頁。

第 1 章　子会社管理の必要性

　適時開示が求められる会社情報とは、投資判断に重要な影響を与える上場会社の業務、運営又は業績等に関する情報であり、上場会社自身の情報だけでなく、子会社等の情報も含まれる。グループ経営・連結経営の時代である以上、子会社の情報も投資判断に重要な影響を及ぼし得るからである。どのような情報が個別の開示項目に該当するのかについては、有価証券上場規程に定められている。

　上場会社が適時開示義務に違反した場合において、金融商品取引所が改善の必要性が高いと認めるときは、金融商品取引所は当該上場会社に対し、改善報告書の提出を求めるなどの措置をとることができる（有価証券上場規程 504 条）。

　さらに強力な措置として、上場会社が提出する金商法上の有価証券報告書等に不実記載があった場合において、金融商品取引所が当該上場会社の内部管理体制等について改善の必要性が高いと認めるときは、当該上場会社の株式を特別注意銘柄に指定して内部管理体制の改善状況をモニタリングし（有価証券上場規程 503 条）、改善の見込みがないと判断したときには上場廃止にすることができる（同 601 条 1 項(9)）。

　また、有価証券報告書等の不実記載があった場合において、金融商品取引所が直ちに上場を廃止しなければ市場の秩序を維持することが困難であることが明らかであると認めるときも、上場廃止にすることができる（有価証券上場規程 601 条 1 項(8)）。

　適時開示情報及び有価証券報告書等による継続開示情報は全て連結ベースであるから、子会社で決算の数字の水増し等の不正行為が行われ、親会社がそれに気づかずに情報開示した場合には、有価証券上場規程に従い、内部管理体制の改善を求められたり、上場廃止という最悪の結果を招くリスクもゼロではない。上場廃止という株主にとって最悪の事態を引き起こした場合には、株主から会社役員に対して責任追及訴訟が提起される可能性があるほか、そこまでに至らなくとも、会社が公表した適時開示情報に虚偽があった場合にそれを信じて株式を取得した株主から会社役員に対して損害賠償請求訴訟が提起されることもある[7]。

　したがって、有価証券上場規程等の適用を受ける上場会社においては、

----

7)　東京地判平成 20 年 4 月 24 日判時 2003 号 10 頁、東京地判平成 21 年 5 月 21 日判時 2047 号 36 頁など。

10

連結ベースでの適時開示情報の正確性を担保するべく、子会社における重要情報（決定事実、発生事実、業績予想の修正等）を適時適切に把握できる体制を構築・運用することが重要な経営課題となっている。

(3) グループ・ガバナンス・システムに関する実務指針

　以上のとおり、わが国の実務においてグループ経営が主流となってきたのは、平成9年の独占禁止法改正により持株会社が解禁され、平成11年以降の一連の会社法改正により、完全親子会社関係へ移行するための株式交換・株式移転制度、事業を整理するための会社分割制度などが整備されるようになってからである。

　これらの法改正を受けて、多くの上場企業が持株会社を作ったり、事業を分社化して子会社・孫会社を整理するなどして、1つの上場企業（親会社）の下に多数の子会社・孫会社が連なる企業グループを形成するようになった。その結果、今ではグループ経営・連結経営が主流となっている。

　また、このような実務の流れに合わせて、金商法及び金融商品取引所規則に基づく情報開示は連結ベースへと移行し、仮に開示した情報に虚偽があれば、上場主体である親会社・親会社役員に対して厳しいペナルティが科せられる。

　にもかかわらず、会社法の分野では、親子会社関係をベースとした規律は十分に手当てされておらず、親会社による子会社管理の在り方に関する議論の必要性が指摘されてきた。そこで、経済産業省が開催するコーポレート・ガバナンス・システム研究会において、企業グループ全体の価値向上を図るためのグループガバナンスの在り方に関して議論が進められ、令和元（2019）年6月28日に「グループ・ガバナンス・システムに関する実務指針（グループガイドライン）」（以下「グループガイドライン」という）が策定・公表された。

　グループガイドラインは、企業グループとして、中長期的な企業価値向上と持続的成長を図るため、「守り」と「攻め」の両面でいかにガバナンスを機能させるか、事業ポートフォリオをどのように最適化するか等、実効的なグループガバナンスの在り方に関し、各社における検討に資するようなベストプラクティスを示すことを目的としている。すなわち、グループガイドラインは、あくまでも一般的なベストプラクティスを示すものであ

り、これに沿った対応を行った場合には、他に特段の事情がない限り、通常は取締役としての善管注意義務を十分に果たしていると評価されるであろうと指摘されているものの、実際には、企業グループの形態はグループごとに様々であり、求められるグループガバナンスの在り方も多様であることから、各社で個別の状況をふまえつつ実効的なガバナンスの在り方を検討・工夫しなければならない。

　グループの形態が多様化し、グローバル化も進む中、多くの日本企業にとって、自らの企業グループにおける子会社管理体制の整備は、早急に検討を開始しなければならない極めて重要な経営課題である。

2　子会社管理体制に関する規制

　グループ経営・連結経営を進めている会社（親会社）では、子会社における業績不振・不祥事等が連結決算や企業グループ全体のレピュテーションに重大な影響を及ぼす可能性もあるため、子会社の情報を正確かつ迅速に把握し、適切に管理するための体制を構築することが求められている。

　会社法・金商法・金融商品取引所規則においても、親会社に対して子会社管理体制を構築するべきことを求める規定あるいは子会社管理体制を構築していることを前提とした規定が置かれているほか、グループガイドラインにおいて実効的なグループガバナンスに関する一般的なベストプラクティスが示されている。

　そこで、以下ではこれらの各規定の内容を概説することとする。

(1)　会社法に基づく「企業集団における内部統制システム」

(a)　「企業集団における内部統制システム」が会社法に明記された趣旨

　会社法は、平成 11 年商法改正で企業グループの形成のための組織再編制度（株式交換・株式移転）を導入するのと同時に、親会社株主による子会社の定款、株主名簿、株主総会議事録、取締役会議事録、各種委員会議事録、計算書類等及び会計帳簿等の開示請求権（会社法 31 条 3 項、125 条 4 項、318 条 5 項、371 条 5 項、399 条の 11 第 3 項、413 条 4 項、433 条 3 項）を新設

し、親会社の監査役による子会社の業務・財産状況等の調査権（同法381条3項）を強化した。

また、平成14年商法改正では、グループ経営・連結経営の進展により連結情報が株主にとって重要性を増してきたことをふまえ、有価証券報告書を提出している大会社に対し、連結計算書類の作成と定時株主総会での株主への報告を義務づけることとされた（会社法444条）[8]。ここで開示される連結計算書類の記載方法などは、金商法及び財務諸表規則等にならって定められている[9]。

しかし、グループ経営・連結経営が進展し、特に持株会社形態が普及してきた現状をふまえると、このような手当てだけでは不十分であり、親会社自身がその子会社の経営の効率性・適法性を確保するための体制を整備するよう、何らかの規律を設けることが望ましい。

そこで、平成18年に旧商法を全面改定（現代語化）して施行された会社法では、大会社の取締役会において、取締役又は執行役の職務の執行が法令及び定款に適合することを確保するための体制その他株式会社の業務の適正を確保するために必要なものとして法務省令で定める体制の整備について決定しなければならないとされ（会社法362条4項6号、416条1項1号ホ）、法務省令において「当該株式会社並びにその親会社及び子会社から成る企業集団における業務の適正を確保するための体制」が掲げられた（会社法施行規則100条1項5号、112条2項5号）。

さらに、平成26年会社法改正では、会社法本文の中で、親会社の取締役会において株式会社とその子会社から成る企業集団の業務の適正を確保するための体制の整備について決議しなければならないことが明記されることとなった。

このように、改正前の旧会社法（平成18年施行）では法務省令で定められていたものが、新たに会社法本文で定められることとなった理由について、立案担当者は、グループ経営・連結経営が進展して、親会社及びその株主にとって、その子会社の経営の効率性・適法性が極めて重要となっていることに鑑み、企業集団における業務の適正を確保するための体制の整

---

8) 始関編著・前掲注3）263頁。

9) 濱克彦ほか「平成14年商法改正に伴う改正商法施行規則の解説〔Ⅳ〕」商事1660号（2003年）44頁。

第1章　子会社管理の必要性

備については、法務省令ではなく会社法で規定するのが適切であると考えられたためであると説明している[10]。

　その背景をもう少し詳しく見てみると、もともと平成26年会社法改正では、親会社株主の保護の観点から多重代表訴訟制度の創設がテーマとなっており、多重代表訴訟制度の導入に賛成する多数の大学、弁護士会、海外等の投資家と、これに反対する経済産業省、一部の大学、経済界等で意見が分かれていた。

　その際、導入に消極的な立場から、子会社の取締役の任務懈怠等により子会社に損害が生じた場合には、子会社の管理・監督に関する親会社取締役の責任を問えば足りると主張されたため、多重代表訴訟制度を創設しない代わりに親会社取締役会がその子会社の業務を監督しなければならない旨の明文規定を設ける案が検討された。

　この案に対しては、経済界を中心に、「監督」という言葉によって現行法上の取締役会の義務を超えたものが要求されるおそれがあり、重要でない子会社についても親会社取締役会による積極的なモニタリング等の行為が要求されたり、過剰に子会社経営に介入して子会社の自主性が損なわれ、グループ経営そのものに対する萎縮効果が懸念される等を理由として、強い反対意見が示された。

　その一方で、このような親会社取締役会が子会社取締役の職務の執行を監督する責任については、多重代表訴訟制度の導入と関わりなく、認められて然るべきという意見もあり、会社法で親会社取締役会の監督責任を明文化する案だけでなく、会社法施行規則（当時）に定められていた「企業集団の業務の適正の確保」を親会社取締役会の職務として明記した上、企業集団における各子会社の重要性、子会社の株式の所有の目的及び態様、その他の事情に応じてその職務を行うものとする案なども検討された。

　最終的には、「監督」の職務の範囲が不明確であるなどの懸念がぬぐえず、かつ、多重代表訴訟制度が創設されることとなったため、親会社取締役会が子会社の業務を監督しなければならない旨の明文規定は設けられなかったが、会社法施行規則（当時）で定められていた「企業集団の業務の適正を確保するための体制の整備」を、その義務を超えない範囲で会社法本体

---

10)　坂本編著・前掲注4）235頁。

の規定とすることについては認められたということである[11]。

このような改正の経緯をふまえると、「企業集団の業務の適正を確保するための体制」（企業集団における内部統制システム）を適切に整備することは、親会社における子会社管理責任の極めて重要な要素となると考えられる。

(b) 「企業集団における内部統制システム」の整備

それでは、ここでいう「企業集団の業務の適正を確保するための体制」（企業集団における内部統制システム）として、親会社取締役会は具体的にどのような内容を決定する必要があるのか。

平成18年会社法施行時の立案担当者の解説によれば、「(イ)子会社における業務の適正確保のための議決権行使の方針や、(ロ)親会社の監査役と子会社の監査役等との連絡に関する事項等」を親会社において決定することが考えられるとされている[12]。また、法務省令（会社法施行規則100条1項5号）の注釈として、「その株式会社〔親会社〕に対する通知等を要する子会社の経営上の重要事項の規定、その株式会社に対して定期的な報告を要求する子会社の業務執行状況および財務情報、その株式会社の内部監査部門などによる子会社に対する監査、親会社の取締役・監査役などと子会社の監査役、監査委員あるいは内部監査部門などとの連絡・情報交換の体制など」を定めることとなろうと指摘されている[13]。

その後、平成26年会社法改正に伴い、法務省令（会社法施行規則100条1項5号）も改正され、企業集団における内部統制システムとして整備すべき体制として、(イ)子会社の取締役等の職務の執行に係る事項の親会社への報告に関する体制、(ロ)子会社の損失の危険の管理に関する規程その他の体制、(ハ)子会社の取締役等の職務の執行が効率的に行われることを確保するための体制、(ニ)子会社の取締役等及び使用人の職務の執行が法令及び定款に適合することを確保するための体制、と整理された。立案担当者の解説によれば、これらは例示であり、改正前と同様に、企業集団を構成する

---

11) 岩原紳作「『会社法制の見直しに関する要綱案』の解説〔Ⅲ〕」商事1977号（2012年）8頁。

12) 相澤哲＝石井裕介「新会社法関係法務省令の解説(3)株主総会以外の機関」商事1761号（2006年）15頁。

13) 弥永真生『コンメンタール会社法施行規則・電子公告規則〔第3版〕』（商事法務、2021年）551～552頁。

第1章　子会社管理の必要性

子会社の業種、規模、重要性等をふまえて、企業集団全体の内部統制についての当該株式会社（親会社）における方針を定めること等が想定されるとのことである。また、あくまでも企業集団全体の内部統制についての親会社における体制であって、子会社自体の体制ではなく、個別の子会社について親会社単体の体制と同様の体制を決定することを求めるものではないと説明されている[14]。

上記(イ)～(ニ)の体制を定めるとして、その体制の内容を具体的にどのように定めるべきなのか、個別の子会社に全体方針を遵守するように働きかける必要はないのか、どのように働きかけることが求められるのか、といった点については、会社法・会社法施行規則を見ても明らかでない。

この点、内部統制システムについて争われた過去の裁判例では、各企業が内部統制システムとして具体的にどのような社内体制を構築するべきかについては、いわゆる経営判断として取締役会に広範な裁量が認められると判示されているから、「企業集団における内部統制システム」として具体的にどのような内容の体制を構築するかについても、同様に広範な裁量が認められると解される。

さらに悩ましいのは、親会社は、「企業集団における内部統制システム」の整備のため、グループ内の子会社に対してどのように働きかけていくことが求められているのかという点である。

平成26年会社法改正における立案担当者の解説によれば、親会社の取締役会における「企業集団における内部統制システム」の決定は当該株式会社（親会社）についてのものであり、当該株式会社がその子会社における内部統制システムを整備する義務や子会社を監督する義務までを定めるものではないと解されているとのことである。その一方で、株式会社（親会社）が企業集団における内部統制システムを整備していない場合に、当該株式会社の取締役が善管注意義務違反に問われる可能性があるとも指摘されている[15]。ここで親会社の取締役に求められる善管注意義務の射程範囲はどこまでなのか。親会社取締役会として一定レベルの「企業集団における内部統制システム」を決定しておくだけで足りるのか、子会社に対し

---

14)　坂本三郎ほか「会社法施行規則等の一部を改正する省令の解説〔I〕」商事2060号（2015年）5頁以下。

15)　坂本編著・前掲注4）237頁。

16

て当該「企業集団における内部統制システム」に応じた社内体制を構築するよう適切な働きかけ・指導を行うことまで求められているのかどうか、仮に子会社に対して働きかけることが求められるとして、どのような働きかけをすれば善管注意義務を尽くしたと評価されるのか、といった点が問題となる。

　この点、親会社取締役会で決定しなければならない「企業集団における内部統制システム」とは子会社を含めた企業グループ全体についての体制であるから、いくら親会社側で立派な「企業集団における内部統制システム」を決定したとしても、子会社側でそれに応じて一定の社内体制を整備し、あるいは親会社の構築した体制に協力する姿勢を示してもらわなければ、想定した効果は得られない。子会社とはいえ別法人であるから、親会社が子会社における内部統制システムを整備することはできないことは当然であるが、親会社は子会社に対して実質的な支配力を有しているのであるから（会社法施行規則3条1項）、その支配力を背景として、企業集団の一員として適切な内部統制システムを整備し、親会社の構築した企業集団における内部統制システムに協力するよう、一定の働きかけを行うことは必要であると考えられる。

　これに対し、親会社は子会社の株主であるという面に注目する立場からは、株主がその有する議決権をどのように行使するかは原則として株主の自由であるから、適切な株主権を行使しないことや株主権を背景に適切な内部統制システムの構築を子会社に働きかけないことで、親会社取締役の責任（善管注意義務違反）が問われるというのは広すぎるという指摘もあるかもしれない。

　しかし、上場企業たる親会社は、株主（親会社株主）に対して親会社の経営を通じて企業価値・株主価値を最大化するための善管注意義務を負っている。親会社は、その事業活動を通じて有形・無形の財産を保有しており、子会社株式はそのような財産の1つである。そうだとすれば、親会社は、株主（親会社株主）に対し、保有する財産である子会社株式の価値を最大化するために努力する義務を負っているはずであり、子会社に対する議決権・支配力を背景に適切な内部統制システムの構築を子会社に働きかけることは、親会社取締役の株主（親会社株主）に対する善管注意義務の1つと言えるだろう。

第 1 章　子会社管理の必要性

　このような考え方は、平成 26 年会社法改正に至る議論の中で複数の委員から主張され、そのような意見が出されたことをふまえて、最終の法制審議会会社法制部会において部会長が「当部会における御議論を通じて、そのような監督の職務〔親会社取締役会による子会社の監督の職務〕があることについての解釈上の疑義は、相当程度払拭されたのではないかと思われます」と述べており [16]、今後の親会社による子会社に対する「監督」の範囲を考える上での指針として留意しておくべきである。

　しかし、子会社株式の価値の最大化という観点から一定の働きかけをすることが求められるとしても、親会社が子会社の社内体制についてどこまで介入するべきなのかについては、そもそも子会社は別法人であるという制約の中で考える必要がある。

　子会社は親会社とは別法人であり、子会社取締役は子会社の企業価値の最大化を責務としている。そのため、子会社に少数株主がいる場合には親会社と少数株主の利益が相反する関係に立ち、親会社からの働きかけが不当な圧力とみなされる可能性がある。また、親子会社間に構造的に競業関係・利益相反関係が存在する場合には、子会社から親会社への情報提供についても制限される可能性もある。

　そのような利益相反・競業関係がないとしても、別法人としている以上、子会社の経営判断は基本的に子会社取締役が行うものであり、子会社の内部統制システムの整備は彼らの事業の種類・規模、リスクの大きさ等を考慮して子会社取締役会が決定するべきものであるというのが基本になるはずである。

　したがって、親会社として「企業集団における内部統制システム」に応じた社内体制の整備をどのように子会社に対して働きかけるべきかという点については、親会社として子会社の価値を高めるために積極的に関与するという方針と別個独立した法人である子会社の自主性を尊重するという方針のバランスをとりながら、検討を進めていくことになろう。かかる検討に際しては、グループガイドラインで示されている具体的な行動（ベストプラクティス）や重要と考えられる視点を参考にすべきである。同ガイドラインでは、グループ設計の在り方、事業ポートフォリオマネジメントの

---

16)　法制審議会会社法制部会第 24 回会議（平成 24 年 8 月 1 日開催）議事録 9 頁〔岩原紳作部会長発言〕。

18

在り方、内部統制システムの在り方、子会社経営陣の指名・報酬の在り方、上場子会社に関するガバナンスの在り方について、基本的な考え方や重要な視点が示されている。

子会社といっても、事業の種類・規模や親会社との関係性は様々であるから、個々の子会社に対してどのように働きかけるべきかという点についても、基本的には親会社取締役の経営判断であり、広い裁量が認められるべきであるが、一般的なベストプラクティスをふまえつつ、裁量の範囲内で検討を進めることが求められる。

(c) グループガイドラインが示す「内部統制システムの在り方」

それでは、グループガイドラインにおいては、どのような内部統制システムが望ましいと考えているのだろうか。

同ガイドラインでは、内部統制システムに関しては、不正予防・コンプライアンスとしての「守りのガバナンス」にとどまらず、「事業戦略の確実な執行のための仕組み」としてとらえ直すという視点が重要であるとした上で、その構築・運用に際しては、法令遵守に限らず、取引先・一般消費者等の多様なステークホルダーの利益にも配慮しつつ、企業価値を支える企業の社会的責任やブランド価値、レピュテーションの維持・向上に向けた取組みとして行うことが期待されると指摘している。

そして、各社の経営方針や各子会社の体制等に応じ、監視・監督型や一体運用型の選択や組合せが検討されるべきであり、ITの活用等により効率性とのバランスを図ることも重要であること、親会社の取締役会は、グループ全体の内部統制システムの構築に関する基本方針を決定し、子会社を含めたその構築・運用状況を監視・監督する責務を負うこと、監査役等は、グループ全体の内部統制システムの監査について、子会社の監査役等との連携により効率的に行うとともに、内部監査部門の活用を図ること（デュアルレポートラインを確保するとともに、経営陣の関与が疑われる場合には監査役等とのレポートラインを優先することを定めておくこと）、が提言されている。

さらに、実効的な内部統制システムの構築・運用の在り方として、第1線（事業部門）、第2線（管理部門）、第3線（内部監査部門）から成る「3線ディフェンス」の導入と適切な運用の在り方が検討されるべきであるとした上で、①第1線（事業部門）におけるコンプライアンスを確保するため、

第1章　子会社管理の必要性

ハード面（ルール整備やITインフラ等）とソフト面（現場におけるコンプライアンス意識の醸成・浸透）の両面から取り組むこと、②第2線（管理部門）の実効的な機能発揮のため、第1線（事業部門）からの独立性を確保し、親子間で直接のレポート等のラインを通貫させること、③第3線（内部監査部門）の実効的な機能発揮のため、第1線（事業部門）と第2線（管理部門）からの独立性が実質的に確保されるべきであり、子会社業務の内部監査については、各子会社の状況に応じて、子会社の実施状況を監視・監督するか、親会社が一元的に実施するかが適切に判断されるべきこと、が重要であるとされている。

そのほか、監査役等や第2線・第3線における人材育成、ITやデータアナリティクスの活用による内部監査の効率性・精度の向上、グループ全体やサプライチェーンも考慮に入れたサイバーセキュリティ対策、有事対応などに取り組むことの重要性が指摘されている。

(2)　金商法に基づく「財務報告に係る内部統制」

(a)　「財務報告に係る内部統制」が金商法で定められた趣旨

金商法は、企業内容等の開示の制度を整備することを目的として掲げており、上場会社に対し、有価証券報告書・内部統制報告書等の提出を義務づけ（金商法24条以下）、企業情報の継続開示を求めている。

このような継続開示制度は、株式市場を利用している上場企業に対し、当該企業の株式の価値を判断するために重要な情報（当該企業の財政状態・経営成績など）の開示を強制し、その違反に対して制裁手段を用意することによって、市場参加者（株主）の市場に対する信頼を確保し、株式市場の機能維持を図ることを目的としている。したがって、当然ながら虚偽の情報を開示したり、都合の悪い情報を開示しないことは許されず、そのような不実な情報開示にはペナルティが科せられる。

ここで開示を求められる重要情報は、企業グループの財政状態及び経営成績を表示する財務諸表、セグメント情報、業績予想などの将来情報、ガバナンス情報などである。もともとは会社法と同様、単体での情報開示がベースであったが、持株会社の解禁と合わせて、平成10年の証券取引法改正により、連結ベースでの開示へ移行することとなった。現在では、金融商品取引所による適時開示ルールなども含めて、投資家への情報開示にお

いては連結ベースが基本である。

　そのため、有価証券報告書等で記載を求められている連結ベースの情報
（連結財務諸表に反映される財務情報やその他の重要情報）に誤りがあり、その
結果として不実記載となってしまった場合には、当該報告書等を提出した
親会社・親会社役員に対して有価証券報告書等の不実記載に基づくペナル
ティが科せられることになる。具体的には、課徴金納付命令（金商法 172 条
の 4）や刑事罰（同法 197 条 1 項 1 号、207 条 1 項 1 号）のほか、親会社・親
会社役員は有価証券報告書等の不実記載に基づく損害賠償責任を負う（同
法 21 条の 2、22 条、24 条の 4）。

　しかし、このような事後的なペナルティだけでは虚偽のディスクロー
ジャーを防止するために十分ではない。

　企業の情報開示（ディスクロージャー）をめぐる不祥事は日本だけでなく
海外でも多く、米国ではエンロン事件等を契機として平成 14（2002）年に
企業改革法（サーベンス・オクスリー法）が成立し、財務報告に係る内部統
制について、経営者の評価と公認会計士等による監査が義務づけられるこ
ととなった。

　日本でも、平成 16 年以降、有価証券報告書の虚偽記載等をめぐる不祥事
が相次いだことを受けて、財務報告の記載の適正性を確保するための体制
強化の必要性が指摘され、平成 20 年 4 月より、確認書制度（金商法 24 条
の 4 の 2）とともに、「当該会社の属する企業集団及び当該会社に係る財務
計算に関する書類その他の情報の適正性を確保するために必要なものとし
て内閣府令で定める体制」（財務報告に係る内部統制）について評価した報告
書（内部統制報告書）を有価証券報告書と併せて内閣総理大臣に提出しなけ
ればならないとする内部統制報告制度（同法 24 条の 4 の 4）が導入された。

(b)　「財務報告に係る内部統制」の評価

　「財務報告に係る内部統制」とは、会社における財務報告が法令等に従っ
て適正に作成されるための体制をいい（内部統制府令 2 条 2 号）、ここでい
う「財務報告」とは、財務諸表（連結財務諸表を含む）及び財務諸表の信頼
性に重要な影響を及ぼす開示に関する事項に係る外部報告をいう（同条 1
号）。

　経営者は、財務報告に係る内部統制について評価して報告しなければな
らないのであるから、その前提として、適正な評価を受けるに足る内部統

第1章　子会社管理の必要性

制を構築しなければならない。

　具体的にどのような内部統制を構築・運用するべきかについては、個々の会社の事業の種類・規模・特性や当該会社を取り巻く環境等によって異なるため、各社がそれぞれの事情を勘案して適切な内部統制の在り方を工夫すべきであり、この点は会社法に基づく内部統制システムと同様である。

　しかし、各社が自ら適切に工夫して構築していくべきであるというだけでは実務上の対応が困難であるという意見が多く出されたことから、企業会計審議会より「財務報告に係る内部統制の評価及び監査の基準並びに財務報告に係る内部統制の評価及び監査に関する実施基準の設定について（意見書）」（平成19年2月15日）が公表され、財務報告に係る内部統制の構築・評価・監査についての具体的な指針が示されている（その後公表された「財務報告に係る内部統制の評価及び監査の基準並びに財務報告に係る内部統制の評価及び監査に関する実施基準の改訂について（意見書）」（令和5年4月7日）においても、同趣旨の指針が示されている）。

　そこでは、内部統制とは、①業務の有効性及び効率性（事業活動の目的の達成のため、業務の有効性及び効率性を高めること）、②財務報告の信頼性（財務諸表及び財務諸表に重要な影響を及ぼす可能性のある情報の信頼性を確保すること）、③事業活動に関わる法令等の遵守（事業活動に関わる法令その他の規範の遵守を促進すること）、④資産の保全（資産の取得、使用及び処分が正当な手続及び承認の下に行われるよう、資産の保全を図ること）の4つの目的が達成されているとの合理的な保証を得るために、業務に組み込まれ、組織内の全ての者によって遂行されるプロセスをいい、6つの基本的要素（①統制環境、②リスクの評価と対応、③統制活動、④情報と伝達、⑤モニタリング、⑥ITへの対応）から構成されるとされている。

　そして、内部統制に関係を有する者の役割と責任として、①経営者は、組織の全ての活動について最終的な責任を有しており、その一環として、取締役会が決定した基本方針に基づき内部統制を整備及び運用する役割と責任があり、その責任を果たすための手段として、社内組織を通じて内部統制の整備及び運用（モニタリングを含む）を行うこと、②取締役会は、内部統制の整備及び運用に係る基本方針を決定するとともに経営者の業務執行を監督することから、経営者による内部統制の整備及び運用に対しても監督責任を有すること、が定められている。

(3) 金融商品取引所規則に基づく「業務の適正を確保するために必要な体制」

　金融商品取引所規則においても、会社法及び金商法と同様、企業集団における「業務の適正を確保するために必要な体制」の整備を決定することが求められている。

　例えば、有価証券上場規程では、上場会社は、当該上場会社の取締役又は執行役の職務の執行が法令及び定款に適合することを確保するための体制その他上場内国会社の業務並びに当該上場内国会社及びその子会社から成る企業集団の業務の適正を確保するために必要な体制の整備（会社法362条4項6号、同法399条の13第1項1号ハ又は同法416条1項1号ホに規定する体制の整備をいう）を決定するとともに、当該体制を適切に構築し運用するものとされている（有価証券上場規程439条）。

　また、上場会社が提出する金商法上の有価証券報告書等に不実記載があった場合において、金融商品取引所が当該上場会社の内部管理体制等について改善の必要性が高いと認めるときは、当該上場会社の株式を特別注意銘柄に指定して、その後の内部管理体制の改善状況を審査することができる（有価証券上場規程503条）。

　このように、有価証券上場規程においても、会社法で定める「企業集団における内部統制システム」あるいは内部管理体制等を適切に構築・運用することが求められている一方で、投資判断に重要な影響を与える会社の業務・運営等に関する情報（子会社等の情報も含む）について適時開示することが義務づけられ、万一適時開示した情報に虚偽等があれば、改善報告書の徴求や特別注意銘柄への指定・上場廃止などの厳しいペナルティが科されることとなっている。

　したがって、金融商品取引所規則に基づく「業務の適正を確保するために必要な体制」を構築する上では、親会社（上場会社）として連結ベースでの適時開示情報の正確性を担保するべく、子会社における重要情報（決定事実、発生事実、業績予想の修正等）を適時適切に把握できる仕組みを検討する必要がある。

第1章　子会社管理の必要性

③　子会社管理責任に関する裁判例

　親会社による子会社管理責任について争われた裁判例は、令和以降、いくつか出てきているものの、現時点においてはまだ事例が集積しているとは認められない。そもそも日本企業においてグループ経営・連結経営が主流となってきてからまださほど長い時間が経過していないため、子会社の不祥事等により損害が発生した場合に親会社取締役に対して子会社の管理・監督に関する責任を問うことができるかという問題について、統一的な判断基準が示されているとは言い難い状況である。

　とはいえ、「子会社管理」の在り方が企業における重要な経営課題となっている以上、子会社管理責任について裁判で争われた場合にどのような判断が下される可能性があるのか、検討しておく必要がある。

　以下では、まず、①子会社の不正行為に関して役員責任が問題となった裁判例を整理する。

　さらに、親子会社関係がある場合に限定せず、子会社管理を考える上で参考になる裁判例として、②従業員の不正行為に関して会社役員の責任（内部統制システム構築義務違反、監視義務違反）が問題となった裁判例、③有価証券報告書等の不実記載に関して会社役員の責任（相当な注意の有無）が問題となった裁判例を概説し、裁判所の判断の傾向を分析してみることとする。

(1)　子会社の不正行為に関する役員責任

(a)　裁判例

　親子会社関係の下で子会社において不正行為が行われた場合に親会社又は子会社の役員の責任が追及された裁判例は、【別表1】のとおりである。

　ほとんどは親会社又は親会社株主が親会社役員の責任を追及するものであるが、子会社の少数株主が子会社役員の責任を追及した例もある。

③　子会社管理責任に関する裁判例

【別表1】

親会社又は親会社株主が親会社役員の会社に対する役員責任を追及した事例	
①最判平成5年9月9日民集47巻7号4814頁	
事案の概要	A会社はB会社との吸収合併を計画していたところ、CがA会社株式を買い集めた上で合併に反対したことから、A会社の常務会はC所有の株式をA会社の100%子会社であるD会社に時価よりも高い価格で買い取らせ、それをグループ会社に買取価格よりも安い価格で売却させることを決定し、D会社はこの決定を実行した。A会社の株主Xは、D会社による株式の買取が商法（当時）違反であるとして、買取当時のA会社の取締役Yらに対して株主代表訴訟を提起した。
判旨	D会社による本件A会社株式取得は商法210条違反であり、YらはA会社に対して責任を負う。D会社は買取価格と処分価格との差額の損害を被っており、他に特段の事情が主張立証されていない本件では、D会社の上記損害によりA会社は同額の損害を被ったものであるから、同額の賠償責任を負う。
②東京高判平成6年8月29日金判954号14頁	
事案の概要	A会社は、いわゆる仕手筋から自社株式の取得を余儀なくされたため、これをその後に設立したA会社の100%子会社であるB会社に仕手筋からの取得価額と同額で譲り渡し、B会社をして第三者に処分させた。A会社の株主Xは、一連の行為が違法であるとして、A会社の代表取締役の相続人Y₁〜Y₅及びA会社の常務取締役であったY₆に対して株主代表訴訟を提起した。
判旨	株式会社が違法に取得した自己株式を同社から譲り受けた子会社がこれを第三者に処分して損失を被った場合において、子会社の株式の全部を所有する親会社の当該子会社の株式に評価損を生じたときは、親会社の取締役Yらは、親会社の被った損害として、右評価損に相当する額を賠償する責任を負う。

第 1 章　子会社管理の必要性

③東京地判平成 7 年 10 月 26 日判時 1549 号 125 頁[17]	
事案の概要	A 会社の代表取締役 Y_1・Y_2 らが A 会社を代表してグループ企業である B 会社に対して行った融資が B 会社の破産により回収不能となったことによる損害について、A 会社の株主 X が Y_1・Y_2 らに対して株主代表訴訟を提起した。その中で、Y_1 が A 会社の子会社である C 会社の代表取締役として C 会社を代表して B 会社に対して行った融資が回収不能となったことについての A 会社に対する責任も追及された。
判旨	A 会社による融資については Y_1・Y_2 らは善管注意義務違反の責任を負う。C 会社を代表して行った融資については、C 会社について法人格を否認するための形骸化又は法人格濫用の要件は備わっておらず、Y_1 の行為が C 会社に対する義務違反となるとしても、それが直ちに A 会社の損害となり、A 会社に対する義務違反になるものではない。
④東京地判平成 13 年 1 月 25 日判時 1760 号 144 頁	
事案の概要	A 会社の 100％子会社である B 持株会社（米国）の 100％子会社 C 証券会社（米国）について、①C 会社がその保有する外国証券及びメキシコ国債について 100％の引当金を計上せず、その結果、SEC 規則によって維持すべきものとされる自己資本金額を維持しなかったこと、②C 会社が不正確な定期報告書を会員となっているニューヨーク証券取引所に提出したこと等により、上記 SEC 規則違反を理由に合計 118 万米ドルの課徴金が課され、C 会社は同額を納付した。そこで、A 会社の株主 X が、C 会社の会長及び社長は A 会社専務取締役及び常務取締役が兼任しており、C 会社は実質的には A 会社のニューヨーク支店というべき会社であり、A 会社の取締役 Y_1～Y_6（X が問題としている C 会社の法令違反行為があった当時の経営トップなど）は、C 会社の違法な定期報告書の内容について内規により承認していたことにより取締役の注意義務に違反していること、仮に内規がないとしても A 会社取締役は C 会社の経営を監視するために A 会社の内規を制定すべき義務に違反していることを主張して、株主代表訴訟を提起した。

---

17)　東京高判平成 8 年 12 月 11 日金判 1105 号 23 頁参照、最判平成 12 年 9 月 28 日金判 1105 号 16 頁。

判旨	親会社と子会社（孫会社も含む）は別個独立の法人であって、子会社（孫会社）について法人格否認の法理を適用すべき場合のほかは、財産の帰属関係も別異に観念され、それぞれ独自の業務執行機関と監査機関も存することから、子会社の経営についての決定や業務執行は子会社の取締役（親会社の取締役が子会社の取締役を兼ねている場合はもちろんその者も含めて）が行うものであり、親会社の取締役は、特段の事情のない限り、子会社の取締役の業務執行の結果子会社に損害が生じ、さらに親会社に損害を与えた場合であっても、直ちに親会社に対し任務懈怠の責任を負うものではない。もっとも、親会社と子会社の特殊な資本関係に鑑み、親会社の取締役が子会社に指図をするなど、実質的に子会社の意思決定を支配したと評価しうる場合であって、かつ、親会社の取締役の右指図が親会社に対する善管注意義務違反や法令に違反するような場合には、右特段の事情があるとして、親会社について生じた損害について、親会社の取締役に損害賠償責任が肯定されると解される。 　本件においては、C会社（及びB会社）の法人格が濫用されていたという事実、Xらの主張する善管注意義務違反の事実のいずれについても認められず、Y_1〜Y_6は責任を負わない。

⑤東京地判平成23年11月24日判時2153号109頁

事案の概要	X会社は、同社及びその子会社であるA社の代表取締役であったYに対し、A社がグループ会社全体としても重要な意義を有する工場等の用に供する広大な不動産（本件不動産）を購入したものの、後に工場の稼働を断念せざるを得ないほどの騒音規制が発覚したことについて、本件不動産の購入に先立つ調査義務違反と騒音規制が発覚した後の損害拡大の結果回避義務違反に基づく責任を追及した。
判旨	本件不動産の購入の前提となる調査の必要性及び程度についての判断に著しく不合理な点は認められず、取締役としての善管注意義務に違反したとはいえない。

⑥福岡高判平成24年4月13日金判1399号24頁

事案の概要	A会社の子会社であるB会社が「グルグル回し取引」と称される取引を行って経営破綻したことを契機として、A会社の株主Xが、A会社の当時の代表取締役Y_1、専務取締役Y_2及び常務取

第 1 章　子会社管理の必要性

	締役 Y₃ に対し、①A 会社が B 会社の経営状況を調査しないで B 会社の取引先に対する極度額の定めのない連帯保証契約を締結したこと、②B 会社に対する高額の融資を行ったこと、③B 会社の再建を図るため、A 会社の B 会社に対する債権を放棄し、B 会社に対する新規の貸付を行ったことが善管注意義務・忠実義務に違反するとして株主代表訴訟を提起した。
判旨	親会社の代表取締役・取締役は、グルグル回し取引によって不良在庫を抱えて経営が破綻した子会社に対する監視を怠り、子会社の経営状況を調査しないで親会社に子会社の取引先に対する極度額の定めのない連帯保証契約を締結させ、また、子会社に対する高額の融資をさせた点においては、取締役としての忠実義務及び善管注意義務に違反するが、子会社の再建を図るため、子会社に対する債権を親会社に放棄させ、さらに、子会社に対する実質的には既存の貸付金を減額した上でその返済期限を猶予するに等しい新規の貸付をさせた点においては、取締役としての忠実義務及び善管注意義務に違反しない。

⑦東京地判令和 2 年 2 月 27 日金法 2159 号 60 頁

事案の概要	銀行持株会社（A 社）の株主が、A 社の取締役らに対し、A 社の完全子会社である B 銀行とクレジット会社（後に A 社を中心とする企業グループに属することになる）との提携ローンにおいて、融資先に A 社の内部基準によれば反社会的勢力に該当する者が含まれていることを認識したにもかかわらず、①B 銀行において新たに反社会的勢力との取引が発生することを防止するための体制を構築する義務、②B 銀行に対し、反社会的勢力との取引を解消するために具体的な措置を講じるよう求める義務を怠ったとして、会社法 423 条 1 項、847 条 3 項に基づき損害賠償請求を行った。
判旨	銀行持株会社の取締役は、反社会的勢力に対してグループの組織全体で対応することができるよう、倫理規定や社内規則等の規程を制定するとともに、専門の部署を設置するなどして組織体制を整備し、グループ全体として顧客の属性判断を行う体制を内部統制システムとして構築する義務、そしてこれが適正かつ円滑に運用されるように監視する義務を負っているが、それ以上に、グループ内の子会社の業務において、その円滑な運用に支障を来すような事情が見受けられないにもかかわらず、子

会社である銀行に対して具体的な業務を直接指導するなどの義務を負うことはない。

⑧東京地判令和3年11月25日金判1642号44頁	
事案の概要	A社の株主が、A社の海外事業統括を職務分掌とされた取締役であり、A社の海外子会社（B社）の代表者であった被告に対し、被告が、①被告及びその親族が株主である香港法人（X社）の第三者（Y）に対する貸金債権を回収する目的等で、B社の代表者として、当該第三者（Y）が関与する会社に対して貸し付けたこと、②自己の個人的な利益を図る目的で、B社の代表者として小切手を振り出したこと、③A社の海外孫会社（C社）の取締役に指示して、金融機関からの借入れによりX社に生じた利息等相当額をC社に支払わせたことについて、A社の取締役としての善管注意義務・忠実義務違反であると主張して、会社法423条1項に基づき損害賠償請求を行った。
判旨	当該事実関係の下では、A社の海外事業統括の業務担当取締役は、海外子会社等の業務を執行又は監視するに当たり、その地位を利用して会社の利益の犠牲の下に自己の利益を図ってはならない義務を会社に対する善管注意義務・忠実義務として負っていた。自らが海外子会社（B社）の代表者であることを利用して、①自己の資産管理会社（X社）の利益を図ることを目的に、貸付先の返済能力を検討することなく、A社からB社に対して別の使途で拠出された資金の一部を用いて貸付を行った行為、②自己の個人的な利益を図る目的で小切手を振り出した行為、③海外孫会社（C社）の取締役に対して指示して、金融機関からの借入れによりX社に生じた利息等相当額をC社に支払わせたことは、A社の取締役としての善管注意義務ないし忠実義務に違反する。

⑨大阪地判令和6年1月26日金判1697号21頁	
事案の概要	P社の株主が、P社取締役らに対し、P社の子会社（Q社）が建築基準法所定の国土交通大臣による認定において定められた技術的基準（大臣評価基準）に適合しない建築用免震積層ゴムを販売していたことについて、①大臣評価基準に適合しない免震積層ゴムの出荷停止を判断すべき善管注意義務を怠ったことで交換費用等に係る損害が生じたこと、②免震積層ゴムに係る問題を国土交通省に報告するとともに一般に公表する判断をすべ

第1章　子会社管理の必要性

	き善管注意義務を怠ったことで信用毀損による損害及び社外調査チーム設置費用に係る損害が生じたことを主張して、会社法423条1項に基づき損害賠償を請求した。
判旨	子会社が製造する製品が大臣評価基準に適合していないと認識ないし評価したにもかかわらず、出荷停止の判断をしなかった親会社取締役につき、任務懈怠が認められた。 子会社が製造し、出荷した製品に大臣評価基準を満たしていないものがあることについて、国土交通省への報告及び一般への公表をするという判断をしなかった親会社取締役につき、任務懈怠が認められた。

子会社の少数株主が子会社役員の子会社に対する役員責任を追及した事例

⑩大阪地判平成14年2月20日判タ1109号226頁

事案の概要	A証券の株主Xが、A証券の代表取締役及び取締役であったYらに対し、A証券が多額の債務超過に陥った関連会社B会社を清算するに当たり、A証券がB会社に対して160億円を供与したことが、A証券の支配株主であるC銀行のB会社に対する貸付金の返済を肩代わりしたにすぎず、A証券の利益に反してC銀行の利益を図るものであるとして、取締役としての忠実義務（商法254条ノ3）違反に基づく損害賠償を請求した。
判旨	A証券はC銀行の完全子会社ではないから、A証券の取締役としては、A証券の少数株主に対する配慮が欠かせないのであり、多数株主であるC銀行の利益を図るために少数株主の利益を犠牲にしてはならない。したがって、本件についても、A証券の全株主の利益を図るという観点から見て、本件供与について、Yらに善管注意義務・忠実義務違反があるかどうかが問題となる。 本件供与は160億円という多額の資金供与であるが、無償行為であるからといって直ちに善管注意義務・忠実義務違反に該当するものではなく、関連会社が連結決算の対象となることからくる清算の必要性、資金供与という方法の合理性、金額の合理性といった資金供与の内容と、法的整理手続との比較・検討や弁護士等への意見照会といった決定過程に照らすと、取締役に与えられた裁量の範囲を逸脱していないから、善管注意義務・忠実義務違反を認めることはできない。

⑪東京地判平成 31 年 4 月 26 日金法 2142 号 57 頁	
事案の概要	3 社（A 社、B 社、Y₁ 社）で設立した合弁会社（X 社）において、Y 社から派遣されていた取締役 Y₂ 及び監査役 Y₃ が、X 社の事業を第三者に売却し、その代金の一部を他社名義の業務委託料として受領して X 社に取得させなかったことが、Y₂ 及び Y₃ に X 社に対する不法行為に該当し、Y₁ 社には当該不法行為につき使用者責任があるとして、取締役及び監査役としての責任（会社法 423 条）及び不法行為責任に基づく損害賠償を請求した。
判旨	取締役及び監査役が合弁会社の事業を第三者に売却し、その代金の一部を他社名義の業務委託料として受領して合弁会社に取得させなかったことは、合弁会社に対する不法行為を構成する。3 社の出資により設立された合弁会社に、当該出資をした会社の意向を反映させるため当該出資会社の従業員としての身分を保有したまま当該合弁会社の取締役及び監査役に就任した者が、上記の不法行為を行った場合、当該出資会社は使用者責任を負う。

(b) 親会社役員の責任について

　子会社の不正行為に関して親会社役員の責任が追及された裁判例は、さほど数が多くない上に古いものが多かったが、最近になって、複数の事例が出てきている。

　従前の裁判例の傾向としては、親会社が子会社に対して違法・不当な指図を行って実質的に子会社の意思決定を支配するなどの事情が認められない限り、親会社役員の責任を認めないという限定的なスタンスをとっていた。このような裁判例の状況については、平成 9 年以降の一連の法改正（持株会社の解禁）の前後における学説の状況が反映されているのではないかという分析がされている。

　すなわち、持株会社の解禁以前の学説では、親子会社における問題点として、親会社の子会社に対する支配力行使により子会社、子会社の株主及び子会社の債権者に損害が生じた場合における親会社又は親会社取締役の責任について関心が持たれていた。このような子会社側の利益保護という観点から議論する場合には、どうしても親会社による子会社に対する支配力行使にはネガティブな評価を与えられることになる。そのため、親会社の取締役が子会社の事業活動を支配しない（子会社の経営に介入しない）こ

第1章　子会社管理の必要性

とが善とされ、親会社取締役の子会社管理に関する責任という問題点は論じられることがなかった。ところが、持株会社が解禁されると、新たに親会社取締役の子会社管理に関する責任の問題が議論されるようになった。しかも、それまでの議論とは大きく異なり、子会社に対する支配力の行使こそが親会社とその取締役の任務ということになり、子会社に対して不当な支配力を行使した場合に責任が生じるだけでなく、支配力を行使しないことによっても親会社取締役に任務懈怠の責任が発生し得るのではないかという問題意識がもたれるようになった。持株会社の解禁からさほど間もない【別表1】④の判決（東京地判平成13年1月25日）で、親会社取締役の子会社に対する監督責任を限定的にとらえているのは、このような学説の傾向とある程度平仄が合っていると考えられると指摘されている[18]。

しかし、持株会社が解禁された後の法改正における議論を見ると、親会社取締役の子会社管理に関する責任の問題は、ますます大きな関心を集めている。特に平成26年会社法改正では、親会社株主の保護という観点から、多重代表訴訟制度が新設されたほか、企業集団における内部統制システムについて親会社取締役会で決定することが会社法上明記されるなど、親会社による子会社管理責任が大きなテーマとされた。

このような法改正とそれを通じた議論の内容に照らすと、今後、親会社取締役による子会社管理の責任が争われた場合には、かつての親会社取締役の子会社に対する監督責任を限定的にとらえる判例法理（【別表1】④の判決）がそのまま適用されるとは考えにくいとする評釈が多い[19]。

その後に出された【別表1】⑥の判決（福岡高判平成24年4月13日）では、親会社取締役による子会社監視義務の有無も争点とされており、子会社の取締役・監査役を兼務していた親会社取締役に対して一定の責任が認められていることを勘案すると、将来的に親会社の取締役に対して子会社管理責任が認められるリスクは高くなっているものと考えられる。この判決の評釈では、子会社の株式は親会社にとっては財産であり、親会社の取締役は、そのような財産の価値を維持するため、一定の範囲で子会社について

---

18)　山下友信「持株会社システムにおける取締役の民事責任」金融法務研究会編『金融持株会社グループにおけるコーポレート・ガバナンス』（金融法務研究会事務局、2006年）28頁。

19)　山下・前掲注18）41頁、伊藤靖史「福岡魚市場株主代表訴訟事件の検討〔上〕」商事2034号（2014年）14頁など。

32

監視しなければならないという考え方が一般的になっていることを前提として、①親会社の財産である子会社株式を適切に管理するためには、親会社の取締役は、子会社の経営状況を把握する必要がある、②もっとも、子会社が親会社にとって有する重要性は様々であり、それによって、親会社取締役が監視のために具体的に行うべきことも変わる上、子会社自身の機関による監視をある程度信頼することができる、③親会社取締役が子会社について踏み込んだ情報収集・是正のための措置をとらなければならないのは、子会社において適切でない行為が行われている兆候がある場合に限られる、という見解が示されている[20]。そのほかにも、少なくとも子会社における不正が存在する場合あるいは不正を疑わせる事情が存在する場合には、子会社取締役による子会社管理が適切に行われている可能性が高く、そのままだと子会社に損害が生じて親会社にも損害が生じる危険性が大きいのであるから、親会社取締役をして子会社の不正の是正・発見に尽力させる必要が大きいという見解[21]、少なくとも今後親会社の取締役は、子会社の問題を認識し得る立場にあったならば（特に子会社役員を兼務している取締役は子会社の不正を把握しやすい立場にある）、客観的な証拠によって状況を調査するなど積極的な対応をとらなければ、親会社の取締役としての責任が問われるリスクがあることをふまえて対応する必要があるという見解[22]、なども示されている。

　その後、【別表1】⑦の判決（東京地判令和2年2月27日）では、銀行持株会社の取締役に対し、企業グループ内の子会社の業務に関する監視義務等の違反の有無が正面から争われた。銀行子会社の管理については、銀行法の規定を根拠として、銀行持株会社は銀行子会社について、あたかも一内部部門であるかのようにコントロールすることが求められているとして、銀行持株会社の取締役が管理不足についての任務懈怠責任を負うとする説もあるとのことである。しかし、本判決では、A社のグループとしての反社会的勢力との取引防止のための内部統制システムの構築は相当なものであり、直ちに是正しなければならないような状況ではなかったとして、A社の取締

---

20)　伊藤・前掲注19) 14頁。

21)　久保田安彦「判例解説　福岡魚市場株主代表訴訟事件―福岡地判平成23年1月26日・金判1367号41頁―」監査役599号（2012年）87頁。

22)　中川秀宣＝植野公介「親会社取締役の子会社監視義務等（福岡魚市場事件）」金法2009号（2015年）95頁。

役に対して法的義務違反として責任を追及することまではできないと判示された。

さらに、【別表1】⑨の判決（大阪地判令和6年1月26日）では、子会社による技術的基準（大臣評価基準）に適合しない建築用免震積層ゴムの販売に関して、出荷停止の判断をしなかったことや国土交通省への報告及び一般への公表をするという判断をしなかったことにつき、親会社取締役の任務懈怠が認められている。その際、親会社は、自ら製造等していた免震積層ゴムの事業を子会社に行わせ、その事業方針等の指揮監督を行うほか、親会社の従業員を子会社の役員に選任し、本件出荷という具体的な業務執行の意思決定についても親会社の取締役によってされ、本件出荷に伴う損害賠償金も親会社が負担していることなどに照らせば、本件出荷に係る判断は、親会社の業務執行の一環として行われたものというべきであると判示されている。

以上のとおり、これまでの裁判例に照らすならば、子会社の不正な業務執行についても親会社の業務とみなすことができるような事情がある場合を除き、親会社取締役に対して子会社管理に係る内部統制システムの構築・運用について任務懈怠が正面から認められた事案は認められない。しかし、子会社管理に係る内部統制システムの不備について争われるリスクは増えつつあると考えられる。

(c)　子会社役員の責任について

子会社の少数株主が、子会社が行った資金供与が子会社の利益を犠牲にして支配株主の利益を図るものであるとして子会社取締役の忠実義務違反を主張した例としては、【別表1】⑩の判決（大阪地判平成14年2月20日）がある。

親会社が子会社に対して不当な圧力をかけた場合における子会社の少数株主の保護という問題は、平成26年会社法改正のテーマの1つとされており、同改正により、子会社取締役会において親会社等との取引によって子会社が不利益を受けることがないかどうかを検討し、その判断及び理由等を子会社の事業報告で開示することが義務づけられた（会社法施行規則118条5号）。そのため、親会社の役職員が子会社の取締役を兼務している場合などには、親会社・企業集団としての利益を優先してしまうと、子会社に対する善管注意義務・忠実義務違反を問われるリスクがあることに留

意しておくべきである。

　もっとも、グループ経営・連結経営という観点からは、グループの一員である子会社としての利益と親会社を含めた企業グループの利益は強く関連しているから、ある取引が子会社の利益を侵害しているかどうかについては、当該取引だけに焦点を当てて断片的に判断するべきではなく、より長期的かつ全体的な視点が必要とならざるを得ない。【別表1】⑩の判決（大阪地判平成14年2月20日）でも、無償供与だからといって直ちに義務違反に該当するものではないとして、その他の事情を総合考慮した上、子会社取締役の裁量の範囲内であると判示している。

　ただし、子会社取締役会による企業グループ全体の利益も考慮した総合的な経営判断が尊重されるためには、子会社が自主独立した立場で親会社等との取引の合理性を検証していることが必要である（会社法施行規則が、子会社の社外取締役が異なる意見を述べた場合には事業報告に当該意見を記載するよう求めているのも、同趣旨であると考えられる）。そうだとすると、子会社における意思決定の過程において親会社から何らかの働きかけがあると、親会社等との取引の合理性が認められない可能性が高まるため、親会社において子会社管理の方針を検討する上でも注意する必要がある。

(2)　従業員の不正行為に関する役員責任

(a)　裁判例

　従業員の不正行為に関して役員責任（内部統制システム構築義務違反、監視義務違反）が追及された裁判例のうち、参考となりそうな事例は、【別表2】のとおりである。

　これらはいずれも単体の会社における内部統制システムの構築・運用義務又は監視義務について争われた事案であり、企業集団における内部統制システムの構築・運用や子会社に対する監視の是非について争われた事案は見当たらない。しかし、平成26年会社法改正の経緯を見ると、親会社による子会社管理責任を論じる上で、企業集団における内部統制システムが適切に決定・運用されているかどうかが重要なポイントとなることは明らかである。そうだとすれば、単体の会社における内部統制システムに係る責任について、裁判所がどのような判断をする傾向にあるのか、検討しておくべきである。

第 1 章　子会社管理の必要性

【別表 2】

株主から内部統制システムに係る会社に対する役員責任を追及された事例	
①大阪地判平成 12 年 9 月 20 日判時 1721 号 3 頁	
事案の概要	A 銀行のニューヨーク支店の従業員 B が長年にわたり無断で簿外取引等を続けて約 11 億ドルの損失を出し、損失を隠ぺいするために明細書の作り替え等を行っていたが、その後、A 銀行の頭取宛に無断取引による損失を告白した。A 銀行の代表取締役らは上記告白の調査を行うとともに、ニューヨーク連邦準備銀行に対して提出すべき報告書に虚偽の記載をするなどして隠ぺい工作を行った。A 銀行は、右隠ぺい等に関して刑事訴追を受け、有罪答弁をして罰金 3 億 4000 万ドルを支払い、米国内における銀行業務の停止命令に同意して、銀行業務を停止した。A 銀行の株主 X は、①従業員 B による長年にわたる無断取引等の不正な証券取引により A 銀行に巨額の損害が生じたこと、②右の不正な証券取引の隠ぺい等が米国の法令に違反したとして A 銀行が起訴され、有罪答弁を余儀なくされたことについて、A 銀行の取締役・監査役 Y らに対して善管注意義務違反に基づく責任を追及した。
判旨	■健全な会社経営を行うためには各種のリスク等を正確に把握し、適切に制御すること（リスク管理）が不可欠であり、会社が営む事業の規模、特性等に応じたリスク管理体制（いわゆる内部統制システム）の整備が必要である。 ■会社経営の根幹に関わるリスク管理体制の大綱については、取締役会で決定することを要し、業務執行を担当する代表取締役及び業務担当取締役は、大綱をふまえ、担当する部門においてリスク管理体制を具体的に決定するべき義務を負う。もっとも、整備すべきリスク管理体制の内容は、リスクが現実化して惹起する様々な事件事故の経験の蓄積とリスク管理に関する研究の進展により、充実していくものであるから、現時点で求められているリスク管理体制の水準をもって、本件の判断基準とすることは相当でない。どのような内容のリスク管理体制を整備すべきかは経営判断の問題であり、会社経営の専門家である取締役に広い裁量が与えられている。 ■取締役は、善管注意義務及び忠実義務として、リスク管理体

制を構築すべき義務及び代表取締役・業務執行取締役がリスク管理体制を構築すべき義務を履行しているか否かを監視する義務を負い、監査役（小会社を除く）は、善管注意義務として、取締役がリスク管理体制の整備を行っているか否かを監視すべき義務を負う。

本件においては、海外支店において適切な財務省証券の保管残高の確認を怠ったものであり、当該支店を担当する取締役及び当該支店を往査した監査役は任務懈怠の責任を負う（それ以外の取締役・監査役の責任は否定）。

■取締役が会社経営を行うに当たっては、法令遵守は会社経営の基本であり、商法266条1項5号（当時）は、日本の法令のみならず、事業を海外展開する場合にはその国の法令に遵うことも求めている。取締役は会社経営に当たり広い裁量が認められているが、その裁量も法令に違反しない限りのものであり、外国法令を含む法令に遵うか否かの裁量は認められていない。

本件においては、米国で事業を展開していたにもかかわらず、米国当局の監督を受けていること及び米国の外国銀行に対する法規制の峻厳さに対する正しい認識を欠き、米国当局に対する届出を行わず、米国法令違反行為を行ったものであるから、それに関わった取締役は経営判断として免責されず、任務懈怠の責任を負う。

②東京地判平成16年5月20日判時1871号125頁	
事案の概要	A会社は、アメリカの黒鉛電極メーカー（U社）を教唆・幇助してカルテルを維持・形成させたとして米国連邦裁判所に起訴され、連邦司法省との間で罰金1億3400万米ドルを支払うとの量刑合意をして同額の罰金を支払い、カルテルの被害者から民事訴訟を提起され、和解金4500万ドルを支払った。 A会社の株主Xは、本件カルテルの期間内にA会社の取締役・監査役であったYらに対し、①本件カルテルへの組織的関与、②本件カルテルに関与した従業員Bに対する監督責任、③法令遵守体制構築義務違反を主張して、善管注意義務違反に基づく責任を追及した。
判旨	■本件における事実経過に照らすと、A会社が本件カルテルへ組織的に関与していたことを認めるに足りる証拠はない。

第 1 章　子会社管理の必要性

	■本件カルテルのもととなった U 社投資案件を直接担当し、B の直属の上司であった取締役 Y ら 2 名については、B に対する監督責任（認識可能性）が問題となるところ、本件における事情に照らすと、Y ら 2 名において本件カルテルの存在及び B の関与を認識することが可能であったと認めるに足りる証拠はないから、Y ら 2 名に善管注意義務違反は認められない（その余の取締役については、X が再三の釈明にもかかわらず各自の業務分担等を主張しないから、主張自体失当である）。 ■法令遵守体制構築義務違反については、A 会社の補助参加により A 会社の法令遵守体制に関する証拠資料が多数提出されたにもかかわらず、X は、①A 社の法令遵守体制の具体的不備、②本来構築されるべき体制の具体的内容、③これを構築することによる結果回避可能性について何ら具体的主張を行わないから、主張自体失当であると評価し得る。A 会社は、各種業務マニュアルの制定、法務部門の充実、従業員に対する法令遵守教育の実施など、北米に進出する企業として、独占禁止法の遵守を含めた法令遵守体制を一応構築していたことが認められるから、いずれにせよ、法令遵守体制構築義務違反の主張には理由がない。

③大阪高判平成 18 年 6 月 9 日判時 1979 号 115 頁	
事案の概要	A 会社は、経営する飲食店チェーンで販売するため「肉まん」の試作を行っている過程で、食品衛生法上使用が認可されていない添加物が含まれていることを発見したが、在庫の「肉まん」の販売を継続した。その後、無認可添加物入りの「肉まん」を販売した事実が匿名通報され、保健所の立入検査を受けたことを契機として取材を受けたため、A 会社はその事実を公表した。その後、マスコミ等で大きく報道され、A 会社は、大阪府より「肉まん」の仕入・販売禁止の処分を受けたほか、食品衛生法違反により罰金 20 万円の略式命令を受けた。 これに関して、A 会社の株主 X は、A 会社の取締役・監査役に対し、善管注意義務違反に基づく責任を追及した。
判旨	■健全な会社経営を行うためには、目的とする事業の種類・性質等に応じて生じる各種のリスク、例えば、信用リスク、市場リスク、流動性リスク、事務リスク、システムリスク等の

状況を正確に把握し、適切に制御すること、すなわちリスク管理体制が欠かせず、会社が営む事業の規模・特性等に応じたリスク管理体制（いわゆる内部統制システム）を整備することを要する。

もっとも、整備すべきリスク管理体制の内容は、リスクが現実化して惹起する様々な事件事故の経験の蓄積とリスク管理に関する研究の進展により充実していくものであり、現時点で求められているリスク管理体制の水準をもって本件の判断基準とすることは相当でない。

また、どのような内容のリスク管理体制を整備すべきかは基本的には経営判断の問題であり、会社経営の専門家である取締役に広い裁量が与えられている。

本件においては、違法行為を未然に防止するための法令遵守体制は、本件販売当時、整備されていなかったとまではいえない。

■担当取締役は、無認可添加物の混入や混入した「肉まん」の販売継続の事実を知りながら、事実関係をさらに確認するとともに、これを直ちに社長に報告し、事実調査の上で販売中止等の措置や消費者に公表するなどして回収の手立てを尽くすことの要否などを検討しなかったことについて善管注意義務違反がある。

代表取締役は、食品販売事業をその事業の一環とするA会社の代表取締役社長であり、無認可添加物の混入や混入を知りながらあえてその販売を継続するという食品販売事業者としては極めて重大な法令違反行為が行われていた事実が判明した以上、その実態と全貌を調査して原因を究明し再発防止のために必要な措置を講ずることはもとより、直ちに、担当者によって取られた対応策の内容を再検討して、食品衛生法違反の重大な違法行為により食品販売事業者が受けるおそれのある致命的な信用失墜と損失を回避するための措置を講じなければならない。その中で、マスコミ等への公表や監督官庁への事後的な届出の要否等も当然検討されるべきである。仮に早期の適切な対応をとっていたとしたら、その後、A会社が消費者やフランチャイザーからの信頼を決定的に失うという最悪の事態は、相当程度回避できたものと考えられる。そのような措置を怠り、担当取締役による違法な措置を了承し、

第1章　子会社管理の必要性

　　隠ぺいを事実上黙認したこと、公表の要否等を含め損害回避に向けた対応策を積極的に検討することを怠った点において善管注意義務違反がある。

　　その余の取締役は、無認可添加物の混入及び販売継続の事実を知った後、調査委員会から報告を受けて今後の方針を協議した際、本件経緯については自ら積極的に公表しない旨の方針を当然の前提として了解していた点において善管注意義務違反を免れない。

　　監査役は、自ら上記方針の検討に参加しながら、以上のような取締役らの明らかな任務懈怠に対する監査を怠った点において善管注意義務違反がある。

④東京高判平成20年5月21日判タ1281号274頁

事案の概要	乳酸菌飲料の製造販売を主たる事業としているA会社が、投機性の高いデリバティブ取引を行った結果、特別損失を計上して約530億円の損害を被った。 　A会社の株主Xは、デリバティブ取引に係るリスク管理体制が構築されていないと主張して、A会社の取締役・監査役に対し、善管注意義務違反に基づく責任を追及した。
判旨	■A会社のような事業会社がデリバティブ取引を行うに当たっては、①各取締役は、取締役会等の会社の機関において適切なリスク管理の方針を立て、リスク管理体制を構築するようにする注意義務を負う。もっとも、どのようなリスク管理の方針を定め、それをどのようにして管理するかについては、会社の規模その他の事情によって左右されるのであって、一義的に決まるものではなく、そこには幅広い裁量がある。また、デリバティブ取引のリスク管理の方法等については、当時未だ一義的な手法は確立されておらず、模索の段階にあったのであるから、リスク管理体制の構築に向けてなされた取締役の判断の適否を検討するに当たっては、現在の時点における知見によるのではなく、その当時の時点における知見に基づき検討すべきである。 　本件においては、A会社は、デリバティブ取引の内容を開示させた上、リスクの程度に応じてリスク管理体制を順次整備し、資金運用チーム、監査室、経理等担当取締役、常勤監査役、経営政策審議会、常務会、代表取締役、取締役会、監査

40

法人等が互いに不足部分を補い合って有機的に連携し、想定元本額、計算上の含み損を指標として、デリバティブ取引を実施する担当取締役に対して様々な制約を課すなどして、デリバティブ取引のリスクを管理していたということができる。

■**担当取締役**は、取締役会等で定められたリスク管理の方針・管理体制に従い、そこで定められた制約に従って取引をする注意義務を負うとともに、個々の取引の実行に当たっては、法令・定款・社内規則等を遵守した上、事前に情報を収集・分析・検討して、市場動向等につき適切な判断をするよう努め、かつ、取引が会社の財務内容に悪影響を及ぼすおそれが生じた場合には取引を注視するなどの義務を負う。本件においては、制約に違反していた点において善管注意義務違反に該当する。

代表取締役・経理担当取締役は、デリバティブ取引が会社の定めたリスク管理の方針、管理体制に沿って実施されているかどうか等を監視する義務を負う。ただし、A会社ほどの規模の事業会社の役員は、広範な職掌事務を有しており、かつ、必ずしも金融取引の専門家でもないのであるから、自らが個別取引の詳細を一から精査することまでは求められておらず、下部組織等（資金運用チーム・監査室、監査法人等）が適正に職務を遂行していることを前提とし、そこから挙がってくる報告に明らかな不備・不足があり、これに依拠することに躊躇を覚えるというような特段の事情のない限り、その報告等を元に調査・確認すれば、その注意義務を尽くしたものというべきである。本件においては、いずれも善管注意義務違反は認められない。

その他の取締役は、相応のリスク管理体制に基づいて職務執行に対する監視が行われている以上、特に担当取締役の職務執行が違法であることを疑わせる特段の事情が存在しない限り、担当取締役の職務執行が適法であると信頼することには正当性が認められるのであり、このような特段の事情のない限り、監視義務を内容とする善管注意義務違反に問われることはないというべきである。本件においては、いずれも善管注意義務違反は認められない。

監査役は、上記リスク管理体制の構築及びこれに基づく監視

の状況について監査すべき義務を負っているが、監査役自ら
が、個別取引の詳細を一から精査することまでは求められて
おらず、下部組織等（資金運用チーム・監査室、監査法人等）
が適正に職務を遂行していることを前提とし、そこから挙
がってくる報告に明らかな不備・不足があり、これに依拠す
ることに躊躇を覚えるというような特段の事情のない限り、
その報告等を元に調査・確認すれば、その注意義務を尽くし
たものというべきである。本件においては、いずれも善管注
意義務違反は認められない。

⑤東京地判平成 21 年 10 月 22 日判時 2064 号 139 頁

事案の概要	企業の法定公告などを扱う A 新聞社の従業員が、法定公告に関する情報を利用してインサイダー取引を行い、刑事責任を問われたことについて、A 新聞社の株主 X が、取締役 Y らに対し、従業員によるインサイダー取引を防止することを怠ったことにより A 新聞社の社会的信用が失墜し、コーポレートブランド価値が毀損されたと主張して、善管注意義務違反に基づく責任を追及した。
判旨	■A 新聞社は、経済情報を中心とした 5 紙を発行するわが国有数の報道機関であり、その報道機関としての性質上、多種多様な情報を大量に取り扱っており、その従業員は、報道部門や広告部門なども含めて、業務遂行上、秘密性のある情報や未公表情報などのインサイダー情報に接する機会が多いといえる。したがって、A 新聞社の取締役としては、それらの事情をふまえ、一般的に予見できる従業員によるインサイダー取引を防止し得る程度の管理体制を構築し、また、その職責や必要の限度において、従業員によるインサイダー取引を防止するために指導監督すべき善管注意義務を負う。 ■会社が、その有する多種多様な情報について、どのような管理体制を構築すべきかについては、当該会社の事業内容、情報の性質・内容・秘匿性、業務の在り方、人的・物的体制など諸般の事情を考慮して、その合理的な裁量に委ねられていると解される。 A 新聞社の管理体制は、情報管理に関して、一般的にみて合理的な管理体制であり、インサイダー取引防止に関しても、一般的に見て合理的な管理体制をとっていたものということ

	ができる。
	■A 新聞社の取締役は、取引先（ADEX）において法定公告情報を用いたインサイダー取引という同種不正行為が発覚した後、A 新聞社においても同社が扱う法定公告に関する情報がインサイダー取引に利用されるおそれがあることを認識していたということができる。しかし、A 新聞社の取締役 Y らは、ADEX 事件が情報を知りうる権限のある者がそれを悪用した犯行であり、不可避的にインサイダー情報に接する広告局員に対して法令遵守のための注意喚起、教育等を徹底することが最も適切な方法であると判断し、具体的対応策を実施したのであるから、それ以上に情報管理システムへのアクセス権限を見直すという具体的な指導監督をしなかったとしても、善管注意義務違反はないというべきである。

株主から内部統制システム構築義務違反に基づく損害賠償責任を追及された事例

⑥最判平成 21 年 7 月 9 日判時 2055 号 147 頁[23]

事案の概要	Y 会社の従業員 A が営業成績を上げる目的で架空の売上げを計上したため有価証券報告書に不実の記載がされ、その後、同事実が公表されて Y 会社の株価が下落したことについて、公表前に Y 会社の株式を取得した X が、Y 会社の代表取締役 B に従業員らの不正行為を防止するためのリスク管理体制を構築すべき義務に違反した過失があり、その結果、X が損害を被ったと主張して、Y 会社に対し、会社法 350 条に基づく損害賠償を請求した。
判旨	本件不正行為当時、Y 会社は、通常想定される架空売上げの計上等の不正行為を防止し得る程度の管理体制を整えていたということができる。 本件不正行為は、通常容易に想定し難い方法によるものであったということができるばかりでなく、本件以前に同様の手法による不正行為があったなど、Y の代表取締役 B において本件不正行為の発生を予見すべきであったという特別な事情も見当たらない。

23）　東京地判平成 19 年 11 月 26 日判時 1998 号 141 頁、東京高判平成 20 年 6 月 19 日金判 1321 号 42 頁参照。

	売掛金債権の回収遅延につきＡらが挙げていた理由は合理的な もので、販売会社との間で過去に紛争が生じたことがなく、監 査法人もＹ会社の財務諸表につき適正であるとの意見を表明し ていたというのであるから、財務部が、Ａらの巧妙な偽装工作 の結果、販売会社から適正な売掛金残高確認書を受領している ものと認識し、直接販売会社に売掛金債権の存在等を確認しな かったとしても、財務部におけるリスク管理体制が機能してい なかったということはできない。

取引先・従業員から内部統制システム構築義務違反に基づく損害賠償責任を
追及された事例

⑦大阪高判平成 23 年 5 月 25 日労判 1033 号 24 頁

事案の概要	急性左心機能不全により死亡したＡの遺族Ｘが、Ａの勤務して いた会社 Y_1、代表取締役 Y_2 及び取締役 Y_3、Y_4 に対し、時間外労 働が月 100 時間前後であったことがＡ死亡の原因であるとし て、Y_1 会社の安全配慮義務違反及び $Y_2 \sim Y_4$ の会社法 429 条 1 項 違反に基づき、損害賠償を請求した。
判旨	Y_1 会社は、社員の長時間労働を抑制し労働時間が適正になるよ う注意すべき義務があったのに、月 80 時間の時間外労働を前 提とした給与体系をとり、三六協定においては 1 か月 100 時間 の時間外労働を許容するなど、Ａの生命、健康を損なうことが ないよう配慮すべき義務を怠ったもので、損害賠償責任を負う。 $Y_2 \sim Y_4$ は、悪意又は重過失により、Y_1 会社が行うべき労働者の 生命・健康を損なうことがないような体制の構築と長時間労働 の是正方策の実行に関して任務懈怠があったもので、会社法 429 条 1 項に基づき損害賠償責任を負う。

⑧大阪高判平成 26 年 2 月 27 日判時 2243 号 82 頁

事案の概要	外国語会話教室を経営していたＡ会社が破産した場合に、同教 室の元受講生Ｘが、Ａ会社の代表取締役 Y_1 に対する適法経営義 務違反、取締役 $Y_2 \sim Y_5$、監査役 $Y_6 \sim Y_{10}$ 及び会計監査人 Y_{11}、Y_{12} に対する監視義務違反等を理由として、損害賠償を請求した。
判旨	Ａ会社は、特定継続的役務提供取引を行う事業者として、特定 商取引法を遵守する義務を負い、Ａ会社の代表取締役は、Ａ会 社が同法の各規定に違反することのないよう、法令遵守体制を

構築し、必要な指示を行うべき義務を負っている。

Y₁は、A会社の代表取締役として、業務全般を掌握しており、契約締結をめぐる顧客とのトラブルの実情、東京都による調査及び改善指導、本件解約清算方式の有効性に関する下級審判決の動向等についても当然認識していたと認められるから、A会社が外国語会話教室を開設して受講希望者と契約を締結するに当たり、特定商取引法を遵守するよう指示・指導を行うとともに、違法な行為が行われないよう社内の法令遵守体制を構築すべき注意義務を負っていたのに、東京都の指導を受けても何らの改善策を講じないどころか、むしろマニュアルや通達、指導により違法行為を指示して全社的に行わせていたと認められ、また、本件最高裁判決によって無効の判断が示されるまで本件解約清算方法を改めなかったのであり、故意又は重過失により上記注意義務を怠ったものと言わざるを得ず、損害賠償責任を負う。

XとA会社の契約締結前に退任したY₂を除く取締役（Y₃〜Y₅）は、代表取締役の業務執行についてこれを監視し、業務の執行を適正に行わせるようにするべき職責を有するところ、重過失により監視義務を怠ったもので、損害賠償責任を負う。

⑨最判平成30年2月15日判時2383号15頁	
事案の概要	親会社（A社）の子会社（B社）の契約社員としてA社の事業場内で就労していたXが、A社の他の子会社（C社）の従業員の課長からセクハラ行為を受けていたことに関して、A社に対し、企業集団における内部統制システムに基づく相応の措置を講ずるなどの信義則上の義務に違反したと主張して、債務不履行又は不法行為に基づき、損害賠償請求を行った。
判旨	■A社は、本件当時、法令遵守体制の一環として、本件相談窓口制度を設け、これを周知してその利用を促し、現に本件相談窓口における相談への対応を行っていた。本件相談窓口の趣旨は、本件グループ会社から成る企業集団の業務の適正の確保等を目的として、本件相談窓口における相談への対応を通じて、本件グループ会社の業務に関して生じる可能性がある法令等に違反する……行為……を予防し、又は現に生じた法令等違反行為に対処することにあると解される。これらのことに照らすと、本件グループ会社の事業所内で就労した際に、

第1章　子会社管理の必要性

> 　法令等違反行為によって被害を受けた従業員等が、本件相談
> 窓口に対しその旨の相談の申出をすれば、A社は、相応の対
> 応をするよう努めることが想定されていたものといえ、上記
> 申出の具体的状況いかんによっては、当該申出をした者に対
> し、当該申出を受け、体制として整備された仕組みの内容、
> 当該申出に係る相談の内容等に応じて適切に対応すべき信義
> 則上の義務を負う場合があると解される。
>
> ■ 本件においては、Xが本件行為1について本件相談窓口に対
> する相談の申出をしたなどの事情がうかがわれないから、A
> 社は、本件行為1について上記義務を負わない。
>
> ■ A社は、本件相談窓口において、別の従業員（D）からXの
> ためとして本件行為2に関する相談の申出を受け、聞き取り
> 調査を行わせるなどしたが、本件申出は、A社に対し、Xに
> 対する事実確認等の対応を求めるというものであったが、本
> 件相談窓口に対する相談の申出をした者の求める対応をすべ
> きとするものであったとはうかがわれない等の事情から、A
> 社は、本件行為2に係る上記申出の際に求められたXに対す
> る事実確認等の対応をしなかったことをもって義務違反が
> あったとは認められない。

(b)　内部統制システムの決定に関して広い裁量が認められること

　大会社の取締役会において内部統制システムを決定することが明記され
たのは平成18年に会社法が施行された時であるが、裁判例において内部
統制システムについて言及されたのは、それより以前の【別表2】①の判決
（大阪地判平成12年9月20日）である。その後の裁判例は、基本的にこの判
決の判断基準を踏襲し、個別の事案において内部統制システムの構築・運
用の是非について判断している。

　【別表2】①の判決（大阪地判平成12年9月20日）は、健全な会社経営を
行うためには、会社が営む事業の規模、特性等に応じたリスク管理体制（い
わゆる内部統制システム）を整備することを要することを判示した上、取締
役会で会社経営の根幹に係わるリスク管理体制の大綱を決定し、代表取締
役及び業務執行取締役が、大綱をふまえ、担当する部門におけるリスク管
理体制を具体的に決定するべき職務を負うとしている。そして、取締役は、
代表取締役及び業務担当取締役がリスク管理体制を構築すべき義務を履行

46

しているか否かを監視する義務を負い、これが取締役としての善管注意義務及び忠実義務の内容となること、監査役も同様に、取締役がリスク管理体制の整備を行っているか否かを監査すべき義務を負い、これが監査役としての善管注意義務及び忠実義務の内容となることを明記している。

かかる判示は、取締役会は業務執行者（代表取締役及び業務執行取締役）を監督するための機関であることをふまえ、監督機関としての注意義務は、リスク管理体制の大綱を決定し、業務執行者が当該大綱に従ってリスク管理体制を構築しているかどうかを監視することであると整理しているものと理解でき、親会社による子会社管理責任についても、基本的には同様の解釈をとることができるように思われる。すなわち、親会社の取締役会は企業集団としてのグループ経営の根幹に係わるリスク管理体制の大綱を決定し、子会社の代表取締役及び業務執行取締役が、大綱をふまえ、各子会社におけるリスク管理体制を具体的に決定するべき職務を負う。そして、親会社の取締役会は、子会社の代表取締役及び業務担当取締役がリスク管理体制を構築すべき義務を履行しているか否かを（親会社＝大株主としての立場から）監視する義務を負い、これが親会社の子会社管理責任（親会社取締役としての善管注意義務及び忠実義務）の内容となるということである。

そして、どのような内容の内部統制システムを整備するべきかという点については、単体の会社における内部統制システムであっても企業集団における内部統制システムであっても、取締役会又は親会社取締役会に広い裁量が認められるべきである。

【別表2】の判決も、どのような内容の内部統制システムを整備するべきかについては各社の取締役会における経営判断の問題であり、取締役に広い裁量が認められるというスタンスで一貫している。ほぼ全ての判決で、企業の抱えるリスクは、その目的とする事業の種類・性質・規模等によって様々であるから、各社の実情に合わせたリスク管理体制を講じる必要があり、どのような体制を整備するかについては各企業の取締役会における経営判断に委ねられるべきであると判示されている。

このような考え方は、企業集団における内部統制システムの内容についても当てはまるものであり、子会社ごとにそれぞれの目的とする事業の種類・性質・規模等に応じた内部統制システムを構築する必要があるだけでなく、当該子会社と親会社との関係や企業集団における重要度に応じて、

当該子会社に対する監視・監督についても最適な方法・体制を検討する必要がある。

特に、親子会社関係においては、①子会社は親会社とは独立した別法人であり、子会社取締役会が原則として子会社の経営に責任を持つこと、②子会社に少数株主がいる場合には親会社と少数株主の利益が相反する関係に立ち、親会社からの働きかけが不当な圧力とみなされる可能性もあること、③親子会社間に構造的に競業関係・利益相反関係が存在する場合には子会社から親会社への情報提供についても制限される可能性があることなどの事情が認められる。このように親子会社間には考慮すべき事情が多種多様に存在するのであるから、どのような企業集団における内部統制システムを整備するのかについては、親会社取締役会に広い裁量が認められてしかるべきである。

(c) 取締役会に認められる裁量の範囲

内部統制システムの決定に関しては経営判断として取締役会に広い裁量が認められるとして、次に、その裁量の範囲とはどこまで認められるのかが問題となる。この点については、不正行為の予測可能性が1つのメルクマールとなると考えられる。

【別表2】⑥の判決（最判平成21年7月9日）では、下級審判決（東京高判平成20年6月19日、東京地判平成19年11月26日）で、架空売上げの計上を防止するためのリスク管理体制の構築義務違反が認定されていたのに対し、最高裁で義務違反の過失はないと判示された。その理由として、①会社は通常想定される架空売上げの計上等の不正行為を防止し得る程度の管理体制を整えていたこと、②本件不正行為（架空売上げの計上等）は通常容易に想定し難い方法によるものであったこと、③代表取締役において本件不正行為の発生を予見すべき特別な事情も見当たらないこと、が指摘されている。

このような考え方は、【別表2】⑤の判決（東京地判平成21年10月22日）にも現れている。同判決では、A新聞社はもともと一般的にみて合理的な情報管理体制・インサイダー取引防止体制を取っており、その後、取引先において不正行為が発覚したことにより、A新聞社においても同様の不正行為（法定公告に関する情報を利用したインサイダー取引）が発生するおそれがあることを認識して具体的対応策を取ったことが認定されている。取引

先における不正行為の発覚という事実を、当社における同種不正行為の発生を予見させる特別事情であるととらえることもできるが、そう解釈したとしても、A新聞社はそれをふまえて見直しのための対応策をとっていたため、結果として、通常想定される不正行為の防止体制は備わっていたということができる。

これに対し、【別表2】⑦の判決（大阪高判平成23年5月25日）及び⑧の判決（大阪高判平成26年2月27日）では、労働者の管理体制や法令遵守体制の構築義務に違反したと認定されているが、いずれも外部の監督局（労働基準監督署あるいは東京都）から度重なる是正勧告や改善指導を受けていたということであるから、不正行為の発生を予見するべき特別な事情があったのに対応していなかったと認定されてもやむを得ないと考えられる。

以上の裁判例からもわかるとおり、取締役会は、通常想定される不正行為を防止し得る程度のリスク管理体制を整備しておく義務を負っており、仮に不正行為の発生を予見すべき特別な事情があれば、それをふまえて予見されるリスクを管理できるような体制を講じることまで求められる。しかし、容易に想定し難い方法による不正行為を含めてあらゆる事態に対応できるようなリスク管理体制を整備することまでは求められていない。すなわち、容易に予見できる不正行為かどうか、特定の不正行為を予見できる特別な事情があるかどうかによって、取締役会の裁量の範囲が画されると整理することができる。

企業集団における内部統制システムについても同様であり、子会社における不正行為として予見できるものについて防止し得る程度の子会社管理体制について決定しておく義務はあるが、それ以上にあらゆる子会社の不正リスクに対応できるように管理しなければならないということはないと考えられる。

(d)　内部統制システムの運用状況の監視

不祥事等を未然に防止するためには、リスク管理の方針や体制などの大綱を決定しておくだけでなく、業務執行取締役らにその方針・体制に従って業務執行してもらうことが必要であり、取締役会のメンバーは具体的な業務執行がリスク管理の方針・体制に沿って実施されているかどうかを監視する義務がある。

しかし、監視・モニタリングのためにどこまで積極的な行動をとる必要

第1章　子会社管理の必要性

があるのかについては、役員ごとにその職責に応じて個別に検討する必要がある。【別表2】①の判決（大阪地判平成12年9月20日）、③の判決（大阪高判平成18年6月9日）、④の判決（東京高判平成20年5月21日）など、いずれも役員の職責に応じて個別に責任を判断している。

　具体的に代表取締役・取締役・監査役に対してどのような監視義務が求められるのかについては、①不正行為が発生した業務を直接担当する取締役、②代表取締役、経理財務担当取締役、内部監査担当取締役など担当取締役を監視監督する職責を担う取締役、③その他の取締役、④監査役、に分けて検討されている。

　不正行為が発生した業務を直接担当する取締役は、取締役会が決定したリスク管理方針・体制に従い、担当部門における具体的なリスク管理体制を構築し、それに従って個別の業務執行を行い、部下を指導監督する義務を負う。かかる義務に違反して不正行為が発生した場合には、当然に義務違反に問われることになる。

　また、担当取締役に対して指揮命令権を有する代表取締役（いわゆる指揮命令系統の上司に当たる取締役）は、担当取締役が会社の定めたリスク管理方針・体制に沿って業務を実施しているかどうかを監視する義務を負う。経理財務担当取締役や内部監査担当取締役なども、業務を担当する取締役や各部門が正しく財務報告を作成しているかどうか、適正に業務執行を行っているかどうかを監視する義務を負っている。監査役も、内部統制システムの運用状況の相当性を確認し、問題があれば監査報告で指摘しなければならないのであるから、同様に監視する義務を負っている。

　これらの取締役・監査役は、担当取締役を監視することを直接の職責としているものであるから、仮に適切な監視を行わずに不正行為を未然に防止できなかったということになると、監視義務違反に問われることになる。経理財務部として当然に確認すべきプロセスや内部監査・監査の過程でやるべきプロセスを省略した結果、不正行為を防止できなかったとすれば、監視義務違反になるということである。ただし、このような監視の手続・プロセスについては、前述したとおり、想定される不正行為を防止し得る程度のものであれば足りると解される。

　これに対し、担当取締役を監視することを直接の職責としているわけではないその他の取締役については、取締役会の一員としての監視義務は当

然に負っているものの、特に担当取締役の職務執行が違法であることを疑わせる特段の事情が存在しない限り、取締役会として定めたリスク管理方針・体制が有効に機能しており、監視を職責とする他の取締役（代表取締役、経理財務担当取締役、内部監査担当取締役など）による監視が適切に行われていることを信頼することが許されると解されている（信頼の原則）[24]。

(e) 不祥事が発覚した後の対応

このように、不祥事等の未然防止のためにどのような内部統制システムを決定するべきかについては取締役の広い裁量が認められ、運用状況の監視についても各取締役の職務に応じて行えばよく、リスク管理体制が有効に機能していることをある程度信頼することも認められている。

その一方で、不祥事が発覚した後の対応が適切でなかった場合の取締役の責任については、厳しい判断が下されている例が複数見られる。

例えば、【別表2】①の判決（大阪地判平成12年9月20日）では不正行為が発覚した後の米国監督当局への報告の遅れ、【別表2】③の判決（大阪高判平成18年6月9日）及び【別表1】⑨の判決（大阪地判令和6年1月26日）では不正行為が発覚した後の非公表の方針について、厳しく役員責任が認められている。また、【別表2】⑦の判決（大阪高判平成23年5月25日）及び⑧の判決（大阪高判平成26年2月27日）では、従業員又は取引先から会社又は取締役に対して社内体制の不備等を理由として損害賠償請求され、社内体制が整備されていなかったと認定されているが、いずれも労働基準監督署からの是正勧告や監督当局からの法令違反の指摘などが繰り返されていた事例であり、決定的な事態はまだ発生していなかったとしても、違法状態が継続していることは既に発覚していた事案である。

このように、ひとたび不正行為の兆候を把握した場合に取締役会としてどのような対応をとるべきかという点については、裁判例を見る限り、さほど広い裁量は認められていないように思われる。

確かに、上記の判決は、巨額の罰金と米国内における銀行業務の停止（【別表2】①）や従業員の死亡（同⑦）という重大な結果をもたらした事案、

---

24) 藤田友敬「『社外取締役・取締役会に期待される役割——日本取締役協会の提言』を読んで」商事2038号（2014年）4頁、11～12頁、対木和夫「信頼の原則」野村修也＝松井秀樹編『実務に効くコーポレート・ガバナンス判例精選』（有斐閣、2013年）103頁、111～112頁、中村直人『ケースから考える内部統制システムの構築』（商事法務、2017年）102～103頁など。

第1章　子会社管理の必要性

食の安全や健康被害に関わる事案（同③。実際は健康被害をもたらすものではなかったが、消費者に多大な不安を抱かせるものであった）、建築物の安全性に関わる事案（【別表1】⑨）、被害者の拡大をもたらした事案（【別表2】⑧）であり、いずれも取締役会あるいは取締役として速やかに一定の対応をとるべきであって、事案の性質上裁量の余地はなかったと見ることもできる。

　しかし、そのような重大事案でなかったとしても、一般的な判決の傾向として、不正の兆候が明らかになった後の対応については経営判断としての裁量の範囲が認められにくく、善管注意義務・忠実義務違反とされるリスクが高いように感じられる。この点は、親会社取締役会による子会社管理という場面でも同様の判断がされる可能性がある。したがって、子会社に不正行為の兆候があることを把握した場合には、親会社として速やかにできる限りの対応策をとることが求められる。

　例えば、前述した【別表1】⑥の判決（福岡高判平成24年4月13日）に関しても、子会社において適切でない行為が行われている兆候がある場合には、親会社取締役が子会社について踏み込んだ情報収集・是正のための措置をとらなければならないという見解が示されているほか、【別表2】⑨の判決（最判平成30年2月15日）では、親会社は、企業グループにおける内部通報制度を通じて申出がなされたときには、その申出の具体的状況いかんによっては、申出をした者（通報者）に対して適切に対応すべき信義則上の義務を負う場合があると判示されている。

　このように、親会社において不正の兆候を把握した前と後では、親会社取締役会に認められる裁量の範囲が異なり、子会社に対する監督責任（善管注意義務・忠実義務違反）とされる可能性が高くなると考えられるため、注意が必要である。

(3)　有価証券報告書等の不実記載に係る会社役員の責任

(a)　裁判例

　有価証券報告書等の不実記載に係る役員責任が追及される事例は、近年非常に増えており、その争点についても、①有価証券報告書の「重要な事項」について不実記載があったと言えるか、②不実記載と株主の損害の間に「因果関係」が認められるか、③会社役員らは「相当な注意」を払っても不実記載を知り得なかったと言えるか、④株主が被った「損害額」はい

３ 子会社管理責任に関する裁判例

くらかなど、非常に多岐にわたっている。その中で、会社役員らが「相当な注意」を尽くしたかどうかが主要な争点とされた裁判例のうち、参考となりそうな事案は、【別表3】のとおりである。

これらの裁判例は、有価証券報告書等の不実記載に関して会社役員らの責任が追及された事案であり、子会社に関する不実記載に限っていない。

しかし、金商法に基づく開示は全て連結ベースであり、親会社本体と子会社を特に区別していないため、これらの裁判例における判断基準は、原則として、子会社に関する財務情報等の虚偽により親会社が提出する有価証券報告書等が不実記載となった場合にも当てはまることになる。

53

第 1 章　子会社管理の必要性

【別表 3】

有価証券報告書等の不実記載に係る役員責任が追及された事例	
①東京地判平成 20 年 4 月 24 日判時 2003 号 10 頁	
事案の概要	A 会社は、長年にわたり、親会社が所有する自社の株式数を過小に虚偽記載した有価証券報告書等を提出していたが、平成 16 年 10 月、虚偽記載の事実を公表した。それを受けて、東京証券取引所は A 会社の株式を監理ポストに割り当て、A 会社株式は上場廃止基準に該当するとして、同年 12 月に上場廃止する旨を決定した。A 会社の株主（上場廃止までに処分した者・保有を継続する者）X は、有価証券報告書等の虚偽記載により損害を被ったとして、A 会社の取締役 Y らに対し、損害賠償を請求した。
判旨	Y_3 は、代表取締役社長に就任する直前の平成 16 年 4 月上旬ころまで有価証券報告書に虚偽記載があることを知らず、また、A 会社内でも Y_1 ほか株式担当者を中心とした一部の者しか名義株の存在が明らかにされておらず、株式課長には当時の社長であった Y_2 から Y_3 には名義株のことは話さないように指示までされていたというのであるから、Y_3 は、A 会社の代表取締役に就任する直前の平成 16 年 4 月上旬ころまでは、相当な注意を用いたとしても有価証券報告書等の虚偽記載を知ることができなかったものとして、免責事由の存在を認めるのが相当である。
②東京地判平成 21 年 5 月 21 日判時 2047 号 36 頁[25]	
事案の概要	東証マザーズに上場していた A 会社が平成 16 年 12 月 27 日に提出した有価証券報告書における連結損益計算書には、実際には経常損失が 3 億 1278 万 4000 円発生していたにもかかわらず、売上計上が認められない株式売却益（本来は A 会社の子会社である B 会社が行ったものと認めるべき A 会社株式の売却による利益）並びに架空計上を連結売上高に含めることを前提に、連結経常利益 50 億 3421 万 1000 円が計上されていた。 A 会社の株式を取得した X らは、A 会社の有価証券報告書の重要な事項に虚偽の記載があったために損害を被ったと主張して、A 会社の役員らに対し、損害賠償を請求した。

25)　控訴審である東京高判平成 23 年 11 月 30 日金判 1389 号 36 頁においても、「相当な注意」に関する判示は維持されている。

54

判旨	■各取締役に求められる「相当の注意」(旧証取法21条2項1号)は、各取締役が当該会社において占めている具体的な役割や地位に応じて検討されるべきであり、例えば、代表取締役や財務担当の取締役と比較すれば、技術担当の取締役は「相当な注意」を用いたと認められやすいということはできる。しかし、いずれの取締役も会社の業務全般について協議・決定をし、これを監督すべき地位にあり、また、旧証取法は担当の如何を問わず全取締役に損害賠償責任を負わせて有価証券報告書の正確性を確保しようとしているのであるから、技術担当であるとか、非常勤であるからといって、単に与えられた情報を基に有価証券報告書の正確性を判断すれば足りるものではないし、海外に滞在しているからといって、尽くすべき注意の程度が当然に軽減されるものではないと解するのが相当である。 代表取締役・経理担当取締役については、一連の経過に照らし、「相当な注意」を用いたと認めることはできない。 技術部門担当取締役は、本件有価証券報告書の提出当時、非常勤の取締役であり、滞在していたアメリカから電話会議で取締役会に参加していたとしても、本件事実経緯に照らし、「相当な注意」を用いていたにもかかわらず虚偽記載を知らなかったとは認められない。 ■監査役は、本件有価証券報告書の提出当時、監査法人が架空売上の疑いを持っていることを認識していたのであるから、業務一般の監査権を持ち、会社に対して善管注意義務及び忠実義務を負う監査役として、監査法人に対し、なぜA会社の連結財務諸表に無限定適正意見を示すに至ったのかについて具体的に報告を求め、A会社の取締役や執行役員に対し、なぜ架空との疑念を持たれるほどの多額の売上げを期末に計上するに至ったのかについて報告を求めるなどして、A会社の会計処理の適正を確認する義務があった。 これらの措置を行わなかった監査役は「相当の注意を用いた」とは認められない。
③東京地判平成24年6月22日金法1968号87頁	
事案の概要	A会社は、銀行から財務制限条項の付された一部の借入金の早期返済を求められる可能性があり、また、新たな普通社債発行

第 1 章　子会社管理の必要性

が難しくなって資金繰りの選択肢が狭まり、短期資金の調達が
最大の課題となっていたところ、B 会社に対する新株予約権付
社債の発行と B 会社との間のスワップ契約の締結を決議した。
A 会社が提出した臨時報告書には、上記新株予約権付社債の発
行による手取概算額を 299 億 5000 万円（発行価格 300 億円 −
発行諸費用 5000 万円）、使途を「財務基盤の安定性確保に向け
た短期借入金を始めとする債務の返済」と記載され、実際には
手取金は B 会社に対するスワップ契約上の想定元本の支払いに
充てられる予定であったが、スワップ契約の存在及び内容は、
臨時報告書・有価証券報告書にも一切記載されていなかった。
その後、A 会社は臨時報告書の訂正報告書で手取金の使途を修
正するとともに、同日、民事再生手続開始の申立てを行った。
その後の債権者説明会において、本件一連の取引による B 会社
への支払額が 92 億円であったことが報告された。
そのため、A 会社株式を取得した X らが、臨時報告書・有価証
券報告書の虚偽記載により損害を被ったと主張して、A 会社の
取締役・監査役であった Y らに対し、損害賠償を請求した。

| 判旨 | ■準備関与取締役については、本件取引の特殊性（A 社がいつ、いくらの資金を取得するのか確定しない取引であり、手取金の総額は 300 億円に満たず、大きな損失を被る可能性のある取引であること）に照らすと、作成担当者の実務経験が豊富であるとか、当事者双方の弁護士が関与していたからといって、その責任が当然に免責されるというものではない。一連の事実経緯に照らすと、A 社の弁護士は作成担当者に対し、スワップ契約の存在及び内容を記載しない開示が誤りであると一貫して指摘していたから、このような指摘を真摯に受け止めなかったという点で作成担当者の判断に誤りがある。準備関与取締役らが、自らの職責として、資金使途の記載についての疑問点を作成担当者にただすなどしていれば、スワップ契約の存在及び内容を非開示とすることの問題点を理解することができたというべきである。したがって、準備関与取締役らが「相当な注意」を用いたということはできない。
■株式会社の取締役は、取締役会を通じて、会社の業務執行全般を監視する職務を負っているのであるから、取締役会の付議事項及びこれと密接に関連し会社関係者の重要な利害に係る事項については、広く監視義務を負う。ただし、それは取 |

締役会を通じて行うのが原則であり、会社の業務執行の決定
は迅速に行われるべき要請があるから、相当程度大規模な株
式会社において各取締役の担当する職務の分掌が定められて
いる場合には、各取締役は、自分の関与しない職務について
は、他の取締役の職務執行について、特に疑うべき事情がな
い限り、これを信頼したからといって監視義務違反にはなら
ない。

取締役会出席役員としては、本件の第1号議案（新株予約権
付社債の発行）、第2号議案（その買取契約の締結）、第3号
議案（スワップ契約の締結）は一連の取引を行うべきかどう
かという議題であり、理事報告書の資金使途の項にスワップ
契約の締結を含めて一連の取引の概要を記載するかどうか
は、付議事項と密接に関連する事項である上、A社の利害関
係人が投融資等に関する合理的な判断を行うに当たって影響
を与える重要な情報であったから、臨時報告書の資金使途の
記載が適正に行われているかどうかについて、取締役会での
審議を通じて、監視を行うべき立場にあったというべきであ
る。現実には、上記取締役会で臨時報告書の内容について一
切触れられず、その内容を記載した資料等も配布されていな
かったが、議事録には「本新株予約権付社債の発行について
大要別紙2のとおり臨時報告書を提出したい旨」と記載され
ており、本来は臨時報告書の記載内容も十分審議されるべき
であった。したがって、取締役会出席役員が「相当な注意」
を用いたということはできない。

取締役会欠席役員は、欠席することも無理からぬ事情があ
り、招集通知の発送から取締役会までの間に情報を収集して
臨時報告書の記載内容を監督するのが現実的に困難であった
から、「相当な注意」を用いても虚偽記載を知ることができな
かったというべきである。

④東京地判平成25年2月22日判タ1406号306頁	
事案の概要	東証マザーズに上場していたA会社が、数年にわたり売上げ・損益・純資産の額等について虚偽が記載された有価証券報告書等を作成し、財務局に提出していたが、監督官庁の任意調査を契機として過去の不適切な会計処理が疑われることとなり、平成22年6月、平成16年3月期から同22年3月期までの間粉

第1章　子会社管理の必要性

	飾決算を前提にした虚偽が記載された有価証券報告書を提出していた事実を公表し、同年9月に上場廃止となった。これに関連して、A会社の株式を購入していたXが、A社、A社の創業者である取締役Y₁～Y₃及び上場後に取締役に就任したY₄に対して損害賠償を請求した。
判旨	上場後に取締役に就任したY₄については、①A社では各取締役の間で職務の分担がされており、財務に関する事項は、専らこれに関する専門的な知識・経験を有するY₁やY₃に委ねられていたこと、②Y₄は、現場の実務を担当して財務に直接携わっていなかったこと、③Y₄は、ほぼ毎回取締役会に出席し、取締役会に提出される会計に係る報告書類に目を通していたが、これらの書類はいずれもY₁～Y₃により証憑を偽造するなどして巧妙に虚偽記載が含まれることを判別できないようにされていた上、監査法人の無限定適正意見の付されたものであったこと、④Y₁～Y₃は、不正な会計処理をするに当たりY₄を謀議から排除し、Y₄がこれに気がつかないように秘密裏に事を進めていたことに照らすと、Y₄は、本件虚偽記載等について知らず、かつ、相当な注意を用いたにもかかわらず知ることができなかったものと認められる。

(b)　立証責任の転換

有価証券報告書等のうち重要な事項について不実記載があった場合には、報告書提出時の会社役員は、不実記載を知らないで当該有価証券を取得した者に対し、不実記載によって生じた損害を賠償する責任を負う（金商法21条1項、22条、24条の4）。ただし、会社役員が不実記載を知らず、かつ、相当な注意を用いたにもかかわらず知ることができなかったときはその限りでない（同法21条2項）。

このように、有価証券報告書等の不実記載に基づく役員責任については立証責任が転換されており、会社役員の側で「相当な注意」を用いても不実記載を知ることができなかったことを立証しない限り、原則として損害賠償責任を負う。この点において、会社法の任務懈怠に基づく役員責任よりも会社役員側に厳しい構成となっている。

58

また、不実記載によって損害が発生した場合には役員責任を問われることとされており、任務懈怠によって損害が発生したのかどうかではない。したがって、会社役員は、不実記載を知っていた場合あるいは相当な注意を用いて知り得た場合には、たとえ不実記載を是正するよう代表取締役や有価証券報告書を作成する業務執行取締役に働きかけて監視・監督義務を尽くしていたことを主張立証したとしても、それによって責任が免責されることはない[26]。会社法の任務懈怠に基づく役員責任であれば、会社役員が任務を尽くしたけれども損害発生を回避できなかった場合には、任務懈怠によって損害が発生したものではないから役員責任は否定されることになるが、有価証券報告書等の不実記載による役員責任については、任務を尽くしていたとしても不実記載を知って是正できなかった場合には役員責任は免責されないということである。

このように、金商法に基づく開示義務違反に対する会社役員の民事責任の制度は、損害を受けた者の救済だけでなく、違反行為の抑止を目的としているため、不法行為責任の一般原則を修正し、要件・効果の面で損害賠償を請求する者に有利な構造となっている。

(c) 「相当な注意」の判断基準

会社役員としては、どのような場合に「相当な注意」を用いても不実記載を知ることができなかったと認められるのだろうか。

会社役員が用いるべき「相当な注意」の具体的内容は、各役員の役割、職務内容や地位等に応じて判断される。【別表3】の判決を見ても、取締役・監査役の職務内容や地位等に応じて個別に責任の有無が判断されている。

例えば、【別表3】②の判決（東京地判平成21年5月21日）では、各取締役に求められる「相当の注意」（旧証取法21条2項1号）は、各取締役が当該会社において占めている具体的な役割や地位に応じて検討されるべきであり、例えば、代表取締役や財務担当の取締役と比較すれば、技術担当の取締役は「相当な注意」を用いたと認められやすいと判示されている。また、【別表3】③の判決（東京地判平成24年6月22日）では、不実記載のベースとなった取引の実行準備に関与していた取締役、当該取引を承認した取締役会に出席していた取締役及び欠席した取締役を区別して責任の有無を

---

26)　神田ほか編著・前掲注6) 589頁。

検討している。【別表3】④の判決（東京地判平成25年2月22日）でも、上場前から不正会計処理を相談していた創業者の取締役と上場後に取締役に就任して現場の実務を担当していた取締役を区別して責任の有無を判断している。

このように「相当な注意」を尽くしたかどうかの判断について、各役員の職務内容や地位等に応じて異なるという点には争いがないものの、開示義務違反に対する会社役員の民事責任制度は、開示書類の完全かつ正確な記載を確保しようとするためのものであるから、「相当な注意」として要求されるべき程度を引き下げ、安易に責任の免除を認めるべきではないという意見が強い。

そのため、金商法の解説等を見ると、役員側に厳しい解釈が示されているものが多い。例えば、ある事業部門に関する記載については、当該事業部門を担当する役員には原資料を確認する義務があり、担当外の役員には原資料の確認義務までは求められないが、取締役会で的確な質問をし、虚偽記載等の存在が疑われる特別な事情がある場合には調査する義務を負うと解されている[27]。また、代表取締役や経理財務担当取締役など有価証券報告書の作成についての関与の度合いが大きい会社役員については、免責を受けることが事実上困難であるとの指摘がされている[28]。そのほか、病気であること、遠隔地に住んでいること、多忙であること、専門的知識や理解力が欠如していることといった事情は、相当な注意を尽くしたかどうかの判断においては考慮されないとも指摘されている[29]。

実際、【別表3】②の判決（東京地判平成21年5月21日）では、「いずれの取締役も会社の業務全般について協議、決定をし、これを監督すべき地位にあり、また、旧証取法は担当の如何を問わず全取締役に損害賠償責任を負わせて有価証券報告書の正確性を確保しようとしているのであるから、技術担当であるとか、非常勤であるからといって、単に与えられた情報を基に有価証券報告書の正確性を判断すれば足りるものではない」と判示して、技術担当取締役の責任を認めている。また、同判決の控訴審（東京高

---

27) 岸田雅雄監修『注釈金融商品取引法 第1巻〔改訂版〕』（金融財政事情研究会、2021年）335頁。

28) 神崎克郎ほか『金融商品取引法』（青林書院、2012年）553頁。

29) 神田ほか編著・前掲注6）589〜590頁。

判平成 23 年 11 月 30 日）は、「各取締役において、当該有価証券報告書全体にわたり、虚偽の記載がないか又は欠けているところがないかを互いに調査及び確認しあう義務がある」と判示し、原審の判断を維持している。

この技術担当取締役は、有価証券報告書等の作成に関与していないだけでなく、アメリカに駐在して電話会議で取締役会に参加する非常勤取締役であったとのことであり、それにもかかわらず免責されなかったというのは、非常に厳しい判断であるようにも思われる。

ただし、上記判示に関しては、「相当な注意」は各役員の当該会社における役割・地位等に応じて検討されるが、最低限の「相当な注意」はその者の役割・地位等にかかわらず一定であり、単に与えられた情報を基に記載の正確性を判断しただけでは最低限の「相当な注意」を用いたことにはならないという趣旨であるとの評釈がされている[30]。非常勤だからといって、常に取締役会における報告等に基づいて受働的に監査するだけでは足りず、仮に常勤監査役の監査が不十分である場合には、自ら能動的に監視することが期待されているという点は、会社法に基づく社外監査役の責任が問題となった裁判例でも判示されているところであり[31]、上記【別表3】②の判決（東京地判平成 21 年 5 月 21 日）の判示も同様の趣旨と理解すべきであろう。

最低限のレベルを超えて各役員がその役割・地位等に応じて負うべき「相当な注意」の内容については、代表取締役又は経理財務担当取締役とそれ以外の取締役（営業担当、技術担当など）との間で異なってしかるべきである。

確かに、株式会社の取締役は等しく監視義務を負っており、有価証券報告書等の記載の正確性に疑義を感じることがあれば、職務担当の如何にかかわらず、調査・確認を行う義務がある。しかし、それはあくまでも何か疑義を感じた場合であり、特に疑義を感じさせるような兆候もないのに、担当外の取締役が有価証券報告書等の記載の正確性を調査・確認しなければならないということではないはずである。

金商法の適用を受ける上場企業であれば、社内の組織体制を整備し、開

---

30) 黒沼悦郎「ライブドア株主損害賠償請求訴訟東京地裁判決の検討〔下〕」商事 1872号（2009 年）17 頁。
31) 大阪地判平成 12 年 9 月 20 日判時 1721 号 3 頁。

第1章　子会社管理の必要性

示する財務情報の正確性を確保するための手続を設け、代表取締役又は経理財務担当取締役が最終的に財務情報の正確性について責任を持つべき立場の取締役として、それ以外の取締役（営業担当、技術担当など）との間で役割分担を行っている。それにもかかわらず、担当外の取締役まで一から有価証券報告書等の記載の正確性を確認しなければならないとすれば、経営の効率性を大きく阻害する。

　会社法に基づく取締役の監視義務に関しては、取締役会がその監督機能を果たすために適切な内部統制システムの整備について合理的な決定を行い、それらの決定に従って適切な運用がなされている場合には、特段の事情がない限り、各取締役は内部統制システムを通じた監視・監督が適切に機能していると信頼することが許されると解されており（信頼の原則）[32]、これは財務報告に係る内部統制についても当然に当てはまると考えるべきである。【別表3】③の判決（東京地判平成24年6月22日）では、「相当程度大規模な株式会社において、各取締役の担当する職務の分掌が定められている場合には、各取締役は、自分の関与しない職務については、他の取締役の職務執行について、特に疑うべき事情がない限り、これを信頼したからといって監視義務違反にはならない」と判示されており、信頼の原則を適用しているものと理解される[33]。

　したがって、会社役員として「相当な注意」を用いても不実記載を知ることができなかったかどうかを検討するに当たっては、各役員の役割、職務内容、地位等に応じて判断すべきであり、経理財務を担当しない取締役（営業担当、技術担当など）については、当該会社で財務報告に係る内部統制が整備されている以上、内部統制システムが適切に運用されているものと信頼して取締役会に提出された有価証券報告書等や財務資料を確認すれば足り、特に有価証券報告書等の記載内容に疑義を抱かせる事情がない限り、取締役会の場で特段の質問をせず、その正確性を自ら調査・確認しなかったとしても「相当な注意」を欠いたということにはならないと考えるべきである[34]。

---

32)　前掲注24)参照。

33)　藤林大地「有価証券報告書等の虚偽記載等に関して非財務担当取締役に『相当な注意』の履行が認められた事例―東京地判平成25年2月22日判タ1406号306頁―」金判1479号（2015年）2頁。

34)　岸田監修・前掲注27) 335～339頁。

このような判断基準に基づき【別表3】で紹介した過去の判決を見てみると、【別表3】②、③の判決については、経理・財務を担当していない取締役に対して極めて厳しい判断が下されているように思われるが、これらの判決については次のような事情が考慮されているのではないかとも考えられる。

まず、【別表3】②の判決（東京地判平成21年5月21日）においては、「相当な注意」の具体的内容は、各役員の役割、職務内容や地位等に応じて判断されることを前提としつつ、不実記載の原因行為に関する情報が記載されたメール等を受領していたことや著しく（不自然なほど）増収増益になっていたことなどの事情を勘案して、技術担当取締役であっても有価証券報告書等の記載内容に疑義を抱くべき状況であったと評価し、そうである以上は担当外の取締役であっても自ら調査・確認すべき義務があり、「相当な注意」を用いたと認めなかったものと解釈できる。

また、【別表3】③の判決（東京地判平成24年6月22日）では、取締役会に出席していた担当外の取締役に対し、その場で臨時報告書の記載内容を確認することを求めているように読めるため、これを一般論として考えるとあまりに厳しすぎるように思われる（実務では、有価証券報告書等の提出については、決議事項ではなく報告事項とされていることも多く、決算開示の直前に取締役会を開催して極めて短時間で審議を終了しているため、その場で記載内容を確認せよというのは無理を強いているに等しいように思われる）。

しかし、同判決は、資金繰りが非常に厳しくなっている中で新株予約権付社債とスワップ契約を組み合わせた複雑かつ巧妙な資金調達を試みた事案であり、スワップ契約の存在を臨時報告書で開示するべきかどうかという点は、資金調達という差し迫った目的と情報開示の正確性のどちらを最優先とするのかという全取締役にとって注意を払うべき重要なポイントであったと言えなくもない。そのような例外的な状況であったと考えるならば、担当外の取締役であっても、取締役会で一連の資金調達スキームの実行について審議する際、臨時報告書の記載内容を確認するべきであったと考えることもできる（ただし、このように整理すると、取締役会に出席した取締役だけ責任を認め、欠席した取締役を免責した点には疑念が残る）。

以上のとおり、会社役員は、取締役会のメンバーとして監視義務を負っており、有価証券報告書等の記載内容に疑義を感じる事情があるにもかか

第1章　子会社管理の必要性

わらず、それを調査・確認せずに担当役員に任せきりにしてよいというこ
とではないが、記載内容に疑義を感じるべき状況であったかどうかについ
ては各役員の役割、職務内容、地位等に応じて異なるのであるから、個別
の事情を考慮して「相当な注意」を用いたかどうかを判断する必要がある。
代表取締役又は経理財務担当取締役は、開示する財務情報の正確性を確保
することを職責として負っているため、部下である経理財務担当職員が適
切に業務を遂行しているかどうかを含めて監督するべきであるが、それ以
外の取締役においては、財務報告に係る内部統制が適切に機能しているこ
とを信頼することが許容され、有価証券報告書等の記載内容につき疑義を
感じるべき特別な事情がない限り、有価証券報告書等の記載内容の自ら調
査して正確性を確認する必要はないと考えるべきである。

64

子会社管理の方向性

第 2 章　子会社管理の方向性

1　はじめに

　近年のグループ経営・連結経営の広がりや子会社で発生する企業不祥事の増加傾向等を勘案すると、子会社管理の体制を構築することは企業にとって喫緊かつ重大な経営課題である。今後、子会社の不祥事に関して親会社取締役の任務懈怠（子会社管理に係る注意義務違反）に基づく責任が追及される事例も増えてくる可能性が高い。

　しかし、法規制・裁判例のいずれを見ても、具体的にどのような内容の子会社管理体制を整備すれば、親会社取締役として子会社管理責任を果たしたということができるのかについては、未だ明らかとなっていない。そもそも親会社と子会社の関係性、企業グループの在り方自体、企業集団によって千差万別である上、1つの企業集団の中であっても親子の関係は一律ではなく、子会社の規模・事業特性・成り立ち等によっても親会社との関係性は異なっていることが多い。

　したがって、どのような子会社管理体制を構築するべきかについては、会社ごとに、自らの企業集団の特性等を勘案して検討していく必要がある。

　実務においては、既にグループ経営・連結経営が主流となっていることもあり、各社それぞれの事情をふまえて子会社を管理するための工夫をこらしている。

　たとえば、会社法は、親会社取締役会で企業集団における内部統制システムの整備を決定しなければならないとしており（会社法362条4項6号）、「コーポレート・ガバナンス方針」「企業行動規範」「グループコンプライアンス指針」などの名称で、企業グループ全体を包括するコーポレート・ガバナンスやコンプライアンスに関する方針・原則を定めていることが多い。その上で、各子会社に対し、全体の方針に沿った社内体制を整備するように働き掛けていくこととなる。

　次に、適切な子会社管理のために必要となるのは子会社の業務に関する情報であるから、これを入手するための体制を検討する必要がある。そのために実務では、親会社と子会社の間で経営管理契約を締結し、子会社の重要な業務執行については事前に親会社取締役会の承認あるいは報告を要する、一定の業務執行については事後の報告を求めるといった取決めをし

ていることが多い。また、子会社の経営トップ、取締役・監査役、重要な管理職などのポストに親会社社員を派遣し兼務させることで、子会社の業務執行状況に関する情報を把握し、適切に管理できるようにすることもよく行われている。

さらに、経理・法務・コンプライアンスなどの管理部門や内部監査・監査役監査の面での連携を図ることも重要である。実際、親会社の内部監査計画において重要な子会社を対象として定期的に内部監査を実施し、監査役が重要な子会社へ往査を実施するなどして、グループ監査を強化する取組みも行われている。そのほか、最近では内部通報制度についても、親会社だけでなく、重要な子会社を含めたグループ企業全体を対象とするように設計が工夫されつつある。

このように、実務においては子会社管理のための体制として様々な施策が工夫され、既に実施されている。しかし、親会社として子会社管理の方向性をきちんと意識して制度設計しているかというと、十分な検討ができていないケースが多いのではないかと思われる。

親会社として適切な子会社管理体制を構築していくためには、これらの施策（グループ全体の方針・原則の策定、経営管理契約等による重要な業務執行の承認・報告体制、子会社に対する役職員の派遣、内部監査・監査体制における連携強化など）をどのように設計し、各施策をどのように組み合わせて子会社を管理するべきなのかを検討しておく必要がある。子会社といっても、100％子会社なのか、議決権の過半数を保有するなどして実質支配しているのか、あるいはマイノリティ出資なのかによって、できる施策・できない施策があるはずである。それ以外にも、子会社の事業規模・特性等によって管理上留意すべき点は異なるはずであり、子会社ごとに適切な管理体制を検討する必要がある。さらに、それらをまとめた企業グループ全体のガバナンス・子会社管理の方向性についてはどのように考えるべきなのか、といった点も考慮しておくべきである。

個々の施策をどのように構築・運用するべきかといった具体的な内容については、第3章以下の解説に譲るが、本章では、グループ全体のガバナンス・子会社管理の方向性を検討する上で留意すべきポイントを整理したい。

具体的には、最初に管理の対象とすべき子会社・関連会社の定義を確認

第 2 章　子会社管理の方向性

した上、①議決権保有割合に応じた留意点、②事業規模、特性等に応じた留意点、③子会社管理の方向性（積極関与方針・自主性尊重方針）とそのメリット・デメリット、④企業グループ全体を管理する上での留意点、について述べる。

2 管理の対象とすべき子会社・関連会社

最初に、子会社管理体制の対象となるべき「子会社」及び「関連会社」の定義について確認しておく。

会社法における「子会社」とは、会社がその総株主の議決権の過半数を有する株式会社その他の当該会社がその経営を支配している法人として法務省令で定めるものと定義されており（会社法 2 条 3 号）、法務省令では、会社が他の会社等の財務及び事業の方針の決定を支配している場合における当該他の会社等と定められている（会社法施行規則 3 条 1 項）。ここでいう「財務及び事業の方針の決定を支配している場合」とは、その議決権の総数の 40％以上を所有し、かつ、派遣している役員の数、重要な財務及び事業の方針の決定を支配する契約等の存在、資金調達額などの要件から実質的に支配していると認められる場合などをいう（同条 3 項）。

また、「関連会社」とは、会社が他の会社等の財務及び事業の方針の決定に対して重要な影響を与えることができる場合における当該他の会社等（子会社を除く）をいうと定義されており（会社計算規則 2 条 3 項 21 号）、「財務及び事業の方針の決定に対して重要な影響を与えることができる場合」とは、①その議決権の総数の 20％以上の株式を実質的に所有している場合、②その議決権の総数の 15％以上 20％未満の株式を所有し、役員就任、重要な融資、技術取引等で重要な影響を与えている場合などをいう（同条 4項）。

これらの定義でいうところの「会社等」とは、会社（外国会社を含む）、組合（外国における組合に相当するものを含む）その他これに準ずる事業体と定義されているため（会社法施行規則 2 条 3 項 2 号）、海外の子会社・関連会社も含まれる。

このように、会社法における「子会社」「関連会社」の定義には、議決権

68

保有割合による形式基準だけでなく、その他の要件による支配力・影響力も勘案する実質基準が採用されている。これは金商法による定義にならったものであり、金商法における「子会社」「関連会社」の定義（財務諸表規則8条3項、5項）と会社法による定義はほぼ同様である。

会社法において子会社管理責任の根拠として考えられるのは、親会社取締役会において「当該株式会社及びその子会社から成る企業集団の業務の適正を確保するために必要なものとして法務省令で定める体制」の整備について決定しなければならないとする規定（会社法362条4項6号）である。したがって、親会社は、自社及び子会社を対象とした内部統制システムを構築する必要がある。

ただし、連結計算書類及び連結財務諸表における連結の範囲には、子会社のみならず関連会社も含まれるため（会社計算規則63条、69条、連結財務諸表規則5条、10条）、その財務報告の適正性を確保するためには関連会社についても一定の管理をしなければならない。

したがって、親会社として子会社管理体制を構築する上では、幅広に子会社（議決権の過半数以上を保有するなど実質的に経営を支配している会社）及び関連会社を対象として、どのような体制を構築すべきか検討を進める必要がある[1]。

3　議決権保有割合に応じた留意点

第1章で述べたとおり、金商法の分野では既に連結ベースでの情報開示が求められるようになっており、会社法の分野でも徐々に子会社管理のための規制が導入されつつあるほか、グループガイドラインでは、企業グループのガバナンスのためのベストプラクティスとなるべき実務指針が示されている。そのため、親会社としては、会社法・金商法に基づく責任を果たすためにも、子会社管理体制を構築しなければならない。

しかし、企業グループ内には複数の子会社及び関連会社が存在することが多く、これらの会社に対して一律の管理方針で臨むことは難しい。

---

1)　本書では、「子会社管理体制」の説明に当たり、関連会社も含めた意味で「子会社」と表記していることもあるので、ご留意頂きたい。

第2章　子会社管理の方向性

　管理方針を考える上でまず留意すべきなのは、親会社が当該子会社における議決権をどの程度保有しているのか（議決権保有割合）である。すなわち、当該子会社が100％子会社なのか、過半数以上の議決権を保有するなどして実質支配している会社なのか、それとも支配力までは有していない関連会社なのか、という点である。

　近年では、グループ経営・連結経営が主流となり、親会社による子会社管理の重要性が増しているにもかかわらず、実は親会社には子会社に対して直接指揮命令する権限はない。子会社は別個独立した法人であり、親会社が子会社に対して有する法的な権限は株主総会における議決権である。そして、親会社には、この議決権に基づく支配力を背景に事実上の影響力を及ぼして子会社管理体制を構築していくことが求められている。

　そうだとすれば、親会社の子会社に対する支配力の源泉である議決権行使割合によって、子会社管理のためにできること・できないことが異なってくる。子会社に対して強い支配力を有していなければ、いかに親会社が事実上の影響力を及ぼそうとしても、子会社が従ってくれない可能性があるからである。

　親会社として適切な管理体制を構築するための権限や支配力がないにもかかわらず、子会社管理体制が適切でないなどとして責任追及されるいわれはない。親会社の子会社管理責任としては、できる範囲で適切な子会社管理体制を構築することが求められているはずであるから、子会社に対する支配力の強弱、すなわち当該子会社の議決権を親会社がどの程度保有しているのかに応じて、適切な管理体制を検討していく必要がある。

(1)　100％子会社の場合

　親会社が子会社の株式を100％保有している場合には、株主総会の決議を通じて、子会社の役員人事、配当政策、組織再編などの重要事項について親会社が決めることができる。100％株主であるから、臨時株主総会も機動的に開催することができるほか、定款で株主総会決議事項を増やすこともできる。

　また、親会社と子会社の利益は一致するため、子会社の取引先・従業員などの第三者の利益を侵害しない限り、親子の間で利害関係が対立することはない。利益相反取引・競業取引といった問題も生じないから、個人情

報など法規制がある場合や第三者との間で守秘義務を負っている場合を除き、子会社から親会社への情報開示を拒むという場面もほとんど考えられない。

このように100％子会社の場合には、親会社は子会社の少数株主との利害調整などを考慮する必要はなく、子会社の人事・予算や個別の経営判断についても積極的に関与して管理することが可能である。たとえば、社内の事業部門を独立させて子会社としての法人格を与えつつ、実際の運営についてはあたかも1つの事業部門のままであるかのように親会社が積極的に関与して一体的に管理することも可能となる。

ただし、親子間の利害関係が一致しているからといって、100％子会社については積極的に関与することが常に望ましいということではない。100％子会社であっても別個独立の法人として取締役がいるのであるから、親会社は極力口出しせず、子会社取締役の自主的な経営判断を尊重し、効率的かつ迅速な業務執行を担わせるという方針も採用し得る。

子会社管理の方針としては、子会社の自主性を尊重するのか、親会社が積極的に関与するのかという2つの方向性があり、本章5（81頁）で詳述するとおり、それぞれにメリット・デメリットがある。100％子会社については、親子間の利害が一致しているため、一見すると積極的な関与方針になじむようにも思われるが、子会社の成り立ちや事業の特性によっては、子会社の取締役に経営を任せ、親会社は株主としての立場から子会社を管理するというスタンスをとることがより望ましい場合もある。

100％子会社の場合には、子会社の少数株主との利害対立といった事態を考慮する必要がないため、当該子会社の事業の規模・特性・成り立ち等を考慮しながら、親会社として積極的に関与していくのか、子会社の自主性を尊重するのか、もっともふさわしい管理体制を検討していくことができる。

(2)　実質支配している場合

親会社が子会社の議決権の過半数以上を保有するなどして実質的に子会社の経営を支配している場合には、親会社はその議決権の行使を通じて子会社の役員人事・配当政策などを決めることができる。

特に、子会社の役員人事を決めることができるという点は、親会社によ

る支配力の源泉であり、これを通じて子会社の経営陣に対し、親会社としての意向を反映した業務執行を行わせることができる。親会社の役職員に子会社のトップや主要ポストを兼務させることもできる以上、支配力という点では100％子会社とさほど大きな違いはなく、100％子会社と同じように積極的な管理を行うことも可能である。

しかし、適切な子会社管理体制を検討する上では、100％子会社かどうかによって、大きな違いがある。それは少数株主の存在である。

グループ経営・連結経営が主流となる中、親会社と子会社は共通のグループ戦略に従って経営していくことが求められる。その一方で、親会社と子会社は別法人であり、その取締役は各自が帰属している会社（親会社又は子会社）の利益を最大化するために働く義務がある。

その際、100％子会社であれば、取引先・従業員などの利益を侵害しない限り、株主である親会社と子会社の利益は一致するが、子会社に少数株主がいる場合には、親会社と少数株主の利益が相反する可能性がある。そのため、親会社が絶対的な支配力を背景として子会社に不利益を押しつけることがないよう、子会社の少数株主を保護する必要がある。このような問題意識は持株会社解禁以前の学説における主要なテーマであり、平成26年会社法改正においても、子会社の少数株主の保護という観点から、子会社の取締役会は親会社との間の取引が子会社の利益を害さないかどうかについて検討し、その判断及び理由を事業報告に記載しなければならないとする法改正（会社法施行規則118条5号）が行われた。

したがって、少数株主のいる子会社については、少数株主の利益に配慮して子会社管理体制を検討する必要がある。例えば、親会社との取引、グループ内の資金管理、親会社又はグループ会社との間で競業関係がある場合の情報管理などについては、親会社と子会社の間柄といっても別法人である以上、子会社としての自主性を持たなければならない。

特に、親子会社の間で利益相反・競業関係が発生する取引を行う場合には、子会社の経営判断が親会社の利益に配慮して子会社の利益を侵害するものであるなどとして、子会社の取締役が子会社の少数株主から訴えられる可能性もある[2]。これは子会社だけのリスクではなく、子会社に役職員

---

2) 大阪地判平成14年2月20日判タ1109号226頁。

を派遣している親会社においてもそのようなリスクがあることに留意しておかなければならない。したがって、少数株主のいる場合における親子間取引については、親会社・子会社のどちらの立場にとっても慎重な判断が求められることとなる。

　もっとも、少数株主といっても、その属性や親会社との関係は様々であり、それに応じて子会社管理の方針も変わってくる。

　親会社と少数株主の間で株主間契約等が締結されている場合には、重要な経営事項については少数株主の賛成を要するとか、少数株主も出資割合に応じて役員を派遣できるといった取決めがされることが通例であり、それらの契約の中で過半数を占める親会社と少数株主との利害調整が行われていることが多い。そのため、親会社とすれば、基本的にはあらかじめ合意した株主間契約等の制約の下で子会社を管理すれば足りる。当初予期していなかった大きな経営判断をしなければならない場面が生じたとしても、その都度当該少数株主と協議することができるため、100%子会社のような自由度はないとしても、保有する議決権に応じた影響力を行使することは可能となる。

　一方で、そのような特定の提携関係にある少数株主ではなく、何らかの事情で少数の個人株主が残ってしまった場合には、子会社管理は若干煩雑とならざるを得ない。例えば、子会社において組織再編などの大きな経営判断をする場合、少数株主の利益を侵害することがないように留意することは当然として、利益を侵害していないのに少数株主から異議を出されて手続が遅延したりすることがないよう配慮する必要も出てくる。

　さらに、親会社が議決権の過半数以上を保有するなど実質支配していたとしても、それ以外に不特定多数の株主がいる場合もある。いわゆる上場子会社である。

　上場子会社の場合には、子会社自身、金商法や上場規制、コーポレートガバナンス・コード等に従ってガバナンス体制を確立しなければならない。上場子会社の場合には、親会社の管理だけでなく、社外取締役・社外監査役などの独立役員によるガバナンス・モニタリングの強化も求められている。また、子会社の少数株主の中には機関投資家もいるはずであり、少数株主から子会社に対するガバナンスを効かせることもできる。

　このように上場子会社に対しては、会社法・金商法、上場規制、コード

第2章　子会社管理の方向性

等によって自らガバナンス体制を構築することが求められているのであるから、親会社としては、たとえ実質的な支配力を有していたとしても、子会社の上場企業としての自主性・独自性を尊重して管理体制を構築することが望ましい。

例えば、通常の親子会社間では、経営管理契約に基づき子会社の重要な業務執行について事前に親会社取締役会の承認・報告を求めるといった対応がとられることが多いが、支配株主を有する上場会社（上場子会社）の場合には、「取締役会において支配株主からの独立性を有する独立社外取締役を少なくとも3分の1以上（プライム市場上場会社においては過半数）選任するか、または支配株主と少数株主との利益が相反する重要な取引・行為について審議・検討を行う、独立社外取締役を含む独立性を有する者で構成された特別委員会を設置すべきである」とされている（コーポレートガバナンス・コード補充原則4-8③）。そして、上場子会社の独立社外取締役には、「経営陣・支配株主から独立した立場で、少数株主をはじめとするステークホルダーの意見を取締役会に適切に反映させること」が期待されている（同原則4-7(iv)）。そうだとすれば、子会社の業務執行の決定については原則として子会社取締役会に任せ、親会社と利益相反する取引は当然として、それ以外の取引についても、少数株主をはじめとするステークホルダーの利益を考慮して審議・検討すべきである。そして、親会社の事前承認を要するのは、企業グループ全体の戦略・業績に影響を与えるような重要事項に限定することが適切と考えられる。

親会社への報告についても、子会社における重要情報管理の観点から、適切な範囲で行う必要があり、子会社の営業秘密への配慮が強く求められる。また、内部監査についても、上場子会社の場合には自ら内部監査部門を設置して自主的に実施することが求められるため、親会社の内部監査部門とは必要な範囲で連携を取ることになる。

そのほか、難しいのは上場子会社の役員人事である。上場子会社としての自主性を尊重して生え抜きの役職員に経営を任せている場合には、親会社としては管理・監督のために必要なポスト（例えば、財務・経理など）にお目付役として親会社出身者を派遣することはあっても、それ以上に業務執行に関与することはなく、利益相反・競業取引といった問題も発生しにくい。しかし、上場子会社であっても、そのトップを含め重要な業務執行

者のポストへ親会社出身者を派遣するケースもあり、そのような場合には、利益相反・競業取引によるリスクのほか、経営陣の指名・報酬の決定プロセスに独立役員を関与させてモニタリングを強化すべきとするコーポレートガバナンス・コードとの整合性をどのように図るかを考えなければならない。この点、グループガイドラインでは、上場子会社の経営陣については、上場子会社の企業価値向上に貢献するかという観点から、上場子会社が独立した立場で、その後継者計画を策定し、候補者の指名を行うべきであると指摘しており、その際に親会社と連携することは合理的であるものの、親会社から提案された候補者についても適格性を客観的に判断すべきであるとされている（グループガイドライン 6.4.2）。

(3)　関連会社の場合

　親会社は、金商法や有価証券上場規程に基づき、正しい連結財務諸表を作成し、有価証券報告書や決算短信として開示しなければならない。したがって、関連会社についても、財務情報の正確性を確保できるようにしなければならない。

　しかし、その一方で、親会社は関連会社に対しては実質的な支配力を有していないため、正しい財務情報を求めて管理しようとしても、関連会社が自ら応じてくれない限り、適切な管理ができない事態が生じる。

　そのため、関連会社に関しては、出資する際に適切なデューディリジェンスを実施して経理・財務に係る社内体制の不備やリスクがないかどうかを分析するとともに、株主間契約等において、財務情報の正確性を担保するための条項を取り決めておく必要がある。業績不振・不祥事が発生した後になって、追加情報の提出や親会社による内部監査を要求しても、関連会社の側で拒否される可能性もあるため、あらかじめ合意しておくことが有益である。

　したがって、関連会社に関しては、マイナー出資であっても最低限必要な管理を実施することができるようにあらかじめ株主間契約等を締結しておくことが重要であり、出資の際の交渉の段階から将来の管理体制をどうするべきかを念頭において交渉に臨むことが求められる。

第2章　子会社管理の方向性

④　事業規模・特性等に応じた留意点

　近年では、グループ経営・連結経営が主流となり、企業集団を形成する会社の数も非常に多くなっている。親会社の下に多数の子会社があり、その下に孫会社があり、グループ内の複数の会社が出資している会社もあり、企業グループ全体の組織図も複雑である。

　そのような中、親会社としては、いかに子会社管理が重要であるといっても、企業グループ内の全ての子会社を一律に管理することは現実的に難しく、重点的に管理するべき子会社を選んでメリハリをつけて子会社管理を行わざるを得ない。

　重点的に管理するべきかどうかについては、企業集団に占める重要性・リスクの大きさを判断基準とするべきである。特に、①事業規模が大きい子会社、②レピュテーション・リスクの高い事業を行っている子会社、③海外子会社については、どのような管理体制を構築することが適切なのかを慎重に検討する必要がある。

(1)　事業規模が大きい子会社

　近年、親会社による子会社管理が重要な経営課題として認識されるようになった背景には、グループ経営・連結経営が主流となり、持株会社が急速に広まってきたことを受けて、実際に事業を行う子会社の不祥事や経営不振が企業グループ全体に悪影響を及ぼし、親会社株主に損失を与える可能性について、より強く懸念されるようになってきたことが挙げられる。

　そうだとすれば、親会社としては、不祥事や経営不振に陥ったときに連結ベースで親会社株主に損失を及ぼす可能性の高い子会社、すなわち、事業規模が大きく連結決算への影響も大きい子会社を重点的に管理するべきである。

　もっとも、ここでいう重点的な管理とは、親会社が子会社の個別具体的な経営判断まで介入して積極的に管理するべきという趣旨ではない。

　事業規模の大きな子会社は、従業員も含めた経営資源が豊富であり、社内規程や組織体制もしっかり整備されていることが多い。子会社において職務権限規程や文書管理規程も整備され、業務執行の決定に関する社内稟

議体制も適切に構築され、取締役会・経営会議が定期的に開催されている場合には、その自主的な運営を尊重し、子会社の業務執行については原則として子会社に任せ、企業グループ全体に影響を及ぼすような重大な経営判断を行う場合に限って親会社に事前承認を求めるという管理体制を取る方が効率的である。子会社の個別具体的な業務執行について親会社が関与しすぎると、子会社の経営のスピードが遅くなる上、親会社と子会社で同じ議論を何度も繰り返すこととなり、重複感が否めない。また、内部監査についても、規模の大きな子会社は自ら内部監査部門に人を配置して監査を実施することができ、事業の現場に近いことから、親会社の内部監査部門が行うよりも実態に即した監査を行うことが可能である。

　これに対し、子会社の中には経営資源の乏しい規模の小さな会社も多い。これらの子会社では、業務執行に関する組織・規程も簡略であり、独立した内部監査部門を置くことも難しい。実際、規模の小さい子会社では、内部監査部門を独自に設置せず、親会社と兼務、あるいは子会社の他部門と兼務していることも多い。このような子会社については、たとえ連結決算に占める重要性がさほど高くなくても、親会社が積極的に関与しなければ経営の効率性・適法性を確保できないため、積極的な関与方針をとるべきということになる。

　このように、重点的に管理するべき子会社かどうかという点と管理の方針として親会社が積極的に関与すべきかという点は、区別して考えなければならない。

　事業規模が大きく、万一経営不振・不祥事が起きた場合に連結決算へ甚大な悪影響を及ぼしかねない子会社については、親会社として重点的に管理しなければならないことは当然である。

　しかし、適切な管理手法を検討する上では当該子会社の社内体制・内部監査体制の状況なども勘案すべきであり、事業規模が大きく、自社の内部で十分な社内体制・内部監査体制を構築している子会社については、子会社自身に自主的に運用させ、親会社は定期的に子会社の業務執行状況の報告を受けてモニタリングを行うという形で、親子間の役割分担を明確にすることが適切かつ効率的という場合もある。

　そのような役割分担を明確に定めてモニタリング体制を構築しておけば、事業規模の大きな子会社については、その自主性を尊重しつつ、重点的に

第2章　子会社管理の方向性

管理することも認められるべきである。

(2)　レピュテーション・リスクの高い事業を行っている子会社

　連結決算への影響度の大きい子会社を重点管理の対象とすることは当然として、それ以外に考慮すべき要素として、当該子会社の行っている事業がいわゆるレピュテーション・リスクの高いものかどうかという点が考えられる。

　同じ企業グループに属する子会社で不祥事が発生した場合には、それがどのような内容のものであっても、グループ全体に対してレピュテーション・リスクは発生する。しかし、過去の不祥事報道を見ると、特にレピュテーション・リスクの高い性質の不祥事というものが存在するように思われる。

　具体的には、B to B のビジネスよりも B to C のビジネス、その中でも特に消費者の生命・身体の安全に影響を及ぼしかねない不祥事については、マスコミ等で大きく取り上げられてレピュテーションが大きく毀損する事態に発展する可能性が高い。食品・飲料など一般消費者に身近な事業であればあるほど、万一不祥事が起きた場合には大きく報道されるし、子どもや乳幼児、高齢者などを対象とする商品については、過剰とも言える反応を引き起こすリスクもある。また、万一不祥事や事故が発生した場合の被害者の範囲が広範にわたる事業の方がマスコミに取り上げられる可能性が高く、その結果としてレピュテーション・リスクが高いと言えよう。

　このように、事業の種類、取り扱っている商品・サービスの内容によってレピュテーション・リスクを招く可能性に差がある以上、たとえ事業規模が小さくてもレピュテーション・リスクの高い事業を扱っている子会社については、重点的に管理しておくべきと考えられる。仮に企業グループの中では連結決算への貢献度が低い小さな子会社であっても、そこで不祥事が起きると、それは当該子会社だけの問題にとどまらず、企業グループ全体に影響してレピュテーション・リスクを招く可能性もゼロではない。そして、ひとたび毀損した企業ブランドの価値を回復するのは至難である。

　したがって、重点管理するべき子会社を検討する上では、金額的な連結決算への影響度の大きさを考えるだけでなく、万一不祥事が発生した場合のレピュテーション・リスクの大きさについても考慮する必要がある。

そのほか、当該子会社の行っている事業が構造的に不祥事の発生しやすいものかどうかという点も考慮に入れる必要がある。

過去の不祥事例を見る限り、世の中には、不祥事が繰り返されている事業、すなわち構造的に不正リスクの高い事業というものが、残念ながら存在するように思われる。談合・カルテルなどが典型的であるが、それ以外にも同業他社の間で同じ内容の不祥事が頻発しているようであれば、当該事業では構造的にそのような不祥事が発生しやすいものと考えておくべきである。

企業グループの中にこのような構造的に不祥事が起きやすい事業を扱っている子会社がある場合には、親会社としては重点的に管理対象としておくことが望ましい。

(3) 買収した子会社

同じく100％子会社であっても、親会社の事業部門がスピンアウトして設立された子会社と親会社が他の企業を買収して子会社化した会社では、PMIの一環として、あるいはその後もしばらくの間は管理の方法を工夫する必要がある。

親会社の事業部門を切り出して子会社化した場合には、同じ企業文化で育ってきた会社であり、社内ルール・社風も同じである。子会社の役職員のポストが親会社の人事ローテーションに組み込まれていることも多く、人事・報酬の評価も同じような体系・制度となっているため管理しやすい。親子間の情報共有や内部監査の実施についても、社内の事業部門と大きく異なる点はなく、親会社としては積極的な管理を行いやすい。

一方で、他の会社を買収して子会社化した場合には、もともとの企業文化が異なるため、社内ルール・社風も大きく異なる。子会社の経営トップや重要な管理職ポストなどに親会社から人を派遣することはあっても、日常的な事業を担うのは生え抜きの役職員であるため、彼らのインセンティブを失わせないように管理体制を検討する必要がある。そのため、買収して子会社化した場合には、子会社の自主的な経営判断を尊重し、親会社がむやみに個別の経営判断に介入しないという方針をとることが多い。

ただし、自主性を尊重しすぎると、なかなか企業グループとしての一体感が醸成されないばかりか、親会社との情報共有がおろそかになり、親会

社として子会社管理に必要な情報まで報告されなくなるリスクがある。さらに、子会社の自主性を尊重し、業績評価による人事・報酬を通じた管理を徹底すると、子会社が親会社に対して業績不振・不祥事を報告せずに隠蔽するといった事態も招きかねない。このようなリスクがあることに留意し、自主性を尊重しつつも適切な管理・監督を行うことが必要である。

(4) 海外子会社

近年、経済のグローバル化に伴い、海外進出する日本企業が増えている。その中で、各社とも頭を悩ませているのが、海外子会社をどのように管理すべきかという点である。

海外子会社では、適用される法規制、ビジネスの進め方や商慣行、現地採用の役職員の気質など、あらゆる面で日本とは異なる中で事業を進めなければならず、事業を進める上で直面するリスクも多種多様である。

まず、海外に支店・拠点を設けて事業を海外展開する場合には、日本の法令だけでなく、その国の法令に遵わなければならないため[3]、海外子会社ではその国の法規制を正確に把握して事業を進める必要がある。うっかり知らなかったという言い訳は原則として通用しないため、小さな海外拠点であっても現地の法律事務所などを起用して法令違反とならないように注意する必要がある。

また、ビジネスの進め方においては「郷に入っては郷に従え」というわけにもいかない。特に新興国では、先進国の水準に照らすと問題がある商慣習が残っていることもあり、現地のやり方をそのまま踏襲していると重大なコンプライアンス違反を招くこともある。現地の法規制を遵守しつつ、国際的なコンプライアンス規制にも留意し、社内体制・内部監査体制についても整備する必要がある。現地の企業との合弁会社の場合には、合弁相手の企業のコンプライアンスに対する意識が強いかどうかによって大きく左右されるため、合弁前のデューディリジェンスや交渉の過程で当社の求める水準のコンプライアンス体制が確保されるように主張し、できる限り合弁契約に反映させておく必要がある。

さらに、海外子会社の場合には親会社から多数の社員を出向させること

---

3) 大阪地判平成 12 年 9 月 20 日判時 1721 号 3 頁。

は難しいため、現地採用者を役員や重要な管理職ポストに登用して事業を進めることとなるが、彼らを適切に管理して親会社との情報連携体制を築くことが重要である。現地採用者と親会社から派遣した社員の間で適切なコミュニケーションをとることから始めなければならないが、言葉の壁もあって意思疎通が不十分なケースも多い。そのために不正行為の発見が遅れることもあり得る。また、現地採用者を子会社のトップ又は重要な管理職とする場合には、親会社とのコミュニケーション不足から、親会社の経営戦略・経営計画に従わずに独自の判断で事業展開されてしまうリスク、海外子会社における業績不振・不祥事を親会社に報告しないリスクなどが懸念される。

　海外子会社の場合には、上記のように多種多様のリスクを抱えており、日本国内の子会社以上に適切な管理体制が欠かせない。

　海外子会社を管理する上での留意点については第5章で詳述するが、海外子会社については、物理的・文化的な距離もあって親会社として積極的な管理を行うことは難しく、自主的な運営に任せるべきところは任せつつ、経営管理契約等によって承認・報告基準を定め、コンプライアンス体制を確保するなど、管理するべきポイントはしっかり管理できるような体制を工夫していく必要がある。

5　子会社管理の方向性とメリット・デメリット

　ここまで、子会社の議決権保有割合（100％子会社、実質支配している子会社、関連会社）、その事業規模・特性等に応じて、子会社管理体制を検討する上での留意点を整理した。そこで問題となったのは、子会社の自主性を尊重するのか、親会社が積極的に関与するのか、両者のバランスをどのようにとるべきか、という点である。

　親会社として子会社をどのように管理していくべきかを検討する際には、①親会社として子会社の価値を高めるために積極的に関与するという方針、②別個独立した法人である子会社の自主性を尊重するという方針、という2つの方向性が考えられる。親会社は、上場企業として株主・市場に対して責任を持ち、自らが保有する財産である子会社株式の価値を高めるよう

81

に努める義務を負うという点を重視するのであれば、①の方針を採用することになるが、一方で、子会社は、親会社とは別個独立の法人格を有する主体であり、子会社としての機関設計・社内体制を備えているという点を重視すれば、②の方針が適切ということになり、どちらの方針にも一長一短がある。

そこで、以下では、親会社が子会社管理のために実務上よく行われる施策として、①経営管理契約等に基づく承認・報告体制、②子会社に対する役職員の派遣、③グループ内部監査について、積極的に関与する方針と自主性を尊重する方針のメリット・デメリットを整理してみることとする。

なお、ここで示した2つの方針は、あくまで子会社管理のための仕組みをどのように設計・運用するかを検討する際の考え方の指針・方向性であり、子会社管理について2つの典型的な方法があるということではない。一般論として、多角化やグローバル化が進み、事業ポートフォリオが複雑化するにつれて、親会社が積極的に関与するのではなく、各子会社に権限を委譲して自主性を尊重するという方針がなじみやすいとされているが、実際には、親会社・子会社の実情に合わせて、2つの方針の中間的なところでバランスをとって設計・運用していくのが通例であり、ここで整理したメリット・デメリットも運用次第で変わってくる。あくまでも子会社管理の仕組みを検討する上での考慮要素という位置づけであることに留意されたい。

(1) 経営管理契約等に基づく承認・報告体制

親会社が子会社を管理するための施策として、子会社との間で経営管理契約等を締結し、子会社の重要な業務執行について事前承認・報告のルールを定めておくことが多い。子会社の業務執行のうち、親会社取締役会の事前承認を要する事項、事前報告を要する事項、事後報告を要する事項などを取り決め、子会社が重要な業務執行の決定をする前に親会社が関与できるようにする仕組みである。

その際、親会社に対する付議・報告基準をどのレベルに設定するのかによって、親会社の関与の程度が大きく異なることとなる。

(a) 積極的に関与する方針のメリット・デメリット

親会社が子会社の業務執行に積極的に関与する方針を目指す場合には、

この付議・報告基準を引き下げ、子会社における個別具体的な業務執行についても金額が大きく重要なものは幅広く親会社取締役会の事前承認が必要という運用を行うこととなる。

このような積極関与の方針を採用した場合、親会社とすれば、子会社の経営に関する重要情報を事前に把握することができ、親会社の経営戦略・経営方針に沿った判断を行うことができる。子会社のトップによる独断専行や予期せぬ子会社不祥事の発覚といった事態を防ぐことができ、企業グループとしての統一的な経営戦略を推進することができる点は、グループ経営・連結経営の時代に合っていると言える。

その一方で、子会社としては、自らの取締役会で議論した後、親会社の取締役会に上程して同じ説明を繰り返さなければならない。場合によっては、子会社の経営会議・取締役会、親会社の経営会議・取締役会と同じ説明を４回も繰り返すことになるため、意思決定プロセスが重複して非効率であるという点は否定できない。子会社としては、親会社取締役会の承認というプロセスを経なければならないため、経営の迅速性は大きく損なわれることになる。

また、正しい経営判断を下すためには十分な情報が必要であるが、そもそも親会社取締役が子会社の事業環境や将来性といった経営判断に必要な知識を十分に持っているのかどうかという懸念もある。特に子会社が親会社とは全く性質の異なる事業を行っている場合には、当該事業の特性・リスク、当該事業の成長性や将来見込み、同業他社などの業界の環境といった経営判断のために必要不可欠な情報について、親会社の側では十分に把握できていない可能性がある。にもかかわらず、子会社の個別の事業についても親会社取締役会の事前承認・報告を求めるといった形で関与を深めると、十分な情報・知識を持たないままで経営判断が行われることとなってしまう。このような事態を避けるためにも、子会社が親会社とは大きく異なる性質の事業を行っている場合には、子会社の取締役や従業員に当該事業の専門的知見を蓄えてもらい、彼らに事業経営を委ね、親会社は原則として子会社の自主性を尊重するといったスタンスで臨むことが効率的なグループ経営に資するように思われる。

さらに、多数の子会社を抱える親会社においては、全ての子会社について積極的に関与しようとすると親会社のカバーする業務範囲が拡大しすぎ

てしまい、親会社の管理能力の範囲を超えてしまうという問題も出てくる。

そのほか、親会社が子会社の経営に積極的に関与している場合には、子会社の経営判断の誤りによる経営不振・業績悪化等について親会社取締役の責任が認められやすいという点も留意すべきである。例えば、子会社の経営判断の誤りによって子会社の業績が悪化したとしても、親会社自身が当該経営判断を承認している以上、子会社取締役に対して業績不振の責任を厳しく追及することは難しい。むしろ、当該経営判断に親会社自身が深く関わっていることから、親会社取締役に対して責任追及される可能性が高い。親会社が子会社に指示したなどとみなされてしまうと、親会社取締役の責任が認容されてしまうリスクがあることは、第1章で述べたとおりである。

(b) 自主性を尊重する方針のメリット・デメリット

これに対し、親会社取締役会への付議・報告基準を引き上げ、子会社における個別具体的な業務執行については原則として子会社取締役会へ任せ、企業グループ全体に影響を及ぼしかねない極めて重要な案件や企業グループ内の利害を調整する必要がある案件だけを親会社取締役会に付議するという自主性尊重の方針を採用した場合には、メリット・デメリットが逆となる。

メリットとしては、親子の間で意思決定プロセスの重複を避けることができ、子会社として迅速な経営判断が可能となる。

一方で、デメリットとしては、親会社として、子会社の業務に関する情報を適時適切に把握しにくく、子会社の事業に何らかの問題が発生していても気づかないまま、重大な状況に陥って初めて発覚するといった事態も起こり得る。ほとんどの子会社は自らが上場していないため、親会社のように株式市場からの要請・圧力を感じにくく、重要情報の親会社への報告が遅れて、親会社による適時情報開示ができないということもあり得る。また、子会社のトップが親会社の経営戦略・経営方針を十分に理解していないと、子会社の経営にグループ全体の方針が反映されにくい。子会社が自らの判断で事業を進めた結果、親会社の経営戦略・経営方針とずれてしまうということも考えられる。

そのほか、親会社取締役の責任については、子会社の自主性を尊重する方針を採用している場合には、子会社の経営判断の誤りによる経営不振・

業績悪化について親会社取締役が実質的に子会社に指示したなどとみなされて責任を認められてしまうリスクは少ない。

しかし、だからといって、親会社取締役として責任追及されるリスクが少ないとは言い切れない。多重代表訴訟制度が導入され、親会社株主が子会社の経営不振・業績悪化について注目するようになると、親会社が子会社役員の責任を追及しなければならない場面で追及しない場合には、親会社株主は親会社取締役に対して子会社管理責任を追及してくるリスクがあるからである。現実問題としては、親会社が子会社取締役の責任を追及している例は少なく、そのことが多重代表訴訟制度が導入された背景にあることを考えると、今後は、子会社取締役の責任を追及していないことが親会社取締役の任務懈怠であるとして、親会社取締役の責任が追及されるようになることも可能性として否定できない。

親会社による子会社管理の基本は議決権行使であるという原則に従えば、子会社の業績を評価し、それをふまえて子会社取締役の選任・解任の判断を行うとともに、経営判断の誤りによって業績が悪化した場合には、子会社取締役の責任の有無を検証し、責任があると認められるときには責任追及することが親会社の責務であるとも言える。特に子会社の自主性を尊重する方針を採用する場合には、親会社はあくまでも大株主としての立場から子会社を監督するわけであるから、子会社役員の責任を追及しなければならない場面で追及しないとなると、親会社取締役が子会社管理責任を全く果たしていないことになるため、注意が必要である。

(2) 子会社に対する役職員の派遣

親会社が子会社を管理するための施策として、子会社の取締役・監査役や重要な管理職のポストに親会社の現役の役職員を派遣することも、多くの会社で行われている。適切な子会社管理を行うためには、子会社に関する情報を適時適切なタイミングで入手することが必要不可欠である。そのため、子会社から親会社への報告をルール化するだけでなく、子会社の重要ポストに親会社の役職員を出向・転籍させ、場合によっては兼務させることで親子間の情報連携を緊密にしようとする人事上の工夫である。

その際、子会社のどのポストに親会社の役職員を派遣するのかによって、親会社の関与の程度が大きく異なることとなる。

第2章　子会社管理の方向性

(a) 積極的に関与する方針のメリット・デメリット

親会社が子会社の業務執行に積極的に関与する方針を目指す場合には、子会社の経営トップ、業務執行取締役あるいは重要な管理職のポストに親会社の役職員を派遣するなどして、子会社の業務執行ラインの中枢のポストを親会社の役職員で占めることが多い。

このような積極関与の方針を採用した場合には、親会社の役職員が子会社の経営を担うわけであるから、親会社の経営戦略・経営方針を浸透させやすい。子会社側の判断で独自路線の業務執行をされてしまうといったリスクも防ぐことができる。また、親会社から役職員を派遣する最大の目的である情報収集という観点からも、子会社の重要ポストへ派遣することで、子会社の経営に関する詳細な情報を適時適切なタイミングで入手できるように思われる。

ただし、このような子会社管理方針は、子会社の従業員の立場から見ると、トップその他の重要ポストを突然やってくる親会社出身者に占められてしまうこととなるため、生え抜き社員のインセンティブ低下につながる可能性がある。

さらに、他に少数株主のいる子会社の場合には、子会社の利益を図るために親会社と連携をとるべきでない場面も出てくるため、子会社に派遣された親会社出身者としては、子会社の少数株主から善管注意義務・忠実義務違反などと主張されないよう、慎重に行動する必要がある。

この点、仮に100％子会社であれば、親会社と子会社の利害は一致しているから、親会社と子会社の間で利益相反・競業関係は発生しない。そのため、子会社の営業に関わる詳細な情報を親会社に報告されても、特段問題が生じることはない（個人情報など法律上規制されているものを除く）。また、親会社から派遣されて子会社の重要ポストに就いた者が、親会社の経営戦略・経営方針に従い、親会社と緊密に連携して子会社の経営に当たることに異議が出ることも通常考えられない。

しかし、少数株主がいる子会社の場合には、親会社との間で利益相反・競業関係になることもあるため、子会社における情報管理や親会社への報告ルールを慎重に取り決めておく必要がある。具体的には、子会社の取締役に就任した者は、たとえ親会社から派遣されていたとしても、子会社の利益を最大化する善管注意義務・忠実義務を負っているため、子会社の営

業秘密に関わる情報まで無制限に親会社へ報告することはできない。また、親会社の現役の役職員が子会社の取締役を兼務しているのであれば、親会社との取引について子会社取締役会で審議する際には、特別利害関係人として外れることが望ましい。

そのほか、子会社が深刻な業績不振に陥って親会社株主に損失を及ぼすほどの事態になったにもかかわらず、親会社が子会社取締役の責任を追及しない場合には、親会社取締役に対して子会社管理責任を追及される可能性がある。そのような場合、過去の裁判例に照らすと、子会社の重要ポストを兼務している親会社取締役については責任が認められるリスクが高いと考えられる[4]。

(b)　自主性を尊重する方針のメリット・デメリット

これに対し、子会社の自主性を尊重する方針をとる場合には、子会社の経営トップ、業務執行取締役あるいは重要な管理職のポストには子会社生え抜きの社員を登用し、親会社からはお目付け役として非常勤の取締役・監査役あるいは一部の重要な管理職ポスト（例えば、経理・財務部など）に人を派遣するにとどめることが多い。子会社の業務執行については原則として生え抜き社員に任せ、親会社出身者は業務執行者を監督・監査するポストに就いて、株主としての議決権行使（子会社役員の選任・解任）と合わせて子会社を管理することとなる。

このような自主性尊重の方針を採用した場合には、子会社のトップその他の重要ポストには生え抜き社員が登用され、主体的に業務執行を行うことが期待されることとなるため、生え抜き社員のインセンティブを維持しやすい。また、親会社との間で利益相反・競業関係が生じたり、子会社の少数株主の利益に配慮しなければならない場面となっても、業務執行ラインに親会社出身者がいないため、重要情報の管理や利益相反取引・競業取引の承認手続などもやりやすいことになる。

その一方で、親会社の経営戦略・経営方針を浸透させにくく、子会社側の判断で独自路線の業務執行をされてしまうリスクがあること、親会社出身者は子会社の業務執行ラインに入っていないので、子会社の経営に関する詳細な情報を適時適切なタイミングで入手できない可能性があることな

---

4)　福岡高判平成24年4月13日金判1399号24頁、東京地判令和3年11月25日金判1642号44頁。

第2章　子会社管理の方向性

どのデメリットがある。

さらに、子会社の自主性を尊重する方針を採用した場合のデメリットとして、子会社による業績不振・不祥事の隠ぺいリスクが考えられる。

子会社の自主性を尊重するという管理方針は、子会社の経営は原則として子会社出身者に任せ、親会社は子会社の業績を評価し、その結果を子会社取締役の指名・報酬へ反映させるということが子会社管理の中心となるという考え方である。このようなモニタリング強化の必要性は、近年のコーポレートガバナンス・コード等でも指摘されているところであり、特段問題のあるものではない。

しかし、業績だけを評価の基準にしてしまうと、子会社のトップとしては親会社からの過度の干渉を受けないようにするため、業績不振・不祥事といったマイナスの情報はなるべく親会社に報告せず、解決の目途が立ってから報告しようとするなど、適時適切な報告が行われなくなるリスクがあることに注意する必要がある。

(3)　グループ内部監査

親会社が子会社を適切に管理するためには、子会社における違法・不正行為を早期に発見し対処することが必要である。そのため、親会社としては、子会社を対象とした内部監査を実施し、子会社の内部監査部門と連携を強化するなどして、互いに役割分担をしながら企業グループ全体の内部監査を行っている。

その際、子会社自身の内部監査体制をどの程度充実させるのかによって、内部監査の面においても親会社の関与の程度が異なってくる。

(a)　積極的に関与する方針のメリット・デメリット

子会社には独自の内部監査部門として十分な組織体制を設けず、親会社の内部監査部門が子会社の業務を監査するという方針をとる場合には、親子間で統一的な内部監査を行うことができ、親会社は適時適切に内部監査の結果を把握することができるほか、企業グループ全体として内部監査のレベルを維持することができる。経営資源の乏しい子会社においては、自社で内部監査を実施しようとしても専門的なスキルのある人員を十分に確保できないことが多く、内部監査のレベルを維持できない可能性も高い。その点、親会社の内部監査部門であれば、監査スキルも高いため、企業グ

ループ全体として一定レベルの内部監査を行うことができる。

　その一方、親会社からの内部監査では、子会社の事業の現場から離れた立場からの形式的・定型的な監査となってしまうリスクがあり、不祥事を発見しにくいのではないかという懸念もある。もともと内部監査部門は業務執行から離れており、独立した立場から業務執行の適法性・効率性をチェックすることが仕事であるが、適法性・効率性を正しくチェックするためには業務に対する理解が不可欠である。当該業務の具体的な内容をよく知らなければ、どこに不正の芽があるのかを未然に発見することは難しい。その意味では、親会社の内部監査部門が子会社の事業の実情をよく知らないまま形式的に監査を行うだけになってしまうと、内部監査の実効性が弱くなってしまう可能性がある。

　そのほか、多数の子会社を抱える企業グループでは、親会社の内部監査部門が全ての子会社をカバーするのは至難であり、過大な負担となって個々の子会社に対する内部監査が不十分となってしまうリスクもある。親会社としても、内部監査部門に多くの人員を充てる余裕がないことも多く、業種・地域も多様な子会社を全てカバーすることは負担が大きいため、最も効率的な役割分担を検討していく必要がある。

(b)　自主性を尊重する方針のメリット・デメリット

　これに対し、子会社に独自の内部監査部門を設置し、子会社の業務に対する監査は原則として子会社の内部監査部門が行い、親会社の内部監査部門は子会社の内部監査部門からの報告・情報共有によって子会社の内部監査の結果を把握するという方針を採用する場合には、事業の現場に近いところで内部監査を実施することにより不正の芽を早期に発見できる可能性が高い。

　その反面、親会社としては、子会社の内部監査部門との連携が不十分であったり、報告が遅延した場合には、子会社の不正リスクを適時適切に把握できないというデメリットがある。

　そのほか、このように子会社の自主的な内部監査に任せる方針は、それなりに規模の大きな子会社でなければ機能しない。子会社は経営資源に乏しく、内部監査部門に十分な人員を配置できないことが多いため、自主的な内部監査だけでは不十分な結果しか得られない可能性がある。

第2章　子会社管理の方向性

6　企業グループ全体を管理する上での留意点

　最後に、企業グループの頂点に立つ親会社として、グループ全体を管理していく上での留意点を整理する。

　親会社は、多数ある子会社を一律に管理するのではなく、子会社ごとに適切な管理方針を検討すべきである。その管理方針を検討する上での留意点としてここまで整理してきたのは、子会社の議決権保有割合、事業規模、特性等に応じた留意点であり、親会社と個々の子会社との関係の下で検討するべき内容である。

　しかし、企業グループの頂点に立つ親会社としては、個々の子会社を個別に管理しているだけでは、企業集団における内部統制を適切に実施していることにはならない。

　親会社は株主としてグループ内の子会社・孫会社に対する出資割合の変更や事業再編を行うことができ、それによって企業グループの設計自体を管理しやすいスキームに変更することができる。また、多数の子会社・孫会社を率いてグループ経営・連結経営を行う以上、グループ企業間の利害調整を行い、グループ全体のリスク管理を行う必要がある。

　すなわち、親会社としては、個々の子会社との関係で適切な管理体制を構築する必要があるだけでなく、多数の子会社から構成される企業グループ全体のリスクを適切に管理できるスキーム・体制を構築しておく必要があるのである。

(1)　企業集団のスキーム・機関設計

　近年では、多数の子会社・孫会社を抱える企業グループが増えているが、そのグループ組織図を見ると、子会社・孫会社・海外子会社などが重層的に組み合わされ、その議決権保有割合もバラバラであり、複雑なスキームとなっていることが多い。

　確かに、子会社化する要因としては、親会社の事業部門を切り出して別会社にしたり、多角化のために新規事業を担う子会社を設立したり、M&Aで子会社化したり、様々な事情があるため、一概に子会社といってもその資本関係や機関設計は多種多様であり、歴史的な経緯からグループ組織図

が複雑になることもやむを得ないところがある。

しかし、グループ組織図が複雑であればあるほど、親会社の立場から見た子会社管理も煩雑になることは明らかであり、親会社としては、できる限りグループ組織図をスッキリと整理できるように、子会社・孫会社の事業再編等を行う必要がないのかどうかを含めて検討すべきである。

具体的には、①子会社の議決権保有割合、②企業グループにおける位置づけ、③子会社の機関設計等について、適切かどうかを検討しておくことは有益である。

(a) 子会社の議決権保有割合

子会社の議決権保有割合については、100％子会社か、過半数の議決権を保有するなど実質支配している子会社か、関連会社かによって、親会社として管理できること・できないことに違いがあるため、管理の手法も異なってくることは前述したとおりである。

しかし、親会社は自らの判断で子会社の議決権保有割合を変更することもできるのであるから、子会社管理の実効性を上げるという観点から、各子会社の議決権保有割合が適切かどうかを見直すことが有益である。

特に、100％子会社でなく少数株主がいる子会社については、少数株主の利益に配慮するために注意しなければならない点が多く、少数株主が全く経営に口を出さない場合であっても、彼らが残っていることによって子会社経営の自由度が一定程度阻害されてしまうというデメリットは否定できない。そのため、少数株主がいる子会社については、少数株主を残しておくメリットとデメリットを比較検討して、100％子会社化するべきかどうかを検討する必要がある。

もっとも、海外子会社の場合には、現地企業と合弁することが事業推進上必要かつ有益であることが多い上、当該国の規制で現地企業の出資を入れなければならないといった事情があるケースもある。また、M&Aなどで子会社化した企業で、買収時の経緯等により、少数株主を残さなくてはならない（あるいは少数株主として残ってほしいと要請する）ケースもある。このように少数株主がいることが経営上のメリットとなっているケースも多いため、一概に100％子会社化を目指すべきということにはならないが、100％子会社とした方が子会社経営の自由度が増すことは事実であり、管理もしやすいように思われる。

第 2 章　子会社管理の方向性

　また、関連会社の場合には、親会社として支配力を行使することは難しいため、出資する際に関連会社化するメリット・デメリットをよく検討する必要がある。また、財務・経理に関する情報提供・管理体制等については、株主間契約等であらかじめ合意しておくことが重要である。

(b)　企業グループにおける位置づけ

　企業グループにおける位置づけとは、親会社の下に直接つながる子会社とするのか、子会社の下のいわゆる孫会社とするのかという問題である。現実の企業グループの組織図を見ると、親会社が実質支配しているといっても、親会社自身が直接議決権の過半数を保有しているのか、間に子会社が入った間接保有となっているのか、親会社と子会社がそれぞれ保有して実質支配しているのかといった形で支配関係が複雑に入り組んでおり、いわゆる孫会社・ひ孫会社として親会社からかなり遠い関係となっているものも多い。このような場合には、それぞれの会社を直接管理する主体としてどの会社が適切なのかという観点から、グループ組織図の設計を見直すことが有益である。

　現実問題として、企業の内部統制やコンプライアンスの重要性に対する意識は、上場している親会社が最も強く、子会社、孫会社と親会社からの距離が遠くなるにしたがって弱くなる傾向がある。

　親会社の立場から見た場合、子会社については直接管理できるため、ある程度目が行き届くものの、孫会社については直接管理することはできず、間に入った子会社に孫会社を管理してもらい、その管理状況をチェックするといった対応になりがちである。その場合、子会社が第一義的に孫会社を管理しなければならないが、子会社は親会社と比べて内部監査部門等も大きくなく、そもそも孫会社管理が自分たちの仕事であるという意識も低いため、十分な管理が行われず、結果として、孫会社への管理ができていないといった事態を招く危険性がある。

　そのため、企業グループへ及ぼす影響の大きい会社、具体的には、事業規模が大きく連結へのインパクトが大きい会社やレピュテーション・リスクの大きい会社については、なるべく親会社から目の届く範囲に置き、孫会社・ひ孫会社といった位置づけにすることは避けるべきと考える。

　もちろん、そのような企業グループへの影響の大きい会社であっても、事業の性質、地理的な制約、あるいは歴史的な経緯から、特定の子会社の

下に孫会社として位置づけざるを得ない場合もある。そのような場合には、間に入る子会社に対して孫会社に対する管理体制を構築させ、孫会社管理を適切に行うように指導する必要がある。例えば、海外子会社を多く抱える企業にあっては、地域ごとに統括会社を置いて子会社管理を行う例も多い。

(c) 子会社の機関設計等

親会社は、個々の子会社をどのような機関設計・組織体制にするべきかについても、子会社管理を行う立場から検討しておく必要がある。

子会社に対してどのような管理方針をもって臨むのか、親会社が積極的に関与するのか、子会社の自主性を尊重するのかを検討する上では、当該子会社の経営資源の有無、組織体制を考慮する必要があることは前述したとおりである。少ない人数で事業を拡大させている子会社にあっては、子会社の内部において重要な業務執行について十分な稟議体制をとることができないため、親会社に対する付議・報告基準を広く設定し、子会社の業務執行について親会社取締役会への事前承認・報告によって合理性を検証する。あるいは、子会社では内部監査部門に十分な人員を配置することはできず、そのような状態の子会社に自主的な内部監査を任せても不十分な結果となる可能性が高いから、親会社の内部監査部門が中心となって監査を行う。そのような形で、親会社としては、子会社の人員・組織体制を考慮しながら、最適な子会社管理体制を構築する必要がある。

しかし、よく考えてみると、子会社の機関設計・組織体制は所与のものではない。親会社は、子会社の株主として、子会社の機関設計をどのような形にするのかについても決定することができる。また、親会社からの出向者・転籍者の数・任期を検討することで、子会社の人員・組織体制をある程度コントロールすることができる。

実際にも、平成26年会社法改正により親会社出身者に社外性の要件が認められなくなったことを受けて、子会社の機関設計を監査役会設置会社から監査役設置会社へ変更するといった見直しが多くの企業グループで行われた（従前は親会社出身者を社外監査役とすることで監査役会の半数を社外監査役とするという要件を満たすことができたが、親会社出身者に社外性が認められなくなったため、半数要件を満たすことができなくなり、多くの企業グループで子会社における監査役会の設置を取りやめるという変更が行われた）。その際

には、監査役会の設置を取りやめたことで監査体制が後退したと言われることがないように見直しを行っているはずである。例えば、会社法上の監査役会ではないけれども、複数の監査役による情報共有・意見交換のための会議を任意設置したり、子会社の社外監査役として親会社から人を派遣する代わりに、子会社の内部監査部門や経理・財務部に人を派遣するといった対策をとった企業もあろう。

また、子会社で起きた不祥事について原因分析を行ったところ、人手が足りなくて行うべき確認・管理を行うことができなかったことが判明し、再発防止のために親会社から社員を派遣するといった措置が行われることも多い。

このような子会社の機関設計・組織体制の見直しは、会社法改正や不祥事といったきっかけがある場合だけでなく、恒常的に行うべきである。特に業務が拡大している子会社においては、時間の経過とともに人員は足りなくなってしまい、営業部には人の補充があるけれども、経理・財務部や内部監査部門には人の補充が来ないといった事態も起こり得る。それが子会社の不祥事の要因となるケースも多いため、親会社としては注意しておく必要がある。

そのほか、会社法では、規模の小さな非公開会社については抜本的に機関設計を簡略化することも認められており（会社法326～328条）、親会社が積極的に関与する方針を採用する場合には、子会社の機関設計を簡素化し、株主総会決議事項を増やすといった対応をとることも可能である。

(2) 企業集団全体としてのリスク管理

企業集団における内部統制システムとは、親会社及び子会社から成る企業集団における業務の適正を確保するための体制であり、大きく分けて、①親会社への報告、②損失の危険の管理、③業務の効率性確保、④業務の適法性（法令・定款への適合性）確保、という4つの観点から整理することができる（会社法施行規則100条1項5号）。

これらのうち、損失の危険の管理、いわゆるリスク管理体制の重要性については、過去の裁判例でも指摘されており、健全な会社経営を行うためには当該会社が抱える各種のリスク等を正確に把握し、適切に制御すること（リスク管理）が不可欠であり、会社が営む事業の規模、特性等に応じた

リスク管理体制（いわゆる内部統制システム）の整備が必要であると判示されている[5]。

　このような各種リスクの把握と事業の規模・特性に応じたリスク管理体制の整備は、グループ経営・連結経営が主流となった現在では、個々の企業単位で行うだけでは不十分であり、企業グループ全体を見渡して行わなければならない。

　企業集団におけるリスク管理としては、企業グループを構成する親会社及び子会社について、個々の会社が抱えるリスクを把握し、それに応じたリスク管理体制を構築しておけば足りるというものではない。企業グループを構成する各子会社の抱えるリスクのうち、同種のリスク（同じ要因によって発生する可能性のあるリスク）はないかどうか、仮に同時にリスクが発生した場合に企業グループ全体におけるリスク許容度の範囲に収まっているかどうかといった点まで検討してリスク管理を行うことが求められるのであり、そのような観点からのリスク管理は個々の子会社では行うことができず、親会社が行わなければならない。例えば、グループ内の複数の子会社が特定取引先に対して支払いサイトの長期化など事実上の信用供与を行っており、個々の子会社単位では許容限度内であったとしても、グループ全体でみると過剰な信用供与になっているケース、複数の子会社における原材料の仕入先が重なっていて、個々の子会社単位では仕入先の分散を意識していたとしても、グループ全体でみると特定仕入先への依存が過剰になっているケースなどが考えられる。このようなケースでは、子会社単位では適切なリスク管理を行っていても、企業グループ全体としてのリスク管理ができていないと評価される可能性がある。そのほか、企業グループ内の子会社の間に利益相反・競業関係がある場合には、親会社が企業グループとしての戦略・方向性を決めて両社の間の利害を調整しなければならないこともある。

　このように、グループ経営・連結経営を進めていく上では、個社単位のリスク管理のレベルを超えて、個社単位のリスクを組み合わせた企業集団全体としてのリスク管理をしなければならない場面も多く、そのような企業集団全体としてのリスク管理は企業グループ全体を統括する親会社でな

---

5)　前掲注3）。

第2章　子会社管理の方向性

ければ適切に行うことができない。

　したがって、企業集団におけるリスク管理体制を適切に構築するために
は、子会社の議決権保有割合、事業規模、特性等に応じて子会社ごとに管
理方針・体制を定め、親会社として個々の子会社を管理するだけではなく、
企業グループ全体のリスクマップを検討し、グループ全体で見た場合のリ
スクが適切に管理できているかどうかを検証する作業が必要である。

　そのほか、企業が抱えるリスクの中には、企業グループ全体の問題とし
て検討していかないと実効性に欠けるものもある。例えば、近年特に注目
を集めている IT・システム対応（サイバーセキュリティ対策など）について
は、相当額の費用を要する上、企業グループで統一したシステム体系を構
築することが求められることも多いため、個々の子会社に任せるのではな
く、親会社において企業グループ全体で統一的に検討を進めることが必要
である。グループガイドラインにおいても、サイバーセキュリティについ
ては、内部統制システム上の重要なリスク項目として認識し、サイバー攻
撃を受けた場合のダメージの甚大さに鑑み、親会社の取締役会レベルで、
子会社も含めたグループ全体、さらには関連するサプライチェーンも考慮
に入れたセキュリティ対策の在り方について検討されるべきと指摘されて
いる。

(3)　親会社内部における情報連携・管理体制

　多数の子会社を抱える親会社においては、子会社管理体制を通じて、
様々な子会社から実に多くの情報が報告されてくることになる。子会社か
ら報告を受けるのは、そこで入手した様々な情報を分析・検討し、親会社
として必要な指導・管理を行うためであるから、親会社の内部において子
会社から定期的に報告を受け、情報入手・分析を行う担当部署を決めなけ
ればならない。子会社管理のために有益な情報は、その内容に応じて、関
連する事業部、経理・財務部、内部監査部門など、親会社の様々な部署に
バラバラに報告されてくることも多いため、それらの情報を共有して連携
するための体制も必要である。さらに、ある子会社から報告された情報が
当該子会社だけでなく企業グループ全体に影響するようなリスクを内在す
る場合には、子会社管理の担当部署のレベルを超えて、より全社的な観点
から議論しなければならず、そのための仕組みも考えておかなければなら

ない。

　まず、子会社から定期的に報告を受ける担当部署については、子会社の事業と関連する親会社の事業部となることが多い。親会社の事業をスピンアウトした場合はもとより、M&A等で買収した子会社であっても親会社の事業とシナジーがあるために子会社化しているわけであるから、親会社の側にも子会社の事業と対応する事業部があることが多い。したがって、当該部署の下に子会社を配置し、子会社の管理を任せるといった形をとるのが自然である。

　ただし、子会社の数が増え、事業の性質・規模も多様化してくると、そのような単純な仕組みでは追い付かず、機能的に整理して担当部署を決める必要が出てくる。子会社・関連会社の管理を単一の部署で一括して行わせるため、関連する事業を営む子会社等をまとめて管理する部署を設置して、横断的に管理するという方法をとる場合もある。そのほか、多数の国内拠点や海外子会社がある場合には、その所在地ごとにまとめて地域統括会社を置き、地域別の管理を行うことも効率的である。

　以上のように担当部署を決めたとして、そこで行う子会社管理は、子会社における重要な経営事項の事前承認・報告や役職員の派遣を通じた情報収集など、原則として営業部門（第1線）における管理である。しかし、適切な子会社管理を行うためには、経理・財務部による連結決算のための情報収集、法務・コンプライアンス部による管理、内部監査部門・監査役による監査を通じた不適正行為のリスクに関する情報収集などのいわゆる第2線・第3線による管理も重要であり、それらの過程で得られた情報をいかに共有し、連携するかが課題となる。この情報共有・連携がうまく機能しないと、親会社の一部の部署では子会社の不祥事リスクを把握していたのに、子会社を直接指導すべき部署で適切な対応がとられず、結果として親会社による子会社管理が機能していないという事態を招きかねない。

　法務・コンプライアンス部は子会社も含めた会社の業務の適法性を確保するための部署であり、経理・財務部も正確な連結財務諸表を作成するため、子会社の決算手続の適法性を検証しなければならない。また、内部監査部門及び監査役はいずれも子会社の不正の芽を早期発見することが仕事である。

　それに対し、子会社管理の担当部署はいわゆる営業部門であり、子会社

が計画どおりに事業を推進・拡大し、収益を上げているかどうかが最大の関心事となる。そのため、不正防止・コンプライアンスの遵守という観点からの子会社への牽制機能が甘くなる危険性も否定できない。

そのため、適切な子会社管理を行うためには、第2線（経理・財務、法務・コンプライアンスなどの管理部門）及び第3線（内部監査部門）における親子間の直接のライン（縦串）を通し、第1線（事業部門）におけるラインとともに、3線構造を通じて子会社の情報を収集できる体制を構築することが必要である。

さらに、親会社の内部において、子会社管理の担当部署と経理・財務部、法務・コンプライアンス部、内部監査部門、監査役等との間で情報連携を図るとともに、適切な管理体制を構築して牽制機能を発揮できるようにしておくことが不可欠である。特に、監査役等が適切に機能発揮するためには監査に必要な情報を収集するための体制を構築することが不可欠であり、内部監査部門から業務執行ラインだけでなく監査役等に対しても直接のレポートラインを確保すること（いわゆる「デュアルレポートライン」をルール化しておくこと）が有益である。そのほか、会社外部の機関である会計監査人との情報共有・連携を深めることも必要である。

(4)　純粋持株会社における留意点

最後に、純粋持株会社か事業持株会社かによって、子会社管理上の留意点として違いが出てくるかを検討する。

純粋持株会社とは、自らは直接事業を行わず、株式を保有する傘下の事業会社の活動を支配・コントロールすることを通じて収益を上げる会社である。これに対し、事業持株会社とは、自ら事業を行うとともに、傘下に事業会社を抱える会社である。

純粋持株会社は、子会社を管理して収益を上げることを目的としており、その旨を定款にも明記している以上、純粋持株会社の取締役は親子会社一般におけるよりも子会社管理について高度の任務を負っているという議論もあり得るという指摘がされている[6]。実際、純粋持株会社形態の多い銀

---

6)　山下友信「持株会社システムにおける取締役の民事責任」金融法務研究会編『金融持株会社グループにおけるコーポレート・ガバナンス』（金融法務研究会事務局、2006年）34頁。

行・証券・保険などの金融分野では、銀行法その他の法規制や金融庁による監督指針等に基づき、持株会社取締役に対して子会社（銀行等）の管理に関する高い責務が求められている[7]。しかし、金融持株会社における子会社管理については、金融機関の公共的性格をふまえて銀行法その他の業法による規制がかかっているため、上記の議論を一般的な純粋持株会社における子会社管理責任にそのまま当てはめて同列に論じることはできない。

純粋持株会社であっても事業持株会社であっても、実質支配する子会社を抱えてグループ経営・連結経営を推進する以上、その保有する財産の一部として子会社の価値を最大化し、価値の毀損を防ぐように尽くすべき義務を負っているという点では同じであるはずである。ただし、純粋持株会社の場合には、自らは事業を行っておらず、子会社である事業会社の損益がそのまま連結決算へ反映される仕組みとなっているため、事業持株会社以上に重点的に子会社を管理することが求められるということはできると思われる。

また、純粋持株会社における子会社管理の方向性についても、本章で整理したとおり、親会社が積極的に関与する方針と子会社の自主性を尊重する方針の2通りが考えられるところであるが、あくまで私見であるものの、純粋持株会社のスキームは、業務執行を担当する事業子会社とそれを監視・監督する純粋持株会社の機能が明確に分かれており、指名委員会等設置会社における執行役と取締役会の関係性に似ているように感じている。

指名委員会等設置会社では、取締役会は基本的に監督機能に徹し、自らは経営戦略・経営方針を立案して具体的な業務執行についてはプロである執行役を選んで経営を委ね、その業績を評価して次期の指名・報酬の決定に反映させるとともに、日常的なモニタリングのために内部統制システムを整備・運用することを責務とする。

純粋持株会社においても、純粋持株会社自体は監督機能に徹し、企業グループ全体の経営戦略・経営方針を立案して具体的な業務執行については子会社取締役に選んで事業子会社に経営を委ね、その業績を評価して次期の指名・報酬の決定に反映させる。さらに、日常的なモニタリングのために企業集団における内部統制システムを整備し、子会社に対する支配力を

---

7) 岩原紳作「銀行持株会社による子会社管理に関する銀行法と会社法の交錯」門口正人判事退官記念『新しい時代の民事司法』（商事法務、2011年）421頁など。

第2章　子会社管理の方向性

背景に子会社においても整備・運用させることを責務としていると解釈できる。

そうだとすれば、純粋持株会社における子会社管理の方針としては、原則として子会社の自主性を尊重し、純粋持株会社は経営戦略・経営方針の立案やグループ全体のポートフォリオ管理に徹して子会社の個別具体的な経営判断に関与することはなるべく控え、業績評価と指名・報酬の決定、内部統制システムの整備と運用状況の報告といったモニタリングを重視する方針の方がなじむのではないかと思われる[8]。

実務においても、純粋持株会社は傘下に巨大な事業会社を含めて多数の子会社を抱えていることが多く（金融グループなどが典型である）、純粋持株会社が子会社全てに対して積極的に関与していくことは物理的に極めて困難であり、親会社である純粋持株会社と子会社である事業会社の間で適切な役割分担をすることが必要である。

その他の問題点として、純粋持株会社には、もともと多数の子会社を抱える大きな事業会社が存在し、持株会社を設立して大きな事業会社と子会社をその下に並べる形で事業再編したケース、大きな事業会社同士が経営統合するに当たり、持株会社を設立して複数の事業会社をその下に並べるケースなどがあり、それぞれ設立された経緯に応じて特有のリスクを抱えている。

まず、もともと多数の子会社を抱える大きな事業会社が存在し、持株会社を設立して大きな事業会社と子会社をその下に並べる形で事業再編したケースでは、純粋持株会社の下に1つの巨大な事業子会社（中核子会社）とその他の多数の事業子会社が存在することになる。そのような場合、純粋持株会社と中核子会社が一体となり、役職員の多くも兼務して子会社管理体制が構築されることが多い。実際にも、そのようなケースでは、純粋持株会社よりも事業個会社の方が経営資源豊富で組織体制もしっかりしていることが多いため、事業会社の内部統制システムをベースとして子会社管理体制を構築していかざるを得ない。しかし、そのような形で子会社管理体制を構築すると、中核子会社の業務については内部統制が行き届くものの、その他の多数の事業子会社については手薄になりやすい。純粋持株会

---

8)　稲葉威雄「企業結合法制をめぐる諸問題(上)」監査役499号（2005年）42頁における指摘も同様の趣旨ではないかと解される。

社を設立する前には中核子会社の下に子会社が存在していたため、中核子会社自身が子会社管理を行っていたはずであるが、純粋持株会社が設立されると中核子会社とその他の事業子会社は兄弟会社の関係にあるため、従前の子会社管理よりも後退してしまうリスクがある。

　また、経営統合により純粋持株会社の下に複数の巨大な事業子会社が存在する場合には、もともと独自の経営基盤を有する事業子会社であるため、内部統制を含めた社内体制・手続が統一されておらず、管理が非常に難しい。純粋持株会社も寄り合い所帯で構成されるため、それぞれの事業子会社に対する遠慮から強力な子会社管理体制を構築することができず、結局は各事業子会社の行う内部統制に任せるだけで企業集団としてのリスク管理ができないといった事態に陥るリスクがある。

　以上のとおり、純粋持株会社における子会社管理については、基本的な考え方は事業持株会社における子会社管理と変わらないものの、純粋持株会社が設立された経緯に応じて特有の留意点は存在するため、それらに留意しつつ子会社管理の方針を検討するべきである。

子会社管理の仕組みづくり

第3章　子会社管理の仕組みづくり

1　総論（仕組みづくりのアプローチ）

内部統制システムの一環として子会社管理の仕組みづくりが必要とされてから久しく、その背景については、第1章①（2頁）で述べたとおりである。もはや、子会社を有する会社として子会社管理の仕組みが全くないような会社はないであろう。

しかし、内部統制システムは、一度それを構築した場合であっても、その後の状況に鑑みてその内容を改善することが期待されており、構築された内部統制システムの運用義務とは別に、取締役には内部統制システムを継続的に改善する義務があると解されており、それは、内部統制システムの一環として、子会社管理の仕組みにおいても同様である。

そこで、子会社を有する会社として構築した子会社管理の仕組みが実効性のあるものとして機能するよう、継続的に改善していくためには、改めて子会社管理の仕組みづくりの要諦を確認する意義があるので、本章では、子会社管理の具体的な仕組みづくりについておさらいする。

子会社管理の具体的な仕組みづくりは、法規制からの要請に沿う必要があるが、第1章②（12頁）で見てきたとおり、体系の異なる制度がそれぞれ異なる制度趣旨から規制を定めているため、各制度における各種規制に対応する複合的なアプローチをする必要がある。

当該会社に及ぶ規制によって、多ければ、次の3つの仕組みづくりでなければならないこととなる。

(1)　会社法の規制に対応する仕組みづくり

(2)　金融商品取引法の規制に対応する仕組みづくり

(3)　金融商品取引所規則の規制に対応する仕組みづくり

また、令和元（2019）年6月28日、経済産業省が「グループ・ガバナンス・システムに関する実務指針（グループガイドライン）」を策定して公表しており、これを見過ごすことはできない。

さらに、銀行法の適用がある銀行や銀行持株会社ではその規制から、あるいは、当該会社のグループ管理方針など一定のポリシーから、特有の視点で子会社管理の仕組みづくりにおいて留意すべき点もある。

以下では、子会社管理の仕組みづくりの検討過程において、会社法、金

104

商法及び金融商品取引所規則への対応における通有的留意点を上げ（下記②乃至④（141頁））、グループガイドラインから読み取れる子会社管理の仕組みづくりにおける示唆についても検討し（下記⑤（154頁））、さらに、特別法の規制や特定のポリシーなどの必要性から導かれる特有の留意点についても補足的に分析を加えたい（下記⑥（189頁））。その上で、これらの留意点をどのように子会社管理の仕組みづくりにおいて具現化するか、具体的な例として、親会社が主導的に子会社管理の仕組みづくりができる場合における規程例と契約例を上げて逐条的に解説するとともに（下記⑦（202頁））、そうでない場合における次善策として、管理下に置くとき、すなわち、資本参加のときに契約上で取り組むべき仕組みづくりを検討する（下記⑧（264頁））。

② 会社法の規制に対応する仕組みづくり

　株式会社は、取締役又は執行役の職務の執行が法令及び定款に適合することを確保するための体制その他株式会社の業務並びに当該株式会社及びその子会社から成る企業集団の業務の適正を確保するために必要なものとして法務省令で定める体制の整備について定めなければならない（会社法348条3項4号、362条4項6号、399条の13第1項1号ハ、416条1項1号ホ）。

　平成26年会社法改正以降、従来は会社法施行規則に規定されていた子会社に関する事項が「当該株式会社及びその子会社から成る企業集団の業務の適正を確保するために必要なものとして法務省令で定める体制」として会社法本体に「格上げ」され、これに伴い、会社法施行規則において子会社に関する事項が詳細に規律されることとなった（会社法施行規則98条1項5号イ〜ニ、100条1項5号イ〜ニ、110条の4第2項5号イ〜ニ、112条2項5号イ〜ニ）。

　それにより、法務省令への委任をまつことなく、株式会社の取締役及び取締役会として整備すべき当該株式会社としての内部統制システムの要素に企業集団の業務の適正確保のための体制が含まれることが明らかになったといえる。

　そして、株式会社は、平成26年会社法改正以降、事業報告（会社法435条2項）において、こうした体制整備を定めている場合にはその決定又は決

105

議の内容の概要及び当該体制の運用状況の概要を記載することが求められることとなり（会社法施行規則 118 条 2 号）、当該会社の内部統制システムに係る取締役の決定又は取締役会の決議の概要を掲載するのみで足りず、これに加え、内部統制システムの運用状況の概要の記載も必要となった（同号）。

このような改正後も、従前のとおり、株式会社の性質・規模等をふまえて、内部統制システムを整備しないという決定をすることも可能であり、また、その決定は当該株式会社についてのものであり、当該株式会社がその子会社における内部統制システムを整備する義務や当該子会社を監督する義務まで定めるものではなく、解釈に変更はないと解されている[1]。言い換えると、これらは、当該株式会社における内部統制システムの整備について決定すべきであることを規定するものであり、株式会社がその子会社の内部統制システムの整備について決定すべきであることを規定するものではない[2]。このことは、新設された監査等委員会設置会社においても同様であるとされる[3]。

このような改正は、近時、株式会社とその子会社から成る企業集団（グループ企業）による経営（グループ経営）が進展し、特に、持株会社形態が普及していることから、親会社及びその株主にとっては、その子会社の経営の効率性及び適法性が極めて重要なものとなっていることから法律に規定するのが適切と考えられたためであるとされている[4]。

また、法律に規定されることに伴い、「親会社」という文言が抜けた点について、株式会社及びその株主にとって、その子会社の経営の効率性及び適法性の確保が極めて重要なものとなっていることをふまえ、当該株式会社の株主の保護という観点から、特に株式会社及びその子会社から成る企業集団に係る部分について法律で規定することとしたと説明されている[5]。

従来、親会社には、子会社を管理する責任というものは原則として存しないといわれていたが、今後は、親会社が一定の範囲で子会社を管理する責任を負うこともあり得るという説が強まりそうであると示唆する有力な

---

1) 坂本三郎編著『一問一答　平成 26 年改正会社法〔第 2 版〕』（商事法務、2015 年）236 頁。
2) 坂本三郎「会社法制に関する今後の動向」商事 2055 号（2015 年）51 頁。
3) 坂本編著・前掲注 1) 236～237 頁。
4) 坂本編著・前掲注 1) 235 頁。
5) 坂本編著・前掲注 1) 238 頁。

見解もある[6]。

しかし、このように示唆する有力な見解も、子会社の管理の内容、程度は、善管注意義務の解釈に基づいて定まると述べ、会社法362条4項も決議義務にすぎず、具体的なレベルを示して子会社管理責任を示したものではなく、グループにおいて、子会社の管理の仕方をどうするのかということとは裁量が認められるのが原則であるとしている[7]。

重要であるのは、親会社として、その裁量の範囲で、各子会社の管理手法（積極関与（意思決定関与）型・自主性尊重（監視監督）型）を選択し、その選択に応じて、当該子会社を管理する業務を担当する部署及び責任者を定め、当該子会社で問題があれば、親会社に速やかに報告が上がってくる仕組みを構築することである。

いずれにしても、重要な子会社等の管理について、親会社の取締役には会社の資産としての管理に関する善管注意義務があるものと解され、親会社が一定の範囲で子会社を管理する責任を完全に否定することはできないことからすると、各子会社をどのような方針で管理するのかについて検討し、明確な方針を定めた上で、その方針に従った管理の仕組みを構築し、さらに、その仕組みが適切に運営されて機能しているかを確認できるようにしておきたい。

そこで、以下では、会社法が子会社管理の内部統制システムとして決定すべきと要請しているものを探り、子会社管理の仕組みづくりで留意すべき点を検討する。

(1)　グループ報告体制

親会社及びその株主にとって、親会社に対する子会社の情報が入手できなければ、子会社の業務の執行の適正を確保するために適切な措置を講じることができないおそれがある。

そこで、株式会社は、子会社の取締役等の職務の執行に係る事項の当該株式会社への報告に関する体制の整備を決議することとされている（会社法施行規則98条1項5号、100条1項5号、110条の4第2項5号、112条2項5号の各イ）。

---

6)　中村直人『取締役会報告事項の実務〔第2版〕』（商事法務、2016年）43～44頁。
7)　中村・前掲注6) 44頁。

第 3 章　子会社管理の仕組みづくり

　当該体制に関し、親会社が決定すべき事項の例としては、子会社の管理する情報へのアクセスや子会社に提供した情報の管理に関する事項や親会社の監査役と子会社の監査役等との連絡に関する事項が挙げられるが[8]、子会社の管理する情報にはどのようなものがあるかを把握し、グループ管理上、親会社が必要とする情報について、どのように収集し、管理するのか、親会社における子会社管理情報のコントロールに係る方針、手続等を定めることとなる。

　具体的に親会社へ報告等すべき事項としては、取締役会決議事項といった子会社の業務執行に係る重要事項、営業成績、財務状況等が典型的には挙げられるが、各子会社の規模、業態等、あるいは、親会社における当該子会社の管理方針に応じて個別に検討を要する場合もあるであろう。

　また、子会社情報の報告等をする先としては、親会社の取締役、取締役会、経営会議その他の会議体、経理・財務部門、営業部門など様々な部署が考えられ、単一のレポートラインではなく、複合的なレポートラインの構築が必要となろう。

　なお、「子会社の取締役等の職務の執行に係る情報の保存及び管理に関する体制」についてまで決議する必要はないと解されているが[9]、有価証券報告書提出会社では、かかる体制も整備しておく必要があろう。

　なぜなら、有価証券報告書提出会社は、後述するような、財務報告が法令等に従って適正に作成されるための体制も併せて構築する必要があるからである（金商法 24 条の 4 の 4 第 1 項、内部統制府令 3 条）。すなわち、かかる体制構築において重要な点として、「財務報告に係る内部統制の評価及び監査に関する実施基準」Ⅰ6(1)は、「真実かつ公正な情報が識別、把握及び処理され、適切な者に適時に伝達される仕組みが整備及び運用されていること」とともに、「財務報告に関するモニタリングの体制が整備され、適切に運用されていること」を挙げているが、「真実かつ公正な情報が識別、把握及び処理され、適切な者に適時に伝達される仕組みが整備及び運用されていること」を後日モニタリングするためには、子会社においてどのよ

---

8)　相澤哲ほか編著『論点解説　新・会社法——千問の道標』（商事法務、2006 年）338 頁。

9)　法務省「会社法の改正に伴う会社更生法施行令及び会社法施行規則等の改正に関する意見募集の結果について」（2015 年）第 3 の 2(9)⑥。

うな情報が識別、把握され、それが子会社から、いつ、どのように伝達されたかの記録が保存されていることが必要であるところ、かかるモニタリングの体制が整備されていることまで要求されているからである。

また、これらの方針、手続等を親会社において定めたのみでは足りず、子会社においても、子会社が従う準則として、親会社に対する情報提供手続、親会社が必要とする子会社管理に係る情報へのアクセス協力手続などを定め、子会社管理に係る情報の提供や親会社のアクセスへの協力について義務化する法的根拠を付与するとともに、親会社への報告業務を担当する部署及び責任者を定め、子会社においても親会社への定期報告及び問題があれば、適時に報告を上げる体制を構築すべきである。

では、具体的にどのようにして体制構築すべきか。

まず、親会社に対する報告等を子会社に義務づける体制としては、親会社が策定するグループ共通規程や子会社管理規程を子会社に適用する等の方法により、子会社の経営上の重要事項について、親会社の事前承認や親会社への報告を義務づけることが考えられる。多くの会社が、この方法によっているものと思われる（日本監査役協会が平成31年2月25日～3月8日に実施したアンケート調査によれば、子会社管理規程がある会社が93%を超えており、実務上は、当該規程に子会社情報の親会社への報告等を定めている例が多いと思われる（日本監査役協会「『親会社による企業集団の監査』に関するアンケート調査結果」〔2019〕参照）。

＜事例紹介1＞パーソルホールディングス株式会社第16期（自令和5年4月1日 至令和6年3月31日）有価証券報告書より

> d．子会社の業務の適正を確保するための体制整備の状況
> 　当社は、関係会社に対して、適切に株主権を行使することや、当社グループ全社に適用されるグループ共通規程を定め、経営上の重要事項の決定は事前承認事項とし、また、関係会社の営業成績、財務状況その他の重要な情報について定期的な報告を義務付けることで、グループ全体のガバナンスを維持しております。
> 　また、事業運営体制においては、各SBU及びFUに執行役員を配する他、当社の法務、人事、財務など、グループ全体を統括する機能を有する各部門にも執行役員を配し、機能別役割の明確化やSBU機能の充実を図り、各事業拡大に合わせた運営体制の強化や効率化を進めております。

第3章　子会社管理の仕組みづくり

　また、親会社に対する報告等を子会社に義務づける根拠としては、子会社との間で経営管理契約等の契約を締結する方法により、子会社の経営上の重要事項について、親会社の事前承認や親会社への報告を義務づけることが考えられる。その方法のみで行われる場合のみならず、＜事例紹介１＞で紹介した事例のように、親会社が策定するグループ子会社管理規程を子会社に適用する等の方法と重畳的に行われる場合もあるようである。

＜事例紹介２＞株式会社エンプラス第63期（自令和５年４月１日　至令和６年３月31日）有価証券報告書より

> 〔5〕子会社の取締役等の職務の執行に係る事項の当社への報告に関する体制
>   　当社が定める「グループ会社管理規定」及び当社と子会社との間で締結される経営管理契約において、子会社の営業成績、財務状況その他の重要な情報について、子会社から当社への定期的な報告を義務づけるとともに、毎月、部門執行会議を開催し、子会社において重要な事象が発生した場合には、子会社が経営執行会議において報告することを義務づけることとしております。

　さらに、グループ役員連絡会など、子会社役員を構成員とする会議の場を定期的に設定し、子会社取締役が親会社取締役への報告を実施する体制構築の手法も考えられる。すなわち、子会社役員を構成員とする会議の場を定期的に設定し、そこで親会社の経営方針を周知せしめるとともに、子会社情報の報告を受ける子会社の報告体制を構築する手法である。
　具体的には、グループ定例報告会、グループ社長会、グループ役員連絡会、グループ全体経営会議など固有の会議体を設けることが考えられる。また、親会社の月例報告会、経営会議等に子会社役員の参加を求める方法や、逆に、子会社の経営会議等に親会社役員が参加する方法などを採用している会社もあるようである。

＜事例紹介３＞セイノーホールディングス株式会社第103期（自令和５年４月１日　至令和６年３月31日）有価証券報告書より

> 5）当社及びその子会社から成る企業集団における業務の適正を確保するための体制

> （i） 当社の子会社の取締役等の職務の執行に係る事項の当社への報告に関する体制
> ・月例定例報告の場において、当社の子会社代表者がその営業成績、財務状況、その他の重要な情報について当社代表者に報告する。
> ・当社が定めるグループ会社管理規程に基づき、当社の子会社の経営内容を的確に把握するため、必要に応じて関係資料等の提出を求める。

　子会社の自主性を尊重する方針の場合には、子会社におけるリスク管理やコンプライアンス管理等の観点から実施される親会社の内部監査部門による子会社の内部監査や親会社の監査役による監査の一環として実施される子会社に対する監査の結果について、親会社が報告を受けることをもって、子会社情報の報告体制として位置づけることが考えられる。

　＜事例紹介4＞株式会社ジャックス第93期（自令和5年4月1日 至令和6年3月31日）有価証券報告書より

> 7．当社及び子会社から成る企業集団における業務の適正を確保するための体制
> （3） 子会社を当社の内部監査部門による定期的な監査の対象とし、監査の結果は、当社の社長に報告する体制とする。

(2)　グループリスク管理体制

　子会社がその事業遂行上様々なリスクに逢着することがあり得るところ、そうしたリスクに対する管理体制が親会社において構築されていることが親会社及び親会社株主にとって極めて重要である。

　そこで、株式会社は、子会社の損失の危険の管理に関する規程その他の体制の整備を決議することとされている（会社法施行規則98条1項5号、100条1項5号、110条の4第2項5号、112条2項5号の各ロ）。

　当該体制に関し、親会社が決定すべき事項の例としては、子会社との共通ブランドの活用又はそれに伴うリスクに関する事項が挙げられるが[10]、

10）　相澤ほか編著・前掲注8）338頁。

第3章　子会社管理の仕組みづくり

それにとどまらず、子会社の業態によってリスクは多種多様であり、まず、子会社が逢着するリスクにはどのようなものがあるかを検証した上で、グループ管理上、それぞれのリスクについて、親会社がグループ全体として統括するのか、あるいは、子会社においてリスク管理を完結させるか、どのようにリスク統括し、管理するのか、グループにおける各子会社の各リスクのコントロールに係る方針、手続等を定めることとなる。

　具体的には、子会社の業態に応じて生ずる可能性があるリスクを網羅的に抽出した上で、リスクの現実化を未然に防止するための親会社の手続・制度、リスクが現実化した場合の親会社としての対処方法などを規律する規範としてグループリスク管理規程などを親会社において定めるとともに、当該手続や対処方法を実施するための親会社における子会社リスク管理を担当する部署及び責任者を定め、子会社リスクを親会社において管理することができる体制を構築することとなろう。

　その具体的な手法としては、いくつか考えられる。

　まず、子会社のリスク管理体制として、子会社のリスクの分析・評価・対応・モニタリングの在り方等を定める社内規程（グループリスク管理規程等）を親会社において制定し、それをそのまま子会社に対して適用したり、あるいは、それを前提とした子会社としての社内規程（当該子会社における個別のリスク管理規程等）を整備させたりする手法が考えられる。

　当該社内規程に定めるべき具体的な内容としては、対処すべきリスク、リスクごとの担当部署、リスク発生時の対応等について規定することが考えられる。

＜事例紹介5＞パーソルホールディングス株式会社第16期（自令和5年4月1日 至令和6年3月31日）有価証券報告書より

(c)　損失の危険の管理に関する規程その他の体制
ⅰ．当社は、当社グループのリスク管理に関する規程を定め、当社グループのリスク管理体制を整備する。
ⅱ．当社は、当社グループのリスク管理を統括する部署を当社に設置し、当社グループにおけるリスクについて統合的に管理するとともに、重要リスクに関するリスク管理体制及びその運用状況について定期的に取締役会に報告する。

2　会社法の規制に対応する仕組みづくり

iii．当社グループは、大規模自然災害、パンデミック等の危機の発生に備え、危機管理に関する規程を定め、危機管理体制の整備、危機発生時の連絡体制の構築及び定期的な訓練の実施等、適切な体制を整備する。

　また、子会社のリスク管理体制として、平時のモニタリングや有事の対応等を担当する担当者・担当部署をあらかじめ定めるとともに、任意のグループリスク管理委員会などの会議体を設けてグループとしてのリスク管理体制を構築する手法が考えられる。

　なお、リスク管理と、後述するコンプライアンス管理については、管理すべき対象が重なり得る。そこで、この手法を採用する場合においては、同一の担当者・担当部署や同一の会議体で、リスク管理とコンプライアンス管理を司る体制にすることも情報共有の迅速化や業務執行の効率化等の観点から検討に値しよう。

＜事例紹介 6＞株式会社 TOKAI ホールディングス第 13 期（自令和 5 年 4 月 1 日 至令和 6 年 3 月 31 日）有価証券報告書より

　d．リスク管理体制の整備状況

　当社グループのリスク管理体制につきましては、2011 年 4 月のグループ再編・持株会社化に伴い、従来、各社別に設置していたコンプライアンス・リスク管理委員会をグループコンプライアンス・リスク管理委員会に統合し、その事務局である当社コンプライアンス・リスク管理統括室を中心に、コンプライアンス推進体制・リスク管理体制の整備・強化等に取り組んでいます。加えて、不正・不祥事発覚時の原因究明、人事処分、再発防止策の検討等を、グループ共通の基準に則り実施すべく当社内に処分検討委員会を設置しております。なお、不正・不祥事等の早期発見に資するため、グループ共通の社内通報制度（匿名通報可）を 2010 年度より導入しておりますが、当該制度を実効性のあるものとすべく、通報窓口に当社常勤監査役を加えております。

　また、グループの再編・持株会社化に合わせ、リスク管理に係る規程類を整備・改定し、当社グループにおけるリスク等の状況を、当社が一元的に把握・管理できる体制の構築に取り組んでおり、その一環として、当社内に投資検討委員会、常務会並びに事業運営委員会を設置し、グループ各社における経営課題や事業運営上の懸念事項に係る情報を共有することによって、適

113

第3章　子会社管理の仕組みづくり

時・適切に、リスクを把握、管理、対応する体制を整備しております。

　これら管理体制に加え、2017年度よりグループを横断した「グループ情報セキュリティ推進会議」を設置するとともに、グループ各社に「情報セキュリティ委員会」を設置し、グループ共通の情報セキュリティ管理体制を構築しております。

　なお、重大事故や大規模災害等の発生に備えるために、グループ各社の主要事業について「事業継続計画（BCP）」を策定済であり、必要に応じて随時、内容の見直しを行っているほか、実際の被害範囲を想定し、損害を最小限に抑えるための準備と訓練を実施しております。

　次いで、子会社のリスク管理体制として、親会社の内部監査部門や監査役が、子会社のリスク管理状況等を監査し、その結果をもって親会社における子会社のリスク管理を行う手法や、子会社の内部監査部門や監査役に、子会社自身のリスク管理状況等を監査し、その結果を親会社に報告させ、それをもって親会社における子会社のリスク管理を行う手法も考えられる。

　これらはモニタリングベースの子会社管理の手法であり、子会社の自主性を尊重する方針に親和性があるといえる。

＜事例紹介7＞株式会社SDSホールディングス第39期（自令和5年4月1日　至令和6年3月31日）有価証券報告書より

iii）損失の危険の管理に関する規程その他の体制
　当社グループの企業活動に関連する市場環境、経済環境の変動等による財務リスク、法令・規程違反によるコンプライアンス・リスクに対処する為、コンプライアンス・リスク管理規程を制定し、当該規程に基づき、管理本部及び内部監査室は、経営会議、取締役会、監査等委員会に随時報告し、未然にリスクを防止するよう努めるとともに、グループ各社の相互連携のもと、当社グループ全体のリスク管理を行います。
　不測の事態が発生した場合には、社長を本部長とする「緊急対策本部」を設置して危機管理にあたり、損害の拡大を防止し、これを最小限にとどめる体制を整えます。

　また、こういった平時におけるリスク管理体制に加え、地震等の自然災害や個人情報の漏えいその他子会社においてリスクが現実化した、いわば、有事の場合におけるリスク管理体制についても、グループ全体を対象とす

る危機管理規程や事業継続計画に盛り込み、有事における情報伝達ルールや対処方法等を定め、体制構築することも検討すべきであろう。

＜事例紹介 8 ＞パーソルホールディングス株式会社第 16 期（自令和 5 年 4 月 1 日 至令和 6 年 3 月 31 日）有価証券報告書より

> (c) 損失の危険の管理に関する規程その他の体制
> ⅲ．当社グループは、大規模自然災害、パンデミック等の危機の発生に備え、危機管理に関する規程を定め、危機管理体制の整備、危機発生時の連絡体制の構築及び定期的な訓練の実施等、適切な体制を整備する。

(3) グループ業務執行体制

　営利社団法人である株式会社は、利益をあげることを目的としており、その目的の実現に向けて株式会社の業務が適正に執行されているというためには、業務が法令及び定款に従って行われているのみならず、業務が効率的に行われていることも必要である。

　そこで、株式会社は、子会社の取締役等の職務の執行が効率的に行われることを確保するための体制の整備を決議することとされている（会社法施行規則 98 条 1 項 5 号、100 条 1 項 5 号、110 条の 4 第 2 項 5 号、112 条 2 項 5 号の各ハ）。

　当該体制に関し、親会社が決定すべき事項の例としては、子会社の役員・使用人等を兼任する役員・使用人による子会社との協力体制及び子会社の監視体制に関する事項や兼任者・派遣者等の子会社における職務執行の適正確保のための体制などが挙げられる[11]。

　また、その他にも、子会社取締役が職務執行を行うに当たって必要な決裁・指揮系統等の手続や職掌・職務分担等の合理性を検証する体制、子会社取締役の職務執行のために必要な使用人の員数の過不足を把握するための体制などが考えられる。

　こういった体制により、子会社取締役の職務執行の決裁・指揮系統等の手続や職掌・職務分担等の合理性、子会社取締役の職務執行のための人員

---

11)　相澤ほか編著・前掲注 8) 338 頁。

配置の効率性などを親会社において検証し、不合理や非効率があれば、改善していくことができるようにすることとなろう。

　ところで、会社法施行規則は、「子会社の取締役等の職務の執行が効率的に行われることを確保するための体制」としているが、実際には、「グループ全体の効率的な職務執行体制を確保するための体制」として体制化することとなるものと考えられる。

　その際、グループ全体の効率性の追求を強めると、グループ全体の基本戦略の策定とそのグループ全体での実行に始まり、グループ共通の会計管理やITなどの共通システムの導入というインフラ整備から、親会社の子会社に対する間接業務（財務経理、広報、法務、人事管理等）の提供、グループ金融会社によるグループファイナンス（キャッシュ・マネジメント・システム等）の提供など組織・制度の共有化を行うこととなり、その結果、一元管理の要請が強まることとなる。

　そのため、グループ全体の効率的な職務執行体制をいかに構築するかについては、グループの各子会社の経営の自主性をどこまで尊重するのかといった方針と表裏の関係にあるといえ、かかる方針との整合性に留意する必要がある。

　では、グループ全体の効率的な職務執行体制を確保するための体制として具体的にはどのようなものがあるか。

　まず、連結ベースの中期経営計画や年度事業計画等を策定し、策定された中期経営計画を具体化するため、毎事業年度ごとのグループ全体の重点経営目標及び予算配分などを定め、その実行を通じてグループ全体の効率的経営を図る制度を導入することが考えられる。

　＜事例紹介9＞パーソルホールディングス株式会社第16期（自令和5年4月1日 至令和6年3月31日）有価証券報告書より

(d)　取締役及び執行役員の職務の執行が効率的に行われることを確保するための体制

ⅳ．当社は、グループ中期経営計画を策定し、当該中期経営計画を具体化するため、毎事業年度ごとのグループ全体の重点経営目標及び予算配分等を策定する。

また、グループ全体の効率的な職務執行体制を確保するための体制として、グループ全体の経営管理や経営状況の把握等を行うための体制（経営管理システム等）を別途構築することも考えられる。

<事例紹介10>ヤマハ株式会社第200期（自令和5年4月1日 至令和6年3月31日）有価証券報告書より

> (d) 執行役の職務執行が効率的に行われることを確保するための体制
> 3）グループ全体の目標値の設定及び業績評価を行うため、迅速な経営判断、リスク管理を可能とする経営管理システムを構築しております。

さらに、グループ全体の効率的な職務執行体制を確保するための体制として、グループにおける職務分掌、指揮命令系統、権限及び意思決定その他の組織に関する基準を定め、子会社にこれに準拠した体制を構築させ、あるいは、この点に関し、グループ各社の事業特性や規模に適した機関・組織設計等の支援を親会社が行うことで効率化を図ることも考えられる。

<事例紹介11>パーソルホールディングス株式会社第16期（自令和5年4月1日 至令和6年3月31日）有価証券報告書より

> (d) 取締役及び執行役員の職務の執行が効率的に行われることを確保するための体制
> v. 当社は、当社グループにおける職務分掌、指揮命令系統、権限及び意思決定その他の組織に関する基準を定め、当社グループへこれに準拠した体制を構築させる。
> vi. 当社は、当社グループのITに関する規程を定め、主管部署を設置し、当社グループのITガバナンス体制を整備する。

また、グループ全体の効率的な職務執行体制を確保するための体制としては、グループ経営戦略会議、トップマネジメントカンファレンス、グループ経営戦略委員会といった、グループ全体の経営の基本戦略の策定等（連結ベースでの中期経営計画や事業計画の策定等）を行う会議体を設置することも考えられる。

第3章　子会社管理の仕組みづくり

＜事例紹介 12＞アンリツ株式会社第 98 期（自令和 5 年 4 月 1 日 至令和 6 年
3 月 31 日）有価証券報告書より

> ⑤　職務執行の効率性の確保に関する取組の状況
> ロ. 経営戦略会議において、グループ戦略に係る具体的事項について審議さ
> 　れるほか、子会社を担当する執行役員から子会社の営業成績、財務状況そ
> 　の他重要事項が適宜報告されています。

　グループ一元管理を追求し、グループ全体の効率的な職務執行体制を確
保するための体制として、グループ会社における財務状況の把握や会計業
務の効率化を図るためにグループ共通の会計管理や IT 等の基幹業務シス
テムを導入したり、グループ会社に対し、グループ会社の人事・経理業務
等について指導、援助等を行うなど親会社が子会社に対する間接業務（財
務経理、広報、法務、人事管理等）を提供したり、あるいは、グループの資金
調達の効率化や、グループ保有資金の有効活用を図るために、キャッシュ・
マネジメント・システムを導入することが考えられる。

＜事例紹介 13＞日本ハウズイング株式会社第 60 期（自令和 5 年 4 月 1 日 至
令和 6 年 3 月 31 日）有価証券報告書より

> (Ⅲ)　子会社の取締役等の職務の執行が効率的に行われることを確保するた
> 　めの体制
> (ⅲ)　当社グループは、原則として、共通の会計システムを導入することによ
> 　り、グループ経営の一体性を維持することとする。

(4)　グループコンプライアンス体制

　株式会社の業務執行は取締役等によって行われるため、子会社の事業遂
行の公正性確保には、子会社の取締役等の職務執行が法令・定款に適合す
ることを確保することが必要であり、さらには、会社の業務執行が取締役
等の指揮監督の下に使用人を通じて実行されることから、子会社の使用人
の職務執行が法令・定款に適合することを確保する体制も併せて構築され
る必要がある。

　そこで、株式会社は、子会社の取締役等及び使用人の職務の執行が法令

118

及び定款に適合することを確保するための体制の整備を決議することとされている（会社法施行規則98条1項5号、100条1項5号、110条の4第2項5号、112条2項5号の各ニ）。

当該体制に関し、親会社が決定すべき事項の例としては、子会社における業務の適正確保のための議決権行使の方針、兼任者・派遣者等の子会社における職務執行の適正確保のための体制、子会社に対する架空取引の指示など子会社に対する不当な圧力を防止するための体制などが挙げられ、また、子会社が決定すべき事項の例としては、親会社の計算書類又は連結計算書類の粉飾に利用されるリスクに対する対応、取引の強要等親会社による不当な圧力に関する予防・対処方法などが挙げられる[12]。

実際には、法令違反が生じる可能性のある行為を整理した上で、子会社においてそのような違反が生じないような予防策及び違反が生じた場合の対応策を、親会社において検討し、子会社の業態に応じて生ずる可能性が高い、横領、談合、顧客に対する欺罔ないし脅迫的行為、業績の粉飾等といった法令違反行為の典型例を把握し、その法令違反行為の典型例に対する親会社による監視・予防体制（法令遵守マニュアルの作成や使用人間の監督体制）や、子会社においてその法令違反行為が実際に生じた場合の親会社による対処方法・対処機関に関して体制構築することとなろう。

では、具体的にどのように体制構築をするべきか。

まず、子会社のコンプライアンス管理体制として、親会社が策定する行動規範、倫理規程、コンプライアンス基本方針、コンプライアンス・マニュアル等を子会社に対して適用したり、あるいは、親会社の策定する行動規範、倫理規程、コンプライアンス基本方針、コンプライアンス・マニュアル等を前提として子会社に対して個別の社内規程等を整備させ、適用せしめたりすることが考えられる。

<事例紹介14>株式会社高知銀行第144期（自令和5年4月1日 至令和6年3月31日）有価証券報告書より

(4) 子会社の取締役等及び職員等の職務の執行が法令及び定款に適合することを確保するための体制
① 子会社の「コンプライアンス・プログラム」策定にも当行が関与し、進

---

12) 相澤ほか編著・前掲注8）338頁。

第 3 章　子会社管理の仕組みづくり

> 捗状況等については当行取締役会で検証するとともに、当行監査部におい
> て子会社の法令等の遵守状況等について監査する。
> ②　子会社においてもそれぞれコンプライアンスに関する規則・マニュア
> ルを制定し、責任者を配置する。

　また、コンプライアンス・リスク管理担当役員、内部統制統括室、コン
プライアンス統括部署といったグループ全体を対象とするコンプライアン
ス管理の担当者・担当部署を設置したり、グループコンプライアンス・リ
スク管理委員会、コンプライアンス・リスク委員会といったグループ全体
のコンプライアンス管理を行う会議体を設置することが考えられる。さら
に、子会社のコンプライアンス管理体制として、平時のモニタリングや有
事の対応等を担当する担当者・担当部署をあらかじめ定めておくほか、任
意の委員会などの会議体を設けることも考えられる。
　なお、情報共有や業務執行の効率化等の観点からは、担当者・担当部署
や会議体をリスク管理と共通のものとすることも検討に値することは既述
のとおりである。

<事例紹介 15>株式会社大真空第 61 期（自令和 5 年 4 月 1 日 至令和 6 年 3
月 31 日）有価証券報告書より

> ｃ）子会社の業務の適正を確保するための体制整備の状況
> 　子会社ごとに責任担当者を決定し、事業の統括管理を図っております。ま
> た、定期的に報告会を開催する他、適宜重要事項を各子会社の代表者に報告
> させ、必要に応じて指導、改善を行うものといたします。

　さらに、子会社のコンプライアンス管理体制として、親会社による子会
社の役員・使用人等に対するコンプライアンス研修を実施することや、親
会社の策定したコンプライアンス・マニュアル等の配布を行うことを制度
化すれば、これも子会社のコンプライアンス管理体制の 1 つとして挙げる
こともできよう。

120

＜事例紹介 16＞三井化学株式会社第 27 期（自令和 5 年 4 月 1 日 至令和 6 年
3 月 31 日）定時株主総会その他の電子提供措置事項（交付書面省略事項）より

> (1) 当社及び子会社の取締役等及び使用人の職務の執行が法令及び定款に適
>   合することを確保するための体制
> ④ 当社及び子会社の社員を対象とした法令・ルール遵守教育を、E-ラーニ
>   ングや階層別研修等の方法により実施する。
> ⑤ 当社及び子会社の社員が業務を遂行する上で法令・ルール遵守の観点か
>   ら特に注意を払わなければならない事項について、ポイントをまとめたガ
>   イドブックを作成して当社及び子会社社員に周知し、法令・ルール遵守の
>   徹底を図る。

　グループ会社の経営の自主性を尊重し、モニタリングベースでの子会社
管理を基本方針とする場合には、親会社の内部監査部門や監査役が、子会
社のコンプライアンス管理状況等を監査し、その結果を親会社に報告する
こと、あるいは、子会社の内部監査部門や監査役に、子会社自身のコンプ
ライアンス管理状況等を監査した結果を親会社に報告させることを制度化
し、かかる制度をもって、子会社のコンプライアンス管理体制とすること
も考えられる。

＜事例紹介 17＞株式会社ジャックス第 93 期（自令和 5 年 4 月 1 日 至令和 6
年 3 月 31 日）有価証券報告書より

> 7．当社及び子会社から成る企業集団における業務の適正を確保するため
>   の体制
> (3) 子会社を当社の内部監査部門による定期的な監査の対象とし、監査の結
>   果は、当社の社長に報告する体制とする。

　また、子会社のコンプライアンス管理体制として、親会社の役員又は使
用人を子会社の役員として派遣し、子会社のコンプライアンス管理を担当
させることも考えられる。
　当該派遣役員をして、子会社情報の報告、子会社における職務執行の効
率化又はリスク管理をも担当させることとすれば、かかる役員派遣体制を
もって、子会社情報の報告体制、効率的職務執行体制又はリスク管理体制

第 3 章　子会社管理の仕組みづくり

として位置づけすることもできよう。

<事例紹介 18＞ユアサ商事株式会社令和 6 年 6 月 28 日コーポレート・ガバナンス報告書より

> (5)　当社グループにおける業務の適正を確保するための体制
> ②　主要な子会社の取締役または監査役を当社から派遣するとともに、子会社ごとに選任された取締役が子会社の取締役の職務執行を監視・監督し、監査役は子会社の業務及び財産の状況を監査する。

(5)　その他企業集団の業務の適正を確保するための体制

　株式会社とその子会社から成る企業集団（グループ企業）による経営（グループ経営）が進展し、特に、持株会社形態が普及していることから、親会社及びその株主にとっては、その子会社の経営の効率性及び適法性が極めて重要なものとなっていることは既述のとおりである[13]。

　そこで、株式会社は、当該株式会社並びにその親会社及び子会社から成る企業集団における業務の適正を確保するための体制の整備を決議することとされている（会社法施行規則 98 条 1 項 5 号、100 条 1 項 5 号、110 条の 4 第 2 項 5 号、112 条 2 項 5 号の各柱書）。

　前記(1)（107 頁）から(4)（118 頁）において見てきた各体制は、会社法に「当該株式会社及びその子会社から成る企業集団の業務の適正を確保するために必要なものとして法務省令で定める体制」が規定されたことを受けて、「当該株式会社並びにその親会社及び子会社から成る企業集団における業務の適正を確保するための体制」の例示として定められたものである[14]。言い換えれば、当該会社が親会社であった場合における前記(1)（107 頁）から(4)（118 頁）の各体制は、会社法施行規則 98 条 1 項 5 号、100 条 1 項 5 号、110 条の 4 第 2 項 5 号、112 条 2 項 5 号の各柱書の「当該株式会社並びにその親会社及び子会社から成る企業集団における業務の適正を確保するための体制」を具体化したもので、会社法施行規則 98 条 1 項 5 号、100 条 1 項 5 号、110 条の 4 第 2 項 5 号、112 条 2 項 5 号の各イからニまでが

---

13)　坂本編著・前掲注 1) 235 頁。
14)　法務省・前掲注 9) 第 3 の 2 (9)⑤。

定められることとなっても、従前の「当該株式会社並びにその親会社及び子会社から成る企業集団における業務の適正を確保するための体制」に係る規律に変更を加えるものではないと解されている[15]。

　また、体制構築に当たっては、前記(1)（107頁）から(4)（118頁）の各体制に形式的に区分した決議をする必要はなく、実質的に各体制に係る事項について決議されていればよいと解されている[16]。

　したがって、前記(1)（107頁）から(4)（118頁）の各体制のほかに、当該体制として、別段の体制を追加的に定めてもよいし、また、これらの体制の全部又は一部を定めず、当該体制として統合的な別段の体制を構築してもよい。

　金融商品取引法上の財務報告に係る内部統制報告制度が適用される会社や、有価証券上場規程に基づき「反社会的勢力排除に向けた体制整備に関する内容」についてコーポレート・ガバナンス報告書で開示することが必要な会社などでは、これらの体制を、ここでいうような別段の体制として「業務の適正を確保するための体制」として位置づけて構築しているところもある。三菱UFJ信託銀行 法人コンサルティング部 会社法務・コーポレートガバナンスコンサルティング室「【2023年6月総会】事業報告の記載事例分析＜第3回・完＞―2023年6月総会日経500採用銘柄企業388社―」資料版商事477号（2023年）108頁によれば、令和5年6月総会の調査対象会社388社のうち、「財務報告の信頼性を確保するための体制の整備」について記載した会社は268社（69.1％。このうち、独立した項目で記載した会社は90社）、「反社会的勢力排除に向けた体制整備に関する内容」について記載した会社は281社（72.4％。このうち、独立した項目で記載した会社は74社）であったとのことである。

　また、通常の子会社情報の報告体制以外の報告体制として、グループ全体に適用される内部通報制度の設置を行うことが考えられる。内部通報制度を、子会社情報の報告体制（前記(1)（107頁）参照）として位置づけている会社や、グループ全体のコンプライアンス体制（前記(4)（118頁）参照）として位置づけている会社もあろうが、内部通報をグループ内外から受け入れるなどしてグループ全体の業務の適正を確保するための体制として特別の制度意義を見出すことも検討に値しよう。第4章⑩（332頁）にて詳述

---

15)　法務省・前掲注9）第3の2(9)⑦。
16)　法務省・前掲注9）第3の2(9)②。

するが、子会社管理の手段として活用することができるからである。

　内部通報制度は、コーポレートガバナンス・コードにおいても、その体制整備が求められており、近時、その制度の重要性が増している。すなわち、コーポレートガバナンス・コードの原則2-5においては、「上場会社は、その従業員等が、不利益を被る危険を懸念することなく、違法または不適切な行為・情報開示に関する情報や真摯な疑念を伝えることができるよう、また、伝えられた情報や疑念が客観的に検証され適切に活用されるよう、内部通報に係る適切な体制整備を行うべきである。取締役会は、こうした体制整備を実現する責務を負うとともに、その運用状況を監督すべきである」とされている。

　また、コーポレートガバナンス・コードの補充原則2-5①においても、内部通報に係る体制整備の一環として、「経営陣から独立した窓口の設置（例えば、社外取締役と監査役による合議体を窓口とする等）を行うべき」であるとされており、経営陣から独立した通報窓口の設置が求められているほか、「情報提供者の秘匿と不利益取扱の禁止に関する規律を整備すべきである」とされている。

　上場会社においては、前記コーポレートガバナンス・コードの規律もふまえ、内部通報制度を導入するに当たっては、一歩進んだ取組みを検討したいところである。その点については、第4章10（332頁）にて詳述する。

3　金融商品取引法の規制に対応する仕組みづくり

(1)　有価証券報告書による連結財務情報の開示体制

　有価証券報告書提出会社は、財務報告が法令等に従って適正に作成されるための体制を構築する必要がある（金商法24条の4の4第1項、内部統制府令3条）。

　かかる体制構築において重要な点は、「財務報告に係る内部統制の評価及び監査に関する実施基準」Ⅰ6(1)によれば、【図表3-1】のとおりである。

③ 金融商品取引法の規制に対応する仕組みづくり

【図表3-1】 財務報告が法令等に従って適正に作成されるための体制構築において重要な点＜財務報告に係る内部統制の評価及び監査に関する実施基準Ⅰ6(1)より＞

○　適正な財務報告を確保するための全社的な方針や手続が示されるとともに、適切に整備及び運用されていること
・適正な財務報告についての意向等の表明及びこれを実現していくための方針・原則等の設定
・取締役会及び監査役等の機能発揮
・適切な組織構造の構築

○　財務報告の重要な事項に虚偽記載が発生するリスクへの適切な評価及び対応がなされること
・重要な虚偽記載が発生する可能性のあるリスクの識別、分析
・リスクを低減する全社的な内部統制及び業務プロセスに係る内部統制の設定

○　財務報告の重要な事項に虚偽記載が発生するリスクを低減するための体制が適切に整備及び運用されていること
・権限や職責の分担、職務分掌の明確化
・全社的な職務規程等や必要に応じた個々の業務手順等の整備
・統制活動の実行状況を踏まえた、統制活動に係る必要な改善

○　真実かつ公正な情報が識別、把握及び処理され、適切な者に適時に伝達される仕組みが整備及び運用されていること
・明確な意向、適切な指示の伝達を可能とする体制の整備
・内部統制に関する重要な情報が適時・適切に伝達される仕組みの整備
・組織の外部から内部統制に関する重要な情報を入手するための仕組みの整備

○　財務報告に関するモニタリングの体制が整備され、適切に運用されていること
・財務報告に係る内部統制の有効性を定時又は随時に評価するための体制の整備
・内部・外部の通報に適切に対応するための体制の整備
・モニタリングによって把握された内部統制上の問題（不備）が、適時・適切に報告されるための体制の整備

○　財務報告に係る内部統制に関するITに対し、適切な対応がなされること
・IT環境の適切な理解とこれを踏まえたITの有効かつ効率的な利用
・ITに係る全般統制及び業務処理統制の整備

経営者は、自社において、【図表3-1】に掲げたような事項を確認し、何らかの不備があった場合には、必要に応じて改善を図ることが求められるとされている。

では、具体的に、どのような手続で、財務報告に係る内部統制構築をしていくべきか。

内部統制の構築の手続は各組織において異なるが、内部統制の評価及び報告に先立つ準備作業として求められる一般的な手続として、「財務報告に係る内部統制の評価及び監査に関する実施基準」Ⅰ6(2)が例示している手続が参考となる。

具体的には、次のとおりである。

(a) 基本的計画及び方針の決定

まず、内部統制の構築の基本的計画及び方針を決定すべきとされている。経営者の一貫した方針の下で実施されることが重要であるからである。

会社法の規定によって、内部統制の基本方針は取締役会が決定することとされているのは既述のとおりであるが、取締役会が決定した内部統制の基本方針をふまえて、経営者は、まず、財務報告に係る内部統制を組織内の全社的なレベル及び業務プロセスのレベルにおいて実施するための基本的計画及び方針を定める必要があることが指摘されている。

では、具体的に、経営者が定めるべき基本的計画及び方針はどのようなものか。

「財務報告に係る内部統制の評価及び監査に関する実施基準」Ⅰ6(2)①では、以下のようなものが例示されているのが参考となる。

・適正な財務報告を実現するために構築すべき内部統制の方針・原則、範囲及び水準
・内部統制の構築に当たる経営者以下の責任者及び全社的な管理体制
・内部統制の構築に必要な手順及び日程
・内部統制の構築に係る個々の手続に関与する人員及びその編成並びに事前の教育・訓練の方法等

(b) 内部統制の整備状況の把握

このように内部統制の基本的計画及び方針が決定された後、「財務報告に係る内部統制の評価及び監査に関する実施基準」Ⅰ6(2)②では、次に、組織内において、内部統制の整備状況を把握し、その結果を記録・保存する

べきとされている。内部統制の整備の状況を記録し、可視化することで、内部統制の有効性に関する評価が実施できる状態となるからである。

こうした作業が、経営者及び内部統制の構築に責任を有する者の指示の下、組織内における全社的なプロジェクトとして実施されることが有効であるとされており、財務報告に係る全社的な内部統制については、既存の内部統制に関する規程、慣行及びその遵守状況等をふまえ、全社的な内部統制の整備状況を把握し、記録・保存することが望ましいとされる。

その過程で、とりわけ、暗黙裡に実施されている社内の決まり事等がある場合には、それを明文化しておくことの重要性が指摘されている。

加えて、「財務報告に係る内部統制の評価及び監査に関する実施基準」Ⅰ6(2)②には、全社的な内部統制の整備状況の把握に当たっては、【図表3-2】に示した各項目を適宜参照することが有用であるとして、その一例が紹介されている。なお、これは、全社的な内部統制に係る評価項目の例が示されたものである。全社的な内部統制の形態は、企業の置かれた環境や特性等によって異なると考えられることから、必ずしもこの例によらない場合があろう。また、この例による場合でも、適宜、加除修正があり得るであろう。

【図表3-2】　財務報告に係る全社的な内部統制に関する評価項目の例＜財務報告に係る内部統制の評価及び監査に関する実施基準「Ⅱ 財務報告に係る内部統制の評価及び報告」参考１より＞

統制環境

・経営者は、信頼性のある財務報告を重視し、財務報告に係る内部統制の役割を含め、財務報告の基本方針を明確に示しているか。

・適切な経営理念や倫理規程に基づき、社内の制度が設計・運用され、原則を逸脱した行動が発見された場合には、適切に是正が行われるようになっているか。

・経営者は、適切な会計処理の原則を選択し、会計上の見積り等を決定する際の客観的な実施過程を保持しているか。

・取締役会及び監査役等は、財務報告とその内部統制に関し経営者を適切に監督・監視する責任を理解し、実行しているか。

・監査役等は内部監査人及び監査人と適切な連携を図っているか。

・経営者は、問題があっても指摘しにくい等の組織構造や慣行があると認められる事実が存在する場合に、適切な改善を図っているか。

第3章　子会社管理の仕組みづくり

・経営者は、企業内の個々の職能（生産、販売、情報、会計等）及び活動単位に対して、適切な役割分担を定めているか。
・経営者は、信頼性のある財務報告の作成を支えるのに必要な能力を識別し、所要の能力を有する人材を確保・配置しているか。
・信頼性のある財務報告の作成に必要とされる能力の内容は、定期的に見直され、常に適切なものとなっているか。
・責任の割当てと権限の委任が全ての従業員に対して明確になされているか。
・従業員等に対する権限と責任の委任は、無制限ではなく、適切な範囲に限定されているか。
・経営者は、従業員等に職務の遂行に必要となる手段や訓練等を提供し、従業員等の能力を引き出すことを支援しているか。
・従業員等の勤務評価は、公平で適切なものとなっているか。

リスクの評価と対応

・信頼性のある財務報告の作成のため、適切な階層の経営者、管理者を関与させる有効なリスク評価の仕組みが存在しているか。
・リスクを識別する作業において、企業の内外の諸要因及び当該要因が信頼性のある財務報告の作成に及ぼす影響が適切に考慮されているか。
・経営者は、組織の変更やITの開発など、信頼性のある財務報告の作成に重要な影響を及ぼす可能性のある変化が発生する都度、リスクを再評価する仕組みを設定し、適切な対応を図っているか。
・経営者は、不正に関するリスクを検討する際に、単に不正に関する表面的な事実だけでなく、不正を犯させるに至る動機、原因、背景等を踏まえ、適切にリスクを評価し、対応しているか。

統制活動

・信頼性のある財務報告の作成に対するリスクに対処して、これを十分に軽減する統制活動を確保するための方針と手続を定めているか。
・経営者は、信頼性のある財務報告の作成に関し、職務の分掌を明確化し、権限や職責を担当者に適切に分担させているか。
・統制活動に係る責任と説明義務を、リスクが存在する業務単位又は業務プロセスの管理者に適切に帰属させているか。
・全社的な職務規程や、個々の業務手順を適切に作成しているか。
・統制活動は業務全体にわたって誠実に実施されているか。
・統制活動を実施することにより検出された誤謬等は適切に調査され、必要な対応が取られているか。
・統制活動は、その実行状況を踏まえて、その妥当性が定期的に検証され、

必要な改善が行われているか。

情報と伝達

・信頼性のある財務報告の作成に関する経営者の方針や指示が、企業内の全ての者、特に財務報告の作成に関連する者に適切に伝達される体制が整備されているか。

・会計及び財務に関する情報が、関連する業務プロセスから適切に情報システムに伝達され、適切に利用可能となるような体制が整備されているか。

・内部統制に関する重要な情報が円滑に経営者及び組織内の適切な管理者に伝達される体制が整備されているか。

・経営者、取締役会、監査役等及びその他の関係者の間で、情報が適切に伝達・共有されているか。

・内部通報の仕組みなど、通常の報告経路から独立した伝達経路が利用できるように設定されているか。

・内部統制に関する企業外部からの情報を適切に利用し、経営者、取締役会、監査役等に適切に伝達する仕組みとなっているか。

モニタリング

・日常的モニタリングが、企業の業務活動に適切に組み込まれているか。

・経営者は、独立的評価の範囲と頻度を、リスクの重要性、内部統制の重要性及び日常的モニタリングの有効性に応じて適切に調整しているか。

・モニタリングの実施責任者には、業務遂行を行うに足る十分な知識や能力を有する者が指名されているか。

・経営者は、モニタリングの結果を適時に受領し、適切な検討を行っているか。

・企業の内外から伝達された内部統制に関する重要な情報は適切に検討され、必要な是正措置が取られているか。

・モニタリングによって得られた内部統制の不備に関する情報は、当該実施過程に係る上位の管理者並びに当該実施過程及び関連する内部統制を管理し是正措置を実施すべき地位にある者に適切に報告されているか。

・内部統制に係る開示すべき重要な不備等に関する情報は、経営者、取締役会、監査役等に適切に伝達されているか。

IT への対応

・経営者は、IT に関する適切な戦略、計画等を定めているか。

・経営者は、内部統制を整備する際に、IT 環境を適切に理解し、これを踏まえた方針を明確に示しているか。

・経営者は、信頼性のある財務報告の作成という目的の達成に対するリスクを低減するため、手作業及び IT を用いた統制の利用領域について、適切に

第3章　子会社管理の仕組みづくり

判断しているか。
・ITを用いて統制活動を整備する際には、ITを利用することにより生じる新たなリスクが考慮されているか。
・経営者は、ITに係る全般統制及びITに係る業務処理統制についての方針及び手続を適切に定めているか。

　また、財務報告に係る業務プロセスにおける内部統制については、重要な業務プロセスについて、例えば、次のような手順で内部統制の整備状況を把握し、記録・保存するとされている。

　まず、初めに、組織の重要な各業務プロセスについて、取引の流れ、会計処理の過程を、必要に応じ図や表を活用して整理し、理解すべきとされている。

　具体的には、各業務プロセスを細分化して個々のプロセスを識別し、その連関を整理する。なお、各業務プロセスを細分化して個々のプロセスを識別し、その連関を整理する作業に当たっては、【図表3-3】のようなものを作成する手法が紹介されている。組織により業務の態様等が異なるため、どのように業務プロセスを細分化し、識別・整理するかについては、組織ごとに判断される必要があろうが、一例として参考となるので、一連の作業について、以下概説する。

　まず、【図表3-3】のような図表を作成することにより、業務プロセスを細分化する。

【図表3-3】 業務プロセス細分化の例＜財務報告に係る内部統制の評価及び監査に関する実施基準Ⅰ6(2)②より＞

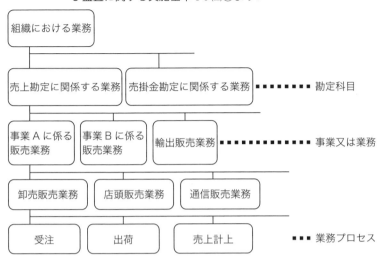

次に、細分化された業務プロセスにつき、業務フローの中での位置づけを識別し、その連関を【図表3-4】のような図表を作成することにより整理する。

【図表3-4】 業務の流れ図＜財務報告に係る内部統制の評価及び監査に関する実施基準「Ⅱ 財務報告に係る内部統制の評価及び報告」参考2より＞

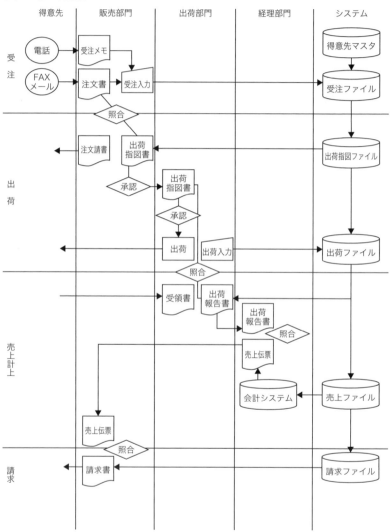

【図表3-4】のような業務の流れ図を作成しただけでは業務プロセスを識別し、整理するに足りず、より詳細な記述を要する場合には、【図表3-5】

に示すような業務プロセスの詳細を記述する説明書を別途、作成することも考えられる。

【図表 3-5】 業務記述書（例）＜財務報告に係る内部統制の評価及び監査に関する実施基準「Ⅱ　財務報告に係る内部統制の評価及び報告」参考２より＞

事業 A に係る卸売販売プロセス

1．受注
  (1)　電話による注文の場合は、販売担当者が受注メモを作成する。
  (2)　販売管理システムの受注入力は、得意先マスタに登録されている得意先の注文のみ入力することができる。
  (3)　受注入力後、販売管理システムから出荷指図書及び注文請書が出力され、受注メモ又は注文書と照合された後、販売責任者の承認が行われる。
  (4)　出荷指図書は受注メモ又は注文書を添付して出荷部門へ回付する。

2．出荷
  (1)　出荷担当者は、出荷責任者の承認を受けた後、出荷指図書に基づき商品の出荷をする。
    ・
    ・
    ・

3．売上計上
  (1)　出荷入力された出荷データは、売上データへ変換される。売上データは、会計システムへ転送され、売上伝票が出力される。
    ・
    ・
    ・

4．請求
  (1)　出力された請求書は販売担当者へ回付され、販売担当者は売上伝票と照合する。
    ・
    ・
    ・

第3章　子会社管理の仕組みづくり

その上で、このようにして識別され、整理された各業務プロセスについて虚偽記載の発生するリスクを識別し、それらのリスクがいかなる財務報告又は勘定科目等と関連性を有するのか、また、識別されたリスクが業務の中に組み込まれた内部統制によって、十分に低減できるものになっているか、必要に応じ、【図表3-6】のような図表を作成し、これを活用して検討すべきとされる。

【図表3-6】　リスクと統制の対応（例）＜財務報告に係る内部統制の評価及び監査に関する実施基準「Ⅱ　財務報告に係る内部統制の評価及び報告」参考3より＞

業務	リスクの内容	統制の内容	要件						評価	評価内容
			実在性	網羅性	権利と義務の帰属	評価の妥当性	期間配分の適切性	表示の妥当性		
受注	受注入力の金額を誤る	注文請書、出荷指図書は、販売部門の入力担当者により注文書と照合される。全ての注文書と出荷指図書は、販売責任者の承認を受けている	○	○				○	○	─
受注	与信限度額を超過した受注を受ける	受注入力は、得意先の登録条件に適合した注文のみ入力できる				○		○		─
・ ・ ・										

出荷	出荷依頼より少ない数量を発送する	出荷部門の担当者により出荷指図書と商品が一致しているか確認される	○	○		△	不規則的な出荷に担当者が対応できなかった。
出荷	出荷指図書の日程どおりに商品が出荷されない	出荷指図書の日付と出荷報告書の日付が照合される			○	○	—
· · ·							
· · ·							

　以上見てきたとおり、有価証券報告書提出会社では、財務報告に係る業務プロセスにおける内部統制については、重要な業務プロセスについて前記のような手順で内部統制の整備状況を把握し、記録・保存する必要があるとされる。

　ただし、組織により業務の態様等が異なるため、どのように業務プロセスを細分化し、識別・整理するか、翻って、どのように内部統制の整備状況を把握し、記録・保存するかについては、組織ごとに判断される必要があり、前記のような手順に拘束されるものではない。

　この点に関し、金融庁企画市場局「内部統制報告制度に関する Q&A」(令和5年8月31日改訂)(問32)では、【3点セットの作成】として、「経営者は、業務プロセスの評価のために、実施基準に例示されている『業務の流れ図』、『業務記述書』及び『リスクと統制の対応』の3つの資料(いわゆる3点セット)を必ず作成しなければならないのか。例えば、既存の業務マニュアルや諸規程類などを活用して『リスクと統制の対応』のみ作成す

第3章　子会社管理の仕組みづくり

る予定だが、3点セットのすべてを作成しないと開示すべき重要な不備に該当するのか」との質問を設定し、次のとおり回答している。

　かかる回答によれば、かかる「3点セット」を作成しなければならないということではなく、「3点セット」を作成しない場合であっても、直ちに開示すべき重要な不備に該当するものではないのであって、「3点セット」に代えて、既存の業務マニュアルや諸規程類などを利用し、各社の工夫した図や表を作成して、整理・記録することも許容されていると考えられる。

1．実施基準では、①評価対象となる業務プロセスの把握・整理、②当該業務プロセスにおける虚偽記載の発生するリスクとこれを低減する統制の識別のために、経営者は、必要に応じ、図や表を活用して整理・記録することが有用であるとしている（実施基準Ⅱ3(3)①・②）。

2．なお、実施基準では、図や表の例として、参考2（業務の流れ図（例）、業務記述書（例））及び参考3（リスクと統制の対応（例））が挙げられているが、これは、必要に応じて作成するとした場合の参考例として掲載したものであり、また、企業において別途、作成しているものがあれば、それを利用し、必要に応じそれに補足を行っていくことで足り、必ずしもこの様式による必要はないことに留意するとしているところである（実施基準Ⅱ3(3)①(注)・②(注)）。

3．したがって、経営者は、実施基準に参考例として掲載されている参考資料と同様のものをいわゆる3点セットとして作成しなければならないということではなく、3点セットを作成しない場合であっても、直ちに開示すべき重要な不備に該当するものではないと考えられる。ご指摘のように、例えば、参考2（業務の流れ図（例）、業務記述書（例））のような図や表に代えて、既存の業務マニュアルや諸規程類などを利用し、必要に応じ、参考3（リスクと統制の対応（例））のような図や表を作成して、整理・記録することも一法としてあり得ると考えられる。

(c)　把握された不備への対応及び是正

　では、このようにして内部統制の整備状況の把握がなされ、その過程で内部統制の不備があることが確認された場合、どのように対応するべきか。

　金融商品取引法で求める内部統制報告制度は、財務報告の信頼性を確保することが目的であって、財務報告に係る内部統制の不備は、内部統制報

136

告に先立って、適切に対応及び是正されていることが期待されているため、内部統制報告の実施までに、自社内の内部統制が有効なものとなるよう改善していくことが必要とされ、経営者及び内部統制の構築に責任を有する者は、内部統制の基本的計画及び方針に基づいて、不備の是正措置をとらなければならない（財務報告に係る内部統制の評価及び監査に関する実施基準Ⅰ6⑵③参照）。

まず、全社的な内部統制については、例えば、前記【図表3-1】に掲げられた項目を参考にして、その不備の内容に応じて必要な是正をすることとなろう。

次に、業務プロセスに係る内部統制については、例えば、次のような手順で是正することとなろう。

a．現状、業務に組み込まれている内部統制が、虚偽記載の発生するリスクを十分に低減できるものとなっていない場合には、当該内部統制を是正するための措置を講じる。

b．a．によって新たな取引の流れ、会計処理の過程ができた場合には、必要に応じ、前記②で策定した図や表を更新することとなろう。

以上は、「財務報告に係る内部統制の評価及び監査に関する実施基準」Ⅰ6⑵③に示された例示であるが、自社における全社的な内部統制の基本的計画及び方針や、組織により業務の態様等が異なることをふまえた業務プロセスの識別・整理の方法に応じ、各社ごとに判断される必要があろう。

⑵　子会社管理体制

有価証券報告書提出会社は、財務報告が法令等に従って適正に作成されるための体制を、以上見てきたとおりに構築する必要がある（金商法24条の4の4第1項、内部統制府令3条）。

親会社が有価証券報告書提出会社である場合、あるいは、グループ子会社が有価証券報告書提出会社である場合、当該有価証券報告書提出会社において、以上見てきたようにして財務報告が法令等に従って適正に作成されるための体制を構築しなければならないことは論を俟たないが、親会社が有価証券報告書提出会社である場合に、有価証券報告書提出会社でないグループ子会社においてどのような体制を構築するべきか。

「財務報告に係る内部統制の評価及び監査に関する実施基準」Ⅰ6⑵では、

第3章　子会社管理の仕組みづくり

あるべき財務報告に係る内部統制体制構築について例示がなされているが、これらは基本的には財務報告をなすべき有価証券報告書提出会社における内部統制体制構築が想定されているものである。

　もちろん、親会社における財務報告の正確性を確保するためには、子会社においても、親会社と同レベルで親会社に対する子会社の財務報告に係る内部統制体制が構築されていることが望ましい。

　しかしながら、子会社の組織、業務内容は千差万別であり、人材や組織的に余裕がないものもある。

　そこで、子会社においても親会社と同レベルで親会社に対する子会社の財務報告に係る内部統制体制が構築されなければならないのか、また、そうでないのであれば、どの程度のものであれば足りるのかが問題となる。

　この問題点に関し、金融庁企画市場局「内部統制報告制度に関するQ&A」（令和5年8月31日改訂）（問31）では、【子会社に対する全社的な内部統制】に関し、「全社的な内部統制については、人材や組織的に比較的余裕がある親会社とそれ以外の事業拠点（子会社）では、対応に差が出ることが想定されるが、このような取扱いは可能か」という質問を設定し、次のとおり回答している。

1．全社的な内部統制は、親会社を中心に連結ベースで整備及び運用するものであり、原則として、企業集団全体を対象として評価の対象とすることが考えられる。

2．ただし、全社的な内部統制の形態は、企業の置かれた環境や事業の特性等によって様々であり、企業ごとに適した内部統制を整備及び運用することが求められていることから（実施基準Ⅱ3(2)①）、全社的な内部統制について、子会社に対して親会社と差異のある取扱いを行うことも可能であると考えられる。

3．なお、財務報告に対する影響の重要性が僅少である事業拠点（子会社等）は、全社的な内部統制について評価対象としないことも認められている（実施基準Ⅱ2(2)）。

　かかる回答に照らせば、重要な子会社に位置づけられる子会社については、原則として、親会社と同レベルで親会社に対する子会社の財務報告に

係る内部統制体制が構築されているのが無難であろう。

　しかしながら、そうではない子会社については、全社的な内部統制について、親会社と差異のある取扱いを行うことも可能であるのみならず、財務報告に対する影響の重要性の僅少性に照らして、そもそも全社的な内部統制について評価対象としないことも可能である。

　そこで、問題は、「重要な子会社」であるか否かの選定基準をいかにすべきかという点と、「重要な子会社」として選定されない子会社ではあるものの、全社的な内部統制について評価対象とされるべきものにおける取扱いにおいて、どのような取扱いをすべきかである。

　まず、第1の問題、すなわち、「重要な子会社」であるか否かの選定基準をいかにすべきかについては、「財務報告に係る内部統制の評価及び監査に関する実施基準」Ⅱ2(2)①では、売上高等の重要性により決定するべきとされており、本社を含む各事業拠点（子会社）の売上高等の金額の高い拠点から合算していき、連結ベースの売上高等の一定の割合に達している事業拠点を評価の対象とする方法が一例として紹介されているのが参考となる。

　なお、ここでいう「一定の割合」をどのように設定するべきかが次に問題となるが、これについては、企業により事業又は業務の特性等が異なることから、一律に示されるべきものではなく、各社において判断することができると解される。

　「財務報告に係る内部統制の評価及び監査に関する実施基準」Ⅱ2(2)①（注2）では、全社的な内部統制の評価が良好であることを条件としているが、連結ベースの売上高等の一定割合を概ね2/3程度とし、これに重要性の大きい個別の業務プロセスの評価対象への追加を適切に行うことでも足りるとされていることが参考となる。

　また、連結ベースの売上高に対する一定割合ではなく、内部取引の連結消去前の売上高等に対する一定割合とする方法も許容されている。さらに、この一定割合については、当該事業拠点が前年度に重要な事業拠点として評価範囲に入っており、次の3点を確認できた場合には、当該事業拠点を本年度の評価対象としないことができるとされており、結果として、売上高等の概ね2/3を相当程度下回ることもあり得るとされている。

　イ）前年度の当該拠点に係る内部統制の評価結果が有効であること

第3章　子会社管理の仕組みづくり

ロ）当該拠点の内部統制の整備状況に重要な変更がないこと

ハ）重要な事業拠点の中でも、グループ内での中核会社でないなど特に重要な事業拠点でないこと

なお、子会社に至らない関連会社については、連結ベースの売上高に関連会社の売上高が含まれておらず、当該関連会社の売上高等をそのまま一定割合の算出に当てはめることはできないことから、別途、各関連会社が有する財務諸表に対する影響の重要性を勘案して評価対象を決定するとされている（財務報告に係る内部統制の評価及び監査実施基準Ⅱ2(2)①(注3) 参照）。

次に、第2の問題、すなわち、このような選定基準により「重要な子会社」として選定されない子会社ではあるものの、全社的な内部統制について評価対象とされるべきものにおける取扱いにおいて、どのような取扱いをすべきかという問題であるが、この問題については、金融庁企画市場局「内部統制報告制度に関する Q&A」（令和5年8月31日改訂）（問42）に対する回答が参考となる。

すなわち、同（問42）では、【外部の専門家の利用】として、「中小規模の企業においては、経理部門の人材が乏しく、例えば、連結財務諸表の作成などについて、監査人以外の公認会計士など外部の専門家を利用することも考えられるが、このような場合、開示すべき重要な不備に該当するのか」との質問を設定し、次のとおり回答している。

1．実施基準においては、全社的な内部統制に関する評価項目の例として「経営者は、信頼性のある財務報告の作成を支えるのに必要な能力を識別し、所要の能力を有する人材を確保・配置している」ことが挙げられている（実施基準Ⅱ（参考1））。

2．この場合、信頼性ある財務報告の作成を支えるのに必要な能力を評価する際には、外部の専門家の能力を含めて評価することが可能である。したがって、経理の人材が乏しく、外部の専門家を利用することをもって、直ちに全社的な内部統制の不備に該当するわけではなく、開示すべき重要な不備にあたるものではない。

3．ただし、企業において、専門家が実施した業務結果について、依頼した基本的内容を満たしているかを確認することが求められることに留意する必要がある。

これによれば、全社的な内部統制について評価対象とされるべき子会社ではあるものの、「重要な子会社」として選定されない子会社については、経理の人材を必ず配すべき必要はなく、外部の専門家を利用し、その専門家が実施した業務結果について、親会社において、依頼した基本的内容を満たしているかを確認するという取扱いでも足りると解される。

4 金融商品取引所規則の規制に対応する仕組みづくり

(1) 子会社等の決定事実に係る適時開示体制

上場会社は、有価証券上場規程に基づき、業務執行を決定する機関が重要な決定事実に該当する事項を行うことについての決定をした場合、有価証券上場規程施行規則で定めるところにより、直ちにその内容を開示することが義務づけられている。

ここでいう「重要な決定事実に該当する事項」には、子会社において決定されるべき事項も含まれる。具体的には、【図表3-7】のとおりである。

【図表3-7】 子会社における決定事実

1．子会社等の合併等の組織再編行為
2．子会社等による公開買付け又は自己株式の公開買付け
3．子会社等の事業の全部又は一部の譲渡又は譲受け
4．子会社等の解散（合併による解散を除く）
5．子会社等における新製品又は新技術の企業化
6．子会社等における業務上の提携又は業務上の提携の解消
7．子会社等における孫会社の異動を伴う株式又は持分の譲渡又は取得その他の孫会社の異動を伴う事項
8．子会社等における固定資産の譲渡又は取得、リースによる固定資産の賃貸借
9．子会社等の事業の全部又は一部の休止又は廃止
10．子会社等の破産手続開始、再生手続開始又は更生手続開始の申立て
11．子会社等における新たな事業の開始

第3章　子会社管理の仕組みづくり

12. 子会社等の商号又は名称の変更
13. 子会社等における債務超過又は預金等の払戻の停止のおそれがある旨の内閣総理大臣への申出（預金保険法74条5項の規定による申出）
14. 子会社等における特定調停法に基づく特定調停手続による調停の申立て
15. その他子会社等の運営、業務又は財産に関する重要な事項

　子会社における決定事実を含め、決定事実について実際に開示すべき時期は、取締役会決議などの形式的な側面にとらわれることなく、実態的に判断することが求められ、一般に、業務執行を実質的に決定する機関において当該事実を実行することを事実上決定した段階で開示をすることが求められる。ここで「業務執行を実質的に決定する機関」とされているのは、業務執行決定機関が会社法上の最終決定権限を有する機関を指すものではないとされているためである。

　会社法上の最終決定権限を有する機関でない機関が決定した場合に開示が求められる典型的な例としては、株主総会決議事項が挙げられる。すなわち、株主総会決議事項については、通常は、株主総会決議後ではなく、取締役会による付議の決議後直ちに適時開示を行う必要があるとされている。

　上場会社である親会社では、実務的には、株主総会決議事項及び取締役会決議事項は取締役会決議後直ちに、社長が決定権限を有する事項は社長による決定後直ちに適時開示を行うことが多いであろう。

　しかしながら、これら以外の機関又は役職者が当該業務の執行を事実上決定していることが明らかな場合には、その決議又は決定時点における開示が求められる[17]。

　こうしたことをふまえると、上場会社である親会社の子会社における決定事実についての開示体制は、親会社の子会社管理の方針に従って構築の仕方が異なることとなる。

　まず、子会社における重要な業務執行に係る決定について、全て親会社において決定するなど、子会社の経営管理に積極的に関与する方針の下、子会社を親会社と一体的に管理する場合には、当該子会社の業務の執行を

---

17)　東京証券取引所上場部編「会社情報適時開示ガイドブック（2025年4月版）」54頁。

事実上決定する親会社における機関の決議又は役職者の決定のときに開示することが必要と考えられ、かかる開示が可能な体制を親会社において構築する必要がある。ただ、このような開示体制は、通常、親会社自体における決定事実についての開示体制においてフォローすることが可能であろうから、別段の体制構築は必要ないであろう。

これに対し、子会社における重要な業務執行に係る決定について、全て子会社において決定し、親会社に対しては事後報告とすることを原則とするなど、子会社の経営管理において子会社の自主性を尊重する方針の場合には、当該子会社の業務の執行を事実上決定する当該子会社における機関の決議又は役職者の決定と同時に親会社でその決定内容が認識されるようにし、直ちに上場会社である親会社で開示することができるような体制を親会社と子会社のレポートラインとして構築する必要がある。

(2) 子会社等の発生事実に係る適時開示体制

上場会社は、有価証券上場規程に基づき、重要な会社情報が発生した場合は、有価証券上場規程施行規則で定めるところにより、直ちにその内容を開示することが義務づけられている。

ここでいう「重要な会社情報」には、子会社の会社情報も含まれる。具体的には、【図表3-8】のとおりである。

【図表3-8】 子会社における発生事実

1．子会社等における災害に起因する損害又は業務遂行の過程で生じた損害
2．子会社等における訴訟の提起又は判決等
3．子会社等における仮処分命令の申立て又は決定等
4．子会社等における免許の取消し、事業の停止その他これらに準ずる行政庁による法令に基づく処分又は行政庁による法令違反に係る告発
5．子会社等における破産手続開始、再生手続開始、更生手続開始又は企業担保権の実行の申立て
6．子会社等における手形等の不渡り又は手形交換所による取引停止処分
7．子会社等における孫会社に係る破産手続開始、再生手続開始、更生手続開始又は企業担保権の実行の申立て
8．子会社等における債権の取立不能又は取立遅延
9．子会社等における取引先との取引停止

第3章　子会社管理の仕組みづくり

10.　子会社等における債務免除等の金融支援

11.　子会社等における資源の発見

12.　その他子会社等の運営、業務又は財産に関する重要な事実

　実際に開示すべき時期については、その発生を認識した時点での開示が必要となる。上場会社においては、発生事実を速やかに認識できるような体制の構築、維持に努めることが要請されている[18]。

　かかる要請は、親会社の子会社管理の方針如何を問わず、上場会社に遍く及ぶものである。

　まず、親会社における重要な子会社の各社において当該子会社の発生事実をその発生と同時に認識することが可能な体制を構築する必要がある。

　その上で、当該子会社における発生事実の認識と同時に親会社でその内容が認識されるようにし、直ちに上場会社である親会社で開示することができるような体制を親会社と子会社のレポートラインとして構築する必要がある。

(3)　子会社等の決算及び四半期決算に係る適時開示体制

　上場会社は、「事業年度若しくは中間会計期間又は連結会計年度若しくは中間連結会計期間に係る決算の内容が定まった場合」のほか、「四半期累計期間（第2四半期累計期間を除く。）又は四半期連結累計期間（第2四半期連結累計期間を除く。）に係る決算の内容を定めるものとし、その内容が定まった場合」は、直ちにその内容を開示することが義務づけられており（有価証券上場規程 404 条 1 項、2 項）、決算短信及び四半期決算短信の開示が行われている。

　とりわけ、決算短信については、投資者の投資判断に与える影響の重要性をふまえ、上場会社においては決算期末の経過後速やかに決算の内容のとりまとめを行うことが望まれ、事業年度又は連結会計年度に係る決算については、遅くとも決算期末後 45 日（45 日目が休日である場合は、翌営業日）以内に内容のとりまとめを行い、その開示を行うことが適当であり、決算

---

18)　東京証券取引所上場部編・前掲注 17）55 頁。

期末後 30 日以内（期末が月末である場合は、翌月内）の開示が、より望ましいものとされている。

　その反面、事業年度又は連結会計年度に係る決算の内容の開示時期が、決算期末後 50 日（50 日目が休日である場合は、その翌営業日）を超えることとなった場合には、決算の内容の開示後遅滞なく、その理由（開示時期が決算期末後 50 日を超えることとなった事情）及び翌事業年度又は翌連結会計年度以降における決算の内容の開示時期に係る見込み又は計画について開示しなければならない。

　そのため、上場会社においては、決算の内容の早期開示に向けて、決算に関する社内体制の整備及び充実が必要である[19]。

　これに対し、第 2 四半期（中間期）に係る決算短信については、金商法に基づく半期報告書の法定提出期限が 45 日とされていることをふまえ、上述の「決算発表の早期化の要請」の対象とされていない。また、第 1 四半期や第 3 四半期に係る決算短信については、通期及び第 2 四半期（中間期）とは異なり有価証券報告書や半期報告書などの法定開示に対する速報としての位置づけではないことをふまえ、上述の「決算発表の早期化の要請」の対象とされていない。

　しかしながら、上場会社は、四半期決算の内容が定まったときに、その内容を直ちに開示することが義務づけられているのは上述のとおりであり、四半期決算の内容が定まったにもかかわらず、その開示時期を遅延させることは許されない。

　したがって、上場会社は、第 2 四半期（中間期）に係る決算短信については、遅くとも、金商法に基づく半期報告書の提出までに、また、第 1 四半期や第 3 四半期に係る決算短信についても、第 2 四半期（中間期）に係る決算短信と同様に金商法に基づく半期報告書の法定提出期限に準じて、各四半期終了後 45 日以内に四半期決算短信の開示を行わなければならないとされている[20]。

　いずれにしても、上場会社は、日常の IR 活動など、投資者・株主との間の密接なコミュニケーションを通じて、四半期決算の内容が投資者の投資判断に与える影響の重要度合い等を把握した上で、適切な時期に四半期決

---

19)　東京証券取引所上場部編・前掲注 17) 269 頁。
20)　東京証券取引所上場部編・前掲注 17) 270 頁。

算の開示を行うことができるよう、必要な社内体制の整備及び充実等への取組みが求められている[21]。

親会社が上場会社である場合、当該親会社の決算短信及び四半期決算短信の開示がこのような要請に応えられるに足る社内体制の整備及び充実等への取組みが必要となるのみならず、当該親会社の決算及び四半期決算に影響を与える子会社においても社内体制の整備及び充実等が必要となる。

(4) 業績予想等に係る適時開示体制

事業年度の決算発表に際して、わが国では、上場会社が自社の将来の経営成績・財政状態等について、主要な経営指標（例えば、売上高、利益、ROEなど）の見込みや、将来の経営成績に影響を与える財務指標（例えば、設備投資や研究開発に係る支出など）の見込みその他の将来の見通しに係る情報（以下「将来予測情報」という）を開示することが、長年にわたる実務慣行として広くなされてきており、東証は、上場会社と投資者との間の重要な情報格差を解消し、投資者との充実した対話を通じて証券市場における公正かつ円滑な価格形成を確保する観点から、上場会社が、それぞれの実情に応じて将来予測情報の積極的な開示に取り組むよう要請している[22]。

投資者の投資判断は、一般に、上場会社の将来の企業価値（株式価値）の予測に基づいて行われることとなり、自社の状況及び将来の経営方針に関して最も詳細かつ正確な情報を有する上場会社自身によって開示される将来予測情報は、証券アナリスト等の高い企業分析能力を有する専門家によっても、完全に代替生産することは困難であり、投資者にとって有用な投資判断情報であると位置づけられるからである。

具体的な将来予測情報の開示方法については、特に限定されていないが、実務上、事業年度の決算発表に際して、翌事業年度における「売上高」、「営業利益」、「経常利益」及び「親会社株主に帰属する当期純利益」の予想値（以下「次期の業績予想」という）を開示する形式がかねてより広く採用されている。

そこで、決算開示のための社内体制の整備及び充実等においても、決算開示の際に合わせて行われる次期の業績予想の開示が行われることも視野

---

21) 東京証券取引所上場部編・前掲注17) 270頁。
22) 東京証券取引所上場部編・前掲注17) 272頁。

に入れて実施されなければならない。

すなわち、こうした「次期の業績予想」は、上場会社の将来の経営方針や、上場会社の取り巻く状況に係る経営者自身の合理的な評価や見通し等を基礎として、経営成果に係る直接的な予想を開示するものと位置づけられており、それが実績の決算情報と併せて開示されることによって、投資者による企業価値の評価に有用な情報を提供する機能を有するものであるから、かかる機能を発揮できるよう、上場会社の将来の経営方針や、上場会社の取り巻く状況に係る経営者自身の合理的な評価や見通し等の基礎情報を的確に把握し、反映できるように体制構築される必要がある。

その際、上場会社である親会社の子会社における次期の業績予想を含んだ、当該親会社の次期の業績予想についての開示体制は、親会社の子会社管理の方針に従って構築の仕方が異なることとなろう。

まず、子会社の将来の経営方針や、子会社の取り巻く状況に係る合理的な評価や見通しについて、全て親会社において決定するなど、子会社の経営管理に積極的に関与する方針の下、子会社を親会社と一体的に管理する場合には、当該子会社の将来の経営方針や、子会社の取り巻く状況に係る合理的な評価や見通しを事実上決定する親会社における機関の決議又は役職者の決定の内容を、当該親会社におけるそれに反映することが可能な体制を親会社において構築すれば足りると考えられる。そのため、このような体制は、通常、親会社自体における次期の業績予想についての開示体制においてフォローすることが可能であろうから、別段の体制構築は必要ないであろう。

これに対し、子会社の将来の経営方針や、子会社の取り巻く状況に係る合理的な評価や見通しについて、全て子会社において決定し、親会社に対しては事後報告とすることを原則とするなど、子会社の経営管理において子会社の自主性を尊重する方針の場合には、当該子会社の将来の経営方針や、子会社を取り巻く状況に係る合理的な評価や見通しを事実上決定する当該子会社における機関の決議又は役職者の決定と同時に親会社でその決定内容が認識されるようにし、直ちに上場会社である親会社における次期の業績予想に反映することができるような体制を親会社と子会社のレポートラインとして構築する必要がある。

第3章　子会社管理の仕組みづくり

(5)　開示内容の変更又は訂正並びに業績予想の修正等に係る適時開示体制

「決算短信」又は「四半期決算短信」を開示した後に、開示内容について、変更又は訂正すべき事情が生じた場合には、当該変更又は訂正の内容を「決算発表資料の訂正」として開示することが必要となる（ただし、当該事情の発生が、有価証券報告書又は半期報告書の提出前である場合には、投資者の投資判断上重要な変更又は訂正である場合を除いて、有価証券報告書又は半期報告書の提出後に遅滞なく行うことでも足りる）（有価証券上場規程416条1項・2項）。

また、上場会社は、当連結会計年度（当事業年度）の業績に係る新たな予想値を算出した場合や、当連結会計年度（当事業年度）の決算のとりまとめを行った場合に、業績予想の修正等の適時開示が必要となる場合がある。

まず、上場会社は、その子会社等が国内の金融商品取引所に上場されている子会社等に該当する場合、当該子会社等の売上高、経常利益及び当期純利益について、公表がされた直近の予想値（当該予想値がない場合は、公表がされた前事業年度の実績値）に比較して当該子会社等が新たに算出した予想値又は当事業年度の決算において差異が生じており、かつ、【図表3-9】のいずれかに該当する場合（金商法166条2項7号に該当する場合）は、その内容を開示することが義務づけられている（有価証券上場規程405条3項）。

【図表3-9】親会社において上場子会社の業績予想の修正等の適時開示が必要となる基準

> a．売上高にあっては、新たに算出した予想値又は当事業年度の決算における数値を公表がされた直近の予想値（＊）で除して得た数値が1.1以上又は0.9以下
>
> b．経常利益にあっては、新たに算出した予想値又は当事業年度の決算における数値を公表がされた直近の予想値（＊）で除して得た数値が1.3以上又は0.7以下であり、かつ、新たに算出した予想値又は当事業年度の決算における数値と公表がされた直近の予想値（＊）とのいずれか少なくない数値から他方を減じて得たものを前事業年度の末日における純資産額と資本金の額とのいずれか少なくない金額で除した数値が0.05以上
>
> c．当期純利益にあっては、新たに算出した予想値又は当事業年度の決算における数値を公表がされた直近の予想値（＊）で除して得た数値が1.3以

148

上又は 0.7 以下であり、かつ、新たに算出した予想値又は当事業年度の決算における数値と公表がされた直近の予想値（＊）とのいずれか少なくない数値から他方を減じて得たものを前事業年度の末日における純資産額と資本金の額とのいずれか少なくない金額で除した数値が 0.025 以上

（＊）当該予想値がない場合は、公表がされた前事業年度の実績値。

　また、その子会社等が国内の金融商品取引所に上場されている子会社等に該当しない場合でも、親会社である上場会社は、上場会社の属する企業集団の売上高、営業利益、経常利益又は純利益について、公表がされた直近の予想値（当該予想値がない場合は、公表がされた前連結会計年度の実績値）に比較して、新たに算出した予想値又は決算において差異が生じた場合であって、かつ、【図表 3-10】のいずれかに該当する場合は、直ちにその内容を開示することが義務づけられている（有価証券上場規程 405 条 1 項・3 項、有価証券上場規程施行規則 407 条各号）。

【図表 3-10】上場会社グループの業績予想の修正等の適時開示が必要となる基準

> 1．新たに算出した予想値又は当連結会計年度の決算における数値を公表がされた直近の予想値（当該予想値がない場合は、公表がされた前連結会計年度の実績値）で除して得た数値が
> ａ．連結売上高にあっては 1.1 以上又は 0.9 以下
> ｂ．連結営業利益にあっては 1.3 以上又は 0.7 以下
> ｃ．連結経常利益にあっては 1.3 以上又は 0.7 以下
> ｄ．親会社株主に帰属する当期純利益にあっては 1.3 以上又は 0.7 以下
> ※　連結財務諸表非作成会社については、「連結会計年度」を「事業年度」、「連結売上高」を「売上高」、「連結営業利益」を「営業利益」、「連結経常利益」を「経常利益」、「親会社株主に帰属する当期純利益」を「当期純利益」と読み替える。
> ※　IFRS 適用会社については、「連結経常利益」を「税引前利益」、「親会社株主に帰属する当期純利益」を「『当期利益』及び『親会社の所有者に帰属する当期利益』」と読み替える。
> 2．連結財務諸表作成会社（取引規制府令第 49 条第 2 項に規定する特定上場会社等を除く）における個別業績予想の修正等
> ａ．売上高にあっては、新たに算出した予想値又は当事業年度の決算における数値を公表がされた直近の予想値（当該予想値がない場合は、公表がさ

第3章　子会社管理の仕組みづくり

　　れた前事業年度の実績値）で除して得た数値が 1.1 以上又は 0.9 以下
　b．経常利益にあっては、新たに算出した予想値又は当事業年度の決算にお
　　ける数値を公表がされた直近の予想値（当該予想値がない場合は、公表が
　　された前事業年度の実績値。以下同じ）で除して得た数値が 1.3 以上又は
　　0.7 以下であり、かつ、新たに算出した予想値又は当事業年度の決算にお
　　ける数値と公表がされた直近の予想値とのいずれか少なくない数値から他
　　方を減じて得たものを前事業年度の末日における純資産額と資本金の額と
　　のいずれか少なくない金額で除した数値が 0.05 以上
　c．当期純利益にあっては、新たに算出した予想値又は当事業年度の決算に
　　おける数値を公表がされた直近の予想値（当該予想値がない場合は、公表
　　がされた前事業年度の実績値。以下同じ）で除して得た数値が 1.3 以上
　　又は 0.7 以下であり、かつ、新たに算出した予想値又は当事業年度の決算
　　における数値と公表がされた直近の予想値とのいずれか少なくない数値か
　　ら他方を減じて得たものを前事業年度の末日における純資産額と資本金の
　　額とのいずれか少なくない金額で除した数値が 0.025 以上

　　上場会社である親会社では、その子会社に関して決算短信又は四半期決
算短信で開示された内容に変更又は訂正すべき事項や子会社自体の業績予
想等に修正すべき事項が発生した場合に、それらを親会社に直ちに報告さ
れるような体制を親会社と子会社のレポートラインとして構築する必要が
あることは論を俟たない。

　　さらに、そのような事項のみならず、理想的には、全ての子会社の決算
又は四半期決算の訂正又は変更情報や子会社の次期の業績予想の修正情報
が親会社に直ちに報告されるような体制が親会社と子会社のレポートライ
ンとして構築されるべきと考える。

　　子会社 1 社では上場会社である親会社自体の決算短信又は四半期決算短
信で開示された内容に変更又は訂正を要すべき場合や親会社自体の業績予
想等に修正を要すべき場合に至らなくとも、複数の他の子会社が連鎖的に
影響を受ける場合もあり得るところであり、それらの変更又は訂正や修正
を要すべき数値が合算されて、上場会社である親会社自体の決算短信又は
四半期決算短信で開示された内容に変更又は訂正を要すべき場合や親会社
自体の業績予想等に修正を要すべき場合に至ることもあり得るからである。

　　こうしたこともふまえれば、全ての子会社の決算又は四半期決算の訂正

又は変更情報や子会社の次期の業績予想の修正情報が親会社に直ちに報告されるような体制が親会社と子会社のレポートラインとして構築されるべきであろう。

(6) 支配株主等に関する事項の開示体制

支配株主又はその他の関係会社を有する上場会社は、事業年度経過後3か月以内に、支配株主等に関する事項を開示することが義務づけられている（有価証券上場規程411条1項、有価証券上場規程施行規則412条）。

「支配株主」とは、次の①②のいずれかに該当する者をいうとされている（有価証券上場規程2条42号の2、有価証券上場規程施行規則3条の2）。

① 親会社

② 主要株主で、当該主要株主が自己の計算において所有している議決権と、次に掲げる者（③④）が所有している議決権とを合わせて、上場会社の議決権の過半数を占めているもの（①を除く。以下「支配株主（親会社を除く）」という）

③ 当該主要株主の近親者（二親等内の親族をいう。以下同じ）

④ 当該主要株主及び③が、議決権の過半数を自己の計算において所有している会社等（会社、指定法人、組合その他これらに準ずる企業体（外国におけるこれらに相当するものを含む）をいう）及び当該会社等の子会社

また、「その他の関係会社」とは、財務諸表規則8条17項4号に規定するその他の関係会社、すなわち、財務諸表提出会社が他の会社等の関連会社である場合における当該他の会社等をいう（有価証券上場規程2条3号）。

かかる支配株主又はその他関係会社に該当する場合、グループ子会社に上場会社を有する親会社は、有価証券上場規程に基づき、親会社に係る「支配株主等に関する事項」を事業年度経過後3か月以内に、支配株主等に関する事項を上場会社であるグループ子会社が開示することができるようにする体制構築が必要となる。

「支配株主等」とは、前記①、②、③、④又は⑤その他の関係会社のいずれかに該当する者をいうが、開示すべき事項は、具体的に、【図表3-11】のとおりである。

第 3 章　子会社管理の仕組みづくり

【図表 3-11】　支配株主等に関する事項

> a．親会社、支配株主（親会社を除く）、その他の関係会社又はその他の関係会社の親会社の商号等
> b．親会社等が複数ある場合は、そのうち上場会社に与える影響が最も大きいと認められる会社等の商号又は名称及びその理由
> c．非上場の親会社等に係る決算情報の適時開示が免除されている場合、その理由
> d．親会社等の企業グループにおける位置づけその他の親会社等との関係
> e．支配株主等との取引に関する事項
> f．支配株主を有する場合は、支配株主との取引等を行う際における少数株主の保護の方策の履行状況
> g．その他投資者が会社情報を適切に理解・判断するために必要な事項

　このうち、【図表 3-11】の d～f の事項は、親会社におけるグループ子会社の管理方針に係る事項であり、それをふまえて、整合性に留意しつつ、その記載内容が検討されるべきものといえる。親会社等との関連当事者取引に関しては、事業報告又はその附属明細書で記載することも要請されるので、かかる要請もふまえることが必要となろう。

　しかしながら、本来、親会社におけるグループ子会社の管理方針といった事項は、親会社のグループ経営戦略として営業秘密に属する事項ともいえ、グループ子会社に対して当然提供され、公表されるべきものでもない。

　にもかかわらず、会社法上は、子会社が親会社に対して情報提供を義務づける規定はなく、これを法的に義務づけるには契約によるほかない。

　グループ子会社である上場会社は、親会社と上場会社であるグループ子会社との間での情報共有について親会社に対して一定の義務を課す契約を親会社との間で締結し、これらの事項についても適時にかつ適切に開示し得る体制を構築しておくことが望ましく、親会社化するタイミングで、具体的には、資本提携契約や新株引受契約を締結するとき、あるいは、公開買付けにおいて発行体として賛同表明するに当たって公開買付者との間で契約を締結するときに、有価証券上場規程に基づく支配株主等に関する事項についての開示への協力義務を課すことができるよう交渉等をする必要があろう。

152

(7)　非上場の親会社等の決算情報の開示体制

　上場会社は、親会社等の事業年度若しくは中間会計期間（当該親会社等が四半期財務諸表提出会社である場合には、四半期累計期間）又は連結会計年度若しくは中間連結会計期間（当該親会社等が四半期連結財務諸表提出会社である場合には、四半期連結累計期間）に係る決算の内容が定まった場合は、直ちにその内容を開示することが義務づけられている（有価証券上場規程411条2項）。

　「親会社等」とは、原則として、①親会社、②その他の関係会社及び③その他の関係会社の親会社のことをいうとされている。ただし、その対象を「会社」のみに限定しており、「組合等」は、開示対象の範囲から除かれている。また、親会社等が複数ある場合には、上場会社に与える影響が最も大きいと認められる会社等1社が適用の対象となり、その影響が同等であると認められるときは、そのうち上場会社が選択したいずれか1社が適用の対象となるとされる。

　開示対象となる親会社等については、非上場の親会社等に限定されており、上場会社であるグループ子会社の親会社が、国内の金融商品取引所に上場されている株券の発行者である場合又はそれに準ずる場合には、その決算情報に関する当該グループ子会社における開示の必要はないが、これらのいずれかに該当しない場合には、その決算情報に関する開示が必要となる。

　開示すべき事項は、具体的に、【図表3-12】のとおりである。

【図表3-12】　非上場の親会社等の決算情報に関する開示事項

a．親会社等の概要
b．当該親会社等の財務諸表
c．当該親会社等の株式の所有者別状況、大株主の状況、役員の状況
d．その他投資者が会社情報を適切に理解・判断するために必要な事項

　会社法上は、子会社が親会社からその決算情報を入手することができる規定はなく、これを法的に義務づけるには契約によるほかないことは、前記(6)（151頁）の場合と同様である。

153

第 3 章　子会社管理の仕組みづくり

　したがって、グループ子会社である上場会社は、その親会社が非上場である場合には、親会社と上場会社であるグループ子会社との間での情報共有について親会社に対して一定の義務を課す契約を親会社との間で締結するに際し、併せて、親会社の決算情報その他【図表 3-12】に掲げる事項についても適時にかつ適切に開示できる体制を構築するべく、親会社化するタイミングで締結する契約において、有価証券上場規程に基づく非上場の親会社等に関する決算情報についての開示への協力義務を課すことができるよう交渉等をする必要があろう。

5　グループガイドラインをふまえた仕組みづくり

　令和元（2019）年 6 月 28 日、経済産業省が「グループ・ガバナンス・システムに関する実務指針（グループガイドライン）」を策定して公表した。
　グループガイドラインでは、「グループガバナンスの実効性を確保するために一般的に有意義と考えられる具体的な行動（ベストプラクティス）や重要な視点を取りまとめているが、グループ経営の在り方は極めて多様なものであり、ガバナンスに関する課題解決のために何をすべきかについては企業グループごとに異なるものであるため、ガイドライン記載の取組を一律に要請するものではない」とされており[23]、グループガイドラインの目的は、「企業グループとして、中長期的な企業価値向上と持続的成長を図るため、『守り』と『攻め』の両面でいかにガバナンスを機能させるか、事業ポートフォリオをどのように最適化するか等、実効的なグループガバナンスの在り方に関し、各社における検討に資するようなベストプラクティスを示すことを目的とするものである」と謳われている[24]。
　そして、グループガイドラインは、「一般的なベストプラクティスを示すものであり、これに沿った対応を行わなかったことが取締役等の善管注意義務違反を構成するものではない」とも明示しているので[25]、漫然と座していてもよいであろうか。

23)　経済産業省「グループ・ガバナンス・システムに関する実務指針（グループガイドライン）」（2019 年 6 月 28 日）10 頁。
24)　経済産業省・前掲注 23) 10 頁。
25)　経済産業省・前掲注 23) 11 頁。

確かに、グループガイドライン公表直後においては、グループガイドラインはベストプラクティスを示したものにすぎないから、グループガイドラインに示された事例を直ちに検討して自社グループに取り入れることまでせずとも、取締役等の善管注意義務違反が問議されるおそれはさほどなかったといえよう。

しかし、グループガイドライン公表後、時がたつにつれて、その状況は変化していることを自覚しなければならない。取締役等の経営判断がその裁量の範囲内かどうかは、その当時における会社の状況及び会社を取り巻く社会・経済・文化の情勢の下において、当該会社の属する業界における通常の経営者の有すべき知見及び経験を基準として検討されるところ（経営判断の原則）、グループガイドラインの公表によりベストプラクティスが一般的に周知されてから久しく、自社グループにおいて取り入れるべきものがあるか否かの検討をする十分な時間があったといえる時期に差し掛かっているからである。

いずれにしても、グループガイドラインで、「本ガイドラインに沿った対応を行った場合には、他に特段の事情がない限り、通常は善管注意義務を十分に果たしていると評価されるであろうと考えられる」と明示されている以上[26]、グループガイドラインに沿った対応を自社グループで取り入れることを積極的に検討するべきである。

では、どのようにグループガイドラインに沿った具体的な対応に取り組むべきか。

グループガイドラインにおける子会社管理の仕組みづくりの示唆は多岐にわたり、その全てを取り入れようとすることは簡単ではない。しかし、グループガイドラインにおける示唆には濃淡があるので、それに着眼して取捨選択し、優先順位を定めて漸次取り入れていくとよいだろう。

グループガイドラインにおける子会社管理の仕組みづくりの示唆には、大別すると2種類ある。すなわち、グループ経営管理体制の実態把握の着眼点と、あるべきグループ経営管理体制構築に向けて取り組むべき課題抽出の着眼点が示唆されていると考えられるので、以下、それぞれについて具体的に見ていきたい。

---

26) 経済産業省・前掲注23) 11頁。

第 3 章　子会社管理の仕組みづくり

(1)　グループ経営管理体制の実態把握の着眼点

　グループガイドラインでは、グループ経営管理体制の実態把握の着眼点についての示唆を示すことで、自社グループにおけるグループ経営管理体制の実態がどのようになっているのかを把握するに当たっての評価の視点を示唆している。グループガイドラインは、「『攻め』と『守り』の両面からグループガバナンスの在り方について、2017 年 12 月から 1 年半に渡り16 回開催された本研究会において、企業経営・法学・経済学・法律実務・投資家等の各界を代表する有識者に議論いただいた成果を、国内外の先進事例や実態調査の結果とともにまとめたものである」ところ[27]、研究会において、グループ経営管理について問題意識を持って「指摘」された事項が示されている。以下、【取り上げられた指摘】として抽出しているが、ここで指摘されているような問題意識が同様に自社グループにあるかどうか検討されたい。

【取り上げられた指摘】

2　グループ設計の在り方

2.3　グループ本社の役割

2.3.3　グループ本社による子会社の管理・監督の在り方

日本企業は、海外企業を買収してもレポーティングラインが不明確であることなどに起因して十分な監督や経営統合が実現できていないのではないかとの指摘もある。	41 頁 脚注 36

4　内部統制システムの在り方

4.2　内部統制システムに関する現状と課題

実際、多くの日本企業においては、事業面で分権化を進めながら、一方で、（分権化に応じて再構築すべき）グループ本社による一元的なリスクマネジメントの体制を築けていないのではないかとの指摘もある。	67 頁

---

27)　経済産業省・前掲注 23) 139 頁。

156

また、最近の企業不祥事では、グループ内部での体制や内部規程類は整備されていても、第1線（事業部門）のコンプライアンス意識が希薄であり、第2線（管理部門）・第3線（内部監査部門）によるチェック機能も不全であった等、内部統制システムが実効的に運用されていない点が指摘されている[57]。	67頁
57　日本監査役協会ケース・スタディ委員会『企業不祥事の防止と監査役等の取組─最近の企業不祥事案の分析とアンケート結果を踏まえて─』（2018年12月3日）においては、不適切事案に関する調査報告書の概要として、内部統制機能の逸脱や無効化が社内で発生したことを不祥事の発生原因の一つとして指摘する事例が多い。また、企業不祥事防止に向けた取組に対する監査役等の視点として、「まずは自社の会社規模や業種等を念頭に置きながら、リスクが発生しやすいポイントを押さえつつリスク分析やリスクアプローチを検討していくべきであり、その上で、監査役等として考える企業不祥事防止策等を執行側に提案していくことも考えられる。…（中略）…加えて、企業不祥事防止策の策定に当たっては、現場部門、内部統制部門及び内部監査部門の3ラインディフェンスの役割が特に重要である。それぞれの機能や性格を考慮して、これら3ラインディフェンスが適切に連携し、縦割り組織の弊害を乗り越え全社横断の観点から十分な機能を発揮することにより、企業不祥事防止の実は上がることとなる。監査役等は、3ラインディフェンスが適切に機能し全体を見渡せる体制になっているかについて、特に注視すべきである。」と指摘している。	

4.5　内部統制システムに関する監査役等の役割等

監査役等の職務の重さや拘束時間の長さ等を勘案すれば、現状の報酬水準は必ずしも十分とは言えないのではないかとの指摘があった。また、取締役と監査役との間に報酬水準の格差がある場合には、その合理性を確認し、必要に応じて見直すことも考えられるとの指摘もあった。	71頁 脚注61

4.6　実効的な内部統制システムの構築・運営の在り方

4.6.2　第1線（事業部門）におけるコンプライアンス意識の醸成

実際の企業不祥事においては、様々な内部規程等が整備されていたにも関わらず、現場レベルでの運用やコンプライアンス意識の醸成ができていなかったケースが多いと指摘されている。	81頁
「多くのグループ経営では、リスクマネジメントの全体像がデザインされていない。リスクマネジメント、内部統制、コンプライアン	81頁 脚注76

第3章　子会社管理の仕組みづくり

> ス、内部監査等について、それぞればらばらに部門を作って対応しており、部門間の連携もとれておらず、部分最適の形式的な作業に陥っているため、非常に実効性に乏しい。J-SOX における内部統制の作業もチェックリスト化しているが、本来、内部統制は業務の有効性や効率性といった BPR（Business Process Re-engineering）にもつなげて議論すべきではないか。」との指摘があった。

4.7　監査役等や第2線・第3線における人材育成の在り方

監査役等については、前述 4.5 の通り、内部統制システムの有効性監査という重要な役割を担っているが、社内の常勤監査役については、従来、いわゆる「処遇ポスト」（子会社の場合は充て職）として、必ずしも監査についての専門的知見や経験が十分でない者が配置される傾向も見られたと指摘されている。	89 頁

　また、同じく問題のある「現状」として紹介された事例が挙げられている。以下、【確認すべき現状】として抽出しているが、ここで指摘されているような現状が自社グループにおいて認められる場合には、その是正を検討すべきであろう。

【確認すべき現状】

2　グループ設計の在り方

2.3　グループ本社の役割

2.3.1　グループ本社（業務執行）の役割

「2017 年国内企業の「IT 経営」に関する調査」（一般社団法人電子情報技術産業協会（JEITA）と IDC Japan 株式会社による共同調査）では、米国では「攻めの IT 投資」が多いのに対し、日本では「守りの IT 投資」が多いとの現状を指摘し、国際競争を勝ち抜いていくためには、日本企業も米国企業のように攻めの IT 投資にシフトすべきとしている。 URL：https://www.jeita.or.jp/japanese/exhibit/2018/0116.pdf	30 頁 脚注 34

158

4　内部統制システムの在り方

4.5　内部統制システムに関する監査役等の役割等

監査役等の職務の重さや拘束時間の長さ等を勘案すれば、現状の報酬水準は必ずしも十分とは言えないのではないかとの指摘があった。また、取締役と監査役との間に報酬水準の格差がある場合には、その合理性を確認し、必要に応じて見直すことも考えられるとの指摘もあった。	71頁 脚注61
監査役等が適切に機能発揮するためには、監査を行うための十分な体制・リソースが確保されることが前提となる。現状では、専属のスタッフが置かれておらず兼務スタッフしかいないケースや、「監査役会室」等の専属スタッフが置かれていても数人程度とごく小規模というケースも多い[64]ため、専属スタッフを置くことも含め、サポート体制を充実させることが課題となっている。 64　公益社団法人日本監査役協会『役員等の構成の変化などに関する第19回インターネット・アンケート集計結果（監査役（会）設置会社版）』（2019年5月24日）29頁によると、上場企業の監査役スタッフの設置比率（2018年度）は、専属スタッフのみが31.6%、兼務スタッフのみが62.4%、両スタッフがいるのは6.0%となっている。また、上場会社における監査役スタッフの平均人数は、専属スタッフが0.76人、兼務スタッフが1.14人、合計スタッフ1.90人となっている。	72頁

4.6　実効的な内部統制システムの構築・運営の在り方

4.6.1　3線ディフェンスの重要性

現状では、一般に、3線ディフェンスの導入・運用は、業務執行に属する内部統制システムの中に位置づけられ、監査役等及び（会計面においては）会計監査人の監査の対象となるが、監査役等─会計監査人─内部監査部門の三者連携による「三様監査」が有効に機能するよう、適切な連携の在り方についても検討されるべきである。	78頁

4.6.3　第2線（管理部門）の役割と独立性確保・機能強化

現状では、法務担当者のうち、単なる担当役員を含まない、法務部門所属の役員クラス（法務部長経験のある担当取締役など）のいる企業は18.2%と少数派にとどまっている。なお、法務部門のトップの1/3は主として他部門を経験した者という結果となっている（経	83頁 脚注80

第 3 章　子会社管理の仕組みづくり

プの 1/3 は主として他部門を経験した者という結果となっている（経営法友会法務部門実態調査検討委員会『会社法法務部【第 11 次】実態調査の分析報告』別冊 NBL160 号 25 頁、36 頁）。	

4.7　監査役等や第 2 線・第 3 線における人材育成の在り方

特に常勤監査役の役割は重要であるため、長期雇用を前提とした人事ローテーションの延長線上に監査役が置かれている現状においても、監査役が独任機関として本来の機能を果たせるよう、その執行からの独立性を確保していくことが「守りのガバナンス」の長期的課題であり、「攻め」と「守り」の機能分化が進む中、監査役等の機能が強化されることで、その他の社外取締役は、監査役等と機能分化と連携を図り、「攻めのガバナンス」に集中することができるようになるとの指摘もあった。	89 頁脚注 85

　さらに、「課題」として明示的に示された問題も掲げられている。以下、【認識すべき課題】として抽出しているが、ここで指摘された問題が自社グループで認められる場合には、早急に是正すべきである。

【認識すべき課題】

2　グループ設計の在り方

2.3　グループ本社の役割

2.3.1　グループ本社（業務執行）の役割

6）. 中長期の事業部門横断的な課題への対応 　● 事業部門間のシナジーの実現 　● インキュベーション機能（新規事業の創出） 　● 基礎的な R&D 　● IT 投資戦略（デジタル・トランスフォーメーションの推進、そのためシステムの刷新を含む）[33][34]等	30 頁
33　経済産業省『デジタル・トランスフォーメーションレポート〜IT システム「2025 年の崖」の克服と DX の本格的な展開〜』（2018 年 9 月公表）において、今後のデジタル時代の国際競争に日本企業が勝ち抜くためには、新たな価値創出に向けた経営改革を進めるとともに、早期にレガシーシステムからの脱却などを図って貴重な IT 人材や資金をより先端的な分野の開発・実装などに振り向	

160

⑤　グループガイドラインをふまえた仕組みづくり

けていくことが経営上の重要課題であるとしている。……

34　「2017年国内企業の「IT経営」に関する調査」（一般社団法人電子情報技術産業協会（JEITA）とIDC Japan株式会社による共同調査）では、米国では「攻めのIT投資」が多いのに対し、日本では「守りのIT投資」が多いとの現状を指摘し、国際競争を勝ち抜いていくためには、日本企業も米国企業のように攻めのIT投資にシフトすべきとしている。

URL：https://www.jeita.or.jp/japanese/exhibit/2018/0116.pdf

2.3.3　グループ本社による子会社の管理・監督の在り方

異なる制度・言語・文化・商慣習を有する海外企業を適切に管理・監督することは、日本企業にとって特に難易度が高く[36]、いわゆるPMI（Post merger integration）は、グループガバナンスの中でも特に重要な課題となっている。 36　日本企業は、海外企業を買収してもレポーティングラインが不明確であることなどに起因して十分な監督や経営統合が実現できていないのではないかとの指摘もある。	41頁

4　内部統制システムの在り方

4.1　内部統制システムの意義

グループとしての中長期的な企業価値向上のためには、最適な経営資源配分を実現するための事業ポートフォリオマネジメント（前述3参照）に加え、グループとしてのリスク管理を適切に行うため、内部統制システムの構築・運用が重要な課題となる。	65頁

4.5　内部統制システムに関する監査役等の役割等

監査役等が適切に機能発揮するためには、監査を行うための十分な体制・リソースが確保されることが前提となる。現状では、専属のスタッフが置かれておらず兼務スタッフしかいないケースや、「監査役会室」等の専属スタッフが置かれていても数人程度とごく小規模というケースも多い[64]ため、専属スタッフを置くことも含め、サポート体制を充実させることが課題となっている。 64　公益社団法人日本監査役協会『役員等の構成の変化などに関する第19回インターネット・アンケート集計結果（監査役（会）設置会社版）』（2019年5月24日）29頁によると、上場企業の監査役スタッフの設置比率（2018年度）は、専	72頁

161

第3章　子会社管理の仕組みづくり

属スタッフのみが 31.6％、兼務スタッフのみが 62.4％、両スタッフがいるのは 6.0％となっている。また、上場会社における監査役スタッフの平均人数は、専属スタッフが 0.76 人、兼務スタッフが 1.14 人、合計スタッフ 1.90 人となっている。	
監査役については、会社法上、常勤者を置くことが義務付けられているが、監査機能の実効性確保[69]の観点からは、監査委員会等と同様、十分な監査リソースの確保は重要な課題である[70]。一義的には「監査役会室」等の専属スタッフの充実も考えられるが、リソース制約がある場合の対応としては、内部監査部門の活用も有効な手段となりうると考えられる。こうした観点から、内部監査部門に対する指示や報告の求め等[71]を含め、内部監査部門との連携を積極的に図ることが重要である[72]。 69　社外監査役による監査の実効性を確保する観点から、その指名プロセスの客観性を確保すべきとの指摘があった。 70　大企業の業務監査は、従来の「常勤監査役による往査」では限界であり、①往査以外の情報ルートの開拓、②チームとしての監査役会の独立性の向上（社外者が機能する仕組み）、③監査役の地位の向上、の 3 点が必要であるとの指摘があった。 71　監査役は、会社法上、取締役等や使用人に対する調査権及び子会社に対する調査権を有しており、内部監査部門に対する指示や報告の求めも、この権限に基づいて行うことも考えられる。 72　日本監査役協会監査法規委員会「監査役等と内部監査部門との連携について」（2017 年 1 月 13 日）においては、監査役等と内部監査部門とのあるべき連携の内容として、(1) 内部監査部門から監査役等への報告、(2) 内部監査部門への監査役等の指示・承認、(3) 内部監査部門長の人事への監査役等の関与、(4) 内部監査部門と監査役等との協力・協働の 4 つが提言されている。	75〜76頁

4.6　実効的な内部統制システムの構築・運営の在り方

4.6.3　第 2 線（管理部門）の役割と独立性確保・機能強化

経済産業省『国際競争力強化に向けた日本企業の法務機能の在り方研究会報告書』（2018 年 4 月 18 日公表）において、日本企業においては組織上経営と法務がリンクしていないなどの課題があることが指摘され、その対応策として、法務部門を統括し、経営陣の一員であり、法律のプロフェッショナル（資格の有無を問わない）である GC（General Counsel）や CLO（Chief Legal Officer）等の設置が提言されている。	83 頁脚注 81

4.6.4 第3線（内部監査部門）の役割と独立性確保・機能強化

雇用の流動性が高く、監査の専門人材の転職市場が形成されている米国等と異なり、日本では社内昇進が中心であり、人事ローテーションの一環として比較的短期間の配置がされたり、キャリアの最終段階で配置されたりすることも多いため、内部監査部門に所属する従業員の意識が経営者寄りになる傾向があり、経営者の不正をチェックするという役割意識が必ずしも十分ではないことが、その独立性を確保する上での課題であるとの指摘もあった。	86頁 脚注83

4.7 監査役等や第2線・第3線における人材育成の在り方

特に常勤監査役の役割は重要であるため、長期雇用を前提とした人事ローテーションの延長線上に監査役が置かれている現状においても、監査役が独任機関として本来の機能を果たせるよう、その執行からの独立性を確保していくことが「守りのガバナンス」の長期的課題であり、「攻め」と「守り」の機能分化が進む中、監査役等の機能が強化されることで、その他の社外取締役は、監査役等と機能分化と連携を図り、「攻めのガバナンス」に集中することができるようになるとの指摘もあった。	89頁 脚注85

4.8 ITを活用した内部監査の効率化と精度向上

内部監査の効率性と精度を向上させる観点から、ITやCAAT（Computer Assisted Audit Techniques）などを用いたデータアナリティクスを活用した内部監査の実施についても検討が行われるべきである。	91頁
そのための環境整備として、例えば経理情報を中心として、グループ内のデータインフラの一元化を目指すことが課題となる[87]。 87 ……企業のデジタル・トランスフォーメーションの取組を後押しするための自己診断指標である「DX推進指標」については、注33参照。……	91頁

(2) あるべきグループ経営管理体制構築に向けて取り組むべき課題抽出の着眼点

　以上、グループガイドラインで示されたグループ経営管理体制の実態把握の着眼点として、自社グループにおけるグループ経営管理体制の実態が

第3章　子会社管理の仕組みづくり

どのようになっているのかを把握するに当たっての評価の視点を見てきたが、その示唆に従って評価して是正すべき課題等を把握したとして、それを是正するためにはどのように取り組めばよいか。グループガイドラインにおいては、あるべきグループ経営管理体制構築に向けて取り組むべき課題を多く示唆しているが、その示唆には濃淡がある。そこで、グループガイドラインにおける言い回しの使い分けから示唆されている優先順位に従い、あるべきグループ経営管理体制構築に向けて取り組むべき課題を抽出する。なお、グループガイドラインにおける言い回しの使い分けから、以下の優先順位で紹介しているが、その順位はあくまで筆者の主観によるものであり、グループガイドラインにおいて明示的に優先順位が示されているわけではないので、その点、ご了承願いたい。また、その前提で、重複して抽出しているものは、順位付けで優先されるものを以て基本にして捉えていただきたい。

　まず、グループガイドラインでは、明示的に「不可欠」であると記載された取組みへの言及がある。以下、【不可欠な取組み】として抽出しているが、ここで指摘された取組みが自社グループでなされていない場合には、第一順位で優先的に取り組むべきである。

【不可欠な取組み】

4　内部統制システムの在り方

4.7　監査役等や第2線・第3線における人材育成の在り方

また、第2線・第3線が実効的に機能するためには、法務・財務・監査などの専門的知識を有した人材が各部門のミッションの重要性を認識した上で意欲的に取り組むことが不可欠となる。	89頁

　次に、グループガイドラインにおいて、「検討すべき」「確認すべき」などなすべきものとして紹介された取組みがある。以下、【なすべき取組み】として抽出しているが、ここで指摘された検討事項や確認事項は第二順位で優先的に検討し、確認すべきである。

5　グループガイドラインをふまえた仕組みづくり

【なすべき取組み】

2　グループ設計の在り方

2.3　グループ本社の役割

2.3.2　グループ本社の取締役会の役割

グループ本社の取締役会は、グループ全体のガバナンスの実効性と子会社における機動的な意思決定を両立させる観点から、グループ各社の業務執行等に対する適切な関与の在り方を検討すべきである。 　また、グループ本社の取締役会がこうした役割を適切に果たしているかについて、取締役会の実効性評価の中で確認すべきである。	32頁
グループ本社の取締役会は、上記 2.3.1 のようなグループ本社の役割を適切に果たしているかについて業務執行を監督するとともに、グループ全体のガバナンスの実効性確保（そのための子会社管理・監督）と子会社における機動的な意思決定を両立させるため、グループ全体の経営方針や事業特性、子会社の規模・特性などにも十分に配慮しつつ、グループ各社の業務執行等に対する適切な関与の在り方（グループ本社の取締役会への付議事項や報告事項の範囲等）を検討すべきである。	32頁

2.3.3　グループ本社による子会社の管理・監督の在り方

グループ本社においては、権限配分等の基本的な枠組（共通プラットフォーム）を構築した上で、子会社の規模・特性等に応じてリスクベースでの子会社管理・監督、権限委譲を進めた場合の子会社経営に対する結果責任を問える仕組みの構築、業務プロセスの明確化やグループ共通ポリシーの明文化等について検討されるべきである。	36頁
グループ子会社の管理・監督については、企業グループの規模や特性等に応じた多様な在り方が想定されるが、グループ本社は、グループ内の権限配分などの基本的な枠組を共通プラットフォームとして構築した上で、運用面において、子会社の規模や事業特性などに応じたリスクベースで合理的な区分を行い、その区分ごとに管理・監督の強度・方法を適切に設定することで、その効率化を図ることも検討されるべきである。	36頁

165

第3章　子会社管理の仕組みづくり

グループ本社は、グローバルな子会社管理に際して、共通プラットフォームの整備等を行うとともに、リスクベースでの子会社管理を行うなど、その実効性確保に向けた取組が検討されるべきである。	37頁
グローバルな子会社管理の在り方については、経営者の広い裁量の中で、各社ごとに多様な在り方が考えられるが、実効的な方法については、企業ヒアリング等から、以下のような一定の共通項も見出だせるため、これらも踏まえて検討されるべきである。 ① <u>グループとしての共通プラットフォームの整備・浸透</u> ● 多様な組織を束ねてグループとしての共通の経営目標の達成に向けた取組を促すためには、まず、ソフト面の対応として、グループ全体の経営理念・価値観・行動規範（「○○ Way」等）をグループ各社と共有し、現場レベルに浸透させることが重要であり、そのためには、経営トップが繰り返し直接メッセージを発信することが有効である。 ● ハード面の対応としては、各社の経営管理方針に応じて、親子間の意思決定権限の配分等に関するルールを定める等、子会社マネジメントに関するグループ全体の枠組（グループ共通プラットフォーム）を整備することが基本となる。 ● 海外子会社についても、こうした共通プラットフォームを適用した上で、所在国の関係法令を踏まえた個別の調整を行うことが考えられる。 ② <u>リスクベースの子会社管理</u> ● ①の共通プラットフォームを整備した上で、具体的な運用レベルでは、リスクベースアプローチが基本となる。特に子会社数が多い場合には、一律の管理は実効的でなく、事業セグメントや子会社ごとのリスク（規模・特性）に応じて分類した上で、それぞれのリスクに応じて親会社の関与の強弱・方法を決定するのが合理的であると考えられる。 ● なお、海外子会社についても、「別法人であるから子会社の不祥事について親会社の責任は問われない」、「（法人格否認論が適用されないように）親会社が深く関与しない方が親会社取締役のリスクヘッジになる」といった認識は必ずしも妥当しないと考えられる。 ③ <u>子会社管理の実効性確保</u> ● 海外 M&A によるものも含め、多様な子会社を実効的に管理するため、①明確なグループ管理規程（親会社の決裁・事前承認事	37～39頁

166

項、報告事項、承認・報告ルート等を具体的に定めたもの）を策定・周知するとともに、②子会社における①の遵守担保措置（例えば、親子間で管理契約を締結する、子会社における社内規程として導入させる等）を講じることが必要であると考えられる。

M&A 後の海外子会社の管理・監督については、グループ本社において、グローバルな経営体制の整備や子会社経営陣への適格な人材の配置等を通じ、適切な経営統合の在り方が検討されるべきである。	41 頁

4 内部統制システムの在り方

4.2 内部統制システムに関する現状と課題

実際、多くの日本企業においては、事業面で分権化を進めながら、一方で、（分権化に応じて再構築すべき）グループ本社による一元的なリスクマネジメントの体制を築けていないのではないかとの指摘もある。	67 頁

4.3 内部統制システムの構築・運用に関する基本的な考え方

グループ全体での実効的な内部統制システムの構築・運用は、グループの企業価値の維持・向上の観点からも重要である。その具体的設計に当たっては、各社の経営方針や各子会社の体制等に応じ、監視・監督型や一体運用型の選択や組合せが検討されるべきである。 また、内部統制システムの高度化に当たっては、IT の活用等により効率性とのバランスを図ることも重要である。	67 頁

4.5 内部統制システムに関する監査役等の役割等

監査役等は、内部統制システムの有効性について監査する役割を担っているが、グループ全体の内部統制システムの監査については、親会社の監査役等と子会社の監査役等の連携により、効率的に行うことが検討されるべきである。	71 頁
監査役等の機能発揮のため、内部監査部門の活用を図ることが有効である。こうした視点から、内部監査部門から業務執行ラインに加えて監査役等にも直接のレポートライン（報告経路）を確保し、	72 頁

第3章　子会社管理の仕組みづくり

| とりわけ経営陣の関与が疑われる場合にはこちらを優先することを定めておくことが検討されるべきである。 | 72頁 |
| その実際の運用については、経営実態を踏まえた適切な監査を実施すること等の理由から、監査役等への相談・報告を先行させている例や、（メール等により）両ラインに対して同時に同一内容の報告を行う仕組みとしている例などがあるが、とりわけ経営陣の関与が疑われるような場合においては監査役等に対する報告を優先させるよう、あらかじめ明確に社内規程等に規定しておくことも検討されるべきである。 | 73頁 |

4.6　実効的な内部統制システムの構築・運営の在り方

4.6.1　3線ディフェンスの重要性

内部統制システムの構築・運用のため、第1線（事業部門）、第2線（管理部門）、第3線（内部監査部門）から成る「3線ディフェンス」の導入と適切な運用の在り方が検討されるべきである。	77頁
事業部門（第1線）、法務・財務等の専門性を備えつつ、事業部門の支援と監視を担当する管理部門（第2線）、第1線・第2線の有効性に対する監査を担当する内部監査部門（第3線）から構成される「3線ディフェンス」の考え方[73]は、グローバルスタンダードとしても確立された、内部統制システムの構築・運用のための実効的な手段と考えられるため、その導入・整備及び適切な運用の在り方について検討されるべきである。 73　現在、IIAにおいて3線ディフェンスに関する考え方の改訂が進められている。現行モデルでは、内部統制システムの運用に必要となる役割と責任を示し、その役割分担を明確にするなどリスク管理に重点が置かれているが、改訂案では、リスク管理に止まらず、企業価値の向上や組織目標に応じた先見的な対応などにも重点が置かれることが予定されている。	77〜78頁
現状では、一般に、3線ディフェンスの導入・運用は、業務執行に属する内部統制システムの中に位置づけられ、監査役等及び（会計面においては）会計監査人の監査の対象となるが、監査役等―会計監査人―内部監査部門の三者連携による「三様監査」が有効に機能するよう、適切な連携の在り方についても検討されるべきである。	78頁
また、不祥事が発生した場合の社会的損害やグループとしてのレピュテーションダメージを最小化するためには、早期発見・早期対	78頁

応が基本である。そのための仕組みとして、不祥事の端緒を把握するための実効的な内部通報制度の整備が重要であり、グループ本社が主導してグループ全体として取り組むことが検討されるべきである。その際、子会社における不祥事についても、グループ本社の内部通報窓口（担当部門）や監査役等で直接受け付ける体制とすることも有効である。

4.6.2　第1線（事業部門）におけるコンプライアンス意識の醸成

その上で、事業部門に対して（あるいは事業部門の長が現場に対して）、業績目標の設定や業績評価において実行不可能なことを求めて社員を不正行為に追い込むようなことがないよう、十分留意すべきである。また、生産・販売や収益等の状況変化に目を配ることで、早めに異変の把握ができるように努めるべきである。	81頁
日頃より、悪い情報ほど下から上へ早く上げさせることで不正を萌芽の段階で摘めるよう、風通しの良い雰囲気づくりに努めるべきである。そのためには、経営幹部が積極的に現場に足を運び、コミュニケーションの機会を作ることも重要である（内部通報制度については、前述 4.6.1 参照）。	81〜82頁

4.6.3　第2線（管理部門）の役割と独立性確保・機能強化

第2線（管理部門）の実効的な機能発揮のため、第1線（事業部門）からの独立性を確保し、親子間で直接レポート等のラインを通貫させることが検討されるべきである。	82頁
このため、第2線の実効的な機能発揮のためには、管理部門が事業部門から実質的に独立した立場にあることが重要であり、管理部門と事業部門との間でレポートラインや人事評価権者などをできる限り分離し、親会社の管理部門と子会社の管理部門を直接のラインとして通貫させる（いわば「タテ串」を通す）ことにより、事業部門からの不当な影響を排除し、健全な牽制機能を発揮できるようにすることが検討されるべきである[79]。 79　第2線の適切なインセンティブ付与のため、例えば、ESG 等の非財務指標を報酬設計における KPI に盛り込むことも考えられる（後述 5.4.3 参照）。	82頁

第 3 章　子会社管理の仕組みづくり

こうした観点から、第 2 線の機能強化のため、法務等のリスク管理部門のヘッドを上級役員レベル（取締役や執行役等）とし、その職務執行における独立性を確保するなどの対応が検討されるべきである[80][81]。	83 頁
80　現状では、法務担当者のうち、単なる担当役員を含まない、法務部門所属の役員クラス（法務部長経験のある担当取締役など）のいる企業は 18.2％と少数派にとどまっている。なお、法務部門のトップの 1/3 は主として他部門を経験した者という結果となっている（経営法友会法務部門実態調査検討委員会『会社法法務部【第 11 次】実態調査の分析報告』別冊 NBL160 号 25 頁、36 頁）。	
81　経済産業省『国際競争力強化に向けた日本企業の法務機能の在り方研究会報告書』（2018 年 4 月 18 日公表）において、日本企業においては組織上経営と法務がリンクしていないなどの課題があることが指摘され、その対応策として、法務部門を統括し、経営陣の一員であり、法律のプロフェッショナル（資格の有無を問わない）である GC（General Counsel）や CLO（Chief Legal Officer）等の設置が提言されている。	

4.6.4　第 3 線（内部監査部門）の役割と独立性確保・機能強化

第 3 線（内部監査部門）の実効的な機能発揮のため、第 1 線（事業部門）と第 2 線（管理部門）からの独立性が実質的に確保されるべきである。 　子会社業務の内部監査については、各子会社の状況に応じて、①子会社の実施状況を監視・監督するか、②親会社が一元的に実施するかが適切に判断されるべきである。	85 頁
内部監査部門（第 3 線）は、事業部門や管理部門から独立した立場で、経営者、取締役会や監査役等に対して、内部統制システムが有効に機能しているかどうかを評価し、意見を述べる等の役割を担うべきものとされている[82]。	85 頁
82　内部監査には「組織体の経営目標の効果的な達成に役立つことを目的として、合法性と合理性の観点から公正かつ独立の立場で、ガバナンス・プロセス、リスク・マネジメントおよびコントロールに関連する経営諸活動の遂行状況を、内部監査人としての規律遵守の態度をもって評価し、これに基づいて客観的意見を述べ、助言・勧告を行うアシュアランス業務」が含まれる（一般社団法人日本内部監査協会『内部監査基準』2014 年改訂）1.0.1）。	
このため、内部監査部門が実効的にその監査機能を発揮するためには、事業部門や管理部門から実質的に独立していることが重要であり、こうした独立性を確保するための方策が検討されるべきである。	86 頁

子会社業務に関する内部監査については、子会社側の監査体制やリソース制約等、各社の事情に応じて、①子会社において実施することとしつつ、親会社の内部監査部門等がその実施状況を監視・監督するか、②親会社の内部監査部門が一元的に実施するかが適切に判断されるべきである。	87 頁

4.7　監査役等や第2線・第3線における人材育成の在り方

監査役等の人材育成や指名・選任に当たっては、役割認識・意欲や専門的知見について配慮すべきである。 　管理部門や内部監査部門を実効的に機能させるため、経営トップは、これらの部門の重要性を認識し、中長期的な人材育成や、専門資格の取得等を通じた専門性やプロフェッショナル意識の向上を図るべきである。	88 頁

4.8　IT を活用した内部監査の効率化と精度向上

内部監査の効率性と精度を向上させるため、IT やデータアナリティクスの活用が検討されるべきである。	91 頁
内部監査の効率性と精度を向上させる観点から、IT や CAAT（Computer Assisted Audit Techniques）などを用いたデータアナリティクスを活用した内部監査の実施についても検討が行われるべきである。	91 頁

4.9　サイバーセキュリティ対策の在り方

サイバーセキュリティについて、グループ全体やサプライチェーンも考慮に入れた対策の在り方が検討されるべきである。	92 頁
サイバーセキュリティについては、内部統制システム上の重要なリスク項目として認識し、サイバー攻撃を受けた場合のダメージの甚大さに鑑み、親会社の取締役会レベルで、子会社も含めたグループ全体、更には関連するサプライチェーンも考慮に入れたセキュリティ対策の在り方について検討されるべきである。	92 頁

　さらに、グループガイドラインにおいて、取り組むことが重要であるとして価値判断が示された取組みがある。以下、【重要な取組み】として抽出

第 3 章　子会社管理の仕組みづくり

しているが、ここで指摘された取組みが自社グループでなされていない場合には、重要性が高いものとして優先的に取組みを検討すべきである。

【重要な取組み】

2　グループ設計の在り方

2.3　グループ本社の役割

2.3.1　グループ本社（業務執行）の役割

上記 2.2 の考え方を踏まえ、グループ本社の役割としては、グループ全体の司令塔として財務的シナジーと事業的シナジーの最大化のための戦略を策定・実行することと、グループ（内部市場）としてのスケールメリットを発揮するための共通インフラを提供することが重要であると考えられる。	29 頁

2.3.2　グループ本社の取締役会の役割

グローバルな企業グループとして一つの経営戦略の下で企業価値向上に向けた取組を進めるため、親子間の執行者レベルで積極的なコミュニケーションを図り、「目線合わせ」を行うことが重要であり、グループ本社の取締役会は、こうした連携が適切に行われているかを監督することが重要である。	35 頁
また、グループ本社の取締役会が以上のような役割を適切に果たせているかについて、取締役会の実効性評価の中で具体的に検証を行い、その結果の概要を開示することを通じ、投資家との建設的な対話につなげていくことも重要である。	36 頁

2.3.3　グループ本社による子会社の管理・監督の在り方

その際、子会社への権限委譲を進めた場合には、単なる「放任」とならないよう、グループ本社が子会社の経営トップの人事・報酬に対する決定権限の行使を通じ、子会社経営に対する結果責任を問える仕組みを構築しておくことが特に重要となる。	36 頁
特に、海外を含めて多様な組織を適切にマネジメントするためには、業務プロセスを明確化しておくことが必要であり、そのベースとなるグループ共通のポリシー（所定のプロセスが求められる趣旨	36～37 頁

172

等に関する考え方）を明文化することで、子会社の現場の従業員に対してもアカウンタビリティーを果たすことが重要となる[35]。また、このような取組を実践するためにも、IT システムの統合を進めることが有効である。 35　このようにグループ内部でのアカウンタビリティーを意識することは、海外投資家に対するアカウンタビリティーを高めることにもつながるとの指摘もある。	
多様な組織を束ねてグループとしての共通の経営目標の達成に向けた取組を促すためには、まず、ソフト面の対応として、グループ全体の経営理念・価値観・行動規範（「○○ Way」等）をグループ各社と共有し、現場レベルに浸透させることが重要であり、そのためには、経営トップが繰り返し直接メッセージを発信することが有効である。	38 頁
M&A 後の海外子会社の管理・監督は、既存事業とのシナジーを実現し、買収資金を回収してグループ全体としての企業価値向上につなげるためにも非常に重要である。	41 頁
また、日本企業は本社から現地へ人材を派遣しても、海外子会社からの理解・信頼を得られるようなコミュニケーション力・適応力がなく、期待された役割を果たせなかった事例も多いと言われており、海外子会社の経営陣に適格な人材を充て、適切なコミュニケーションを図っていくことも重要である。	41 頁

4　内部統制システムの在り方

4.1　内部統制システムの意義

こうした考え方を踏まえれば、企業経営における内部統制の意義は、コンプライアンスや不正防止としての「守りのガバナンス」にとどまらず、「事業戦略の確実な執行のための仕組み」（つまり、取締役会や執行幹部が決定した事業計画等を適正に実行・管理すること）として捉え直すという視点も重要である[54]。 54　内部統制システム（業務の適正を確保するための体制）に関する取締役会決議事項の 1 つとして、「取締役の職務の執行が効率的に行われることを確保するための体制」（会社法施行規則 100 条 1 項 3 号等）がある。	66 頁

第 3 章　子会社管理の仕組みづくり

4.2　内部統制システムに関する現状と課題

事業のグローバル化や多様化が進み、組織の規模が大きくなる中、グループとしてのリスクマネジメント体制を整備することの重要性が増している。特に近年では、M&A などを通じて、海外子会社を持つ企業も増えており、多様な背景や価値観を前提とした、より高度なリスクマネジメントが求められている。	66 頁

4.3　内部統制システムの構築・運用に関する基本的な考え方

グループ全体での実効的な内部統制システムの構築・運用は、グループの企業価値の維持・向上の観点からも重要である。その具体的設計に当たっては、各社の経営方針や各子会社の体制等に応じ、監視・監督型や一体運用型の選択や組合せが検討されるべきである。 　また、内部統制システムの高度化に当たっては、IT の活用等により効率性とのバランスを図ることも重要である。	67 頁
また、内部統制システムは、グループ本社が定めた経営方針がグループ各社の現場において確実に実行される仕組みとして企業価値向上に資するものであり、グローバル化により組織の多様性が高まる中で、その重要性が増しているとも考えられる。	68 頁
また、内部統制システムの高度化を図るに当たっては、業務の効率性とのバランスにも配慮しつつ、限られたリソースの中で、いかに効率的に管理していくか、IT の積極活用も図りながら、各社がそれぞれ最適点（ベストバランス）を目指して PDCA を回していくことが重要である。	69 頁

4.5　内部統制システムに関する監査役等の役割等

グループ全体の内部統制システムの監査については、親会社の監査役等と子会社の監査役等が連携して効率的に行われることが重要である。	71 頁
なお、会計監査人も、財務報告の信頼性確保の観点から内部統制システムの有効性を監査する役割を担っており、監査役等との相互連携及び相互評価が重要である。こうした観点から、グローバル企業においては、M&A による海外子会社も含め、グループ全体として	71 頁

174

一つのネットワークファーム[63]に統一しておくことが望ましい。

63　ネットワークファームとは、業務提携関係にある会計事務所を指す。ネット
　　ワークファームでは、会計事務所間の相互の協力を目的として共通のブランド
　　名を使用し、共通の事業戦略を持ち、共通の品質管理の方針及び手続を行う。

不正を防止するためには、平時の内部監査の段階から、監査役等に対してリスクの所在が伝えられ、中長期の企業価値の維持・向上の観点から必要な対策が講じられるような仕組みを構築しておくことが重要であるとの指摘があった。	73頁脚注65
監査委員会・監査等委員会（以下「監査委員会等」という。）については、会社法上、常勤者を置くことは求められておらず、内部統制システムを活用した監査が基本であるが、執行陣との間の情報の非対称性の問題を解消して監査機能の実効性を確保する観点から、監査委員会等を支える体制（専任の担当者の配置等）を整えた上で、内部監査部門からの報告等を通じた十分な情報提供を行うことが重要である。	74頁
監査役については、会社法上、常勤者を置くことが義務付けられているが、監査機能の実効性確保[69]の観点からは、監査委員会等と同様、十分な監査リソースの確保は重要な課題である[70]。一義的には「監査役会室」等の専属スタッフの充実も考えられるが、リソース制約がある場合の対応としては、内部監査部門の活用も有効な手段となりうると考えられる。こうした観点から、内部監査部門に対する指示や報告の求め等[71]を含め、内部監査部門との連携を積極的に図ることが重要である[72]。	75〜76頁

69　社外監査役による監査の実効性を確保する観点から、その指名プロセスの客
　　観性を確保すべきとの指摘があった。

70　大企業の業務監査は、従来の「常勤監査役による往査」では限界であり、①往
　　査以外の情報ルートの開拓、②チームとしての監査役会の独立性の向上（社外者
　　が機能する仕組み）、③監査役の地位の向上、の３点が必要であるとの指摘が
　　あった。

71　監査役は、会社法上、取締役等や使用人に対する調査権及び子会社に対する
　　調査権を有しており、内部監査部門に対する指示や報告の求めも、この権限に
　　基づいて行うことも考えられる。

72　日本監査役協会監査法規委員会「監査役等と内部監査部門との連携について」
　　（2017年1月13日）においては、監査役等と内部監査部門とのあるべき連携の
　　内容として、(1) 内部監査部門から監査役等への報告、(2) 内部監査部門への
　　監査役等の指示・承認、(3) 内部監査部門長の人事への監査役等の関与、(4) 内
　　部監査部門と監査役等との協力・協働の４つが提言されている。

第 3 章　子会社管理の仕組みづくり

子会社における監査の実効性を高めるため、親会社の監査役等・会計監査人と子会社の監査役等や内部監査部門等との連携が重要である。	77 頁
親会社の監査役等や会計監査人が、子会社の監査役等や内部監査部門等とも連携しつつ、海外を含む子会社に対する監査を行う「縦の連携」が重要である。親会社からの内部監査が定期的に行われることによって、親子間で監査項目や監査のレベルの統一が図られるとともに、会計監査人との事前・事後の情報交換により、透明性と効率性を高めることも期待される。	77 頁

4.6　実効的な内部統制システムの構築・運営の在り方

4.6.1　3線ディフェンスの重要性

過去の子会社不祥事事案の要因分析を踏まえると、特に第2線における第1線に対する牽制機能（第1線のリスクテイクに対するリスク管理機能）の確保と第3線の客観性を担保するための実質的な独立性確保が重要であることが示唆される[74]。 74　例えば、東芝の「内部管理体制の改善報告」（2017 年 10 月）では、不適切な会計処理の要因の一つとして、CFO の人事に関する実質的な権限が社長に集中し、CFO 及び財務部が社長の意向に反することとなる適正な会計処理を行うことができなかったことを挙げている。また改善策として、指名委員会にグループ本社の CFO の選解任に対する拒否権を付与し、カンパニーの CFO の人事権をグループ本社の CFO に移管することで、財務会計機能の独立性を担保することとした。	78 頁
また、不祥事が発生した場合の社会的損害やグループとしてのレピュテーションダメージを最小化するためには、早期発見・早期対応が基本である。そのための仕組みとして、不祥事の端緒を把握するための実効的な内部通報制度の整備が重要であり、グループ本社が主導してグループ全体として取り組むことが検討されるべきである。その際、子会社における不祥事についても、グループ本社の内部通報窓口（担当部門）や監査役等で直接受け付ける体制とすることも有効である。	78 頁

176

4.6.2　第1線（事業部門）におけるコンプライアンス意識の醸成

第1線（事業部門）におけるコンプライアンスを確保するため、ハード面（ルール整備やITインフラ等）とソフト面（現場におけるコンプライアンス意識の醸成・浸透）の両面から取り組むことが重要である。	81頁
形骸化しがちな内部統制システムを実効的に運用するため、リスクマネジメントをグループ全体として設計し、営業や生産等の現場レベルまで浸透させる組織的な取組が重要である[76]。そのため、社内規程の整備や業務フローの明確化、トレーサビリティのためのITインフラ等のハード面の整備[77]に加え、企業文化や経営理念等に基づく現場へのコンプライアンス意識の浸透を図るソフト面の対応も重要である。 76　「多くのグループ経営では、リスクマネジメントの全体像がデザインされていない。リスクマネジメント、内部統制、コンプライアンス、内部監査等について、それぞればらばらに部門を作って対応しており、部門間の連携もとれておらず、部分最適の形式的な作業に陥っているため、非常に実効性に乏しい。J-SOXにおける内部統制の作業もチェックリスト化しているが、本来、内部統制は業務の有効性や効率性といったBPR（Business Process Re-engineering）にもつなげて議論すべきではないか。」との指摘があった。 77　システム化することで、人の恣意的な介在の余地を減らしていくことが有効であるとの指摘があった。	81頁
こうした観点から、グループ本社の経営トップ自ら、インテグリティ（誠実・真摯・高潔）を身をもって示すとともに、コンプライアンス重視の価値観（プライオリティー）について、グループ子会社の現場に対して、直接、繰り返しメッセージを発信することで、そうした意識を浸透させ、現場における自律的な遵守の風土づくりに努めることが重要となる。	81頁
日頃より、悪い情報ほど下から上へ早く上げさせることで不正を萌芽の段階で摘めるよう、風通しの良い雰囲気づくりに努めるべきである。そのためには、経営幹部が積極的に現場に足を運び、コミュニケーションの機会を作ることも重要である（内部通報制度については、前述4.6.1参照）。	81〜82頁

第 3 章　子会社管理の仕組みづくり

4.6.3　第 2 線（管理部門）の役割と独立性確保・機能強化

外国政府による規制の域外適用リスクも踏まえ、強行法規（カルテルや贈収賄等）等に関するグループ規程の整備と研修等を通じた周知徹底を行うことも重要である。	82 頁脚注 78
このため、第 2 線の実効的な機能発揮のためには、管理部門が事業部門から実質的に独立した立場にあることが重要であり、管理部門と事業部門との間でレポートラインや人事評価権者などをできる限り分離し、親会社の管理部門と子会社の管理部門を直接のラインとして通貫させる（いわば「タテ串」を通す）ことにより、事業部門からの不当な影響を排除し、健全な牽制機能を発揮できるようにすることが検討されるべきである[79]。 79　第 2 線の適切なインセンティブ付与のため、例えば、ESG 等の非財務指標を報酬設計における KPI に盛り込むことも考えられる（後述 5.4.3 参照）。	82 頁
経済のグローバル化が進み企業経営を取り巻くリスクも多様化し、中長期的な企業価値向上に向けて創造力を発揮した適切なリスクテイクを行うことが求められる中、「適切なリスクテイクを支える環境整備を行うこと」は取締役会の重要な責務の一つであり（コード基本原則 4）、その実践に当たって、法務等のリスク管理担当役員の役割は重要となる。	82 頁

4.6.4　第 3 線（内部監査部門）の役割と独立性確保・機能強化

このため、内部監査部門が実効的にその監査機能を発揮するためには、事業部門や管理部門から実質的に独立していることが重要であり、こうした独立性を確保するための方策が検討されるべきである。	86 頁
この内部監査部門の独立性を確保するための方策の検討に当たっては、組織的・形式的なものでは足りず、経営幹部の関与が疑われる場合も含めた不正事案の実際の場面においてもその機能発揮が阻害されないよう、その「実質」に着目することが重要である[83]（内部監査部門と監査役等との連携の在り方については、前述 4.5 参照）。 83　雇用の流動性が高く、監査の専門人材の転職市場が形成されている米国等と異なり、日本では社内昇進が中心であり、人事ローテーションの一環として比較的短期間の配置がされたり、キャリアの最終段階で配置されたりすることも多いため、内部監査部門に所属する従業員の意識が経営者寄りになる傾向があ	86 頁

178

り、経営者の不正をチェックするという役割意識が必ずしも十分ではないことが、その独立性を確保する上での課題であるとの指摘もあった。

4.7　監査役等や第2線・第3線における人材育成の在り方

しかしながら、監査役等が期待される重要な役割を果たすためには、このような慣行は望ましくなく、監査役の人材育成（社内登用の場合）や指名・選任に当たり、役割認識・意欲や専門的知見が十分なものとなるよう、配慮することが重要である[85]。 85　特に常勤監査役の役割は重要であるため、長期雇用を前提とした人事ローテーションの延長線上に監査役が置かれている現状においても、監査役が独任機関として本来の機能を果たせるよう、その執行からの独立性を確保していくことが「守りのガバナンス」の長期的課題であり、「攻め」と「守り」の機能分化が進む中、監査役等の機能が強化されることで、その他の社外取締役は、監査役等と機能分化と連携を図り、「攻めのガバナンス」に集中することができるようになるとの指摘もあった。	89頁
このため、経営トップがこれら部門の重要性を認識した上で、中長期的な人材育成とそのための戦略的な人員配置、人事評価・昇進面でのインセンティブ付与、研修の受講や専門資格[86]の取得の促進を通じた専門性やプロフェッショナル意識の向上を図ることが重要である。 86　公認会計士（CPA）、公認内部監査人（CIA）（内部監査人の能力や専門性を証明する目的で、内部監査に関する指導的な役割を担っている内部監査人協会（IIA）が認定する国際的な資格）、公認情報システム監査人（CISA）、内部監査士や公認不正会計士（CFE：Certified Fraud Examiner）、ACFE（公認不正検査士協会）が認定する、不正の防止・発見・抑止の専門家であることを示す国際的な資格）(ママ)等。	89頁

　また、グループガイドラインにおいて、取り組むことが「求められる」とされた取組みがある。以下、【求められる取組み】として抽出しているが、ここで指摘された取組みが自社グループでなされていない場合には、その取組みが一般的に要請されているものとして優先的に検討すべきである。

第 3 章　子会社管理の仕組みづくり

【求められる取組み】

4　内部統制システムの在り方

4.2　内部統制システムに関する現状と課題

事業のグローバル化や多様化が進み、組織の規模が大きくなる中、グループとしてのリスクマネジメント体制を整備することの重要性が増している。特に近年では、M&A などを通じて、海外子会社を持つ企業も増えており、多様な背景や価値観を前提とした、より高度なリスクマネジメントが求められている。	66 頁

4.3　内部統制システムの構築・運用に関する基本的な考え方

親会社の取締役会は、「企業集団（グループ）」全体の内部統制システムの構築に関する基本方針を決定し、「企業（法人）」単位と並びグループ単位での「内部統制システム」を構築・運用することが求められている[58]。 58　会社法では、「取締役の職務の執行が法令及び定款に適合することを確保するための体制その他株式会社の業務並びに当該株式会社及びその子会社から成る企業集団の業務の適正を確保するために必要な…体制の整備」について、取締役会において決定しなければならない旨規定されている（会社法 362 条 4 項 6 号等）。このうち、企業集団に関する項目としては、株式会社、その親会社・子会社から成る企業集団における業務の適正を確保するための当該株式会社における体制が規定され、次のものが例示されている（会社法施行規則 100 条 1 項 5 号）。 　イ　子会社の取締役等の職務の執行に係る事項の親会社への報告に関する体制 　ロ　子会社の損失の危険（リスク）の管理に関する規程その他の体制 　ハ　子会社の取締役等の職務の執行が効率的に行われることを確保するための体制 　ニ　子会社の取締役等・使用人の職務の執行が法令・定款に適合することを確保するための体制	68 頁
グループ本社（親会社）は、こうした義務への対応にとどまらず、グループ内の不祥事については、子会社において発生したものであっても、グループ全体のレピュテーションの問題として企業価値を毀損する可能性があるため、グループとしての企業価値の維持・向上の観点からも、その予防や早期発見、適切な事後対応（ダメージ最小化のための迅速な対応と信頼回復）について、グループ全体として実効的な体制を整備・運用することが求められる。	68 頁

5　グループガイドラインをふまえた仕組みづくり

4.4　グループの内部統制システム関する親会社の取締役会の役割

前述の通り、親会社の取締役会は、グループ全体の内部統制システムの構築に関する基本方針を決定することが求められており、業務執行の中でその構築・運用が適切に行われているかを監視・監督する責務を負っている[59]。 59　グループ全体の内部統制システムの構築は、①子会社における内部統制の構築責任と、②親会社による管理・支援という2つの面がある。ただ、現実には、子会社や海外拠点では人数の少なさ等から自前では難しいため、親会社からのサポートが必要な場合が多いとの指摘があった。	69頁
こうした点も踏まえ、子会社の内部統制システムの構築・運用状況についても、これを監督し（定期的な見直しを含む）、重大な法令違反等が発生した場合の是正・監督やグループとしての再発防止などを行うことが求められる。	70頁

　次いで、グループガイドラインにおいて、取り組むことが「必要」であるとされた取組みがある。以下、【必要な取組み】として抽出しているが、ここで指摘された取組みが自社グループでなされていない場合には、原則として、取組みが必要であるものとして検討すべきである。

【必要な取組み】
2　グループ設計の在り方
2.3　グループ本社の役割
2.3.1　グループ本社（業務執行）の役割

グローバル化やM&A等によりグループ各社の役員・従業員の価値観の多様性が高まると、グループとして「依って立つ不変の共通の軸」としての企業理念について、その伝達と浸透度の確認（サーベイ）を繰り返して継続的に取り組む必要があると指摘されている。	29頁 脚注31

2.3.3　グループ本社による子会社の管理・監督の在り方

特に、海外を含めて多様な組織を適切にマネジメントするためには、業務プロセスを明確化しておくことが必要であり、そのベースとなるグループ共通のポリシー（所定のプロセスが求められる趣旨等に関する考え方）を明文化することで、子会社の現場の従業員に	36〜37頁

第3章　子会社管理の仕組みづくり

対してもアカウンタビリティーを果たすことが重要となる[35]。また、このような取組を実践するためにも、ITシステムの統合を進めることが有効である。 35　このようにグループ内部でのアカウンタビリティーを意識することは、海外投資家に対するアカウンタビリティーを高めることにもつながるとの指摘もある。	
海外M&Aによるものも含め、多様な子会社を実効的に管理するため、①明確なグループ管理規程（親会社の決裁・事前承認事項、報告事項、承認・報告ルート等を具体的に定めたもの）を策定・周知するとともに、②子会社における①の遵守担保措置（例えば、親子間で管理契約を締結する、子会社における社内規程として導入させる等）を講じることが必要であると考えられる。	39頁
業務プロセスの明文化等、従来は暗黙知とされていたものの形式知化を図る等、グローバルで通用する経営力・体制や管理・監督の仕組みを整える必要がある。	41頁

4　内部統制システムの在り方

4.1　内部統制システムの意義

そもそも、これまでのガバナンスの議論で用いられてきた「攻めのガバナンス」と「守りのガバナンス」は、より大きな視点から見ればいずれも「中長期的な企業価値向上を支える適切なリスクマネジメント」の一環であり、グループ経営においても「効率的に守りつつ大胆に攻める」ということを常に同時並行で行っていく必要がある。	65～66頁

4.5　内部統制システムに関する監査役等の役割等

大企業の業務監査は、従来の「常勤監査役による往査」では限界であり、①往査以外の情報ルートの開拓、②チームとしての監査役会の独立性の向上（社外者が機能する仕組み）、③監査役の地位の向上、の3点が必要であるとの指摘があった。	75頁 脚注70

　さらに、グループガイドラインにおいて取り組むことが「期待」されるとされた取組みがある。以下、【期待される取組み】として抽出しているが、

182

⑤　グループガイドラインをふまえた仕組みづくり

ここで指摘された取組みが自社グループでなされていない場合には、取組みが期待されているものとして必要に応じて検討されたい。

【期待される取組み】

2　グループ設計の在り方

2.3　グループ本社の役割

2.3.1　グループ本社（業務執行）の役割

| 具体的には、グループ本社には、以下のような役割を果たすことが期待される[30]。

1). グループ全体の方向性の決定と実行モニタリング
　● グループ全体の企業理念・ビジョンや経営方針の策定とグループ各社への普及・浸透[31]
　● グループとしての中期経営計画の策定（KPI の設定[32]を含む）と進捗管理
2). グループの顔としての対外発信
　● グループとしての PR・ブランディング活動や IR 活動
3). スケールメリットを活かした経営資源の効率的な確保とグループの全体最適の実現のための経営資源の適切な配分
　● 資本市場での資金調達や金融機関からの借り入れ
　● 事業評価と予算配分、そのためのグループ共通基盤の構築（事業セグメントごとの評価指標の設定、評価システムの構築を含む）
　● 人材の採用、計画的な育成・評価・配置、経営陣の後継者計画
4). 事業ポートフォリオ戦略の策定・実行
　● M&A や事業の切り出し（事業売却等や事業撤退）の基準策定
　● 事業ポートフォリオ見直しの検討プロセスの明確化と実施
5). グループとしての内部統制システムの構築と運用の監督
　※後述「4　内部統制システムの在り方」参照。
6). 中長期の事業部門横断的な課題への対応
　● 事業部門間のシナジーの実現
　● インキュベーション機能（新規事業の創出）
　● 基礎的な R&D
　● IT 投資戦略（デジタル・トランスフォーメーションの推進、そのためシステムの刷新を含む）[33][34]等 | 29〜30頁 |

第 3 章　子会社管理の仕組みづくり

30　1)〜6) のようなグループ本社の固有の役割の他、サービスセンターとしての機能（法律・会計・税務・IT システムなどの専門サービスや書類作成・届出処理などのオペレーションサービスなどの提供機能）を担うこともある。

31　グローバル化や M&A 等によりグループ各社の役員・従業員の価値観の多様性が高まると、グループとして「依って立つ不変の共通の軸」としての企業理念について、その伝達と浸透度の確認（サーベイ）を繰り返して継続的に取り組む必要があると指摘されている。

32　グループガバナンスにおいては、グループとしてのブランディングや各社の従業員の心の問題も重要であり、単に財務的指標だけではなくて、地球環境問題や社会のサステナビリティ、イノベーションの創出等の活動についても可視化、共有化するため、数値化して継続的に評価していくことも、グループ本社の重要な機能であるとの指摘があった。

33　経済産業省『デジタル・トランスフォーメーションレポート〜IT システム「2025 年の崖」の克服と DX の本格的な展開〜』（2018 年 9 月公表）において、今後のデジタル時代の国際競争に日本企業が勝ち抜くためには、新たな価値創出に向けた経営改革を進めるとともに、早期にレガシーシステムからの脱却などを図って貴重な IT 人材や資金をより先端的な分野の開発・実装などに振り向けていくことが経営上の重要課題であるとしている。……

34　「2017 年国内企業の「IT 経営」に関する調査」（一般社団法人電子情報技術産業協会（JEITA）と IDC Japan 株式会社による共同調査）では、米国では「攻めの IT 投資」が多いのに対し、日本では「守りの IT 投資」が多いとの現状を指摘し、国際競争を勝ち抜いていくためには、日本企業も米国企業のように攻めの IT 投資にシフトすべきとしている。
URL：https://www.jeita.or.jp/japanese/exhibit/2018/0116.pdf

2.3.2　グループ本社の取締役会の役割

例えば、グループ本社と子会社との適切な役割分担という観点から、コンプライアンス問題など、グループ全体としてのレピュテーションに関わる案件についてはグループ本社の積極的な関与（集権化）が期待される一方、個々の事業部門における事業戦略に係る事項については迅速な意思決定を重視して権限委譲（分権化）を行うことも考えられる。また、分権化の観点からグループ本社の取締役会への付議事項は絞り込みつつ、本社から子会社に対して取締役等を派遣し、子会社の取締役会への関与を通じてモニタリング機能を発揮していくことも考えられる。	32〜33頁

4　内部統制システムの在り方

4.1　内部統制システムの意義

COSO フレームワークとは、1992 年にアメリカのトレッドウェイ委員会組織委員会（COSO：the Committee of Sponsoring Organization of the Treadway Commission）が作成した内部統制に関するフレームワークのことを指す。同委員会は 2013 年に『内部統制の統合的フレームワーク』を全面改訂しており、改訂版フレームワークには、①統制環境、②リスク評価、③統制活動、④情報と伝達、⑤モニタリング活動という内部統制の 5 つの構成要素が明記され、これに関連する基本的な 17 原則と各原則に関連する重要な 87 の着眼点が整理されている。改訂版フレームワークは、グループ企業がグループ全体の内部統制システムを構築する際の有効性評価のためのツールとしての活用することも期待される。	65 頁 脚注 52
このような内部統制の積極的意義を踏まえれば、そのシステムの構築・運用に際しても、法令遵守（適法であること）に限らず、取引先や一般消費者等を含む多様なステークホルダーの利益にも配慮しつつ、企業価値を支える企業の社会的責任やブランド価値、レピュテーションの維持・向上に向けた取組として行うことが期待される。	66 頁

4.5　内部統制システムに関する監査役等の役割等

親会社の監査役等や会計監査人が、子会社の監査役等や内部監査部門等とも連携しつつ、海外を含む子会社に対する監査を行う「縦の連携」が重要である。親会社からの内部監査が定期的に行われることによって、親子間で監査項目や監査のレベルの統一が図られるとともに、会計監査人との事前・事後の情報交換により、透明性と効率性を高めることも期待される。	77 頁

　次いで、グループガイドラインにおいて取り組むことが「望ましい」とされた取組みもある。以下、【望ましい取組み】として抽出している。ここで指摘された取組みが自社グループでなされていない場合でも、それ自体への非難可能性は低いと考えられるが、可能であれば、取組みを検討するのが望ましい。

第3章　子会社管理の仕組みづくり

【望ましい取組み】

4.5　内部統制システムに関する監査役等の役割等

なお、会計監査人も、財務報告の信頼性確保の観点から内部統制システムの有効性を監査する役割を担っており、監査役等との相互連携及び相互評価が重要である。こうした観点から、グローバル企業においては、M&Aによる海外子会社も含め、グループ全体として一つのネットワークファーム[63]に統一しておくことが望ましい。 63　ネットワークファームとは、業務提携関係にある会計事務所を指す。ネットワークファームでは、会計事務所間の相互の協力を目的として共通のブランド名を使用し、共通の事業戦略を持ち、共通の品質管理の方針及び手続を行う。	71頁
他方、内部監査部門は、①3線ディフェンス（後述4.6.1参照）における第3線としての適切な機能発揮と、②執行者への牽制を重要な任務とする監査役等の機能発揮を支える部門としての活用の双方の観点から、業務執行ライン上のレポートライン（報告経路）に加えて、（取締役会と並んで）監査役等に対する直接のレポートラインを確保すること（いわゆる「デュアルレポートライン」）を社内規程で定めておくことが望ましい[65]。 65　不正を防止するためには、平時の内部監査の段階から、監査役等に対してリスクの所在が伝えられ、中長期の企業価値の維持・向上の観点から必要な対策が講じられるような仕組みを構築しておくことが重要であるとの指摘があった。	72〜73頁

　最後に、グループガイドラインにおいて、取り組むことが有益あるいは有効であるとされた取組みを【有益・有効な取組み】として抽出した。これまでに見てきた取組みが一通り検討された中で、さらなる実効性を求めて検討することも一案であろう。

【有益・有効な取組み】

2　グループ設計の在り方

2.3　グループ本社の役割

2.3.3　グループ本社による子会社の管理・監督の在り方

特に、海外を含めて多様な組織を適切にマネジメントするためには、業務プロセスを明確化しておくことが必要であり、そのベースとなるグループ共通のポリシー（所定のプロセスが求められる趣旨等に関する考え方）を明文化することで、子会社の現場の従業員に	36〜37頁

186

⑤　グループガイドラインをふまえた仕組みづくり

対してもアカウンタビリティーを果たすことが重要となる[35]。また、このような取組を実践するためにも、ITシステムの統合を進めることが有効である。 35　このようにグループ内部でのアカウンタビリティーを意識することは、海外投資家に対するアカウンタビリティーを高めることにもつながるとの指摘もある。	
多様な組織を束ねてグループとしての共通の経営目標の達成に向けた取組を促すためには、まず、ソフト面の対応として、グループ全体の経営理念・価値観・行動規範（「○○ Way」等）をグループ各社と共有し、現場レベルに浸透させることが重要であり、そのためには、経営トップが繰り返し直接メッセージを発信することが有効である。	38頁

4　内部統制システムの在り方

4.5　内部統制システムに関する監査役等の役割等

こうした観点から、IIA の国際基準の実施ガイダンスに沿って、内部監査部門を執行ラインに加えて監査委員会等にも直結させ、更に、内部監査部門の独立性を高めるため、例えば、監査業務に関してはその指揮命令のラインに置き、監査委員会等に内部監査部門の長に対する人事や予算についての一定の権限（例えば、人事・予算の決定に関する同意権）を持たせることも有効な選択肢と考えられる[67][68]。 67　この点に関連して、内部監査部門を監査委員会等に「直属」させた場合には、「業務執行の中に第3線が不在となる、或いは別途第3線を担う部門を置かなければならず、二重のコストを要する」といった問題点が指摘されたが、これに対し、「内部監査部門を監査役等と業務執行が「共用」することも考えられる。監査機能の実効性確保の観点から、業務執行と監査役等の役割分担の在り方を捉え直すことも考えられるのではないか。」との指摘もあった。 68　金融商品取引法上の内部統制報告制度においては、経営者において、有効な内部統制の整備及び運用の責任を負うものとして、財務報告に係る内部統制を評価することが求められている。この点、経営者による評価は、一義的には、経営者自らが企業の内部統制の評価を行うことを意味するが、内部統制の評価体制として、経営者がすべての評価作業を全て実施することは通常困難であることから、経営者の指揮下で評価を行う部署や機関を設置することが考えられ、例えば、経営者の自らの業務を評価することとならない範囲において、内部監査部など既設の部署の活用も考えられている（金融庁　企業会計審議会「財務報告に係る内部統制の評価及び監査に関する実施基準」（2011年3月））。 　　また、内部統制報告制度との関係では、内部監査部門が取締役会又は監査役等から指揮命令を受けることになれば、経営者への内部統制評価への補助ができ	74～75頁

第3章　子会社管理の仕組みづくり

なくなるのではないかとの指摘があるが、そもそも内部統制の評価は経営者から具体的な指揮命令を受けなければ実施できない性格のものではなく、内部統制の評価は監査役等の監査においても主要部分ともいえることを併せ考えれば、取締役会又は監査役等の指揮命令の下に実施する内部統制の評価を、経営者の評価としても利用することにより、経営者による内部統制評価を補助することが可能と考えられる（澤口実「不正防止と内部監査の新たな役割」（ジュリ1498号39頁（2016）））。

4.6　実効的な内部統制システムの構築・運営の在り方

4.6.1　3線ディフェンスの重要性

また、不祥事が発生した場合の社会的損害やグループとしてのレピュテーションダメージを最小化するためには、早期発見・早期対応が基本である。そのための仕組みとして、不祥事の端緒を把握するための実効的な内部通報制度の整備が重要であり、グループ本社が主導してグループ全体として取り組むことが検討されるべきである。その際、子会社における不祥事についても、グループ本社の内部通報窓口（担当部門）や監査役等で直接受け付ける体制とすることも有効である。	78頁
昨今、グローバル化の進展に伴い、特にM&Aで取得した海外子会社に対し、本社の目が行き届かず、不祥事発生のリスクが高くなっているとの指摘がある。異なる文化や価値観を前提として実効的な管理を行うためには、グループ本社への報告基準の具体化・明確化[75]やIT活用による経営情報の一元的な見える化が有効であると考えられる。 75　東芝の「改善報告」では、「特にM&Aにより取得した海外大規模子会社を中心に情報連携・ガバナンス体制に不十分な点があった」として、「子会社からコーポレートへの報告基準を明確化し、特にリスクに関する情報をコーポレートで一元管理する」こととした。	78〜79頁

4.6.2　第1線（事業部門）におけるコンプライアンス意識の醸成

システム化することで、人の恣意的な介在の余地を減らしていくことが有効であるとの指摘があった。	81頁 脚注77
また、グループ子会社の現場（第1線）でのコンプライアンスを確保するため、上記のような自律的遵守の風土づくりに加え、子会	82頁

188

社における問題発生時の対応コストを親会社が負担する等、親会社
への報告・相談を促す実務上のインセンティブを付与することも有
効であると考えられる。

4.7　監査役等や第2線・第3線における人材育成の在り方

なお、内部監査部門については、企業が抱える事業リスクを包括的に把握し、その改善に向けた取組を主導する経験が積めるといった点に着目すれば、将来の経営陣幹部候補の育成・選抜のためのキャリアパスの一環として活用することも有効であると考えられる。	89頁

6　特有の留意点についての補足的分析

(1)　管理手法（仕組みづくりの手法）

　株式会社が整備すべき「当該株式会社並びにその親会社及び子会社から成る企業集団における業務の適正を確保するための体制」は、企業集団全体の内部統制についての当該株式会社における体制であり、企業集団全体の内部統制についての当該株式会社における方針を定めることとなるのであって、当該株式会社が企業集団を構成する子会社自体の体制について決議する必要まではないとされている[28]。

　しかしながら、親会社において体制構築しているだけでは、実効性が担保されず、グループ子会社においても、親会社で構築された体制を前提とした当該子会社における体制構築がなされることとなろう。

　現に、当該体制に関し、旧法における会社法立案担当者解説[29]でも、既に見てきたとおり、次のものがあると指摘され、子会社における体制構築も併せてなされるべきことが示唆されている。

---

28)　法務省・前掲注9）第3の2(9)③。
29)　相澤ほか編著・前掲注8）338頁。

第3章 子会社管理の仕組みづくり

【親会社が決定すべき事項の例】

➢ 子会社の管理する情報へのアクセスや子会社に提供した情報の管理に関する事項

➢ 子会社における業務の適正確保のための議決権行使の方針

➢ 子会社の役員・使用人等を兼任する役員・使用人による子会社との協力体制及び子会社の監視体制に関する事項

➢ 兼任者・派遣者等の子会社における職務執行の適正確保のための体制

➢ 子会社に対する架空取引の指示など子会社に対する不当な圧力を防止するための体制

➢ 子会社との共通ブランドの活用又はそれに伴うリスクに関する事項

➢ 親会社の監査役と子会社の監査役等との連絡に関する事項

【子会社が決定すべき事項の例】

➢ 親会社の計算書類又は連結計算書類の粉飾に利用されるリスクに対する対応

➢ 取引の強要等親会社による不当な圧力に関する予防・対処方法

➢ 親会社の役員等との兼任役員等の子会社に対する忠実義務の確保に関する事項

➢ 子会社の監査役と親会社の監査役等との連絡に関する事項

　グループ子会社における対応としては、このほかにも、グループ行動規範の遵守、取引の必要性及び取引条件の公正性の確認、親会社の内部監査部門との連携のほか、第三者の評価書などの取得、取締役会による承認、独立性確保のための規程の策定、社外役員による意見の取得などを実施することを制度化することが考えられよう。

　そして、このような子会社における制度化に当たり、子会社が従う準則として、親会社に対する情報提供手続、親会社が必要とする子会社管理に係る情報へのアクセス協力手続などを定め、子会社管理に係る情報の提供や親会社のアクセスへの協力について義務化する法的根拠を付与すべきである。

　そこで、まず、このような制度化が容易な場合における仕組みづくりについて、親会社において定めるグループ会社経営管理規程と子会社において定めるグループ会社経営管理規程とともに、親会社と子会社の間で締結する経営管理契約を、下記 7 （202頁）において具体的に検討する。

190

他方で、このような子会社における制度化が容易にいかない場合、例えば、対等出資の合弁会社の設立の場合、海外の法規制や子会社の買収経緯により特段の配慮を要する場合など、必ずしも子会社の取締役等の過半数を親会社から派遣する者で占めることができない場合などは、合弁契約、新株引受契約、株式売買契約など当初出資時の契約において、自社に対する情報提供手続、親会社が必要とする子会社管理に係る情報へのアクセス協力手続などを定め、グループ会社管理に係る情報の提供や監査等への協力について義務化する規定を盛り込むべく交渉することとなろう。

このような交渉において、他の株主との間で締結する株式売買契約、株主間契約や合弁契約など、あるいは、対象会社との間で締結する資本提携契約、新株引受契約や商標その他ブランド又はシステムの使用許諾契約などに盛り込むべき規定例については、下記 8 （264頁）にて具体的に検討するので参照されたい。

(2) 管理対象（通則）

子会社管理の仕組みづくりに当たり、まず、管理の対象とする「グループ会社」の範囲をどのように設定するかという点が重要となる。

具体的には、親会社の取締役が子会社の情報管理やリスク管理をどのように監督していくかは子会社の重要性や子会社株式の所有目的・態様等によって異なるので、それらを念頭に置きつつどのような体制を定めるかにつき、グループ管理規程の策定や経営管理契約の締結などにおいて検討する必要がある。

会社法は、「グループ」の範囲については、「当該株式会社並びにその親会社及び子会社から成る企業集団における業務の適正を確保するための体制」と規定されているにとどまるから、親会社を除けば、その対象範囲は「子会社」（会社法上の「子会社」〔会社法2条3号〕）であるため、国内連結子会社、海外子会社、非連結子会社となり、上場子会社も対象に含まれるが、子会社に該当しない関連会社は、持分法適用会社でも形式的には除外されることとなる。

しかしながら、有価証券報告書提出会社は、財務報告が法令等に従って適正に作成されるための体制を構築する必要があり（金商法24条の4第1項、内部統制府令3条）、かかる財務報告においては、連結子会社のみを

対象としているだけでは足りない。

「当社グループ」といった表現を用いて、その範囲を明確にしないこともできないわけではないが、不祥事等の有事において、親会社としての管理責任が生じる範囲を画する基準となるものであり、また、平時においても、内部統制システムの基本方針につき、その運用状況の概要まで事業報告に記載することが求められており（会社法施行規則118条2号）、グループ内部統制の対象とする会社の範囲を明確化しておくべきである。

まず、グループ会社の範囲を「当社及び当社子会社」に明確に限定することが考えられる。会社法及び会社法施行規則が内部統制決議の対象とすることを求めている「グループ」の範囲は、「子会社」に限定されていることをふまえれば、こうした範囲設定も当然あり得るところであり、非公開会社や有価証券報告書提出会社でない会社では、このような範囲設定が無難であろう。

しかし、上場会社や有価証券報告書提出会社では別段の考慮が必要であることは既述のとおりであり、内部統制システムの基本方針の対象となるグループ会社の範囲を子会社に限定せず、別途定義することも考えられる。確かに、会社法及び会社法施行規則が内部統制決議の対象とすることを求めている「グループ（企業集団）」の範囲は「子会社」に限定されていると解される。しかし、かかる会社法及び会社法施行規則の規定は、各会社が子会社以外の会社を内部統制決議の対象に含めることを禁止するものではないからである。

他方で、「グループ（企業集団）」の範囲を「子会社」に限定するとしても、さらに絞り込むべきかを検討する必要がある。第2章 5 （81頁）で詳述したとおり、親会社が子会社の経営に積極的に関与している場合には、子会社の経営判断の誤りによる経営不振・業績悪化等について子会社取締役の責任を追及しづらくなり、むしろ、親会社取締役の責任が認められやすいことも考慮する必要があるからである。

すなわち、親会社が子会社の経営判断に積極的に関与している場合には、その経営判断の誤りによって子会社の業績が悪化したとしても、親会社自身が当該経営判断を承認している以上、子会社取締役に対して業績不振の責任を厳しく追及することは難しい。むしろ、当該経営判断に親会社自身が深く関わっていることから、親会社取締役に対して責任追及される可能

性が高まる場合すらある。

これまでの裁判例で子会社管理に対する親会社及び親会社取締役の法的責任の判断枠組みは明確になったとはいえないが、少なくとも、子会社の意思決定に実質的に関与・支配した場合、あるいは子会社で生じた不祥事等に関与していた場合等は、親会社取締役は子会社管理責任を問われる可能性があることは否めず、子会社経営への関与を強化すればするほど、子会社管理責任を問われる局面が増えることについての考慮を忘れてはならない。

具体的には、「子会社の重要案件について事前に承認する」、「子会社に取締役を派遣して、定期的に開催される取締役会に出席して子会社における業務執行を管理する」、「子会社の内部管理業務を監視、監督及び指導する」などの手法により積極的に子会社管理を行うのであれば、かかる子会社において不祥事等が発生した場合には、親会社役員の責任が問題になり得ることに留意すべきである。

すなわち、積極的に関与する方針で仕組みづくりをするのであれば、かかる仕組みを最大限活用して子会社の経営管理を行わなければならないのであり、その仕組みが画餅に帰すことは避けなければならない。

したがって、子会社管理方針を一律に定めるのではなく、事業内容、規模、組織体制、親会社の議決権比率その他の株主構成、国内子会社か海外子会社か、上場会社か否かなど子会社の態様に応じてメリハリをつけ、関与の度合い、すなわち、親会社の管理の方法を異ならせ、それを子会社管理規程などで規定化して明確化しておくことも検討に値しよう。

例えば、子会社について、「重要」、「主要」、「中核」、「連結・非連結」といった区分を設け、かかる区分に該当する会社について親会社が積極的に関与し、そうでない場合には子会社の自主性を尊重する管理方針とすることが考えられる。

＜事例紹介 19＞株式会社みずほフィナンシャルグループ第 22 期（自令和 5 年 4 月 1 日 至令和 6 年 3 月 31 日）有価証券報告書より

---

(5) グループ経営管理体制
・グループ各社は、グループ共通の『〈みずほ〉の企業理念』の下、主要グループ会社は当社が直接経営管理を実施し、主要グループ会社以外の子会社等

第 3 章　子会社管理の仕組みづくり

は、主要グループ会社を通じ経営管理を行うことでグループ経営管理の一
体性を確保しております。
・当社は「グループ経営管理規程」に基づき、グループ全体に関する重要な
事項について、主要グループ会社から承認申請を受けるとともに、これに
準じる事項について報告を受けております。
・主要グループ会社からリスク管理、コンプライアンス管理、内部監査につ
いて定期的または必要に応じて都度報告を受け、取締役会等に報告すると
ともに、主要グループ会社に対してリスク管理、コンプライアンス管理、
内部監査に関する適切な指示を行っております。

　また、上場子会社について、当該上場子会社自体が有価証券上場規程に
基づく行動規範を遵守しなければならないことから、それをふまえて自主
性を尊重するなど特別な取扱いをすることも考えられる。

<事例紹介 20>株式会社神戸製鋼所第 171 期（自令和 5 年 4 月 1 日　至令和
6 年 3 月 31 日）有価証券報告書より

(vi)　会社及びその子会社から成る企業集団における業務の適正を確保する
ための体制
　『グループ会社管理規程』を定め、子会社の行う重要な意思決定について、
当社主管部門・本社部門と協議、重要事項の報告などを義務づけ、一定金額
を超える財産処分行為他については、当社の取締役会、社長の事前承認を要
求する。
　当社グループとして最低限整備すべきルールを「グループ標準」として定
め、当社の全ての子会社がこの標準に沿って自社の規程を整備し、リスク管
理の教育・浸透・推進を図るとともに、『リスク管理規程』に従い、個社毎
の適切な予防保全策を立案する。
　子会社に対して、適宜取締役又は監査役を派遣し、子会社の経営を監督す
る。
　さらにグループ企業理念を共有し、『KOBELCO グループ・コンプライア
ンスプログラム』をベースに、コンプライアンス委員会の設置や、内部通報
制度の整備等といった取組みを子会社に対して求め、法令等遵守体制を構築
する。
　ただし、上場会社については当社からの一定の経営の独立性を確保するた
め、当社が関係会社経営者の独自の判断を拘束することのないように配慮を
する。

さらに、エリア的な要因を考慮し、例えば、海外子会社について、国内子会社と異なる管理体制を設けて、異なる管理方針とすることも考えられる。

＜事例紹介21＞東レ株式会社第143期（自令和5年4月1日 至令和6年3月31日）有価証券報告書より

> (e) 子会社における業務の適正を確保するための体制
> ・子会社の取締役等及び使用人の職務の執行が法令及び定款に適合することを確保するための体制を整備するため、「倫理・コンプライアンス行動規範」を、当社グループ共通の行動基準として、子会社に周知する。同時に、子会社に対し、それぞれの所在国における法令やビジネス慣習、事業形態等を勘案した行動規範やガイドライン等の制定を求める。また、子会社の取締役等及び使用人による内部通報について、状況が適切に当社に報告される体制を整備することを指導する。

(3) 管理対象（業法対応）

前記(2)（191頁）で見てきた管理対象についての検討に加え、親会社が銀行法などの業法により規制されている場合には、グループ会社としての管理対象範囲の検討に当たり、かかる業法規制への配慮も忘れてはならない。

銀行法12条は、「銀行は、前二条の規定により営む業務及び担保付社債信託法その他の法律により営む業務のほか、他の業務を営むことができない」と定めており、銀行には、所謂、他業禁止規制が及び、銀行法や銀行法施行令が、「子会社」、「子法人等」及び「関連法人等」という定義を定め、それぞれの業務範囲等について規制を定めているため、いずれかの定義に該当するかどうかを基準として、その管理の内容が異なってくる。

そのため、それぞれの定義の該当範囲を正確に理解することが必要となる。

「子会社」とは、銀行法2条8項によれば、「会社がその総株主等の議決権の百分の五十を超える議決権を保有する他の会社をいう。この場合において、会社及びその一若しくは二以上の子会社又は当該会社の一若しくは二以上の子会社がその総株主等の議決権の百分の五十を超える議決権を保

有する他の会社は、当該会社の子会社とみなす」とされており、直接的又は間接的な所有による、形式的な過半数議決権基準により子会社の判定がなされることが想定されている。

次に、「子法人等」とは、銀行法施行令４条の２第２項によれば、「親法人等によりその意思決定機関を支配されている他の法人等をいう。この場合において、親法人等及び子法人等又は子法人等が他の法人等の意思決定機関を支配している場合における当該他の法人等は、その親法人等の子法人等とみなす」とされており、「親法人等」の定義により定義づけられているので、「親法人等」の定義を知る必要がある。

然るところ、「親法人等」は、同項では、「他の法人等の意思決定機関を支配している法人等として内閣府令で定めるもの」をいい、ここでいう内閣府令であるところの銀行法施行規則14条の７第１項は、次に掲げる法人等としている（ただし、財務上又は営業上若しくは事業上の関係からみて他の法人等の意思決定機関（銀行法施行令４条２項１号に規定する意思決定機関をいう。以下同じ）を支配していないことが明らかであると認められるときは、この限りでないとされている）。下記①と②のとおり、自己の計算による、形式的な過半数議決権基準とともに、意思決定機関の支配という実質的基準により親法人等の判定がなされることが想定されている。

① 他の法人等（破産手続開始の決定、再生手続開始の決定又は更生手続開始の決定を受けた他の法人等その他これらに準ずる他の法人等であって、有効な支配従属関係が存在しないと認められるものを除く。以下①②において同じ）の議決権の過半数を自己の計算において所有している法人等

② 他の法人等の議決権の百分の四十以上、百分の五十以下を自己の計算において所有している法人等であって、次に掲げるいずれかの要件に該当するもの

 イ 当該法人等が自己の計算において所有している議決権と当該法人等と出資、人事、資金、技術、取引等において緊密な関係があることにより当該法人等の意思と同一の内容の議決権を行使すると認められる者及び当該法人等の意思と同一の内容の議決権を行使することに同意している者が所有している議決権とを合わせて、当該他の法人等の議決権の過半数を占めていること。

 ロ 当該法人等の役員、業務を執行する社員若しくは使用人である者、

又はこれらであった者であって当該法人等が当該他の法人等の財務及び営業又は事業の方針の決定に関して影響を与えることができるものが、当該他の法人等の取締役会その他これに準ずる機関の構成員の過半数を占めていること。

ハ　当該法人等と当該他の法人等との間に当該他の法人等の重要な財務及び営業又は事業の方針の決定を支配する契約等が存在すること。

ニ　当該他の法人等の資金調達額（貸借対照表の負債の部に計上されているものに限る）の総額の過半について当該法人等が融資（債務の保証及び担保の提供を含む。以下このニにおいて同じ）を行っていること（当該法人等と出資、人事、資金、技術、取引等において緊密な関係のある者が行う融資の額を合わせて資金調達額の総額の過半となる場合を含む）。

ホ　その他当該法人等が当該他の法人等の意思決定機関を支配していることが推測される事実が存在すること。

そして、「関連法人等」とは、銀行法施行令4条の2第3項によれば、「法人等（当該法人等の子法人等……を含む。）が出資、取締役その他これに準ずる役職への当該法人等の役員若しくは使用人である者若しくはこれらであつた者の就任、融資、債務の保証若しくは担保の提供、技術の提供又は営業上若しくは事業上の取引等を通じて、財務及び営業又は事業の方針の決定に対して重要な影響を与えることができる他の法人等（子法人等を除く。）として内閣府令で定めるもの」をいい、ここでいう内閣府令であるところの銀行法施行規則14条の7第2項は、次に掲げる法人等とされている（ただし、財務上又は営業上若しくは事業上の関係からみて他の法人等の意思決定機関を支配していないことが明らかであると認められるときは、この限りでないとされている）。下記①と②のとおり、自己の計算による、形式的な議決権基準とともに、一定の関係による影響という実質的基準によるほか、下記③のとおり、自己と緊密な関係のある他の法人等との間での実質的な議決権基準と一定の関係による影響という実質的基準の合わせ技により関連法人等の判定がなされることが想定されている。

①　法人等（当該法人等の子法人等を含む）が子法人等以外の他の法人等（破産手続開始の決定、再生手続開始の決定又は更生手続開始の決定を受けた子法人等以外の他の法人等その他これらに準ずる子法人等以外の他の法人等であって、当該法人等がその財務及び営業又は事業の方針の決定に対し

第3章　子会社管理の仕組みづくり

て重要な影響を与えることができないと認められるものを除く。以下①②③において同じ）の議決権の百分の二十以上を自己の計算において所有している場合における当該子法人等以外の他の法人等

② 法人等（当該法人等の子法人等を含む）が子法人等以外の他の法人等の議決権の百分の十五以上、百分の二十未満を自己の計算において所有している場合における当該子法人等以外の他の法人等であって、次に掲げるいずれかの要件に該当するもの

　イ　当該法人等の役員、業務を執行する社員若しくは使用人である者、又はこれらであった者であって当該法人等がその財務及び営業又は事業の方針の決定に関して影響を与えることができるものが、その代表取締役、取締役又はこれらに準ずる役職に就任していること。

　ロ　当該法人等から重要な融資（債務の保証及び担保の提供を含む）を受けていること。

　ハ　当該法人等から重要な技術の提供を受けていること。

　ニ　当該法人等との間に重要な販売、仕入れその他の営業上又は事業上の取引があること。

　ホ　その他当該法人等がその財務及び営業又は事業の方針の決定に対して重要な影響を与えることができることが推測される事実が存在すること。

③ 法人等（当該法人等の子法人等を含む）が自己の計算において所有している議決権と当該法人等と出資、人事、資金、技術、取引等において緊密な関係があることにより当該法人等の意思と同一の内容の議決権を行使すると認められる者及び当該法人等の意思と同一の内容の議決権を行使することに同意している者が所有している議決権とを合わせて、子法人等以外の他の法人等の議決権の百分の二十以上を占めている場合（当該法人等が自己の計算において議決権を所有していない場合を含む）における当該子法人等以外の他の法人等であって、前②イからホまでに掲げるいずれかの要件に該当するもの

　銀行法に基づく他業禁止規制が異なって及ぶ、このような「子会社」、「子法人等」及び「関連法人等」という定義への該当性を判定した上で、自社グループにおける各社の経営管理の在り方を検討する必要がある。

　三井住友ファイナンス＆リース株式会社（「SMFL」）への出資比率は、以

前は、株式会社三井住友フィナンシャルグループ（「SMFG」）の60％、住友商事株式会社（「住友商事」）の40％であったが、現在は、それぞれ50％ずつの折半出資となっている。

　これは、SMFL を「持分法適用関連会社」として、銀行法上の「子会社」に対する厳格な他業禁止規制が SMFL に及ばないようにするための出資形態であるものと考えられる。

　上述のとおり、銀行法上の「子会社」は、直接的又は間接的な所有による、形式的な過半数議決権基準により子会社の判定がなされることが想定されているため、SMFG による SMFL の議決権所有割合が形式的に50％にとどまり、かつ、SMFG が住友商事（その子会社を含む）の子会社に該当しない以上、SMFL は、SMFG の銀行法上の「子会社」に該当せず、銀行法上の「子会社」に対する規制が及ばなくなる。

　さらに注目すべきは、SMFG による SMFL の議決権所有割合は50％であるにもかかわらず、SMFL を「持分法適用関連会社」としている点である。銀行法上の「子法人等」にも該当しないように、「子法人等」の定義要件②のいずれにも該当しないよう手当てがなされているものと解される。

　例えば、

・住友商事との契約において、SMFL の議決権の共同行使の定めを置かず（定義要件②イ対応）、

・SMFG からの役員派遣数が SMFL の過半数を占めないようにし（定義要件②ロ対応）、

・SMFG と SMFL との間で経営指導契約などの財務及び営業又は事業の方針の決定を支配する契約を締結せず（定義要件②ハ対応）、

・SMFG からの融資額を SMFL の資金調達額の過半とならないようにし（定義要件②ニ対応）、

・住友商事との SMFL の合弁契約において SMFL の株主総会事項、取締役会事項その他重要な経営判断については、住友商事の事前の承諾がいる旨定めるなどし（定義要件②ホ対応）、

「子法人等」の定義要件②イ〜ホのいずれにも該当しないように手当てがなされているものと考えられる。

　これら以外にも、金融庁の令和7年4月の「主要行等向けの総合的な監督指針」「V-3-3　子会社等の業務範囲」において、「子法人等及び関連法人

等の判定に当たり、……財務諸表等の用語、様式及び作成方法に関する規則、企業会計基準適用指針第22号『連結財務諸表における子会社及び関連会社の範囲の決定に関する適用指針』（平成20年5月13日付）その他の一般に公正妥当と認められる企業会計の基準に従っているかにも留意する」とあるので、この点にも配慮してさらなる手当てがなされているものと思われる。

いずれにしても、実際の手当ての内容は明らかにされていないが、SMFLは、SMFGの銀行法上の「子法人等」にも該当しないものとして、銀行法上の他業禁止規制により行うことができない分野にも進出している。

同様に、株式会社ふくおかフィナンシャルグループ（「FFG」）も、東京センチュリー株式会社（「東京センチュリー」）との間で、FFGの連結子会社であるFFGリース株式会社（「FFGリース」）に関して、東京センチュリーがFFGリースの第三者割当増資を引き受けることでFFGリースに対する両社の出資比率を戦略的に変更し、FFGリースを両社の持分法適用関連会社とすることについて合意したとのことである（両社の令和6年3月29日付リリースより）。

子会社の経営管理の仕組みづくりの一例として参考になる。

(4)　法規制への留意

上述のとおり、銀行には、所謂、他業禁止規制が及び、銀行法の「子会社」、「子法人等」及び「関連法人等」には、銀行法上、それぞれの業務範囲等について規制が定められている。

銀行やその子会社が企業買収を行う場合、その実行時に対象会社が銀行法の「子会社」、「子法人等」や「関連法人等」として行うことができない業務を行っていた場合、買収の実現と同時に買収を行った銀行やその子会社が銀行法違反となってしまうリスクがある。

そこで、銀行が自ら又はその子会社を介して、銀行法の規制が及ばなかった現業の企業を買収する場合には、かかるリスクが生じないよう留意が必要となる。

企業買収に当たり、デューディリジェンス調査を行い、銀行が自ら又はその子会社を介して対象会社を傘下に収めた場合に銀行法の規制が及び得る銀行法上の「子会社」、「子法人等」や「関連法人等」として行うことが

できない業務を行っていないかどうかをまず確認することが必須である。

そして、そのような業務が行われていた場合には、買収の実行前にその業務を廃業したり、事業譲渡したりしてその業務を行っていない状態を確保することとし、かかる状態の実現をもって、買収契約の効力発生の停止条件とするなど法的な手当てをする必要がある。

また、独占禁止法第四章は、会社の株式（社員の持分を含む。以下同じ）の取得若しくは所有（以下「保有」という）（同法10条）、役員兼任（同法13条）、会社以外の者の株式の保有（同法14条）又は会社の合併（同法15条）、共同新設分割若しくは吸収分割（同法15条の2）、共同株式移転（同法15条の3）若しくは事業譲受け等（同法16条）（以下これらを「企業結合」という）が、一定の取引分野における競争を実質的に制限することとなる場合及び不公正な取引方法による企業結合が行われる場合に、これを禁止している。

そして、禁止される企業結合については、独占禁止法17条の2の規定に基づき、排除措置が講じられることになることから、公正取引委員会が、独占禁止法第四章の規定に基づく届出の対象となるか否かにかかわらず、企業結合が一定の取引分野における競争を実質的に制限することとなるか否かについての審査（以下この審査を「企業結合審査」という）を行い、独占禁止法第四章の規定に照らして、個々の事案ごとに、当該企業結合が一定の取引分野における競争を実質的に制限することとなるかどうかを判断することとされている（公正取引委員会「企業結合審査に関する独占禁止法の運用指針」参照）。

企業結合審査は、株式取得等（株式の取得、合併、共同新設分割、吸収分割、共同株式移転及び事業等の譲受けをいう。以下同じ）の企業結合計画を独占禁止法に基づき事前届出することにより行われるが、公正取引委員会は、当事会社（企業結合を計画している者をいい、独占禁止法13条に規定する役員又は従業員及び同法14条に規定する会社以外の者を含む。以下同じ）から、具体的な企業結合計画に関し、法定の届出を行う前に、当該計画が独占禁止法第四章の規定に照らして問題があるか否かについての相談（以下「事前相談」という）があった場合には、その審査結果につき回答している。

そこで、親会社が、株式取得等により新たに子会社化する場合には、かかる事前相談を行い、その結果を待つ必要がある場合があり、そのような場合には、そのことを買収契約の効力発生の停止条件とするなど法的な手

第3章　子会社管理の仕組みづくり

当てをする必要がある。

　具体的には、次のような条項を買収契約に定めることが考えられる。

（停止条件）
第○条　本契約の各条項は、次の各号に定める条件がいずれも満たされることを停止条件として、効力を生じるものとする。
　(1)　銀行法（昭和56年法律第59号、その後の改正を含む）、銀行法施行令（昭和57年政令第40号、その後の改正を含む）、銀行法施行規則（昭和57年大蔵省令第10号、その後の改正を含む）及び金融庁による監督指針その他の買収銀行が適用を受ける法令・規則及び監督官庁の監督指針との関係で、買収対象会社が買収銀行の連結子会社（連結財務諸表等の用語、様式及び作成方法に関する規則に定める「連結子会社」をいう）となった場合に買収対象会社又は買収対象会社の子会社（財務諸表等の用語、様式及び作成方法に関する規則に定める「子会社」をいう）において行うことが許容されない事業について、買収対象会社又は買収対象会社の子会社が当該事業を行っていない状態が実現されたこと。
　(2)　本契約に基づき企図された取引の一切が、私的独占の禁止及び公正取引の確保に関する法律（昭和22年法律第54号）（以下「独占禁止法」という）第四章に基づき禁止されるものでないことについての公正取引委員会の判断が得られたこと。
　(3)　……

7　親会社主導で規定化等が容易な場合の仕組みづくり

　以上、子会社管理の仕組みづくりにおいて留意すべき点について検討してきたが、これをふまえた子会社管理の仕組みの一例として、まず、親会社において定めるグループ経営管理規程例と、子会社において定めさせるべきグループ経営管理規程例を紹介し、その上で、子会社との間で締結する経営管理契約例を紹介する。

7　親会社主導で規定化等が容易な場合の仕組みづくり

　ここでは、親会社が子会社の過半数の議決権を有する場合、子会社の取締役等の過半数を親会社から派遣する者で占める場合など、親会社が子会社を支配しており、これまで見てきた留意点をふまえて子会社管理の仕組みづくりが親会社の主導で容易にできる場合を想定している。

　そうでない場合における次善策としての仕組みづくりについては、下記 8 （264頁）を参照されたい。

　以下では、まず、子会社の経営管理に親会社が積極的に関与する方針の下で、子会社を親会社と一元管理する場合に、親会社において定めるグループ経営管理規程例（下記(1)）と、それを前提として子会社において定めるグループ経営管理規程例（下記(2)（215頁））を紹介している。とりわけ、子会社を親会社と一元管理するときには、親会社におけるグループ経営管理規程を定めるとともに、それを前提として子会社においても親会社による子会社の経営管理を一元管理するためのグループ経営管理規程を定めるべき要請が強く、各規程間の整合性にも留意するなど留意点が多いからである。

　その上で、子会社の自主性を尊重する方針を採用する場合に、親会社において定めるべきグループ経営管理規程例（下記(3)（224頁））を紹介する。

　最後に、親会社と子会社との間で締結する経営管理契約（下記(4)（228頁））を紹介するが、子会社の自主性を尊重する方針を採用する場合の方が子会社との間で経営管理契約を締結する必要性が高いので、その場合における経営管理契約を紹介することとし、その各規定の解説において、親会社が子会社の経営管理に積極的に関与する場合における対応について個々に解説することとする。

(1)　親会社における一元管理型グループ経営管理規程例

親会社における一元管理型 グループ経営管理規程条文	解説
【親会社】グループ経営管理規程	本規程は、親会社による子会社の経営管理について、親会社において当該親会社の社内規定として制定されるグループ経営管理規程である。

203

第3章　子会社管理の仕組みづくり

親会社における一元管理型 グループ経営管理規程条文	解説
第1条（定義） 本規程及び本規程に基づく関連諸規程において、以下の各用語は、それぞれ、以下に定義された意味を有するものとする。 　　「CM」とは、営業部門の業務を支援するための、経営企画、財務・経理、人事、総務、リスク管理、法務・コンプライアンス、監査等に係る間接業務を実施するコーポレート・マネジメントをいう。	 ここでは、親会社による子会社の経営管理を一元化するため、親会社で子会社の一元管理上必要となる機能の一切を収攬する定義を定めている。第2条2項、第3条1項の解説も参照されたい。親会社における業務集約の対象として、「財務・経理」を含めることで以て、前記③（124頁）で見てきた有価証券報告書提出会社が構築する必要がある「財務報告が法令等に従って適正に作成されるための体制」として位置づけるとともに、前記④（141頁）で見てきた上場規程に基づき上場会社が構築すべき「(3)　子会社等の決算及び四半期決算に係る適時開示体制」や「(4)　業績予想等に係る適時開示体制」として位置づけることもできよう。また、さらに、親会社における業務集約の対象として、リスク管理、コンプライアンスや監査を含めることで以て、前記②（105頁）で見てきた株式会社で構築することが要請される「(2)　グループリスク管理体制」及び「(4)　グループコンプライアンス体制」として位置づけることもできよう。
「グループ」又は「当社グループ」若しくは「【親会社】グルー	

親会社における一元管理型 グループ経営管理規程条文	解説
プ」とは、当社及びグループ会社により構成される企業集団としての「【親会社】グループ」をいう。 「グループ会社」とは、当社との間で経営管理契約を締結した、当社の子会社及び関連会社を意味する。なお、ここでいう「子会社」、「関連会社」とは、財務諸表等の用語、様式及び作成方法に関する規則（昭和38年大蔵省令第59号）第8条に定義する「子会社」、「関連会社」をいう。	ここでは、「グループ会社」の定義を定めている。かかる定義により親会社による子会社の経営管理の対象を画することとなる。親会社による子会社の経営管理の対象をどのように画するべきかについては、前記[5](2)（163頁）を参照されたい。なお、本定義では、財務報告を行う必要性をふまえて、会社法が要請する子会社を超えて、関連会社も対象として取り込んでいるが、それに伴う、親会社の取締役の子会社管理責任の拡大にも配慮し、「当社との間で経営管理契約を締結した」との定めを付し、経営管理契約に基づく一定の経営管理が可能である関連会社に対象を限定している。
「グループ経営管理本部」とは、第4条に規定するグループ経営管理本部をいう。 「役職員」とは、役員（監査役を除く）及び従業員をいう。	
第2条（目的） 1　本規程は、当社に設置する当社グループのグループ経営管理本部機能の業務運営に必要な組織及び組織管理に関する基本的事項を定め、グループ経営管理本部の能率的な運営を図り、以って、	本条では、本規程に基づく親会社による子会社の経営管理の目的を定めている。第1項において、親会社グループの効率化と親会社及びグループ会社の企業価値最大化を実現することを目的とし、その目的を達成するための方法として、親会社で子会

第3章　子会社管理の仕組みづくり

親会社における一元管理型 グループ経営管理規程条文	解説
当社グループの効率化と当社及びグループ会社の企業価値最大化を実現することを目的とする。 2　前項に定める目的を達成するため、グループ経営管理本部は、当社の組織として、当社の保有するグループ会社の株式の株主権行使のみならず、グループ会社との間の経営管理契約を通じて、会社法その他法令上可能な範囲において、グループ会社の経営管理を行うとともに、グループ会社の CM を一元化して担う。 3　当社は、グループ会社ごとに、当該グループ会社と協議の上、経営管理契約を締結するほか、本規程の細則を設けることができる。	社の一元管理上必要となる機能の一切を集約し、一元管理する方針が定められている。
第3条（グループ経営管理の基本原則） 1　当社は、グループ会社をして、グループ会社の CM をグループ経営管理本部に可能な限り集約し、以て、グループ会社がフロント業務に注力できる体制を構築することを目的として、グループ会社の経営管理を行う。	本項に基づくグループ経営管理体制や次項に基づくコーポレートマネジメント（CM）の集約をもって、前記 ② （105頁）で見てきた株式会社で構築することが要請される「(3)　グループ業務執行体制」として位置づけることもできよう。
2　当社は、グループ会社の CM の集約の目的及びグループ会社の業務執行に係る効率化の課題をふまえ、グループ会社の CM を	本条で、グループ経営管理の基本原則を定め、親会社の利益のみを志向するものではないことを多角的な側面から規定し、公正な子会社の経営

206

親会社における一元管理型 グループ経営管理規程条文	解説
集約し、グループ横断での機能統括を強化する。 3 グループ経営管理本部に集約後の各グループ会社のCMは、グループ会社相互間の牽制機能のみならず、グループ最適化機能を発揮し、当社及びグループ会社の企業価値最大化を実現することを志向して実施されなければならない。 4 当社は、グループ会社のCM集約後のグループ経営管理本部の組織設計に当たり、最適な役割分担の枠組みを設計する。 5 当社は、グループ会社の過去の経緯及び組織文化の差異も考慮し、グループ会社の役員のみならず、業務執行現場のコンセンサスの醸成を図りながら、各事業に精通したグループ会社各個人の能力を最大限活用することを目指すものとする。 6 当社は、グループ会社が上場会社である場合には、その上場会社としての独立性を害さないよう十分に配慮しなければならない。 第4条（グループ経営管理本部） 1 当社は、グループ会社の経営管理を主たる業務分掌とするグループ経営管理本部を当社の組織として設置する。 2 グループ経営管理本部の組織は、	管理が原則とされていることを明確化している。この規程を制定する親会社の取締役の善管注意義務への配慮から、親会社の株主共同の利益を志向する面を捨象できないが、その面ばかりを追求すると、この規程を前提とする子会社におけるグループ経営管理契約を締結する意義、グループ経営管理規程を定める意義を子会社側で見出せず、子会社の取締役の善管注意義務違反の問題が生ずるからである。なお、第6項は、上場会社であるグループ会社に対して配慮した規定である。上場会社は、有価証券上場規程に基づき、親会社等の企業グループとしての経営方針や親会社等による議決権保有・行使による影響を受けて活動する中においても、上場会社として、事業活動や経営判断において一定の独立性を有することが必要となるからである。 本条で、グループ経営管理本部を設置し、グループ会社の経営管理を業務分掌とすることが明確化されている。かかる組織の設置をもって、前記②（105頁）で見てきた株式会社で構築することが要請される「(3) グ

第3章　子会社管理の仕組みづくり

親会社における一元管理型 グループ経営管理規程条文	解説
グループ経営管理本部運営細則に定めるところによる。	ループ業務執行体制」として位置づけることもできよう。なお、具体的な組織に関する事項は柔軟に改変される必要があることから、細則をもって定めることとしている。
第5条（グループ経営管理本部における業務遂行） 1　グループ経営管理本部の業務の企画、推進及び支援並びに運営及び管理を的確かつ迅速に行うため、グループ経営管理本部組織は、グループ経営管理本部運営細則に定める各部で構成する。各部には、一名の部長と一名又は複数名の副部長を置く。但し、部長及び副部長を置かない独立した部（以下「独立部」という）を置くことができる。 2　各部は、業務遂行に当たり、グループ経営管理本部及びグループ会社の関係部署と密接な連絡及び調整を行わなければならない。 3　各部の組織体制の変更及び改廃は、部長が企画及び立案し、グループ経営会議で社長が決定する。 4　前項の定めにかかわらず、独立部の組織体制の変更及び改廃は、グループ経営管理本部が企画及び立案し、グループ経営会議で社長が決定する。但し、独立部のうち、監査を担当する部の組	第5条から第8条で、多岐にわたるグループ会社のコーポレートマネジメント（CM）を担うグループ経営管理本部の業務を効率的に遂行する体制として、部署が細分化され、組織化されることが定められ、その基本的な運営に関する定めが置かれている。かかる組織については各社の実情に沿って検討されるべきこととなるが、具体的な組織に関する事項は柔軟に改変される必要があることから、細則をもって定めることとなろう。

208

親会社における一元管理型 グループ経営管理規程条文	解説
織体制は、監査役会の同意及び取締役会の承認を要する。 5　前各項の定めるほか、各部の組織体制に係る詳細は、グループ経営管理本部運営細則に定める。 第6条（事務分掌） 1　グループ経営管理本部の各部の事務分掌は、グループ経営管理本部運営細則に定めるところによる。 2　グループ経営管理本部の各部の事務分掌については、当該部の部長が定める。独立部の事務分掌は、社長が決定する。但し、独立部のうち、監査を担当する部の事務分掌については監査役会の同意及び取締役会の承認を要する。 第7条（構成員） 1　グループ経営管理本部の役職員は、当社の役職員をもって構成する。 2　グループ会社の役職員は、当社に転籍する場合のみならず、当社への出向措置をとることにより、グループ経営管理本部の役職員となることができる。 第8条（職位及び権限） 　グループ経営管理本部の役職員の職位及び権限は、グループ経営管理本部運営細則に定める。	

第3章　子会社管理の仕組みづくり

親会社における一元管理型グループ経営管理規程条文	解説
第9条（グループ会社との関係） 1　本規程は、各グループ会社に対し、当該グループ会社が別紙（当社グループ経営管理規程）を承認する社内手続を終了した時点で、効力を発生するものとする。但し、当該グループ会社が上場会社又は関連会社である場合には、この限りでなく、当該グループ会社との間で締結する経営管理契約の定めるところによる。	本規程は、親会社が定めるグループ経営管理規程にすぎず、これを親会社取締役会で決議して制定しただけでは、子会社を法的に拘束することはできない。親会社が定めるグループ経営管理規程に基づき子会社の経営管理を一元管理する方針の下、親会社が定めるグループ経営管理規程が子会社に適用されること、子会社の定めるグループ経営管理規程の規定と親会社が定める本規程の規定が抵触する場合には、親会社が定める本規程の規定が優先的に適用されることを明示的に定める条項を含んだグループ経営管理規程を子会社においてその取締役会決議に基づき制定することで、親会社が定めるグループ経営管理規程の優先適用に関し、子会社への法的拘束力が生ずることとなる。本項本文は、このような手続が子会社において履践されるべきことを確認するものである。子会社において制定されるグループ経営管理規程第3条の解説も併せて参照されたい。ところで、上場会社は、有価証券上場規程に基づき、親会社等の企業グループとしての経営方針や親会社等による議決権保有・行使による影響を受けて活動する中においても、上場会社として、事業活動や経営判断において一定の独立性を有することが必要となる。また、関連会社にすぎない場合には、その経営

210

親会社における一元管理型 グループ経営管理規程条文	解説
	に親会社が支配を及ぼすことができないため、他の株主の存在等について別段の配慮が必要となる。そこで、本項但書は、上場会社又は関連会社であるグループ会社との関係では、かかる必要性をふまえた別段の対応を定めるものである。
2　グループ経営管理本部が分掌する業務は、グループ会社を経営企画・管理する業務及びグループ会社の CM に係る業務並びにこれらの業務に付随関連する業務とする。グループ会社は、法令上、当該グループ会社自身で行うことが必須であるときを除き、原則としてこれらの業務をグループ経営管理本部で実施するものとし、親会社への CM に係る業務委託及びグループ会社の内部規程の制定その他必要な組織改編を行う。	本項は、親会社による子会社の経営管理を効率化するため、グループ会社を経営管理する業務及び当該経営管理に付帯する業務並びにグループ会社の CM に係る業務をグループ経営管理本部が一元的に管理することを定め、かかる業務委託を子会社が行うべきことを定めるものである。
3　グループ会社は、グループ経営管理本部の決定に従うものとする。なお、グループ会社は、グループ経営管理本部の決定を当該グループ会社の決定とみなすことができる。但し、会社法その他の法令上、グループ会社の取締役会その他グループ会社の機関が決定しなければならないとされているものは、グループ会社が決定するものとする。	本項は、親会社による子会社の経営管理を実効化するため、グループ経営管理本部の決定が子会社の意思決定として機能することを定める仕組みを定めるものである。

第3章　子会社管理の仕組みづくり

親会社における一元管理型 グループ経営管理規程条文	解説
4　前二項にかかわらず、グループ会社が上場会社又は関連会社である場合には、当該グループ会社は、グループ経営管理本部との協議をふまえ、当該グループ会社の決定を行うものとする。	上場会社は、有価証券上場規程に基づき、親会社等の企業グループとしての経営方針や親会社等による議決権保有・行使による影響を受けて活動する中においても、上場会社として、事業活動や経営判断において一定の独立性を有することが必要となる。また、関連会社にすぎない場合には、その経営に親会社が支配を及ぼすことができないため、他の株主の存在等について別段の配慮が必要となる。そこで、本項は、上場会社又は関連会社であるグループ会社との関係で、かかる必要性をふまえた別段の対応を定めるものである。
5　前項に加え、各グループ会社が他の少数株主等のステークホルダーとの関係等を考慮した上で、第2項のグループ経営管理本部の決定と異なる決定を行うことを妨げない。	本項は、特に、親会社以外の株主が存在する場合、子会社の取締役の善管注意義務の問題にも配慮し、グループ経営管理本部の決定と異なる決定を行うことができることを明確化するものである。
6　各グループ会社がグループ経営管理本部の決定と異なる決定を行ったときは、本規程に別段の定めがある場合を除き、グループ会社は当該決定内容をグループ経営管理本部に通知し、グループ経営管理本部と対応を協議する。	
第10条（監査役監査） 1　当社及びグループ経営管理本部の役職員は、グループ会社の監	本条は、子会社の監査役の独立性に配慮した規定である。特に、子会社に親会社以外の株主が存在する場合

親会社における一元管理型 グループ経営管理規程条文	解説
査役の監査に協力し、それを妨げるような行為をしてはならない。	には、子会社の監査役の善管注意義務に配慮する観点からも規定されるべきものといえる。
2　各グループ会社の監査役は、グループ経営管理本部経営会議及び重要委員会に参加し、当該グループ会社に関し、意見陳述することができるものとし、グループ経営管理本部は、かかる機会を各グループ会社の監査役が確保できるよう、当該グループ会社に関する事項が審議されるグループ経営管理本部経営会議及び重要委員会の招集通知の送付その他必要な協力を行う。	本項は、子会社の経営管理に関する決定等を行う親会社のグループ経営管理本部やその重要委員会に子会社の監査役が出席し、子会社に関する限り意見陳述することができることを親会社との関係で確認するとともに、グループ経営管理本部が行うべき協力等を定めるものである。会社法383条1項に基づき監査役には取締役会出席義務と意見陳述義務があるところ、同項が出席権と定めず、敢えて出席義務としている趣旨は、主に経営の重要な決定に関わる取締役会決議事項の決定過程に監査役が関与することで会社の経営について株主のために一定の牽制機能を働かせる点にある。第9条3項のみなし規定により子会社の決定とみなされて子会社の取締役会での決議なくして成立してしまう決定事項（便宜上「みなし決議事項」という）が生じ得ることとなるが、かかるみなし決議事項にも、前記の監査役の牽制機能を働かせるためには、少なくとも、監査役にグループ経営管理本部経営会議及び重要委員会の出席権が無限定に認められ、意見陳述ができることが必要である。そこで、本項が親会社の会社組織であるグループ経営管理本部の経営会議や重要委員会を

第3章　子会社管理の仕組みづくり

親会社における一元管理型グループ経営管理規程条文	解説
	法的に拘束するものとして設けられている。特に、子会社に親会社以外の株主が存在する場合には、子会社の役員等の善管注意義務に配慮する観点からも規定されるべきものといえる。
3　前条に基づきグループ経営管理本部の役職員がグループ会社の目的の範囲外の行為その他法令若しくは定款に違反する行為をし、又はこれらの行為をするおそれがある場合において、当該行為によって当該グループ会社に著しい損害が生ずるおそれがあるときは、当該役職員又は当社の役職員に対し、当該グループ会社の監査役は、会社法385条に準じて、当該行為をやめることを請求することができる。	第9条2項の適用がある場合、子会社の取締役等の職務執行がグループ経営管理本部の決定に従うのみで、子会社の取締役等の作為的な職務執行をまったく伴わない場合があり得ることとなる。また、第9条3項の適用がある場合には、グループ会社を経営管理する業務及び当該経営管理に付帯する業務並びにグループ会社のCMに係る業務をグループ経営管理本部が遂行することとなるため、かかる業務を委託した行為を除き、CMに係る個々の業務遂行には子会社の取締役等の職務執行の作為自体が観念され得ないこととなる。そのため、子会社の監査役は、会社法385条に基づき、取締役等の違法行為差止請求権を有するにもかかわらず、子会社の取締役等の職務執行の作為がない、あるいは、これが観念され得ないとして、かかる差止請求権を適切に行使し得ないおそれがあり、同条の潜脱が可能となるおそれがある。そこで、本項は、会社法385条に基づく差止請求に準じる制度を定めている。

親会社における一元管理型 グループ経営管理規程条文	解説
第11条（主管及び改廃権限） 1　○○部が主管し、改正に当たっては、○○部が立案し、グループ経営管理本部経営会議に付議の上、社長の承認を受ける。また、廃止に当たっては○○部が立案し、取締役会の承認を受ける。 2　前項にかかわらず、法改正又は組織変更等に伴う読替えその他軽微な事項の変更は、○○部長が適宜行い、グループ経営管理本部経営会議に報告する。 3　○○部は、改正を行ったときは、その内容をグループ会社に通知する。	本規程は、子会社管理の仕組みとして親会社による子会社の経営管理の一元化を実現するために、子会社においても適用されるものである。そのため、その適用範囲が広範にわたることから、本規程の主管と改廃権限についても各子会社に周知させる必要があり、ここで詳細に定められている。

(2)　子会社における一元管理型グループ経営管理規程例

子会社における一元管理型 グループ経営管理規程条文	解説
【親会社】グループ経営管理規程	本規程は、親会社による子会社の経営管理を実現するために、子会社において当該子会社の社内規定として制定されるグループ経営管理規程である。親会社による子会社の経営管理の方針として、親会社と一元管理する方針を採用する場合、親会社と子会社が別法人であることから生ずる組織的な断絶を補うために、親会

第3章　子会社管理の仕組みづくり

子会社における一元管理型グループ経営管理規程条文	解説
	社による子会社の経営管理上の決定等が子会社に及ぶようにするための仕組みを規定化する必要があるためである。本規程には、下記のとおり、会社法の定める各機関の権限分配の原則的な考え方に沿わない規定もある。そのため、当該子会社が親会社の完全子会社である場合には、会社法上も一人株主万能の例外的な取扱いが許容され得るところであるが、親会社以外の株主が存在する場合には、他の株主との関係で別段の配慮が必要となるため、経営管理契約を締結するなどして親会社による子会社の経営管理に法的根拠を別途付与することも検討すべきである。
第1条（定義） 本規程で使用される用語は、本規程において別段の定義がなされていない限り、本規程に別添資料として写しが添付された【親会社】が定める【親会社】グループ経営管理規程（以下「【親会社】グループ経営管理規程」という）において使用される用語と同一の意味を有する。	親会社が定めるグループ経営管理規程を子会社においても適用したり、参照したりする場合には、少なくとも写しを本規程に添付して、本規程を子会社取締役会決議で定めるときに、かかる決議の内容に含まれるようにすべきであろう。
第2条（目的） 本規程は、当社の自立的な事業活動を確保しつつ【親会社】グループ全体の持続的な成長と企業価値の向上を実現し、業務の適正を確保するため、【親会社】内に設置される「グループ経営管理本部」（以下「グループ経	本条は、子会社において本規程を定める目的を明確化するものである。親会社が定めるグループ経営管理規程に基づき子会社の経営管理を親会社が行い、グループの一元管理を図ることを定めている。

216

子会社における一元管理型 グループ経営管理規程条文	解説
営管理本部」という）による【親会社】グループ経営管理規程に基づく当社の経営管理に関する基本方針を定めるとともに、【親会社】との一元管理のために当社が従うべき準則を定めることを目的とする。	
第3条（適用） 1　前条に定める目的を実現するため、本規程に定めのない事項又は本規程の規定に解釈上疑義がある場合、【親会社】グループ経営管理規程の定めが当社に適用されるものとする。 2　本規程の規定と【親会社】グループ経営管理規程の規定とが抵触する場合、当該抵触の限度で【親会社】グループ経営管理規程の規定が優先的に適用されるものとする。	本条は、親会社が定めるグループ経営管理規程に基づき子会社を一元管理する方針の下、親会社が定めるグループ経営管理規程が子会社に適用されること、子会社の定める本規程の規定と親会社が定めるグループ経営管理規程の規定が抵触する場合には、親会社が定めるグループ経営管理規程の規定が優先的に適用されることを明示的に定めている。本条を含んだ本規程を子会社の取締役会決議に基づき制定することで、親会社が定めるグループ経営管理規程の優先適用に関し、子会社への法的拘束力が生ずることとなる。
第4条（委嘱業務のグループ経営管理本部への集約） 1　当社は、当社が行っている当社の経営の基本方針の決定をグループ経営管理本部でも行うことを委嘱する。	本項は、子会社の経営の基本方針の決定を親会社のグループ経営管理本部に委嘱し、これらをグループ経営管理本部において決定することができる法的根拠を付与するものである。委嘱の対象が「当社の経営の基本方針の決定」という、本来、取締役の職務執行に係る意思決定に委ねられるべきものであるため、完全委嘱で

217

第3章　子会社管理の仕組みづくり

子会社における一元管理型 グループ経営管理規程条文	解説
	はなく、グループ経営管理本部「でも」として重畳的委嘱とすることで、それを他人任せにしてしまうこと自体による子会社の取締役等の善管注意義務の問題に配慮している。ただし、重畳的委嘱の場合でも、委嘱に基づくグループ経営管理本部の決定の内容が子会社の企業価値を毀損する場合など子会社の取締役等の善管注意義務に反するような場合には、委嘱を撤回できることが制度的に確保されていることが別途必要である。それについては、次条により手当てしている。
2　当社は、グループの効率的な体制及びプロセスの整備のため、当社の経営企画・管理及びCMに係る業務並びにこれらの業務に付随関連する業務（以下「委嘱業務」という）を、会社法その他法令上可能な範囲においてグループ経営管理本部で行うことを委嘱する。	本項では、親会社に対する前記「委嘱業務」の委嘱を定めている。なお、企画業務や間接業務については、一般的にも、コンサルタントや外部業者に対して業務委託することがなされ、その委嘱自体で子会社の取締役等の善管注意義務の問題が必ずしも生じるものではないと解される。経営管理に係る業務の親会社に対する委嘱を以て、前記 2 （105頁）で見てきた株式会社で構築することが要請される「(3)　グループ業務執行体制」として位置づけることもできよう。また、さらに、親会社に対する委嘱業務の対象として、「財務・経理」を含めることでもって、前記 3 （124頁）で見てきた有価証券報告書提出会社が構築する必要がある「財務報告が法令等に従って適正に作成さ

218

子会社における一元管理型 グループ経営管理規程条文	解説
	れるための体制」として位置づけるとともに、前記4（141頁）で見てきた上場規程に基づき上場会社が構築すべき「(3) **子会社等の決算及び四半期決算に係る適時開示体制**」や「(4) **業績予想等に係る適時開示体制**」として位置づけることもできよう。また、さらに、親会社における業務集約の対象として、リスク管理、コンプライアンスや監査を含めることでもって、前記2（105頁）で見てきた株式会社で構築することが要請される「(2) **グループリスク管理体制**」及び「(4) **グループコンプライアンス体制**」として位置づけることもできよう。
3　当社は、前二項の定めにかかわらず、当社の経営の基本方針の決定を行うことができるほか、委嘱業務以外の経営に関する事項を当社の裁量で決定するものとし、当社が親会社に対して事業の全部の経営を委任するものではないことを確認する。	本項は、本条に基づく親会社に対する子会社の経営管理の委嘱が子会社の「事業の全部の経営の委任」（会社法467条1項4号）に該当しないことを確認するものである。「事業の全部の経営の委任」の場合、会社法467条1項4号に基づき子会社の株主総会の特別決議が必要であることから、同号に該当しないことを明確化したものである。
第5条（グループ経営管理本部の決定に対する対応）	
1　当社は、会社法その他法令上可能な範囲において、グループ経営管理本部の経営会議及び重要委員会の決定や部長その他グループ経営管理本部が行う当社	本項は、親会社による子会社の経営管理を実効化するため、グループ経営管理本部の決定が子会社の意思決定として機能することを定める仕組みを定めるものである。ただし、本

219

第3章　子会社管理の仕組みづくり

子会社における一元管理型 グループ経営管理規程条文	解説
項の委嘱業務に関する各決定を含め、グループ経営管理本部の決定に従う。また、グループ経営管理本部の当該決定を当社の決定とみなすことができるものとする。	項前段の適用がある場合、子会社の取締役等の職務執行がグループ経営管理本部の決定に従うのみで、子会社の取締役等の作為的な職務執行をまったく伴わない場合があり得ることとなる。また、本項後段の適用がある場合には、子会社の取締役等の職務執行自体が観念され得ないこととなる。そのため、子会社の監査役は、会社法385条に基づき、取締役等の違法行為差止請求権を有するにもかかわらず、子会社の取締役等の職務執行の作為がない、あるいは、これが観念され得ないとして、会社法385条に基づく請求を適切になし得ないおそれがあり、同条の潜脱が可能となるおそれがある。そこで、次項及び第3項を定めることにより、子会社の取締役等が適切な決定をする方途を確保するとともに、親会社のグループ経営管理規程第10条3項により会社法385条に基づく請求に代わる制度も用意されている。
2　前項にかかわらず、会社法その他の法令又は当社の定款その他社内規程上、当社取締役その他当社の機関が決定しなければならないとされているものは当社の当該機関が決定するものとする。	本項と次項は、会社法が定める権限分配論を前提として、子会社の役員等の善管注意義務に配慮する観点から定められた規定である。特に、子会社に親会社以外の株主が存在する場合には、規定される必要性が高いといえる。
3　第1項の定めにかかわらず、当社は、当社の少数株主等のス	

子会社における一元管理型 グループ経営管理規程条文	解説
テークホルダーとの関係等を考慮した上でやむを得ないときは、当社取締役会等において前項のグループ経営管理本部の決定と異なる決定を行うことを妨げられないものとする。	
4　第2項又は第3項の定めるところに従って当社がグループ経営管理本部の決定と異なる決定その他の決定を行ったときは、当社は遅滞なく当該決定内容をグループ経営管理本部に通知し、グループ経営管理本部の要請があるときは、対応を協議する。	第2項及び第3項において、会社法が定める権限分配論を前提として、子会社の役員等の善管注意義務に配慮する定めがあるが、本項は、それを前提として、本規程の目的とする親会社による子会社の経営管理の一元化を実現するための方途を探るための調整を図るための規定である。第2項や第3項の規定を定めるのであれば、親会社として定めさせておきたいところである。
第6条（グループ経営管理本部会議体への対応） 1　当社は、グループ経営管理に関わる重要事項につき、グループ経営管理本部経営会議及び重要委員会に対し、適時にかつ適切に付議又は報告する。詳細は、親会社との間で締結する経営管理契約の定めに従う。	
2　当社監査役は、グループ経営管理本部経営会議及び重要委員会に参加し、当社に関し、意見陳述することができる。	本項は、子会社の経営管理に関する決定等を行うことができる、親会社のグループ経営管理本部やその重要委員会に子会社の監査役が出席し、子会社に関する限り意見陳述することができることを定めるものである。

第3章　子会社管理の仕組みづくり

子会社における一元管理型 グループ経営管理規程条文	解説
	会社法383条1項に基づき監査役には取締役会出席義務と意見陳述義務があるところ、同項が出席権と定めず、敢えて出席義務としている趣旨は、主に経営の重要な決定に関わる取締役会決議事項の決定過程に監査役が関与することで会社の経営について株主のために一定の牽制機能を働かせる点にある。第5条1項のみなし規定により当社の決定とみなされて取締役会での決議なくして成立してしまう決定事項（便宜上「みなし決議事項」という）が生じ得ることとなるが、かかるみなし決議事項にも、上述した監査役の牽制機能を働かせるためには、少なくとも、監査役にグループ経営管理本部経営会議及び重要委員会の出席権が無限定に認められ、意見陳述ができることが必要である。そこで、本項が設けられている。特に、子会社に親会社以外の株主が存在している場合に、子会社の役員等の善管注意義務に配慮する観点から有意義である。なお、本規程は、子会社を拘束するものにすぎないため、親会社の会社組織であるグループ経営管理本部の経営会議や重要委員会を法的に拘束するものではない。したがって、会社法383条1項の趣旨を全うするためには、子会社の本規程に定めるだけでは足りず、親会社のグループ経営管理規程に定めがなされていなければならない。前記(1)(203頁) の親会社

222

⑦　親会社主導で規定化等が容易な場合の仕組みづくり

子会社における一元管理型 グループ経営管理規程条文	解説
第7条（主管及び改廃権限） 本規程は、当社の○○部が主管し、改正に当たっては、グループ経営管理本部と事前協議の上で定められた改正案に対し、当社取締役会の承認を受けるものとする。	で定めるグループ経営管理規程第10条2項は、その趣旨の規定である。 本規程の冒頭で解説したとおり、本規程は、親会社による子会社の経営管理を実現するために、子会社において当該子会社の社内規定として制定されるグループ経営管理規程であり、親会社と子会社が別法人であることから生ずる組織的な断絶を補うために、親会社による子会社の経営管理上の決定等が子会社に及ぶようにするための仕組みを規定化するためのものである。そのため、親会社による子会社の経営管理上の決定等を子会社に及ぼすために法的意義があるが、本規程の改廃は本来、子会社の専権事項であり、その裁量に委ねられ、株主である親会社が当然に関与できるものではない。そこで、本条は、本規程が親会社のあずかり知らぬところで勝手に改廃されないよう手続的な保全を図るものである。ただし、本条違反の法的責任を親会社が子会社に追及できるか否かについては検討するべき法的課題があるので、親会社以外の株主が存在する場合など本条違反のおそれが否定できないときは、別途経営管理契約を締結するなどして親会社による子会社の経営管理に法的根拠を別途付与しておくべきであろう。

223

第3章　子会社管理の仕組みづくり

(3)　親会社における自主性尊重型グループ経営管理規程例

親会社における自主性尊重型 グループ経営管理規程条文	解説
【親会社】グループ経営管理規程	本規程は、親会社による子会社の経営管理について、子会社の自主性を尊重する方針の下、親会社において当該親会社の社内規定として制定されるグループ経営管理規程である。
第1条（定義） 本規程及び本規程に基づく関連諸規程において、以下の各用語は、それぞれ、以下に定義された意味を有するものとする。 　　「グループ」又は「当社グループ」若しくは「【親会社】グループ」とは、当社及びグループ会社により構成される企業集団としての「【親会社】グループ」をいう。 　　「グループ会社」とは、甲の子会社及び関連会社を意味する。なお、ここでいう「子会社」、「関連会社」とは、財務諸表等の用語、様式及び作成方法に関する規則（昭和38年大蔵省令第59号）第8条に定義する「子会社」、「関連会社」をいう。	ここでは、「グループ会社」の定義を行っている。かかる定義により親会社による子会社の経営管理の対象を画することとなる。親会社による子会社の経営管理の対象をどのように画するべきかについては、前記**5**(2)（163頁）を参照されたい。なお、本定義では、財務報告を行う必要性をふまえて、会社法が要請する子会社を超えて、関連会社も対象として取り込んでいるが、それに伴う、親会社取締役の子会社管理責任の拡大にも配慮し、第3条において経営管理の対象を絞り込んでいる。

親会社における自主性尊重型グループ経営管理規程条文	解説
「役職員」とは、役員（監査役を除く）及び従業員をいう。	
第2条（目的） 1 本規程は、当社グループのグループ会社に対する経営管理の基本方針を定めるものである。 2 当社は、グループ会社ごとに、当該グループ会社と協議の上、第5条に基づき契約（以下「経営管理契約」という）を締結するほか、本規程の細則を設けることができる。	本条では、本規程の目的を定めている。第1項において、本規程の目的が親会社によるグループ会社に対する経営管理の基本方針を定めることに限定され、それ以外の子会社の経営に関しては子会社に委ねられることが明確化されている。
第3条（グループ経営管理の対象会社） 1 本規程に基づき当社が経営管理を行うグループ会社は、原則として、当社が直接出資するグループ会社（以下「グループ会社（管理対象）」という）に限定されるものとする。	本項で、「グループ会社」のうち、親会社の経営管理の対象範囲をさらに絞り込んでいる。子会社管理の対象を「子会社」に限定しても、会社法や財務諸表等規則に定める「子会社」の定義では、実質基準が採用されており、それに該当する子会社が多数存在する大規模な企業集団では、親会社の取締役の子会社管理責任が及ぶ範囲の拡大に歯止めをかけることができない。ここでは、「当社が直接出資する」との定めを付し、直接出資に基づく株主権による経営管理が可能であるグループ会社に対象を限定している。
2 当社が直接出資しないグループ会社（以下「グループ会社（対象外）」という）に対する経営管	ここでは、前項に基づく親会社による子会社管理の対象範囲が限定されることを前提として、その対象範囲

第3章　子会社管理の仕組みづくり

親会社における自主性尊重型 グループ経営管理規程条文	解説
理は、グループ会社（対象外）に直接出資するグループ会社により、本規程第4条に定める基本方針の下、本規程第5条に定める手法で行われるものとする。但し、当社は、グループ会社（管理対象）の経営管理の一環として、グループ会社（対象外）の経営管理について、グループ会社（管理対象）に対して必要に応じて指導・助言を行うほか、当該グループ会社（対象外）に直接出資するグループ会社（グループ会社（管理対象）を含むが、それに限られない）に代わって直接に当該グループ会社（対象外）に対して指導・助言を行うことを妨げられない。	外の「グループ会社」の経営管理の原則的方法が定められているが、例外的に、親会社が経営管理として指導・助言を行うことが妨げられないことが併せて確認されている。原則的な経営管理の対象外のグループ会社におけるリスクの現実化がグループ全体に波及するおそれがあるにもかかわらず、何もできないのでは、親会社取締役等の善管注意義務の問題が生じるからである。
第4条（グループ経営管理の基本方針） 1　当社は、グループ会社の自主性を尊重する方針の下で、当社グループの経営目標の達成並びに業務の健全かつ適切な運営の確保とともに、グループ会社を含めたグループの事業の発展を図るため、グループの連結戦略の策定・推進など、グループ会社への指導・助言を含めた経営管理を行う。 2　当社は、第5条に定めるところに従ってグループ会社と経営管理契約を締結するほか、前項に	本条では、親会社が行う経営管理が、グループの連結戦略の策定・推進など、グループ会社への指導・助言を含めた経営管理にとどまり、グループ会社の経営管理の基本方針が子会社の自主性を尊重する方針であることが明確化されている。ただ、グループ会社の自主性を尊重する方針を採用している場合でも、グループ会社に関するリスクがグループ全体に波及するおそれがあるときもあり、そうしたときにも、当該リスク管理に積極的に関与できないなど制約となることがないよう親会社が行う経営管理の定義は限定的な内容で確定さ

226

親会社における自主性尊重型 グループ経営管理規程条文	解説
定めるグループ会社の経営管理に必要な体制の整備を行うものとする。	せず、解釈の余地があるようにしておくのが望ましいであろう。
第5条（経営管理の合意） 当社と当社の直接出資するグループ会社は、経営管理等に関する以下の事項について合意し、原則、当該グループ会社の経営管理等に関する契約を締結する。 (1) 経営管理の方法及びその対象とする事項 (2) グループ会社からの情報の提供 (3) 経営管理の運営 (4) 経営管理に係る手数料の取扱い (5) 機密の保持 (6) 法令等の遵守	本条で、経営管理の手法として、子会社における諸規程の制定ではなく、子会社との間で経営管理契約を締結し、かかる経営管理契約に基づき経営管理が行われることが確認されている。かかる契約の締結をもって、前記②（105頁）で見てきた株式会社で構築することが要請される「(3) グループ業務執行体制」として位置づけることもできよう。 経営管理の対象として、本条第(2)号に掲げた情報提供を定めるべきであるが、提供するべき情報を包括的に定めることにより、営業情報、経理情報、財務情報といった業務執行に係る情報のみならず、親会社による内部監査により必要な情報や親会社監査役又は会計監査人の監査に必要な情報も適時に提供されることを確保し、これをもって、前記②（105頁）で見てきた株式会社で構築することが要請される「(1) グループ報告体制」として位置づけるとともに、前記③（124頁）で見てきた有価証券報告書提出会社が構築する必要がある「財務報告が法令等に従って適正に作成されるための体制」や、前記④(1)(2)(3)(4)(5)（141頁、143頁、144頁、146頁、148頁）で見てきた有価証券上場規程に基づき上場会社が

第3章　子会社管理の仕組みづくり

親会社における自主性尊重型 グループ経営管理規程条文	解説
	構築すべき各種の適時開示体制として位置づけることもできよう。
第6条（法令等遵守） 当社グループのグループ会社に対する経営管理は、関連法令、規則、ガイドライン及び当社並びに当該グループ会社の定款等の許容する範囲及び条件の下で行う。 第7条（改廃） 本規程の改廃は、当社の取締役会においてこれを決定する。	ここでは、親会社による子会社の経営管理が法令及び定款に適合すべきことが明示されている。これをもって、前記2（105頁）で見てきた株式会社で構築することが要請される「(4)　グループコンプライアンス体制」として位置づけることもできよう。

(4)　経営管理契約例

　以上、レギュレーションによる仕組みづくりの一例として、子会社の経営管理に親会社が積極的に関与する方針の下で、子会社を親会社と一元管理する場合に、親会社において定めるグループ経営管理規程例（前記(1)（203頁））と、それを前提として子会社において定めるグループ経営管理規程例（前記(2)（215頁））を紹介し、併せて、子会社の自主性を尊重する方針の下で、親会社において定めるグループ経営管理規程例（前記(3)（224頁））を紹介した。

　親会社が子会社の過半数の議決権を有する場合、子会社の取締役等の過半数を親会社から派遣する者で占める場合など、親会社が子会社を支配しており、これまで見てきた留意点をふまえて子会社管理の仕組みづくりが親会社の主導で容易にできる場合には、親会社とグループ子会社の各社で、こういったレギュレーションを整合的に整備することで子会社管理のための体制構築をすることは一般的にみられるところである。

　しかし、実のところ、親会社において定められたグループ経営管理規程を前提とする諸規定をグループ子会社において制定させる法的根拠は会社法にも、金融商品取引法にも、どこにも定められていないのである。

　親会社からグループ子会社に派遣する取締役等をしてグループ子会社に

228

おいて機関決定せしめることで、グループ子会社において親会社が求める諸規程を制定しているのが実情ではなかろうか。

確かに、親会社が子会社を新規設立する場合や子会社の議決権の過半数を取得する場合など、子会社の取締役等の過半数を親会社から派遣する者で占めることができる場合には、そうすることに特段の支障はないであろう。

しかし、対等出資の合弁会社の設立の場合、海外の法規制や子会社の買収経緯により特段の配慮を要する場合など子会社の取締役等の過半数を親会社から派遣する者で占めることができない場合もある。

そのような場合でもグループ経営管理を及ぼさなければならない以上、親会社において定められたグループ経営管理規程を前提とする諸規定をグループ子会社において制定させる法的根拠を得ておくのが望ましい。

また、そのような場合でなくとも、子会社に親会社以外の株主が存在する場合などでは法的根拠なく特定株主への情報提供その他便宜供与を行うことになるため、子会社取締役等の善管注意義務の抵触も問題となるおそれがあり、やはり何らかの法的根拠があるのが望ましいといえる。極論すれば、グループ経営管理の内容には、グループ子会社の役員人事、グループ再編に伴うグループ子会社の株式交換、合併その他株主総会決議事項が含まれているため、上述の便宜供与の経済的試算が可能であると、株主の議決権行使に関する利益供与（会社法120条、970条）の問題が出てくるおそれもある。このようなおそれを払しょくする処方は契約に求めざるを得ないため、株主権に基づくものを超える、親会社への情報提供その他便宜供与の法的根拠を与える何らかの契約を、可能な限り締結するべきであろう。

そこで、以下では、親会社において定められたグループ経営管理規程を前提とする諸規定をグループ子会社において制定させることができる場合を前提として、その場合において親会社が子会社との間で締結する経営管理契約について一例を紹介する。なお、子会社の自主性を尊重する方針を採用する場合の方が子会社との間で経営管理契約を締結する必要性が高いので、その場合における経営管理契約を紹介することとし、その各規定の解説において、親会社が子会社の経営管理に積極的に関与する場合における対応について個々に解説することとする。

このような経営管理契約を締結できない場合については、下記 8（264頁）において別途検討したい。

第3章　子会社管理の仕組みづくり

＜契約本文＞

経営管理契約条文	解説
経営管理契約	本契約は、親会社による子会社の経営管理について、子会社の自主性を尊重する方針の下、親会社と子会社との間で締結する経営管理契約である。
【被経営管理会社】（以下「甲」という）及び【経営管理会社】（以下「乙」という）は、乙が甲に対して行う経営管理について、次のとおり合意し、本経営管理契約（以下「本契約」という）を締結する。	経営管理契約の冒頭である。「甲」が「被経営管理会社」、すなわち、グループ子会社である。「乙」が「経営管理会社」、すなわち、親会社である。経営管理契約は、甲の経営管理という「法律行為でない事務」（民法656条）の委託について定めるものであり、準委任契約であると解される。そのため、民法656条に基づき、民法第3編第2章第10節「委任」の各規定の適用があるため、必要に応じて、その適用除外を定める必要があることに留意する必要がある。
第1条　目的 甲及び乙は、乙の企業集団グループ（以下「乙グループ」という）において、甲を乙グループにおける○○事業の中核企業とし、乙グループの○○事業において、甲乙それぞれの収益力の向上及びコンプライアンス体制の強化を図るとともに、わが国の市場の健全な発展に寄与することを目的（以下「本目的」という）として、乙が、甲を乙グループの○○事業における中核企業と位置づけるために、甲を、連結財務諸表の用語、様式及び作成方法に関する規則（昭	本条で、経営管理契約の目的を定めている。かかる目的の設定においては、特定株主、すなわち、親会社の目的のみを志向することはできない。確かに、この経営管理契約を締結する親会社の取締役の善管注意義務への配慮から、親会社の株主共同の利益を志向する面を捨象できないが、その面ばかりを追求すると、この経営管理契約を締結する意義を子会社側で見出せず、子会社の取締役の善管注意義務違反の問題が生ずるからである。ここでは、「甲乙それぞれの収益力の向上及びコンプライアンス

230

経営管理契約条文	解説
和51年大蔵省令第28号、その後の改正を含む）並びに四半期連結財務諸表の用語、様式及び作成方法に関する規則（平成19年内閣府令第64号、その後の改正を含む）に規定する乙の連結子会社（以下「連結子会社」という）とし、かかる関係を維持すること（以下「本資本提携」という）、及び、乙グループ内での〇〇事業の戦略的な業務提携関係を強化、発展させること（以下「本業務提携」という）を実施することを企図しており、本契約は、本資本提携及び本業務提携を遂行するに当たり、乙グループの健全かつ適切な業務運営を確保するとともに、甲の業務伸展を図るため、乙が甲に対して提供する経営管理に関わる役務（以下「本経営管理」という）に関し、甲及び乙の合意事項を確認するために締結されるものである。	体制の強化」として相互のメリットを上げ、さらに、「わが国の市場の健全な発展に寄与すること」として、公共目的をも掲げている。
第2条　経営管理の内容 1　乙は、本経営管理に係るノウハウに基づき、事前協議等を通じて必要に応じて甲に対して指導・助言を行うものとする。甲は、乙の指導・助言を尊重し、甲の経営を行うものとする。	本条では、経営管理の内容を定めている。まず、第1項で、経営管理の内容の原則を定めている。ここでは、親会社の「指導・助言」を行うことを経営管理の原則として据え、子会社の自主性を尊重する方針を採用していることを明確化している。これに対し、親会社と一元管理する方針の場合には、子会社の経営に関する事項について親会社に委託する旨、あるいは、子会社はこれを事前に親会社に諮り、親会社の指示に従うべき旨などを定めることとなる。ただ、

第3章　子会社管理の仕組みづくり

経営管理契約条文	解説
	この場合には、経営管理契約に基づく親会社に対する子会社の経営管理の委託が、子会社の「事業の全部の経営の委任」（会社法467条1項4号）に該当しないことを確認する規定も併せて規定しておくことが望ましい。「事業の全部の経営の委任」の場合、会社法467条1項4号に基づき子会社の株主総会の特別決議が必要となるからである。そこで、以下の【　】で括った規定などにより、同号に該当しないことを明確化しておくことが考えられる。 【なお、疑義を避けるため、甲は、本項の定めに基づく乙に対する経営管理の委託にもかかわらず、それ以外の経営に関する事項を当社の裁量で決定することができ、甲が乙に対して事業の全部の経営を委任するものではないことを確認する。】
2　前項の定めにかかわらず、乙グループの健全かつ適切な業務運営に重大なリスクを及ぼす事案については、乙は、本目的を実現する観点からの具体的な指示を行うものとし、甲は、乙の指示に従うものとする。	第1項では、子会社の自主性を尊重する方針に則り、親会社の「指導・助言」を行うことを経営管理の原則的内容として定めているが、それだけでは、経営管理契約の目的を実現できない場合がある。具体的には、子会社におけるリスク現実化によって親会社を含むグループ全体のリスクとして波及するおそれがある場合である。そこで、第2項で、そのような場合、すなわち、「乙グループの健全かつ適切な業務運営に重大なリスクを及ぼす事案について」は、例外的に、親会社が「本目的を実現す

232

経営管理契約条文	解説
	る観点からの具体的な指示を行う」ことを親会社の義務として定めるとともに、子会社が親会社の指示に従うことを義務づけている。これにより、具体的な指示を通じて親会社のノウハウを活用して適切なリスクマネジメントを行うことが、経営管理を受任した親会社の業務となり、その業務遂行において、親会社は受任者の善管注意義務（民法644条）を負うこととなる。
3　本経営管理の範囲は、以下に掲げる事項が含まれるものとし、その提供方法及び対象事項の詳細等については、別紙（本経営管理の詳細）のとおりとする。甲は、同別紙「具体的内容」欄記載の各事項に関し、当該事項に係る「頻度」欄記載の頻度で、「書式」欄記載の資料を乙に提出した上、「種類」欄記載の措置をとるものとする。	本項で、経営管理の対象について定めている。一般的な経営管理の対象事項としては、本項第(1)号乃至第(9)号の各事項が挙げられるが、具体的な経営管理の対象事項は、親会社の子会社管理方針によって範囲が異なり得るところであり、各社において個別に検討を要すべき事項である。子会社を一元管理する方針の場合には、これらに加えて、親会社の稟議・決裁基準に照らして該当する子会社案件についても親会社の稟議・決裁手続を履践させるべく経営管理の対象とすることも考えられる。別紙については、後述するが、買収により子会社化する場合には、買収直後に子会社の経営の詳細を把握しきるのは困難であるため、「別途甲乙間で協議により定めるものとする。」として契約締結後の協議に委ねることも考えられる。この場合に、子会社側の抵抗が予想され、いつまでも協議が調わないリスクがあるときは、「た

第3章　子会社管理の仕組みづくり

経営管理契約条文	解説
	だし、本契約締結後〇日を経過しても協議が調わない場合には、甲乙間で別段の合意がない限り、乙が定めるものとし、甲は、これに異議を述べない。」という規定を設け、そのリスクに備えておくことが望ましい。
(1)　甲の株主総会決議事項 (2)　乙の設置したグループ経営管理委員会で審議する甲に関する事項 (3)　甲の経営全般に関する事項 (4)　甲の資本政策・経営計画・業務戦略に関する事項 (5)　乙グループにおける甲グループの協業等による業務効率、グループ間取引に関する事項	経営管理の対象として、本項第(3)(4)(5)号を含めることをもって、前記**2**（105頁）で見てきた株式会社で構築することが要請される「(3)　グループ業務執行体制」として位置づけることもできよう。
(6)　甲グループのコンプライアンス、リスク管理等に関する事項 　　なお、「甲グループ」とは、甲並びに財務諸表等の用語、様式及び作成方法に関する規則（昭和38年大蔵省令第59号）第8条に定義する甲の子会社及び関連会社を意味する。	経営管理の対象として、本項第(6)号を含めることでもって、前記**2**（105頁）で見てきた株式会社で構築することが要請される「(2)　グループリスク管理体制」及び「(4)　グループコンプライアンス体制」として位置づけることもできよう。
(7)　甲グループの連結ステータス判定その他会計処理、財務報告に関する事項	経営管理の対象として、本項第(7)号を含めることでもって、前記**3**（124頁）で見てきた有価証券報告書提出会社が構築する必要がある「財務報告が法令等に従って適正に作成されるための体制」として位置づけるとともに、前記**4**（141頁）で見てきた有価証券上場規程に基づき上場会社

234

経営管理契約条文	解説
	が構築すべき「(3) 子会社等の決算及び四半期決算に係る適時開示体制」や「(4) 業績予想等に係る適時開示体制」として位置づけることもできよう。
(8) 前号所定の事項のほか、甲の取締役会の付議・報告事項及び甲の経営会議の付議・報告事項 (9) 前各号所定の事項のほか、乙による甲に対する経営管理上重要な事前協議及び事後報告が必要とされる事項 ⑽ その他甲及び乙の間で合意された事項	経営管理の対象として、本項第(8)(9)号を含めることでもって、前記**4**（141頁）で見てきた有価証券上場規程に基づき上場会社が構築すべき「(1) 子会社等の決定事実に係る適時開示体制」や「(2) 子会社等の発生事実に係る適時開示体制」として位置づけることもできよう。
第3条 本経営管理の方法 1 本経営管理の方法は、乙が定める乙グループ経営管理規程（以下「グループ経営管理規程」という）に基づくものとする。甲は、現行のグループ経営管理規程が本契約に写しが添付された「グループ経営管理規程」のとおりであることを認識しかつ了解する。	本条で、経営管理の方法について定めている。本項で、親会社が定めるグループ経営管理規程に基づき子会社の経営管理をすることを明確化し、現行のグループ経営管理規程の内容を確認した上で、これに服することを子会社に同意させている。
2 乙は、グループ経営管理規程をその裁量でいつにても改定することができるものとする。但し、乙は、グループ経営管理規程の重要な変更を行う場合、その変更内容を甲に通知するものとし、甲から協議の申入れがあったと	第1項で、親会社が定める現行のグループ経営管理規程の内容を確認した上で、これに服することを子会社に同意させているが、親会社や子会社を取り巻く経営環境の変化に柔軟に対応してグループ経営管理規程の改定を行う必要があり、本項では、

第3章　子会社管理の仕組みづくり

経営管理契約条文	解説
きは、誠実に対応するものとする。	親会社が、原則としてグループ経営管理規程の改定を行うことができることを定め、これを子会社に同意させている。その上で、これに同意する子会社の取締役の善管注意義務違反の問題にも配慮し、但書をもって、変更内容について子会社からの協議の申入れができるようにし、子会社の意向も反映される方途を残している。
3　甲は、本経営管理の内容を尊重し、甲所定の手続に則り意思決定の上、甲が決定する方法によって業務に適切に反映するものとする。	本項でも、子会社の経営管理が、子会社所定の手続に則り子会社で意思決定され、子会社が決定する方法によってなされることが明確化され、子会社の自主性を尊重する方針が確認されている。ここでは、子会社は、親会社が求める経営管理の内容を尊重する義務しか負わないが、子会社を一元管理する方針の場合には、子会社に対し、親会社の求める経営管理に服する義務を課することとなろう。
4　甲は、前項を確実かつ円滑に行うための体制整備の一環として、乙の求める本経営管理の実施に必要な甲グループの社内規則を制定するものとする。	第3項で、子会社所定の手続に則り子会社で意思決定され、子会社が決定する方法によって子会社の経営管理がなされることを明確化した上で、それを前提として、本項で、親会社の求める経営管理の実施に必要な子会社グループにおける体制整備を義務づけている。レギュレーションによる仕組みづくりの法的根拠を付与する規定として経営管理契約上重要な規定である。
5　前各項の定めにかかわらず、甲及び甲の子会社以外の甲グルー	本項は、有事におけるクライシス・マネジメントを定めるものである。

経営管理契約条文	解説
プ企業に関し、甲が、前各項の定めその他本契約上の義務を遵守することに困難が生じた場合には、甲は、かかる困難な事情及び理由を直ちに乙に通知し、甲及び乙の間で対応を協議する。	経営管理契約に基づく親会社による子会社の経営管理の対象に、親会社による経営管理を会社法に定める手続では及ぼし得ない子会社の関連会社が存在することを前提として、経営管理契約に基づく親会社による子会社の経営管理をもって、法的に対処できない場合の有事の対応について定めている。子会社管理の方針が一元管理の方針であっても、経営管理契約に基づく親会社による子会社の経営管理の対象を画するのが一般的であり、こうした有事の対応について定める必要性は同じく認められよう。
第4条 事前承認事項 甲は、前条の定めにかかわらず、別紙（本経営管理の詳細）の「種類」欄に「事前承認」と記載されている事項については、事前に乙の承認を得る。	第2条及び第3条において、子会社の自主性を尊重する方針に則り経営管理の原則的内容が親会社の指導・助言であるにもかかわらず、本条で、親会社の事前承認が必要とされる事項について定めている。子会社の自主性を尊重する方針の場合、親会社の事前承認が必要とされる事項は限定されることとなろう。これに対し、子会社を一元管理する方針を採用する場合には、親会社の事前承認を必要とする事項が多岐にわたることとなろう。
第5条 情報の提供 1　甲は、乙が有価証券報告書提出会社及び上場会社であることを認識しかつ了解しており、適時にかつ適正に、本経営管理に必	本条で、経営管理に必要な情報提供について定めている。第1項において、子会社からの情報提供について定めているが、提供するべき情報を包括的に定めることにより、営業情

第3章　子会社管理の仕組みづくり

経営管理契約条文	解説
要な経営内容その他業務に関する情報を、乙に提供するものとする。	報、経理情報、財務情報といった業務執行に係る情報のみならず、親会社による内部監査により必要な情報や親会社監査役又は会計監査人の監査に必要な情報も適時に提供されることが確保されている。これを以て、前記**2**（105頁）で見てきた株式会社で構築することが要請される「(1)グループ報告体制」として位置づけるとともに、前記**3**（124頁）で見てきた有価証券報告書提出会社が構築する必要がある「財務報告が法令等に従って適正に作成されるための体制」や、前記**4**(1)(2)(3)(4)(5)（141頁、143頁、144頁、146頁、148頁）で見てきた有価証券上場規程に基づき上場会社が構築すべき各種の適時開示体制として位置づけることもできよう。
2　前項に基づく情報提供の内容と時期の適切性は、本契約の履行による本目的の実現に必要な本質のものであり、適切な時期に後れた場合や故意又は過失により適切でない情報提供がなされた場合には、本契約の重大な違反を構成し、第8条が適用されるものとする。但し、天災地変等、当事者の責に帰することのできない不可抗力の事由により、適切な時期に後れた場合は、この限りでない。	有価証券報告書提出会社は適時に適正に財務報告を行わなければならない。また、上場会社も、有価証券上場規程に基づき、適時開示をしなければならない。このようなタイムリーディスクロージャーの要請は、適時又は適切でない情報開示をした場合のペナルティを伴うものであり、有価証券報告書提出会社や上場会社である親会社としては、かかるペナルティを負うリスクがあるため、第1項に基づく情報提供が適時にかつ適正に行われなければならない。そこで、第1項に基づく子会社からの情報提供の内容及び時期の適切性を確保するべく本項が定められている。

経営管理契約条文	解説
3 【乙は、甲が上場会社であることを認識しかつ了解しており、適時にかつ適正に、乙の決算情報その他甲の適時開示に必要な情報を、乙に提供するものとする。】	子会社が上場会社である場合には、本項を定める必要がある。これを以て、前記④（141頁）で見てきた有価証券上場規程に基づき上場会社が構築すべき「(6) 支配株主等に関する事項の開示体制」や「(7) 非上場の親会社等の決算情報の開示体制」として位置づけることもできよう。
第6条　対価 1　甲は、本経営管理の対価として、乙と甲の間で別途合意する方法により算定された経営管理料を乙に対し支払うものとする。乙は、四半期ごとに当該方法により経営管理手数料を算定し、これを甲に請求する。 2　甲は、前項の乙の請求を受けた場合、経営管理手数料の内容について協議を申し入れることができ、乙は、当該協議に誠実に対応するものとする。当該協議を経ると否とを問わず、甲は、支払いに合意する場合は、乙から請求があった月の翌月末日までに、乙の指定する銀行口座に振り込むことにより、経営管理手数料を支払う。かかる支払いに係る振込手数料その他の費用は、甲が負担する。	本条で、経営管理の対価について定めている。あくまで、親会社による経営管理に係るサービスの提供の対価として子会社から支払われるべきものとして、対価の金額が算出されなければならない。単なる子会社から親会社が利益を吸い上げるための便法として用いられ、かかる対価性が認められない場合には、寄付行為として経費性が否認されるおそれが生ずるからである。さらには、グループ経営管理の対象として、株主総会決議事項が含まれているため（前記第2条3項(1)号（234頁）参照）、対価性が認められない部分の支払いが、株主の議決権行使に関する利益供与（会社法120条、970条）ではないかという疑いが生ずるおそれすらあるからである。
第7条　法令等遵守 乙及び甲は、関連法令等及び各々の定款等の許容する範囲及び条件の下	親会社による子会社の経営管理は、会社法が認める株主権の行使を超えた行為も含まれるなど、会社法その

第3章　子会社管理の仕組みづくり

経営管理契約条文	解説
で、本契約各条項を遂行する。	他の法令への抵触が問題となる場合がある。そこで、本条では、そのような場合でも、法令等や定款を遵守することが確認され、コンプライアンスの徹底が明確化されている。本条をもって、前記**2**（105頁）で見てきた株式会社で構築することが要請される「(4)　グループコンプライアンス体制」として位置づけることもできよう。
第8条　債務不履行 乙は、本契約の他の規定にかかわらず、甲が本契約第2条乃至第5条の規定に違反した場合で、かつ、乙が甲に対して当該違反状態を是正するよう書面による通知を行ったにもかかわらず、甲が当該通知の到達日から30日以内に当該違反状態を是正しない場合には、本資本提携又は本業務提携に係る甲及び乙の間のいかなる契約の定めにもかかわらず、乙が甲に対して通知することにより本資本提携及び本業務提携の全部又は一部を解消することができるものとする。	第5条2項における解説で述べたとおり、有価証券報告書提出会社は適時に適正に財務報告を行わなければならない。また、上場会社も、有価証券上場規程に基づき、適時開示をしなければならない。有価証券報告書提出会社や上場会社である親会社としては、タイムリーディスクロージャーの要請に応えなければならず、適時又は適切でない情報開示をした場合のペナルティを負うリスクがある。また、そうでなくとも、株式会社は、事業報告（会社法435条2項）において、業務の適正確保のための体制の整備を定めている場合にはその決定又は決議の内容の概要及び当該体制の運用状況の概要を記載することが求められており（会社法施行規則118条2号）、グループ内部統制システムを含む、当該会社の内部統制システムに係る取締役の決定又は取締役会の決議の概要を掲載するのみで足りず、これに加え、内部統制システムの運用状況の概要の記載も必要となった。そのため、経営管

240

経営管理契約条文	解説
	理契約に基づく子会社の経営管理が全うできない場合には、内部統制システムが適切に運営されていないことを開示しなければならなくなるため、かかる開示を回避する必要がある場合などには、提携関係を解消するなど当該子会社からの撤退をも検討する必要がある。子会社の経営管理が全うできないままに放置することは、上述のペナルティを負うリスクが高まるのみならず、親会社の取締役等の善管注意義務に違反するおそれがあるからである。そこで、本条では、子会社の経営管理契約違反の場合に、親会社が、子会社に対し、その是正を求めることができるようにするとともに、かかる求めにも応じないときには、提携関係を解消し、親子関係から離脱できるように定めている。子会社が上場会社であり、市場処分により親会社が有する子会社株式の処分が随時に可能である場合は格別、そうでない場合には、併せて、親会社が有する子会社株式の処分の方途もあらかじめ確保しておくのが望ましい。その場合の方途については、⑧(7)(276頁)を参照されたい。
第9条 停止条件 本条以下の各規定を除く本契約の各条項は、本資本提携が実行され、乙が保有する甲の議決権割合が〇%に到達することを停止条件として、法的効力を生じ当事者を拘束するもの	本条は、本契約に定める一般条項を除く、親会社による子会社の経営管理のための各規定の効力発生について停止条件を定めるものである。子会社としては、親会社としての議決権シェアを保持される前に経営管

第3章　子会社管理の仕組みづくり

経営管理契約条文	解説
とする。	を委ねなければならない理由はないため、それ以前に契約を締結する場合には、本条を定める意義がある。親会社としては、親会社が子会社を新規設立する場合や子会社の議決権の過半数を取得する場合など、子会社の取締役等の過半数を親会社から派遣する者で占めることができる場合には、経営管理契約を締結することに特段の支障はないが、そうでない場合もあり得るため、親会社としての議決権シェアを取得する前に経営管理契約を締結する必要がある場合がある。具体的には、対等出資の合弁会社の設立の場合、海外の法規制や子会社の買収経緯により特段の配慮を要する場合など必ずしも子会社の取締役等の過半数を親会社から派遣する者で占めることができない場合である。このような場合には、親会社としての議決権シェアを取得したとしても、親会社が満足する経営管理を可能とする経営管理契約を締結できるとは限られないため、親会社としての議決権シェアを取得する前、具体的には、新株引受けや既存株式の取得の前に経営管理契約の条件交渉をし、親会社が満足する経営管理を可能とする経営管理契約の締結を、新株引受けや既存株式の取得の実行前提条件として新株引受契約や株式売買契約に定めることとするのが交渉上得策である。このような親会社側の要請に基づく交渉を背

経営管理契約条文	解説
	景として、親会社としての議決権シェアを取得する前に経営管理契約を締結する場合、本条のような定めが置かれることがある。
第 10 条　本契約の有効期間 1　本契約の有効期間は、本契約の締結日を始期とし、本資本提携の解消の日又は乙が保有する議決権割合が○%を下回った日のいずれか早く到来した日を終期とする。	本条は、本契約の有効期間について定めるものである。子会社としては、親会社としての議決権シェアがなくなれば、それ以降は、経営管理を委ねなければならない理由はないため、親会社の子会社議決権シェアが一定割合を下回ったときなどに本契約の効力が喪失することが定められている。
2　前項に定める本契約の有効期間中、民法 651 条の定めにかかわらず、各当事者は、第 9 条に基づく場合を除き、本契約を一方的に解除することができない。	本項は、前項に定める本契約の有効期間中の中途解約を制限するものである。本契約冒頭のコメントで述べたとおり、経営管理契約は準委任契約であると解されるため、民法 656 条に基づき、民法 651 条の適用があるが、経営管理契約に基づく親会社による子会社の経営管理が全うされるためには、民法 651 条に基づく任意解除を制限する必要がある。そこで、本項は、同条の適用除外を明確化したものである。
第 11 条　秘密保持 1　各当事者は、(i)本契約の存在及び内容、並びに(ii)本契約の検討、交渉、締結又は履行に関して相手方（以下「開示当事者」という）から取得した他の当事者の秘密に属する一切の情報（以下総称して「秘密情報」という）	本条は、各当事者に対して秘密保持義務を定めるものである。親会社にとっては、親会社の有する経営管理に係るノウハウその他営業秘密の流出を防止する意義があり、主に情報提供をする側である子会社にとっては、提供される情報が多岐にわたり、営業秘密のみならず、企業の重要な

第3章　子会社管理の仕組みづくり

経営管理契約条文	解説
をいかなる者に対しても開示し、又は漏洩してはならず、また、かかる秘密情報を本契約の締結及び本契約に基づく義務の履行若しくは権利の行使又は本契約の目的以外の目的のために使用してはならない。但し、前記(ii)の秘密情報には、以下の情報は含まれない。 (1)　開示当事者から開示された時点で既に公知となっていたもの (2)　開示当事者から開示された後で、自らの責めに帰すべき事由によらずに公知となったもの (3)　正当な権限を有する第三者から秘密保持義務を負わずに適法に開示されたもの (4)　開示当事者から開示された時点で、既に適法に保有していたもの (5)　開示当事者から開示された情報を使用することなく独自に開発したもの	情報が含まれるため、その秘密を保持するために意義がある規定である。特に、子会社に親会社以外の株主が存在する場合には、子会社の役員等の善管注意義務に配慮する観点からも規定されるべきものといえる。なお、ここでいうところの、本契約の目的をいかに定めるべきかについては第1条の解説を参照されたいが、本契約の目的を親会社の利益追求のために限定しないことで、本条に基づく秘密情報の利用目的限定が子会社の役員等の善管注意義務の配慮のために生きてくることとなる。
2　前項の定めにかかわらず、以下の各号に定める場合は、秘密情報を開示することができる。 (1)　各当事者が、本経営管理を検討・実行するために合理的に必要な限度で各当事者の役員・従業員・会計監査人、弁護士、公認会計士、税理士、ファイナンシャルアドバイ	本項は、第1項に基づき各当事者が秘密保持義務を負うことを前提として、かかる秘密保持義務を一定の場合に解除することを定めるものである。各当事者は、その役員・従業員・会計監査人のみならず、弁護士等の専門家に対して、相手方から提供される情報を開示して検討する必要があることもあり得るところであり、

244

経営管理契約条文	解説
ザーその他の専門家アドバイザーに対して秘密情報を開示する場合。この場合、当該当事者は、秘密情報の開示又は提供を受けた者（但し、法令等に基づき当然に守秘義務を負担する者を除く）が、開示された秘密情報を他の第三者に開示し、又は他の目的に使用することがないよう、これらの者に対して本契約に基づく秘密保持義務と同内容の秘密義務を負わせるものとし、当該開示を受ける者による秘密保持義務違反について他の当事者に対して一切の責任を負う。 (2) 法令等又は金融商品取引所若しくは各当事者が属する団体（自主規制団体を含む）の定める諸規則に基づき開示又は公表が必要な場合。 (3) 前号に定めるもののほか、法令等に基づいて開示又は公表が要求される場合に、要求される必要最小限度の内容及び範囲と認められる部分について開示又は公表する場合。この場合、秘密情報の開示又は公表を行う当事者は、法令等上及び実務上可能な範囲で速やかに、かかる要求を受けた旨並びに開示又は公表を要求された秘密情報の内容及び範囲を相手方に通知する。	本項第(1)号は、必須の規定である。なお、同号に、そのようにして開示する場合の秘密保持についても定めがあるのは、各当事者の取締役等の善管注意義務への配慮である。また、いずれかの当事者が有価証券報告書提出会社や上場会社である場合には、本項第(2)号も必須となる。当該当事者は、相手方から提供された情報に基づき財務報告を行い、あるいは、適時開示をする必要があるからである。

第3章　子会社管理の仕組みづくり

経営管理契約条文	解説
(4)　事前に相手方の書面による承諾を得て、承諾された範囲において開示又は公表する場合。	
第12条　費用負担 甲及び乙は、民法649条及び650条の定めにかかわらず、別段の合意のない限り、本契約の交渉、準備及び締結並びに履行に関連して生じた自己の費用を各自負担するものとする。	本条は、本契約の履行等に係る費用を各自負担とすることを定めるものである。本契約冒頭のコメントで述べたとおり、経営管理契約は準委任契約であると解されるため、民法656条に基づき、委託者の費用前払義務を定める民法649条や費用償還義務を定める民法650条の適用があることから、これらの規定の適用除外を明確化したものである。
第13条　準拠法 本契約は、日本法に準拠し日本法により解釈されるものとする。	本条は、準拠法を定めるものであり、親会社と子会社がともに日本法人である場合には、特に定める必要もないが、子会社が海外法人である場合には、日本法準拠であることを定めておきたいところである。その定めがないと、法律行為の成立及び効力は、当該法律行為の当時において当該法律行為に最も密接な関係がある地の法によるとされており（法の適用に関する通則法（平成18年法律第78号）8条1項）、経営管理のサービスを提供するのがもっぱら親会社であることにより、親会社の所在地が「最も密接な関係がある地」と推定される可能性もあるものの（同条2項）、解釈の余地があり、子会社の所在地法が準拠法とされるおそれなしとしないからである。

246

経営管理契約条文	解説
第14条　裁判管轄 本契約若しくは本経営管理から又は本契約若しくは本経営管理に関連して生じうるあらゆる紛争について、〇〇地方裁判所を第一審の専属的合意管轄裁判所とするものとする。	本条は、専属的裁判管轄を定めるものである。この定めがないと、被告の普通裁判籍の所在地を管轄する裁判所の管轄に属することとなる（民事訴訟法4条1項）。そのため、第5条に基づく情報提供義務違反の子会社への責任追及を行うことが専ら想定される、有価証券報告書提出会社又は上場会社である親会社としては、被告である子会社の普通裁判籍が親会社のそれと異なる場合には、本条において、親会社が希望する裁判所を定めておくのが望ましいであろう。とりわけ、海外子会社の場合には、その要請がさらに高まるであろう。
第15条　誠実協議 本契約の適用に疑義が生じた事項及び本契約の定めのない事項について、甲及び乙が誠実に協議の上、対応を決定する。	第13条から第15条は一般規定である。その他にも、海外子会社と締結する場合など種々の規定を定めることが考えられる。海外子会社管理の留意点については、**第6章**を参照されたい。
本契約の証として、本書2通を作成し、甲乙が記名捺印の上、各1通を保有する。 ＿＿＿＿年＿＿月＿＿日 　　　　甲　　【被経営管理会社】 　　　　乙　　【経営管理会社】	

＜契約別紙「本経営管理の詳細」＞

　前記の経営管理契約本文第2条3項（233頁）で言及されている経営管理

第3章 子会社管理の仕組みづくり

の対象について定める別紙の例を下表にて紹介する。

　具体的な経営管理の対象事項は、親会社の子会社管理方針によって範囲が異なり得るところであり、各社において個別に検討されたい。子会社を一元管理する方針の場合には、ここで紹介する対象事項に加えて、親会社の稟議・決裁基準に照らして該当する子会社案件について掲げ、親会社の稟議・決裁手続を履践させるべく経営管理の対象とすることも考えられる。

　下表において紹介する別紙の適用においては、次のとおりとすることを想定しているので、検討に当たり適宜参照されたい。

＜凡例＞

・当事者の表記は、契約本文の例による。すなわち、甲が「被経営管理会社」、すなわち、子会社を指し、乙が「経営管理会社」、すなわち、親会社を指す。

・「種類」欄において「事前承認」と記載されている「具体的内容」欄記載の事項については、当該事項を行う前に甲が乙から承認を得なければならないものである。

・「種類」欄において「事前協議」と記載されている「具体的内容」欄記載の事項については、当該事項を行う前に甲が乙との間で協議をするものとし、「種類」欄において「事後報告」と記載されている「具体的内容」欄記載の事項については、当該事項を行った後又は該当事実が判明した後に甲が乙に報告を行うものである。なお、「具体的内容」欄において別段の記載がされている事項については、別途当該記載に従う必要があるものである。

・「書式」欄において「任意資料」と記載されている「具体的内容」欄記載の事項については、甲が適切と考える資料を乙に提出するものである。なお、「任意資料」とは、甲の取締役会・経営執行会議・各種委員会等の資料等、社内稟議資料等、甲が作成・所有する資料の写し等で足りるものである。

・「書式」欄において「制定書式」と記載されている「具体的内容」欄記載の事項については、別途乙が甲に提示する乙が定めた書式により甲が作成した資料を乙に提出するものである。

・「書式」欄において特定して記載されている資料については、甲が、当該資料を乙に提出しなければならないものである。

経営管理対象事項	種類	頻度	具体的内容	書式
甲の株主総会関係	事前承認	都度	甲の株主総会決議事項	任意資料
	事前協議	都度	甲の株主総会報告事項	任意資料

7　親会社主導で規定化等が容易な場合の仕組みづくり

経営管理対象事項	種類	頻度	具体的内容	書式
乙の取締役会傘下委員会の審議事項				
経営管理委員会の審議事項	事前協議 事後報告	都度	乙の経営管理委員会の審議対象となる甲の事案 前記事案のうち、甲又は乙が協議を要すると判断するもの（事前協議）	任意資料
経営全般				
甲の規則・規程等の制定・改廃				
乙がグループ全体のルールを定めている事項	事前協議	都度	乙の内規等によりグループ全体のルールが定められている事項に関する規則・規程等の制定・改廃	制定書式 任意資料
経営管理上報告が必要な事項	事後報告	都度	乙による経営管理上報告が必要な重要事項	制定書式 任意資料
グループブランドの運営	事前協議	都度	グループ統一冠称、グループシンボル、グループクレジット表記の使用 グループブランドその他知財の侵害対応	任意資料
	事前協議	都度	広告・宣伝におけるトーン及びマナー	
財務報告に係る内部統制	事前協議	都度	財務報告に係る内部統制の対応方針等	制定書式 任意資料
	事後報告	都度	財務報告に係る内部統制の対応状況等	制定書式 任意資料

249

第3章　子会社管理の仕組みづくり

経営管理対象事項		種類	頻度	具体的内容	書式
甲に関する当局申請・届出・報告		事前協議	都度	乙が当局に認可申請・届出・報告を要する事項	任意資料
会計処理					
	会計処理基準	事前協議	都度	グループ会計処理規則・規程・要領に定めた方針と異なる会計処理	制定書式
		事後報告	四半期	日本基準子会社決算パッケージ及び個別指定する関連資料の提出	
	連結ステータス判定	事後報告	都度	出資先の連結判定	
連結戦略・経営計画・業務戦略					
	経営企画				
	収益計画の決定	事前承認	都度	収益計画	制定書式 任意資料
	経費計画の決定	事前承認	都度	資源配分計画	
	収益/経費計画の進捗状況・変更	事前承認 事前協議	都度	収益/経費計画の変更 前記のうち、甲又は乙が軽微と判断するもの（事前協議）	
		事後報告	都度	収益/経費計画の進捗状況	
	決算・剰余金処分の決定	事前承認	都度	決算・剰余金の処分案	
	リスクアセットに関する計画の決定	事前承認	都度	リスクアセットに関する計画	

⑦　親会社主導で規定化等が容易な場合の仕組みづくり

経営管理対象事項		種類	頻度	具体的内容	書式
	経営管理上報告が必要な事項	事後報告	都度	経営計画の決定、変更、進捗に関し、乙による経営管理上報告が必要な重要事項	
資金管理					
	資金運用・調達に関する基本戦略	事前承認	都度	資金運用・調達に関する基本戦略	制定書式任意資料
	資本政策に関する基本戦略	事前承認	都度	資本政策に関する基本戦略	
	経営管理上報告が必要な事項	事後報告	都度	資金管理に関して経営管理上報告が必要な事項	
事業計画・業務戦略					
	重要な事業の新規参入・撤退	事前承認	都度	重要な事業の新規参入・撤退（出資を含む）	制定書式任意資料
	重要な業務提携の締結・解消	事前承認	都度	重要な業務提携の締結・解消（出資を含む）	
	事業計画・業務戦略の重要な決定	事前承認	都度	事業計画・業務戦略上の重要な決定	任意資料
	経営管理上報告が必要な事項	事後報告	都度	事業計画・業務戦略に関し、乙による経営管理上報告が必要な重要事項	
リスク管理					
リスク管理（信用リスクを除く）					
	リスク管理・運営	事後報告	都度	リスク管理・運営に関する組織の設置・変更・廃止	任意資料

251

第 3 章　子会社管理の仕組みづくり

経営管理対象事項			種類	頻度	具体的内容	書式
			事後報告	半期	年度（半期）・中長期のリスク管理方針	制定書式任意資料
			事前協議	都度	リスク管理・運営に係る重要な規程類の制定及び改廃	任意資料
			事後報告	都度	リスク管理・運営に係る規程類の制定及び改廃のうち前記以外の重要なもの	
				四半期	各種リスク管理・運営に関する取締役会等、委員会/審議会等の審議内容	
				都度	リスク管理に関する当局・内部監査・監査法人宛報告内容	
	新商品・新種業務リスク管理		事後報告	都度	リスク評価の実施状況に関する案件別資料定期的な取り纏め資料	
	市場リスク管理		事後報告	都度	市場リスク管理・運営に係る方針、枠組み、管理体制に係る事項（各種規程類を含む）	任意資料
			事後報告	四半期	リスク管理高度化に関する資料	
			事後報告	四半期	リスク管理に係る計数で経営管理上必要な項目	任意資料

⑦　親会社主導で規定化等が容易な場合の仕組みづくり

経営管理対象事項		種類	頻度	具体的内容	書式
資金流動性リスク管理		事後報告	都度	流動性リスク管理・運営に係る方針、枠組み、管理体制に係る事項(各種規程類を含む)資金繰り運営状況	任意資料
		事後報告	四半期	リスク管理高度化に関する資料	
政策投資株式		事後報告	月次	政策投資株式等の残額明細	任意資料
オペレーショナルリスク管理		事後報告	月次・都度	オペレーショナルリスク損失データ報告	任意資料
		事後報告	都度	訴訟事案の状況	
		事後報告	都度	不祥事件等の報告	
		事後報告	都度	不祥事件等に関する監督当局宛報告事案又はそれに準ずる事案（原則即時報告）	
	その他	事後報告	都度	前記以外のリスクを伴う可能性のある重大事案の内容	任意資料
	外部委託管理	事後報告	都度	外部委託管理の状況	任意資料
事務リスク管理		事後報告	半期	事務リスクの管理状況	任意資料
		事後報告	四半期・都度	事務事故の個別事案内容（重大な事項は即時報告）	任意資料
情報資産リスク管理		事後報告	四半期	情報資産リスクの管理状況	任意資料
		事後報告	月次・都度	情報紛失・漏洩事故の個別事案内容（重大な事項は即時報告）	任意資料

第3章　子会社管理の仕組みづくり

経営管理対象事項	種類	頻度	具体的内容	書式
	事後報告	月次・都度	システム障害の個別事案内容（重大な事項は即時報告）システムリスク評価結果	任意資料
評判リスク	事後報告	都度	評判リスク発生時、発生予見時の評判リスクの内容報告	任意資料
	事前協議	都度	評判リスク発生時のプレスリリース等の広報対応広報対応に対するマスコミ等の反応への対処	
危機管理	事後報告	四半期・都度	危機事態に至る可能性がある事象ないし危機事態の発生の事実及び対応	任意資料
個人情報保護	事後報告	都度	個人情報保護体制の運営状況	任意資料
リスク管理全般	事前協議事後報告	都度	乙が求める協議・報告事項前記のうち、甲又は乙が協議を要すると判断するもの（事前協議）	任意資料
信用リスク管理				
管理・運営全般（規則・規程）	事前協議事後報告	都度	信用リスク及び政策投資株式の運営・管理に係る重要な規程類の制定及び改廃（重要性の高いものは事前協議）	任意資料

254

7　親会社主導で規定化等が容易な場合の仕組みづくり

経営管理対象事項	種類	頻度	具体的内容	書式
管理・運営全般（委員会等）	事後報告	都度	信用リスク及び政策投資株式の運営・管理に関する委員会等の審議内容	任意資料
当局対応	事後報告	都度	信用リスクの運営・管理に関する当局（自主規制団体含む）の指摘事項・対応方針・期限等	任意資料
連結子会社・関連会社	事後報告	都度	甲の連結子会社・関連会社における各種リスクの管理状況	任意資料
大口取引先の業況	事後報告	都度	グループに大きな影響を与える大口取引先の業況・方針	任意資料
信用リスクの状況	事後報告	月次	ポートフォリオを含む信用リスク状況	任意資料
資産自己査定、償却引当	事後報告	四半期	自己査定結果・償却引当結果及びこれに基づく不良債権の処理状況	任意資料
取引費用	事後報告	四半期・月次	取引費用の計画・実績	任意資料
政策投資株式	事後報告	月次	政策投資株式等にかかわる情報	任意資料
コンプライアンス				
コンプライアンス管理・運営全般	事前協議	年次	コンプライアンス・プログラムの策定	コンプライアンス・プログラム案

255

第3章　子会社管理の仕組みづくり

経営管理対象事項			種類	頻度	具体的内容	書式
			事後報告	四半期	コンプライアンス・プログラムの実施状況の報告	制定書式
					コンプライアンス・マニュアルの管理状況	
					コンプライアンスに係る規則・基本方針・ガイドライン等の策定、改廃	
					コンプライアンス研修の実施状況の報告	
					監督当局（自主規制団体を含む）宛てに提出したコンプライアンス違反事例	
					反社会的勢力に対する取組み状況のモニタリング報告	
					苦情・トラブル等への対応状況のモニタリング報告	
					内部通報制度の利用状況のモニタリング報告	
					訴訟等への取組み状況のモニタリング報告	
					子会社・関連会社等のコンプライアンス取組み状況	

7　親会社主導で規定化等が容易な場合の仕組みづくり

経営管理対象事項		種類	頻度	具体的内容	書式
			都度	その他必要と認められる事案のモニタリング報告（都度、乙が指定する事項）	
		事後報告	都度	コンプライアンスに関する委員会・会議等の審議内容・議事内容	甲の委員会等の資料・押印済み議事録写
		事前協議	都度	コンプライアンス・マニュアルの制定、重要な改廃	任意資料
		事前協議	都度	コンプライアンスに係る規則・基本方針・ガイドライン等の重要な策定、改廃	任意資料
		事後報告	都度	監督当局（自主規制団体を含む）に提出する重大なコンプライアンス違反事案	任意資料
	反社勢力に対する取り組み状況	事前協議	都度	重大な施策・体制・方針等の立案	任意資料
		事前協議	都度	個別重要事案に対する対応・方針	任意資料
		事後報告	都度	反社会的勢力との取引防止に関する甲の社内検討・報告内容	任意資料
		事前協議 事後報告	都度	その他個別に都度要請するもの	任意資料
	その他	事後報告	都度	苦情・トラブル等への対応	任意資料

257

第3章　子会社管理の仕組みづくり

経営管理対象事項			種類	頻度	具体的内容	書式
			事後報告	都度	内部通報制度の利用状況	任意資料
			事後報告	都度	訴訟等への取組み状況	任意資料
			事前協議 事後報告	都度	コンプライアンス統括部署及び各部門がコンプライアンスに係る事案について経営会議や取締役会に付議報告した事案に係る資料のうち重要なもの（事前協議） 重要でないもの（事後報告）	任意資料
			事前協議 事後報告	都度	その他予兆管理や未然防止の視点から必要と認められる事案 その他個別に該当・要請するもの 前記要請のうち、甲又は乙が協議を要すると判断するもの（事前協議）	任意資料
		インサイダー取引未然防止	事前協議	都度	インサイダー取引の未然防止に係る施策・体制・方針・規則等	任意資料
			事後報告	都度	インサイダー取引防止規則に基づく報告	任意資料
		グループ協働ビジネス管理	事前協議	都度	グループ協働ビジネスに係る施策・体制・方針等	任意資料
			事後報告	四半期	グループ協働ビジネスに係る管理状況の報告	任意資料

7 親会社主導で規定化等が容易な場合の仕組みづくり

経営管理対象事項		種類	頻度	具体的内容	書式
内部監査					
	管理・運営全般	事前協議	都度	取締役会で決議する内部監査に関する規程類の制定・改廃	任意資料
				取締役会で決議する内部監査に関する計画（内部監査計画基本事項）	
				取締役会等で決議する内部監査実施に関する規程類の制定・改廃	
		事後報告	月次	定期的に取り纏められた監査結果、及び改善・是正状況	任意資料
		事後報告	都度	自己査定結果の監査・償却引当の状況の監査結果	任意資料
				半年毎に取り纏められた監査結果並びに分析結果	
				当局検査・考査、外部監査指摘事項並びに分析結果	
				内部監査担当部署の体制、組織、及び制度の改編に関する事項	
		事前協議	都度	内部監査担当部署の新設・廃止・統合、その他抜本的な体制変更	
		事後報告	半期	内部監査計画	任意資料

259

第3章　子会社管理の仕組みづくり

経営管理対象事項			種類	頻度	具体的内容	書式
			事後報告	年次	リスク・アセスメント結果	任意資料
			事後報告	都度	内部監査報告書において指摘した重要な事項	任意資料
					内部監査及び日常のチェックにより発見された問題点のうち、経営に重大な影響を与えると認められる問題点	
					その他、被監査部署の内部管理体制及び内部監査担当部署の内部監査機能を知る上で監査部長が必要と認めた報告等	任意資料
			事後報告	都度	内部監査に係る規則・規程・手続・マニュアル・監査プログラム等の整備状況	任意資料
					内部監査担当部署の組織・体制の整備状況及び内部監査担当部署間及び部署内のコミュニケーション・情報共有の程度	
					内部監査従事者の監査スキル・被監査業務に係る専門知識・在籍年数・主な監査実績等	

260

7 親会社主導で規定化等が容易な場合の仕組みづくり

経営管理対象事項			種類	頻度	具体的内容	書式
					内部監査担当部署の教育・研修体制、人事育成プログラムとその実施状況及び効果	
					甲の内部監査部が指摘し、改善・是正提案等により指導・助言した事項の改善・是正状況	
					内部監査計画（予算・要員計画を含む）とその進捗状況	
					グループ重点監査施策の遂行状況	
					グループ全体の監査方針及び持株会社経営陣からの指示等の浸透状況	
					被監査部署等とのコミュニケーションや情報収集の範囲と深度、業務上必要な情報が内部監査部門に報告される体制の整備状況	
					監査役、外部監査人とのコミュニケーション・情報共有の程度	
					その他、内部監査の品質向上を図るための仕組みの整備や運営管理の状況	

第3章　子会社管理の仕組みづくり

経営管理対象事項		種類	頻度	具体的内容	書式
		事後報告	都度	当局に報告した不祥事件等報告、調査解明結果	
				内部監査に関する当局・外部監査人に報告した資料等	
				会計監査人等外部監査人の指摘事項に関する改善・是正状況	
	特別監査の実施	事前協議	都度	必要に応じて、法令等に抵触しない範囲で行う	―
	グループ内取引等管理	事前協議	都度	乙の規則に定める基準に該当するグループ内取引の実施	制定書式任意資料
その他					
	グループに重要なリスクを及ぼす事項	事前協議	都度	乙グループの健全かつ適切な業務運営に重要なリスクを及ぼす事項	任意資料
		事後報告	都度	乙グループの健全かつ適切な業務運営に重要なリスクを及ぼす虞があり、報告が必要な事項	任意資料
その他					
	取締役会付議・報告事項	事後報告	都度	甲の取締役会付議・報告事項（本表において事前承認・事前協議が必要な項目は、事前承認・事前協議も行う）	任意資料

7　親会社主導で規定化等が容易な場合の仕組みづくり

経営管理対象事項	種類	頻度	具体的内容	書式
経営会議付議・報告事項	事後報告	都度	甲の経営会議付議・報告事項（本表において事前承認・事前協議が必要な項目は、事前承認・事前協議も行う）	任意資料
グループ経営管理規程の重要な変更	事前協議	都度	乙が実施するグループ経営管理規程の重要な変更	制定書式任意資料
その他経営管理上重要な事項	事前協議	都度	その他乙による経営管理上重要な事項	任意資料
その他経営管理上報告が必要な事項	事後報告	都度	その他乙による経営管理上報告が必要な事項	任意資料

第3章　子会社管理の仕組みづくり

8 親会社主導で規定化等ができない場合等における仕組みづくり（資本参加時の契約上の工夫）

　以上、親会社が子会社の過半数の議決権を有する場合、子会社の取締役等の過半数を親会社から派遣する者で占める場合など、親会社が子会社を支配しており、親会社の主導で子会社管理の仕組みづくりが容易にできる場合における、レギュレーションによる仕組みづくりの例と、それに伴う契約による仕組みづくりの例を概観した。

　しかし、対等出資の合弁会社の設立の場合、海外の法規制や子会社の買収経緯により特段の配慮を要する場合など子会社の取締役等の過半数を親会社から派遣する者で占めることができない場合などは、このような仕組みづくりが親会社主導で行うことができないこともある。

　そのような場合でも、グループ会社ともなれば、前記 2 （105頁）乃至 4 （141頁）で見てきた規制が及び、一定のグループ経営管理を及ぼさなければならない要請がある以上、その仕組みづくりが必要となる。

　しかし、そのような場合には、親会社としての議決権シェアを取得したとしても、親会社が満足する経営管理を可能とする経営管理契約を締結できるとは限らない。

　そのため、親会社としての議決権シェアを取得する前、具体的には、新株引受けや既存株式の取得の前に経営管理契約の条件交渉をし、親会社が満足する経営管理を可能とする経営管理契約の締結を、新株引受けや既存株式の取得の実行前提条件として新株引受契約や株式売買契約に定めることとして交渉し、あるいは、それすら叶わないときには、グループ会社の経営管理に必要な仕組みを、他の株主との間で締結する株式売買契約、株主間契約や合弁会社などの契約や、対象会社との間で締結する資本提携契約、新株引受契約や商標その他ブランド又はシステムの使用許諾契約などに盛り込む必要がある。

　そこで、以下では、このような場合において、グループ会社の経営管理に必要な仕組みとして、他の株主や対象会社との間で交渉上獲得したい契約上の規定について検討する。

264

8 　親会社主導で規定化等ができない場合等における仕組みづくり（資本参加時の契約上の工夫）

(1)　取締役会運営規定

　会社法の原則による限り、対象会社の定款で、累積投票制度を否定すれば、対象会社の議決権の過半数を占める株主で全ての取締役を選任することが可能となる。

　また、会社法の原則による限り、対象会社の取締役会の過半数を占めることができれば、代表取締役の選定のほか、対象会社の経営に係る重要な事項は全て対象会社の取締役会の過半数を占めることができる株主が決定できることとなる。

　そこで、特に、マイノリティ出資をする場合には、取締役指名権を契約上確保するほか、取締役会の運営について会社法上の原則を修正しておくことが必要となる。

　以下、その一例として、他の株主との間で締結する株主間契約や合弁契約において、取締役の員数を定めるとともに、取締役会の運営についてマイノリティ出資をする株主の意思が排除されない仕組みを定める規定を紹介する。以下における「対象会社」は出資対象会社を意味しており、「甲」及び「乙」は、契約当事者である株主であり、それらのいずれかを称する場合、単に「株主」としている。なお、株主のうち、「甲」が対象会社の議決権の過半数を占めている想定である。

　なお、監査役及び監査役会についても、同様の仕組みを活用することができ、その場合には下記条項例を適宜修正して利用されたい。

第〇条　取締役及び取締役会
　1．取締役の員数・取締役会の構成
　　(1)　各株主は、対象会社の取締役会（以下「取締役会」という）を構成する取締役を甲によって指名される者【〇】名と乙によって指名される者【〇】名とする総員【〇】名とすることを合意する。
　　(2)　前号に定める合意に基づき、各株主は、対象会社の株主総会（以下「株主総会」という）においてその対象会社株式の議決権を行使又は書面同意によって対象会社の取締役を選任し、また、その他のかかる選任に必要なあらゆる必要な行為を行うものとする。
　　(3)　第(1)号の定めにかかわらず、取締役会を構成する取締役の総員及びその構成については、必要に応じて、全株主の協議により見直

265

第3章　子会社管理の仕組みづくり

すことができるものとし、協議が調った場合には、当該調った協議の結果に従って、各株主は、それぞれ取締役候補者を指名し、株主総会においてその対象会社株式の議決権を行使し又は書面同意によってその対象会社株式について手続を行い、また、その他のあらゆる必要な行為を行うものとする。

２．取締役会の招集

(1) 取締役会は、(i)取締役会の会議が、最低四半期に一度開催され、(ii)当該会議についての招集通知は【○】日以上前になされるものとする。

(2) 前号の定めにかかわらず、取締役会の構成員である取締役全員一致の書面により前号(ii)の期間の短縮を行うことができるものとする。

３．取締役会の定足数

取締役会は、全ての適法に通知された定例又は臨時の各会議において、過半数の取締役（各株主がそれぞれ指名した取締役が【○】名以上含まれるものとする）が出席することにより成立するものとする。

４．取締役会の決議要件

取締役会は、本契約に別段の定めがない限り、対象会社の営業及び業務に関し、出席した取締役の過半数の取締役（各株主がそれぞれ指名した取締役が【○】名以上含まれるものとする）の、賛成投票による決議により決定をするものとする。

５．取締役の欠員

何らかの理由により取締役会に欠員が生じた場合、各株主は、補欠の取締役を任命するために、当該株主の被指名取締役をして、速やかに株主総会を招集させ、その議決権を行使させることに同意する。当該欠員は、欠員となった者を指名した株主によって指名された者により補充されるものとし、各株主は、かかる新しい被指名者の選任を支持する対象会社株式の議決権を行使するものとする。当事者らは、各々の取締役被指名者をして、当事者間で別段の合意がなされない限り、かかる欠員の補充がなされるまで、いかなる重要事項についても、取締役会決議をしないものとする。新しい被指名者の任期は、対象会社の定款及び会社法（平成17年法律第86号）に従って、その時点で在任している対象会社の残りの取締役の残存期間と同じものとする。

６．取締役の解任

いずれかの株主が、いかなる理由であれ、当該株主によって指名された取締役の解任を提案した場合、他の株主は、当該解任に賛成する議決

権行使を行うものとする。

7．代表取締役及びCEO（最高経営責任者）

各株主は、取締役会において、その被指名取締役をして、甲の被指名取締役の中から1名、また、乙の被指名取締役の中から1名、合計2名の代表取締役を選定させるものとし、甲の被指名取締役から選定される者を代表取締役社長兼CEO（最高経営責任者）とする。なお、代表取締役社長兼CEO（最高経営責任者）は、取締役会及び株主総会の議長を務めるものとする。

8．CFO（最高財務責任者）

株主は、取締役会において、その被指名取締役をして、乙の被指名取締役の中から1名の取締役兼CFO（最高財務責任者）を選任させるものとする。

(2)　役員指名規定

前記(1)（265頁）では、他の株主との間で締結する株主間契約や合弁契約において、取締役の員数を定めるとともに、取締役会の運営についてマイノリティ出資をする株主の意思が排除されない仕組みを定める規定を紹介したが、グループ会社の経営管理において役職員の派遣が重要な意義を有することは論を俟たない。

そこで、対象会社との間で締結する契約においても、取締役指名権を確保する仕組みづくりをしておくことが望ましい。

以下、対象会社との間で締結する契約において定める取締役指名権を確保するための規定を紹介する。以下における「甲」は、出資対象会社を意味しており、「乙」は、甲から新株の割り当てを受ける新株引受人を意味している。

なお、監査役指名権を確保する場合にも、同様の仕組みを活用することができ、その場合には下記条項例を適宜修正して利用されたい。

第○条　取締役指名権

1．乙は、本契約の目的及び精神をふまえ、これを達成するために、甲の取締役【○】名を指名する権利を有するものとする。

2．甲は、乙の指名に基づき選任された取締役が会社法2条15号に定める社

267

第3章　子会社管理の仕組みづくり

外取締役に当たる者である場合には、同取締役との間で、会社法425条1
項に定める最低責任限度額を責任の限度とする会社法427条1項に基づく
乙が合理的に満足する内容の責任限定契約を書面により締結するものとし、
法令等に基づき当該契約の締結に必要となる手続を実施するものとする。

3．甲は、本契約締結後直ちに株主総会を招集し、当該株主総会において、
乙の指名する者を取締役候補者に含む取締役選任議案を付議するものと
し、その後も、乙が指名権を有する取締役の選任のために必要となるあら
ゆる必要な措置を講ずるものとする。

4．乙が指名権を有する取締役が辞任その他の理由により欠員となった場
合、乙は、後任の取締役を指名する権利を有するものとする。なお、後任
の取締役の選任時期については、当該欠員を生じた日の属する事業年度に
係る定時株主総会よりも遅れることのない範囲で、両当事者間で協議の
上、これを決するものとする。

5．甲は、本契約締結日以降乙の指名した取締役候補者が取締役に選任され
るまでの期間、及び乙が指名権を有する取締役が辞任その他の理由により
欠員となった場合の当該欠員期間、乙の要請に従い、乙の指名する者【○】
名が甲の取締役会にオブザーバーとして出席することを認めるものとする。

(3)　事前承認規定

　グループ会社管理において留意しなければならないことは、何をしてい
るのかが知り得ないようなブラックボックスのグループ会社をつくらない
ことである。こうなってしまうと、その会社で「やりたい放題」となって
しまい、その会社において発現するリスクを回避することすらできなく
なってしまう。

　そのことは、他の株主がグループ会社経営に主導的な役割を担う場合で
も同様である。

　そこで、他の株主との間で締結する株主間契約や合弁契約、あるいは、
対象会社との間で締結する資本提携契約や新株引受契約において、対象会
社における重要な意思決定に事前承認という形で一定の関与をすることが
できる仕組みづくりをしておく必要がある。

　以下、他の株主や対象会社との間で締結する契約において定める事前承
認規定を紹介する。以下における「甲」は、他の株主との間で締結する契

268

約においては他の株主（マジョリティ）を意味し、対象会社との間で締結する契約においては出資対象会社を意味しており、「乙」は、対象会社にマイノリティ出資をする株主としてかかる仕組みづくりを必要とする当事者（親会社）を意味している。

　以下では、事前承認事項としている事項について、サンプルとして多めに例示するが、相手方との交渉で全て網羅できない場合もあるかもしれない。比較的有利な交渉が進められる資本参加の段階に交渉をしたいところであるが、いずれにしても、各社の実情に応じて取捨選択されたい。

第○条　事前承認事項
　甲は、【対象会社に係る】次の決定をする場合、当該決定を行う【○】日前までに、当該決定の案を提示して事前に乙の承認を得るものとする。
(1)　会社経営の基本方針
　　①　年度事業計画
　　②　年度予算の決定及び変更
　　③　新規事業の決定及び既存事業の改廃
　　④　社内規程の制定及び改廃
　　⑤　会社の業務の適正を確保するための体制（内部統制）に関する
　　　事項
(2)　株主総会に関する事項
　　①　株主総会の招集の決定
　　②　株主総会に提出する議案の内容の決定
　　③　その他株主総会決議が必要となる事項の決定
(3)　役員等に関する事項
　　①　代表取締役の選定及び解職
　　②　業務執行取締役の選定及び解職
　　③　その他の重要な使用人に係る人事
　　④　役員の報酬
　　⑤　競業取引及び利益相反取引の実施
(4)　重要な組織の設置、変更及び廃止
　　①　本店、支店、営業所その他重要な拠点の設置及び移転
　　②　部・室以上の組織の制定・改廃
(5)　決算に関する事項
　　①　計算書類及び事業報告並びにその附属明細書の承認
　　②　会計基準、会計処理原則等の変更

269

第 3 章　子会社管理の仕組みづくり

(6) 多額の借財に関する事項

　　① 【○○】円以上の借財

　　② 社債の募集

　　③ 【○○】円以上の債務保証及び債務保証類似行為

(7) 重要な財産の処分及び譲受に関する事項

　　① 固定資産の処分及び譲受

　　② その他重要な財産の処分及び譲受

(8) 組織に関する事項

　　① 定款の変更

　　② 増資又は減資

　　③ 新株予約権の発行等に関する事項

　　④ 合併、解散、会社分割、株式交付、株式交換及び株式移転等の組織再編の内容の決定

　　⑤ 事業の全部又は重要な一部の譲渡及び事業の全部の譲受の決定

　　⑥ ジョイントベンチャーの組成・解消

(9) 会社の計算に関する事項

　　① 配当の決定

　　② その他剰余金の処分

(10) その他の重要事項

　　① 重要な契約（契約金額のあるものは【○○】円以上とする）の締結及び解約

　　② 重要な争訟等に関する事項

　　③ 関係会社の新設、合併、買取、売却、解散それに準ずる重要な事項

　　④ その他乙が指定した事項

(4)　情報提供規定

　グループ会社管理においてグループ会社が、何をしているのかが知り得ないようなブラックボックス化させないことを留意しなければならず、それを防止するための仕組みとして他の株主との間で締結する契約や対象会社との間で締結する契約において、対象会社の重要事項については親会社の事前承認を要するとしてコントロールする規定を設けることが望ましいということは既に述べた。

8 親会社主導で規定化等ができない場合等における仕組みづくり（資本参加時の契約上の工夫）

そこで、前記(3)（268頁）で事前承認規定を紹介したところであるが、そこでも指摘したとおり、他の株主や対象会社との契約交渉で、必要とする全ての事項を事前承認規定の対象とできないかもしれない。また、そうでなくとも、日常的な業務に関する意思決定についてまで全て事前承認規定の対象とすることも現実的ではなく、ある程度は、対象会社の裁量に委ねざるを得ないであろう。

そのため、グループ会社の管理においては、事前承認規定とともに、それを補完するものとして、会社における経営、財務その他の「生の」情報を取得できる仕組みが極めて重要となる。

その情報収集の仕組みの１つとして、以下、他の株主や対象会社との間で締結する契約において定める報告規定を紹介する。以下における「甲」は、他の株主との間で締結する契約においては他の株主（マジョリティ）を意味し、対象会社との間で締結する契約においては出資対象会社を意味しており、「乙」は、対象会社にマイノリティ出資をする株主としてかかる仕組みづくりを必要とする当事者（親会社）を意味している。

親会社が子会社の過半数の議決権を有する場合、子会社の取締役等の過半数を親会社から派遣する者で占める場合など、親会社が子会社を支配しており、情報提供が拒絶されるおそれがない場合には、個別具体的に報告事項を特定する必要はなく、むしろ、網羅的な情報取得が柔軟にできるよう包括的に定める方がよいだろう（前記 7 (4)の経営管理契約例第５条（237頁）参照）。

しかし、何らかの理由を付けて情報提供が拒絶されるおそれが少しでもある場合には、履行強制可能性を高めるために、報告事項を個別具体的に定めた上で、キャッチオールの包括規定を合わせて定めるのが望ましい。

事前承認規定と同様に、比較的有利な交渉が進められる資本参加の段階に交渉をしたいところであるが、事前承認事項とすることには同意が得られなくても、事後報告事項であればよいということもあり、事前承認事項よりも事後報告事項の方が比較的広範に認められやすい。サンプルとして多めに例示するが、いずれにしても、各社の実情に応じて取捨選択されたい。

271

第3章　子会社管理の仕組みづくり

第○条　報告事項

　1．書類提出

　　　甲は、以下の規定に従い、以下に定められた乙が合理的に満足する様式及び内容による【対象会社に係る】書類を、以下に定められた期限内に、乙に対して甲の費用負担で提出する。

　　(i)　事業計画書の変更を要すると見込まれる事態の発生に関する報告書：かかる事態の発生を覚知した後速やかに

　　(ii)　資金計画書の変更を要すると見込まれる事態の発生に関する報告書：かかる事態の発生を覚知した後速やかに

　　(iii)　取引関連契約（乙が指定する重要な契約に限る。以下同じ）に基づく自己の債務の履行に重大な影響を与えるおそれのある財務状態及び経営成績の悪化に関する報告書：かかる事態の発生を覚知した後速やかに

　　(iv)　各暦月に係る月次試算表、月次資金繰表及び金融機関別借入一覧表：当該暦月の翌暦月 10 日までに

　　(v)　各暦月に係る月次営業報告書：当該暦月の翌暦月 20 日までに

　　(vi)　取引関連契約について、締結、変更又は更新があった場合には、当該取引関連契約の写し（もしあれば）

　　(vii)　当該会計年度に係る財務諸表及び事業報告書の各写し（日本において一般に公正妥当と認められた会計原則に従っている旨を監査法人が確認したものに限る）：毎会計年度の終了後 3 か月以内に

　　(viii)　確定申告書の写し（受領印があるもの）、納税通知書及び納税納付済証の写し：申告又は受領後速やかに

　　(ix)　乙が合理的に要求する財務状態又は営業に関するその他の情報：要求後速やかに

　　(x)　その他、乙の要求に従い、随時、具体的事項について書面にて報告しなければならない。

　2．重要事項の報告

　　　甲は、【対象会社に関し、】以下のいずれかの事由の発生を知った場合、速やかにその旨及びその内容を乙に対して甲の費用負担で書面にて報告する。

　　(i)　本契約に基づく債務以外の金銭債務（保証債務を含む）について債務不履行の状態になったこと又は期限の利益を喪失したこと。

　　(ii)　第 1 回目の不渡りを出したこと、又は電子記録債権につき株式会社全銀電子債権ネットワークによる支払不能の登録が行われ、若しくは他の電子債権記録機関によるこれと同等の措置を受けたこ

8 親会社主導で規定化等ができない場合等における仕組みづくり（資本参加時の契約上の工夫）

と。

(iii) 法令等に違反し、その事業を停止し、若しくは所轄政府機関等から業務停止若しくは業務禁止等の処分を受けたこと、又はそれらのおそれがあること。

(iv) 【甲/対象会社】に対して破産手続開始、更生手続開始、再生手続開始、特別清算又はこれらに準じる法的手続（将来制定され若しくは適用されることとなるもので【甲/対象会社】に適用される倒産処理手続を含む）の開始の申立て若しくは【甲/対象会社】を被告、債務者、被申立人その他手続の相手方又は対象とする乙に報告されていない新たな訴訟、保全手続、強制執行手続、調停、仲裁、その他の司法又は行政手続（以下「対象法的手続」という）が行われたこと、又は行われるおそれが生じた場合。この場合には、対象法的手続の進行がある度に当該進行の内容につき書面にて報告する。

(v) 本契約にて表明及び保証した事実又は乙に報告された事実が重要な点で真実又は正確でなくなったか若しくは真実又は正確でなくなるおそれが生じたこと。

(vi) 競業取引及び利益相反取引についての次の事実
　① 実施した競業取引に関する重要な事実
　② 実施した利益相反取引に関する重要な事実

(vii) リスクに係る次の情報
　① 事業、ビジネス上把握されたリスク情報
　② 法令違反等のコンプライアンス事案に関する情報
　③ 政治、環境、医療その他の役員・従業員及びその家族の生命、身体、財産に影響を及ぼし得る情報、事業の継続に影響を及ぼし得る情報

3．協力

甲は、乙が請求した場合は、甲の費用負担で、【甲/対象会社】並びにその子会社及び関連会社の財産、経営又は業況について直ちに乙に書面にて報告し、また、それらについての調査に必要な便益を提供するものとする。

(5) 監査等協力規定

グループ会社の管理を行うに際しては、PDCA サイクルの C すなわちモ

第3章　子会社管理の仕組みづくり

ニタリングが重要であり、このモニタリングには、内部監査、監査役による監査、会計監査人による監査（いわゆる三様監査）を行うことが必須である。

しかし、日本企業の監査役等の子会社調査権は、会社法上の「子会社」に該当しないグループ会社には及ばないほか、会社法上の「子会社」に該当しても海外子会社には会社法の適用が及ばないため、法律上当然にはグループ会社に対して監査を行うことができない場合もある。

そこで、このような場合には、親会社における内部監査、監査役による監査、会計監査人による監査（いわゆる三様監査）に対し、グループ会社を協力させることができる仕組みが極めて重要となる。

以下、他の株主や対象会社との間で締結する契約において定める監査等協力規定を紹介する。以下における「甲」は、他の株主との間で締結する契約においては他の株主を意味し、対象会社との間で締結する契約においては出資対象会社を意味しており、「乙」は、対象会社にマイノリティ出資をする株主としてかかる仕組みづくりを必要とする当事者（親会社）を意味している。

第○条　監査協力

　1．乙による監査

　甲は、乙が請求した場合は、【甲/対象会社】の費用負担で、【甲/対象会社】並びにその子会社及び関連会社の財産、経営又は業況についての乙による監査（乙における内部監査、乙の監査役による監査、乙の会計監査人による監査）に必要な便益を提供【し、かつ、対象会社をして提供せしめるものと】する。

　2．帳簿及び記録

　【対象会社の】財務諸表並びに帳簿及び記録は、日本において一般的に公正妥当と認められた会計原則に従って作成され、保存されるものとし、乙及びその代理人は、【甲/対象会社】に対して事前の通知をした上で、通常の営業時間のいかなる時間においても訪問し、【甲/対象会社】の帳簿及び記録を調査又は【甲/対象会社】のいかなる資産、会社の帳簿及び会計又はその他の記録を閲覧・謄写することができるものと【し、甲は、対象会社をしてこれに協力させるものと】する。

⑧　親会社主導で規定化等ができない場合等における仕組みづくり（資本参加時の契約上の工夫）

(6)　デッドロック規定

　パートナーと組んでジョイントベンチャーを組成する場合には、デッドロックなどのトラブルが生じた場合の措置を検討しておく必要がある。いざデッドロックなどのトラブルになった場合にも、ジョイントベンチャーの目的実現のために、そのトラブルを解消する道筋をつけるとともに、どうしても意見調整ができない場合にはジョイントベンチャーを解消することで、投資が「塩漬け」になってしまうような事態を回避することができるようにしておくためである。

　会社法上、自己株取得規制があることから、対象会社から投資回収をすることには、とりわけ、対象会社に十分な剰余金がない設立当初には困難が伴うことから、イグジット（Exit）の手段はパートナー（他の株主）との契約で定めることが多い。

　そこで、以下では、他の株主との間で締結する株主間契約や合弁契約において定める規定を紹介する。以下における「対象会社」は出資対象会社を意味しており、「甲」及び「乙」は、株主であり、それらのいずれかを称する場合、単に「株主」としている。なお、株主のうち、「甲」が対象会社の議決権の過半数を占めている想定である。

第○条　デッドロック
　１．デッドロック事由
　本契約で株主の同意が必要とされた事項のいずれかに関して全株主の同意が成立しないとき（それぞれ「デッドロック事由」という）は、本条第２項に規定された手続（以下「デッドロック手続」という）が適用されるものとする。
　２．デッドロック手続
　(1)　デッドロック事由が生じたときは、全株主は、デッドロック事由発生日から30日間の期間、誠実な協議を通じて問題を解決するために最善の努力をするものとする。
　(2)　全株主が、当該30日間の期間の末日までに誠実な協議を通じて問題を解決することができなかった場合、当該問題は、甲及び乙がそれぞれ１名ずつ指名したその幹部経営者（以下「特定幹部経営者」という）の協議に付託されるものとする。

275

第3章　子会社管理の仕組みづくり

(3)　デッドロック事由が特定幹部経営者に付託されたときは、特定幹部経営者は、誠実な協議を通じて問題を解決するための最善の努力をするものとする。特定幹部経営者が60日を下回らない期間の後も誠実な協議を通じて問題を解決できないときは、甲が当該問題を最終的に決定する権利を有するものとする。

(4)　各株主は、甲と乙の相互の合意によって決定されるか、又は、前号に基づき甲により決定されるデッドロック事由に関する最終決定を実施するために要求されるところの全ての行為を行い、また、当該株主により指名された取締役に行わせるものとする。

(5)　デッドロック事由が生じた時点以降、デッドロック手続に従って解決されるまでの間において行うことが必要な関連事項は、全株主の事前の承認を得て（かかる承認は不合理に拒絶、留保、遅延されないものとする）、対象会社の代表取締役により誠実に対処されるものとする。

　3．イグジット手続

　前項第(3)号に基づき甲がデッドロック事由に関する最終決定を行った場合、乙は、乙が前項第(4)号の定めを遵守していることを条件として、甲に対し、書面で請求することにより、乙が保有する対象会社株式の一切を当該対象会社株式の取得価格で買い取らせることができるものとし、甲は、当該通知を受領した場合、速やかに当該買取りに応じるものとする。

(7)　イグジット規定

　完全子会社化や、議決権の過半数を掌握して完全に経営管理ができる場合を除き、とりわけ、合弁会社を傘下に収める場合において対等出資やマイノリティ出資を行う場合などには、出資対象会社の経営管理が十分にできないこととなる事態が生ずることがあり得るため、その出資対象会社からの撤退可能性についてあらかじめ十分検討し、その可能性が否定できないときは、撤退を可能とする仕組みづくりをする必要がある。

　特に、マイノリティ出資持分については、対象会社の支配権が伴わないため、上場株式である場合を除き、処分に困難が伴うばかりか、対象会社の支配権がないことでディスカウントされるおそれすらあり、対象会社の支配権を有する他の株主がイグジットする際に売りそびれないようにするとともに、必要に応じて対象会社の支配権を確保する仕組みもあらかじめ用意しておきたいところである。

276

出資対象会社の経営管理が十分にできないままに、自己の出資が塩漬けとなってしまうリスクがあるからである。

そこで、そのようなリスクがある場合には、合弁会社の設立や企業買収に当たり、かかるリスクが生じないよう仕組みづくりが必要となり、所謂、「Call option」、「Put option」、「First refusal rights」、「Tag along rights」を確保できるような法的手当てが必要となる。

具体的には、次のような条項を合弁契約、株主間契約といった他の株主との間で締結する契約に定めることが考えられる。

＜「Call option」、「Put option」の条項例＞

「Call option」とは、一般的には、一方の株主が、ある一定の事由が生じたとき、他の株主に対して、その有する株式の全部又は一部を自己に売り渡すよう請求することができる権利をいう。

これに対して、「Put option」は、一般的には、一方の株主が、ある一定の事由が生じたとき、他の株主に対して、自己の有する株式の全部又は一部を買い取るよう請求することができる権利をいう。

以下の条項例は、対象会社又はその経営管理を主導する他の株主（一般的には、マジョリティ株主）が重大な契約違反をした場合など当該他の株主との間の合弁契約や株主間契約を解除する場合に、撤退を決定して保有株式の全部を当該他の株主に対して売り付けるか（Put option）、あるいは、対象会社の経営管理の主導権を取得することを決定して当該他の株主からその保有株式の全部を買い取るか（Call option）のいずれかを選択できるものである。

権利行使事由は、重大な契約違反として抽象的に定めるほか、デッドロック事由など個々に想定されるイベントを具体的に定めることもある。

保有株式の買取又は売渡に係る価格については、取得価格で定めているが、キャピタルゲイン（ロス）を反映させるべく権利行使時の時価などとする場合もあり、その場合において、上場株式でなければ、株式の時価を算定するフォーミュラや方法を定めることも必要となる。

（解除）

第○条　株主（以下「非違反当事者」という）は、他の株主（以下「違反当事者」という）が本契約の重大な違反（本契約の目的を損なう本契

約の違反を含むが、それらに限られない）を行った場合、次のいずれかの方法を選択して本契約を【○】日以降の違反当事者に別途書面で通知する日（以下「本契約終了日」という）をもって終了させることができる。

(1) 違反当事者の保有する株式の一切（以下「買取対象株式」という）を当該株式の取得価格で違反当事者から買い取る方法

(2) 非違反当事者の保有する株式の一切（以下「売付対象株式」という）を当該株式の取得価格で違反当事者に売り付ける方法

（形成権）

第○条　前条に基づく株式の買取又は売付の権利は形成権であり、当該権利行使による非違反当事者と違反当事者の間における株式の買取又は売付の法的効力は、前条の定めるところに従って非違反当事者が違反当事者に対して前条第(1)号又は第(2)号を選択してなした本契約を本契約終了日でもって終了させる旨の通知を違反当事者が受領したときに確定的に効力を生じ、前条第(1)号の場合は、買取対象株式が違反当事者から非違反当事者へ移転されるともに、非違反当事者は違反当事者に対して買取対象株式の取得価格相当の代金支払義務を負い、また、前条第(2)号の場合には、売付対象株式が非違反当事者から違反当事者へ移転されるとともに、違反当事者は非違反当事者に対して売付対象株式の取得価格相当の代金支払義務を負うものとする。

<「First refusal rights」、「Tag along rights」の条項例>

「First refusal rights」とは、日本では、一般的に、「先買権」などといわれている。これは、他の株主が株式を第三者に処分する場合、当該第三者に先んじて処分対象株式を買い取ることができる権利である。

これに対し、「Tag along rights」とは、日本では、一般的に、「同時売渡権」などといわれている。これは、他の株主が株式を第三者に処分する場合、当該他の株主と同時に、当該第三者に対して自己の有する株式についても売り渡すことを請求することができる権利である。第三者に売り渡すことを希望した株主は、他の株主がこの権利を行使すると、希望した数の株式を処分できなくなる。

以下の条項例では、これらの権利の前提となる処分に係るルールについても併せて紹介する。

8 親会社主導で規定化等ができない場合等における仕組みづくり（資本参加時の契約上の工夫）

第〇条　株式の譲渡
1．譲渡制限
　　各株主は、本条及び次条の各規定に従った場合を除き、それぞれが保有する発行体の株式又はそれに関する権利、権原若しくは権益につき、（直接又は間接に、法令の適用としてであれ又はその他によってであれ）売却、貸与、譲渡、担保権の設定その他の処分（以下「処分」という）を行わないものとする。但し、株主の他の株主に対する処分は、本条及び次条の各規定により妨げられない。
2．例外
　⑴　完全支配会社への処分
　　　株主は、その保有する発行体の株式の全部又は一部を当該当事者の完全子会社その他当該当事者が当該会社の議決権の全てを直接又は間接的に保有する会社（以下「完全支配会社」という）に対して処分することができる。
　⑵　許容条件を満たした処分
　　　次条の遵守を条件として、株主の各々は、いつでも、その保有する発行体の株式の全部又は一部を完全支配会社以外の第三者（以下「許容譲受人」という）に対しても処分することができる。この場合、市場取引によると否とを問わない。
　⑶　処分実施株主の義務
　　　発行体の株式の処分を本項第⑴号又は第⑵号に基づいて実施する株主（以下「処分実施株主」という）は、当該処分を実施後も本契約に法的に拘束されるものとし、完全支配会社又は許容譲受人による本条、次条その他本契約の各条項の違反について、債務不履行責任その他の法的責任を免れないものとする。但し、処分実施株主がその保有する発行体の株式の全部を本項第⑵号に基づいて許容譲受人に処分する場合において、次条第1項c所定の書面を当該許容譲受人をして処分実施株主以外の全株主に対して差し入れさせ、本契約に基づく処分実施株主の権利義務の一切を当該許容譲受人が承継した場合は、この限りでない。
　⑷　完全支配会社の義務
　　　発行体の株式の処分を本項第⑴号に基づいて受ける完全支配会社は、処分実施株主の完全支配会社でなくなる時点より前に、当該処分を受けた発行体の株式の全部を、処分実施株主又は処分実施株主の他の完全支配会社又は許容譲受人に対して処分しなければならないものとし、処分実施株主は、当該処分を受ける完全支配会社をして、そのように

第3章　子会社管理の仕組みづくり

処分させることを確実にするものとする（当該処分を実施する契約において、かかる義務を定めることを含むが、これに限られない）。

(5)　許容譲受人の義務

発行体の株式の処分を本項第(2)号に基づいて受ける許容譲受人は、当該処分を受けた発行体の株式を、次のいずれかの処分以外の処分をしてはならないものとし、処分実施株主は、当該処分を受ける許容譲受人をして、そのように処分させることを確実にするものとする（次条第1項c所定の書面を許容譲受人をして処分実施株主以外の全株主に対して差し入れさせることを含むが、これに限られない）。

a．本契約に法的に拘束される株主に対する処分

b．当該許容譲受人の完全支配会社に対する本項第(1)号に従って実施する処分

c．他の許容譲受人に対する本項第(2)号に従って実施する処分

3．処分の手続

(1)　処分希望通知

処分実施株主は、本条第2項に基づいて、その保有する発行体の株式を処分することを希望する場合、処分実施株主以外の各株主（以下便宜上「他の株主」という）に対して、当該処分が効力を生じる30日以上前に、当該処分を行う意図を通知するものとする。この場合、かかる通知（以下「処分希望通知」という）は、当該処分の相手方となる第三者の名称及び住所、その第三者と処分実施株主との関係、処分予定の発行体の株式の数及び当該処分の予定対価金額その他経済条件並びにその他の処分の主要な条件を記載するものとする。

(2)　先買権（First refusal rights）

処分実施株主から処分希望通知を受領した場合において当該処分希望通知に記載された処分の相手方が他の株主又は処分実施株主の完全支配会社のいずれでもないときは、他の株主は、処分予定の発行体の株式の全てを、処分希望通知に記載されている価額で優先的に買い受けるか又は当該他の株主の指定する第三者をして買い受けさせる権利（以下「先買権」という）を有するものとする。他の株主は、かかる処分希望通知受領後15日以内に、処分実施株主に対し、先買権を行使するか否かを書面にて通知するものとする。他の株主から先買権行使の通知を受けた場合、処分実施株主は、かかる先買権行使の通知受領後15日以内に、他の株主又は当該他の株主が指定する第三者に対し、処分予定の発行体の株式を処分希望通知に記載されている処分の条件で売却するものとする。

（3）　同時売渡権（Tag along rights）

　処分実施株主から処分希望通知を受領した場合において当該処分希望通知に記載された処分の相手方が他の株主又は処分実施株主の完全支配会社のいずれでもないときは、他の株主は、先買権を行使せず、その保有する発行体の株式の全部又は一部につき、処分希望通知に記載されている処分の相手方に対し、かかる相手方に対して処分実施株主と同一の対価その他の条件により、次の計算式によって得られる株式数を、処分実施株主と共に譲渡することができる権利（以下「同時売渡権」という）を有するものとする。他の株主は、かかる処分希望通知受領後15日以内に、処分実施株主に対し、同時売渡権を行使するか否かを書面にて通知するものとする。他の株主から同時売渡権行使の通知を受けた場合、処分実施株主は、これを確実に実行する。

　　　（算式）　$X \times (Y \div Z)$
　　　　　X ＝相手方に対する処分予定の株式数
　　　　　Y ＝同時売渡権を行使した当該他の株主の保有する発行体の株式の数
　　　　　Z ＝処分実施株主と同時売渡権を行使した全ての他の株主の保有する発行体の株式の合計数

（4）　必要手続への協力

　本項の定めるところに従って発行体の株式の処分が実施される場合、全ての株主は、当該処分に必要な手続を履践するものとする。但し、当該処分の実施のために法令に従って公開買付けその他の別段の手続（もしあれば）が必要な場合には、当該手続が必要とされる株主は、当該手続の一切を履践するものとし、当該株主以外の株主も、当該株主と協力して必要な手続等を行うものとする。

第○条　許容処分の条件及び効果

1．許容処分の条件

　株主は、次の各号の定める条件が全て満たされている場合、前条第2項第(2)号に基づいて発行体の株式の処分を行うことができる。

　　　a．他の株主が先買権を行使していないこと。
　　　b．他の株主が同時売渡権を行使していないか、又は行使している場合には、前条第3項第(3)号の定めるところに従って発行体の株式の処分が行われること。
　　　c．譲受人が、他の株主にとって形式及び内容において合理的に満足できる文書によって、本契約の条項及び条件に拘束されることを書面により同意し、当該同意を証する書面を他の株主が受

第3章　子会社管理の仕組みづくり

　　　　領していること。

　　　d．処分実施株主が、当該処分に適用のある法令及び本契約の全て
　　　　の規定を遵守していること。

　2．許容処分の効果

　　　前条及び本条に基づく発行体の株式の処分は、前条第2項第(3)号但書
　　の適用がある場合を除き、他の株主によって書面において明確に同意さ
　　れない限り、処分実施株主の本契約に基づくいかなる責任も免れさせる
　　ものでないものとし、処分実施株主は、発行体の株式の譲受人とともに
　　連帯して本契約の違反についての責任を負担するものとする。

子会社管理上の留意点

第4章　子会社管理上の留意点

1　はじめに

　第3章では子会社管理の仕組み・体制づくりのポイントについて解説してきたが、本章においては、いかに実効的に子会社管理を行っていくかとの観点から、子会社管理のポイントや留意点について解説する。ひとくちに子会社管理といっても多義的な概念であるが、ここでは不祥事を起こさせないための管理、すなわち、主に法令遵守を念頭に置く。

　上場企業グループにおいて子会社管理を行っているといっても、性善説に立った管理をしている企業グループが多数であるように思われる。既に見てきたように、どのような内部統制システムを構築するかについては広く取締役に裁量が認められ、経営判断の原則が適用される。また、取締役の監視義務は、違法行為ないしは違法行為の兆候を察知した場合に対応が求められるという意味での受動的な義務に過ぎない。したがって、これらの義務との関係では、性善説に立った子会社管理に拠ったとしても、親会社の役員責任の問題は生じないかもしれない。

　しかし、金商法上の有価証券報告書等の虚偽記載に関する取締役の責任については、立証責任の転換が図られており、取締役側において「記載が虚偽であり又は欠けていることを知らず、かつ、相当な注意を用いたにもかかわらず知ることができなかったこと」を立証しなければ免責されない（金商法24条の4、22条及び21条2項1号）。そして、この「相当な注意」とはいかなる注意を指すのか、特に、内部統制システムの構築をもって「相当な注意」を尽くしたと認められ得るのか、仮に認められ得るとして、どの程度の内部統制システムを構築していれば、「相当な注意」を尽くしたと認められ得るのか（例えば、内部統制システム構築義務については経営判断の原則が適用される結果、会社法上、内部統制システム構築義務違反が認められるケースはさほど多くないと思われるが、かかる会社法上の内部統制システム構築義務違反なし（著しく不合理な内容、過程とは言えないとの認定）＝相当な注意を尽くしたという評価になるのかなど）、不明な点が多い。「相当な注意」に関する裁判所の立場が不明である以上、ある程度の性悪説に立ち、子会社管理を行っていくべきであろう。このようにして、子会社における不祥事、典型的には粉飾決算によって、親会社の有価証券報告書等のうちに重要な

284

事項について虚偽の記載が生じた場合であっても、可能な限り役員個人が責任を免れ得るとの視点が、今後の子会社管理においては重要となると思われる。

また、子会社管理に当たっては、いかにして子会社の情報を親会社にて収集するかが重要である。定期的な情報収集体制については、「企業集団における業務の適正を確保するための体制」として決議し（会社法 362 条 4 項 6 号、会社法施行規則 100 条 1 項 5 号）、社内規程に規定されているであろうが、不正の端緒を一刻も早く掴み、不正の芽を摘むためには、より積極的な情報収集活動を行うことが望まれる。そのためには、親会社から子会社に対して役員を派遣することにより経営情報・リスク情報を日常的に収集すること、既に上場企業では定着していると思われる三様監査（会計監査、監査役監査、内部監査）を子会社管理においても最大限活用することが考えられ、さらにこれらを補完するレポーティング・ラインとしてグループ内部通報制度を導入することが考えられる。

以上の観点から、本章においては、まず、子会社管理の前提としてどのような環境の整備を行うべきかについて述べ（下記2）、性悪説に立った子会社管理を行う前提として、不正が起こるメカニズムを紹介する（下記3 (292 頁)）。その上で、子会社からの情報収集ルートとして、子会社への役員派遣・人事の留意点を解説した上で（下記4 (296 頁)）、三様監査とグループ内部統制の在り方について触れつつ（下記5 (304 頁) 〜9 (327 頁)）、最後に、内部統制が故意に無効化された場合において最後の砦となるべきグループ内部通報制度をいかに整備・運用するかについて解説する（下記10 (332 頁)）。

2 子会社管理の前提となる環境の整備

子会社管理において意外にも盲点になるのがその前提となる環境整備である。おそらく多くの上場企業グループでは、子会社を親会社の単なる一事業部門として見てきたせいか、子会社が親会社とは「別法人格」であることに対する意識が薄いと思われる。あるいは、親会社は、子会社の役員人事権を背景に、子会社の役員が親会社の指示・命令に事実上従うことを前提として「事実上の管理」の手法を用いていることが多い。そのため、親

会社での決定事項の効力が当然子会社にも及ぶかのように錯覚しており、子会社管理の前提となる環境への意識も薄くなっていると思われる。

もちろん、子会社が100％子会社なのか、他に少数株主がいる子会社なのか、上場子会社なのか、あるいは子会社にも至らない持分法適用関連会社に過ぎないのかによって整備すべき環境も異なる。しかし、内部統制の要諦は「情報の収集体制」であるから、この点に関しては100％子会社と言えども、いざというときのためには整備しておくべきであろう。

整備すべき環境としては以下のものが考えられる。

(1) 親会社による情報提供請求権・内部監査実施権

まず何よりも、親会社は子会社に対して当然にあらゆる情報を請求できる権利を有しているわけではないことに留意する必要がある。

親会社は、会社法上、子会社に対して、株主として、定時株主総会時に事業報告・計算書類を受領する権利、取締役会議事録閲覧謄写請求権（会社法371条2項）や会計帳簿閲覧謄写請求権（同法433条）等の少数株主権を有する。しかし、これらの権利行使については収集できる情報の範囲に自ずと制限があり、また、手続に時間がかかるなど時宜に適った方法で情報を入手することは困難である。

また、親会社が有価証券報告書提出会社である場合には、親会社は連結計算書類を作成しその株主に提供しなければならない（会社法444条3項、6項）ことから、会社法上明文規定はないものの、親会社は、その子会社及び関連会社に対して情報提供を求める権利を有し、当該子会社及び関連会社はそれに応じる義務があると解されている[1]。しかし、これも親会社は連結計算書類の作成に必要な範囲で情報提供を求めることができるに過ぎない。

さらには、会社法上のグループ内部統制システム（「当該株式会社並びにその親会社及び子会社から成る企業集団における業務の適正を確保するための体制」）の構築義務（会社法362条4項6号、会社法施行規則100条1項5号）を根拠として親会社の子会社に対する指揮権を肯定する旨の考え方もあり得ないではないが、かかる規定の存在のみからそのような権利を認めるこ

---

1) 稲葉威雄「企業結合法制をめぐる諸問題(下)」監査役501号（2005年）27頁。

とについては消極説の方が趨勢である[2]。

　その他に親会社の権利として認められているものとして、監査役の子会社調査権（会社法381条3項）が挙げられるが、これは条文上親会社の監査を行うために必要がある場合に限られ、また、子会社は正当な理由があるときは、その報告・調査を拒むことができる（同条4項）。

　結局のところ、日本の親子会社法制においては、持株会社あるいは親会社が子会社を支配・管理するための法的基盤が整備されておらず、その支配・管理は、親会社が子会社の株主総会において議決権の過半数を握っているという事実上の支配力によって維持されているに過ぎないのである。これを補うためには、「事実上の管理」から「法的管理」に移行することが考えられる。すなわち、経営管理契約を締結することによって、親会社が子会社に対して情報提供を要求できる権利や内部監査を実施できる権利を確保することができる。子会社役員の人事権を有している以上、このような契約を締結する必要性を感じられない場合も多いであろうが、全ての役員がいかなるときも従順であるとは限らず、また、逆に経営管理契約を締結すべきでない積極的理由もないはずであるから、日本の親子会社法制の不備は契約によって積極的に補うべきであろう。

　持分法適用関連会社については十分なコントロールができていないのであるから、投資契約や資本提携契約等においてこれらの権利を積極的に確保する必要があるし、この種の契約を締結していなくてもグループ名の使用に関し使用許諾契約を締結している場合には、ブランド価値維持・毀損予防の観点からもそのような使用許諾契約において、これらの権利を確保すべきであろう。

　なお、子会社が100％子会社でない場合には、親会社のみに情報提供をすることが株主平等原則に違反しないかが問題となる。しかし、株主平等原則とは、株主は、株主としての資格に基づく法律関係については、原則として、その有する株式数に応じて平等に取り扱わなければならないという原則であるから（会社法109条1項）、経営管理契約という契約に基づきなされるものである限りは、株主平等原則違反の問題は生じないと解される。

---

2)　前田重行「持株会社による子会社の支配と管理—契約による指揮権の確保—」金融法務研究会編『金融持株会社グループにおけるコーポレート・ガバナンス』（金融法務研究会事務局、2006年）49頁。

第4章　子会社管理上の留意点

　経営管理契約等を締結しない場合の代替手法としては、親会社が子会社に指示を出したり、又は子会社から報告を求める権限を定めた規程（グループ管理規程などと呼ばれることが多い）を定めることが考えられる。ただし、かかる規程を親会社で定めただけでは子会社に対して何らの拘束力も及ばない（及ぶ法的根拠がない）のであるから、少なくとも子会社において当該規程を受諾する旨の決議をする必要があろう。海外子会社については法制の違いもあるので、規程の受諾という形ではなく経営管理契約を締結することがより確実である。

　なお、求めることができる情報については、少数株主が他にいる場合には公平性や利益相反に配慮する必要があるし、また、子会社が第三者に守秘義務を負っているなど契約上又は法令上開示ができない情報は対象外とせざるを得ないであろう。

(2)　子会社の社内規程の整備

　会社法上の「大会社」である親会社においては、会社法362条4項6号及び5項により、「当該株式会社及びその子会社から成る企業集団の業務の適正を確保するために必要なものとして法務省令で定める体制の整備」を取締役会決議し、これにより、当該体制について社内規程を整備する。かかる社内規程は親会社の社内規程に過ぎず、子会社の就業規則その他の社内規則で子会社の役員・従業員が遵守すべき対象として親会社が整備するグループ向けの規程も対象とされていない限りは、子会社において別途当該親会社の社内規程と整合する内容の社内規程を整備することを要することに注意を要する。子会社も会社法上の「大会社」である場合には、会社法362条4項6号及び5項、会社法施行規則100条1項5号により「当該株式会社並びにその親会社及び子会社から成る企業集団における業務の適正を確保するための体制」を整備することとなるので、この点への対処漏れは発生しないであろうが、大会社でない子会社の場合は会社法上かかる体制の整備についての取締役会決議義務がないことから、特に忘れがちであり留意したい。

(3)　子会社の締結する秘密保持契約の例外条項の追加

　親会社が子会社に対して情報提供請求権を確保したとしても、子会社が

それに応じることができる状況になければ全く意味がない。子会社は多くの取引先と取引を行っているが、当該取引先とは取引前に例外なく秘密保持契約を締結しているであろうし、また、取引の本契約（Definitive Agreement）においても秘密保持条項が規定されているのが通常である。したがって、かかる秘密保持契約や秘密保持条項において秘密情報の（相手方当事者の同意不要な）開示先として親会社を含めるよう交渉する必要がある。筆者の経験に照らしても、従前は秘密保持契約の交渉時に親会社を開示先として含めて欲しいと相手方当事者から要請されることはあまりなかったが、最近はそのような要請を受ける頻度が増えているように感じる。

　問題は、親会社が相手方当事者から見た場合の競業相手である場合であろう。このような場合は、相手方当事者が親会社に対して無条件で秘密情報を開示できるとすることに難色を示すことが多い。このような場合は、親会社における秘密情報の使用目的を「内部管理目的」または「経営管理目的」などに限定することによって説得することなどが考えられよう。場合によっては、親会社における開示対象者を限定した上でファイアーウォールの構築義務を負うことによって開示先に含めてもらうことも考えられる。

　なお、開示先として親会社を認めてもらった場合であっても、通常は、当該秘密保持契約上、子会社が秘密保持契約に基づき負うのと同程度の各種義務を親会社に課すことが求められていることが多い。子会社が各取引先と秘密保持契約を締結する度に、親会社との間でも同等の秘密保持契約を締結することは迂遠かつ煩雑であることから、子会社と親会社間の秘密情報のやり取り全般に適用される秘密保持契約をあらかじめ締結し、その内容は、子会社が取引先と締結する大抵の秘密保持契約の内容に対応できるように、相当程度厳格なものにしておく必要があろう。経営管理契約に秘密保持等に関する規定を置くことにより対処してもよい。

(4)　子会社の取締役・監査役が負う秘密保持義務への配慮

　株式会社の取締役は、善管注意義務及び忠実義務の一環として（取締役退任後は信義則に基づき）、秘密保持義務を負っている[3]。秘密保持義務の対象となる「秘密」とは、不正競争防止法上の営業秘密に限られず、公表さ

---

3)　大阪高判平成 6 年 12 月 26 日判時 1553 号 133 頁。

第4章　子会社管理上の留意点

れれば会社の業務執行に支障をきたすような情報は会社の機密に属する事項として法的保護の対象になると解されている[4]。

　以上は、取締役に限られるものではなく、監査役についても同様に妥当すると考えられよう。したがって、子会社の取締役又は監査役は自己の職務遂行上知り得た子会社の内部情報を当然には親会社に対して共有することができないことに留意が必要である。

　問題となるのはいかなる情報を親会社に開示し得るかであるが、基本的には、開示によって子会社に不利益が発生するか否か、すなわち、損害が生じ得るか否かが判断基準となろう[5]。したがって、子会社の秘密情報であったとしても必ずしも親会社に対する開示が認められないわけではない。また、子会社が100％子会社である場合には、親会社に対して子会社の秘密情報を開示し、そのことにより子会社に不利益が発生し得たとしても、取締役や監査役の責任は総株主の同意をもって免除することができるから（会社法424条）、特に問題になることはないであろう（理論的には、子会社債権者との関係で問題になり得るものの、子会社を破たんさせない限り、子会社取締役の責任が追及されることは事実上ないと考えられる）。

　これに対して、他に少数株主が存在する場合には、総株主の同意による免責が保障されているわけではないことから、親会社への開示が子会社に不利益となり得るか否かの判断については慎重を期す必要がある。

　この点、当該子会社が合弁会社であって、他の合弁パートナーとの間で合弁契約が締結されている場合、あるいは他の全ての株主と株主間契約が締結されている場合には、各株主から合弁会社・子会社に派遣されている取締役は、その職務上知り得た合弁会社・子会社の秘密情報を親会社に開示することができ、そのことについて他の株主は取締役としての義務違反を追及しない旨の条項を設けるなどの対応をすべきであろう。実際には合弁契約においてかような手当てがされていることは稀であるが、合弁パートナーとの関係が良好なうちはよいものの、悪化した際には攻撃される材料となり得るので十分注意を要する。ただ、この場合であっても、当該合弁会社・子会社が第三者との関係で守秘義務を負っており、親会社への開

---

4)　東京地判平成11年2月15日判時1675号107頁。
5)　稲葉・前掲注1) 27頁、江頭憲治郎ほか「持株会社の取締役をめぐる問題④」取締役の法務79号（2000年）36頁〔稲葉威雄発言〕。

示が認められていないときは、当該第三者から得た秘密情報などは当然に対象外となる。

(5) 営業秘密の管理への配慮

子会社が保有している不正競争防止法上の「営業秘密」を親会社と共有する場合には、「秘密管理性」の要件に配慮する必要がある。すなわち、経済産業省「営業秘密管理指針」（平成15年1月30日策定、令和7年3月31日最終改訂）によれば、秘密管理性の有無は、法人（具体的には管理単位）ごとに判断され、別法人内部での情報の具体的な管理状況は、たとえそれが子会社であったとしても自社における秘密管理性には影響しないことが原則とされている。また、別法人と営業秘密を特定した秘密保持契約を締結せずに営業秘密を共有した場合など、別法人に対して自社が秘密管理措置を講じていないことをもって、自社における従業員との関係でも秘密管理性には影響しないことが原則とされている。ただし、自社の従業員が「特段事情が無いにも関わらず、何らの秘密管理意思の明示なく自社の営業秘密を別法人に取得・共有させた」という状況を認識した場合には、当該従業員の認識可能性が揺らぎ、結果として、自社における秘密管理性が否定されることがあり得るとされている。したがって、営業秘密の保護の観点からも親会社と情報共有するに際しては秘密保持契約を締結し、営業秘密を特定しておく必要がある。

(6) 個人情報保護法への対応

子会社の従業員情報を親会社で管理する、あるいは子会社の顧客情報を親会社と共有するなど、親子会社間において個人情報を共有する場合も多いと思われる。この場合、親子間と言えども、その相手方は個人情報保護法上の「第三者」に該当することから、共有については原則として本人の同意が必要となる（同法27条）。もっとも、個人情報保護法による第三者提供には共同利用などいくつかの例外が定められているので、それらに拠るのでも構わない。なお、海外子会社との個人情報のやり取りに関しては、第5章を参照されたい。

3 不正が起きるメカニズム ——不正のトライアングル

　多数の役員・従業員がいれば一定割合で不正を働く者がいるという性悪説に立った上で子会社管理を行うとするならば、不正がいかにして起きるのかを押さえておくことは重要である。

　この点、米国の犯罪学者であるDonald Cressey氏が実際の横領犯を調査・分析して、提唱した「不正のトライアングル」（Fraud Triangle）理論によれば、①動機（pressure）、②機会（opportunity）、③正当化（rationalization）の3つの要素が揃ったときには、横領が発生し得るとされる（【図表4-1】参照）。この理論は、今では横領だけでなく他の不正行為にも妥当すると考えられており、企業会計審議会監査部会「監査における不正リスク対応基準」（平成25年3月31日策定）においても典型的な不正リスク要因として例示されているほか、国際的な資格である公認不正検査士の団体である公認不正検査士協会（Association of Certified Fraud Examiners）の提供するトレーニングにおいても紹介される理論である。

【図表4-1】　不正のトライアングルの概念図

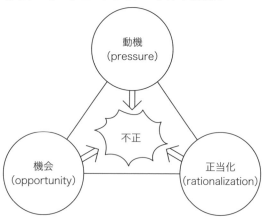

　不正のトライアングルの1つめの要素は「動機（pressure）」である。これは最初に犯罪を誘発するきっかけとなるものである。ある個人が正当な

手段で解決することができない財務上の問題を抱えている場合、当該問題を解決する手段として、現金を盗むなどの違法な行為を行うことを考え始める。この動機の例としては、支払能力の欠如、薬物・ギャンブル中毒、より大きな家・高級車などのステータス・シンボルへの欲望などが挙げられる。

2つめの要素は、認識された「機会（opportunity）」であり、これは犯罪を犯す手段と定義される。人は、現金を盗むことができるという状況だけでなく、それが全く見つからないか、その人自身が捕まるリスクが低いような方法において現金を盗むことができるという状況があれば、横領を誘発すると考えられている。財務上の問題を解決できても、それによって逮捕され社会的ステータスを失うと本末転倒だからである。

3つめの要素は、「正当化（rationalization）」である。不正者の大部分は前科がなく、彼らはそれを犯罪と見ていない。彼らは自分を悪環境が重なって捕まってしまった普通の正直な人間であるとみている。結果として、不正者は、犯罪を受容可能か又は正当化し得る行為となるような方法で自己に対して正当化しているのである。典型的な正当化理由としては、①私は金を借りただけだ、②私は会社のためにやっただけだ、などがある。

例えば、会社の経理担当者が横領に手を染めた事例を例にすれば、①借金に苦しんでいる（動機）、②一人の経理担当者（自分）に権限が集中しているので誰にも気づかれないで出金ができる（機会）、③次のボーナスが出るまでに一時的に借りるだけである（正当化）、などの事情が揃ったときには、横領が発生し得るということである。

参考までに、企業会計審議会監査部会「監査における不正リスク対応基準」に紹介されている不正リスク要因としての3要素の例は、【図表4-2】のとおりである。もちろん、3要素の例はこれらに限られるわけではなく、子会社管理に当たる者が常に想像力を働かせる必要がある。

【図表4-2】 不正リスク要因の例示

動機・プレッ	(1) 財務的安定性又は収益性が、次のような一般的経済状況、企業の属する産業又は企業の事業環境により脅かされている。 （例） ・利益が計上されている又は利益が増加しているにもかかわらず営業

第4章　子会社管理上の留意点

シャー	活動によるキャッシュ・フローが経常的にマイナスとなっている、又は営業活動からキャッシュ・フローを生み出すことができない。 ・技術革新、製品陳腐化、利子率等の急激な変化・変動に十分に対応できない。 (2)　経営者が、次のような第三者からの期待又は要求に応えなければならない過大なプレッシャーを受けている。 　（例） ・経営者の非常に楽観的なプレス・リリースなどにより、証券アナリスト、投資家、大口債権者又はその他外部者が企業の収益力や継続的な成長について過度の又は非現実的な期待をもっている。 ・取引所の上場基準、債務の返済又はその他借入に係る財務制限条項に抵触しうる状況にある。 (3)　企業の業績が、次のような関係や取引によって、経営者又は監査役等の個人財産に悪影響を及ぼす可能性がある。 　（例） ・経営者又は監査役等が企業と重要な経済的利害関係を有している。 (4)　経営者（子会社の経営者を含む。）、営業担当者、その他の従業員等が、売上や収益性等の財務目標（上長から示されたもの等含む。）を達成するために、過大なプレッシャーを受けている。
機会	(1)　企業が属する産業や企業の事業特性が、次のような要因により不正な財務報告にかかわる機会をもたらしている。 　（例） ・通常の取引過程から外れた関連当事者との重要な取引、又は監査を受けていない若しくは他の監査人が監査する関連当事者との重要な取引が存在する。 ・重要性のある異常な取引、又は極めて複雑な取引、特に困難な実質的判断を行わなければならない期末日近くの取引が存在する。 ・明確な事業上の合理性があるとは考えられない特別目的会社を組成している。 ・業界の慣行として、契約書に押印がなされない段階で取引を開始する、正式な書面による受発注が行われる前に担当者間の口頭による交渉で取引を開始・変更する等、相手先との間で正当な取引等の開始・変更であることを示す文書が取り交わされることなく取引が行われうる。 (2)　経営者の監視が、次のような状況により有効でなくなっている。 　（例）

③　不正が起きるメカニズム──不正のトライアングル

	・経営が一人又は少数の者により支配され統制がない。 (3)　組織構造が、次のような状況により複雑又は不安定となっている。 　(例) 　・異例な法的実体又は権限系統となっているなど、極めて複雑な組織 　　構造である。 (4)　内部統制が、次のような要因により不備を有している。 　(例) 　・会計システムや情報システムが有効に機能していない。
姿勢・正当化	(例) ・経営者が、経営理念や企業倫理の伝達・実践を効果的に行っていな 　い、又は不適切な経営理念や企業倫理が伝達されている。 ・経営者と現任又は前任の監査人との間に次のような緊張関係がある。 　―会計、監査又は報告に関する事項について、経営者と現任又は前 　　任の監査人とが頻繁に論争している又は論争していた。 　―監査上必要な資料や情報の提供を著しく遅延する又は提供しない。 　―監査人に対して、従業員等から情報を得ること、監査役等とコ 　　ミュニケーションをとること又は監査人が必要と判断した仕入先 　　や得意先等と接することを不当に制限しようとしている。

(出所：企業会計審議会監査部会「監査における不正リスク対応基準」付録1)

　このように不正は上記の3要素が揃った場合に起こり得るので、会社と
してはこれらの3要素の発生を可及的に防ぐという観点で対応する必要が
ある。

　例えば、機会の問題については、会社の出金手続は単独で行うことがで
きないような会計システムや稟議システムを組む、人事ローテーションを
相応の期間において行う、PCのアクセスログを一定期間保存し、不正の証
跡が残るようにした上で社内に周知することにより、不正に手を染めた場
合には確実に発覚することを知らしめ、抑止力が働くようにすることなど
が考えられる。

　個人の主観面のうち、正当化に関しては、統制環境を整備することによ
り対応可能である。日本企業の不祥事では「会社のためにやった」、「大丈
夫かなとは思ったが前任者も含めてずっと前からやっているということ
だったので大丈夫だと思った」などの正当化理由が述べられることが多い。

295

したがって、トップが普段日頃から「法令遵守が最優先事項である」、「不正は絶対に許さない」というメッセージを発信し、そのような正当化ができない環境・企業風土づくりをすることが極めて重要である。もちろん、このようなメッセージを全社員向けに発信していたとしても、個別の対応・指示においては、利益を優先するかのような指示、あるいはそのような誤解を受けかねないような指示をしていたり、人事評価を行っているようでは環境・企業風土づくりとして極めて不十分であることは言うまでもない（不正発覚時の第三者委員会による調査から身を守るという観点からも、誤解を招くようなことなく法令遵守が全ての最優先事項であることをトップは日頃から口癖のように言っておくべきである）。

このように、不祥事を防止する上では、不正のトライアングルの3要素を常に意識することが大事である。特に、企業活動は日々続いていくのであり状況は常に変わっていく。そうすると、いつの間にか不正の機会が生まれることもあり得る。したがって、仕組みをつくった後もグループ内に新たな不正の機会が生じてないかをモニタリングし、改善していく必要がある。

4 子会社への役員派遣・人事

本章冒頭においても述べたとおり子会社管理の要諦は「情報収集」である。日本の企業集団はこれまでも多くの親会社が子会社に役員を派遣するなどして情報を吸い上げてきたが、これはやはり最も効果的な情報収集ツールであるからであろう。本項では、親会社からの子会社に対する役員派遣・人事の留意点について解説する。

(1) 日常の情報収集手段としての役員派遣

親会社から子会社に対して役員派遣（役員兼任）を行うことは一般的に行われているが、どの役職の者をどの役職に派遣するのが適当か。

公益社団法人日本監査役協会（以下「監査役協会」という）のケース・スタディ委員会が平成31年2〜3月に最終親会社又は最終親会社ではないものの同様に子会社に対して影響力を行使できる会社を対象に行った「『親会

社による企業集団の監査』に関するアンケート調査結果」（回答社数 1036 社。以下「監査役協会アンケート」という）[6]によれば、①親会社取締役・執行役が子会社取締役・執行役又は子会社の執行を担当する役員を兼務している例は、国内子会社については 86.3％、海外子会社については 61.6％、②親会社取締役・執行役が子会社監査役又は子会社の執行の監督を担当する役員を兼務している例は、国内子会社は 34.2％、海外子会社は 41.6％、③親会社営業部門の職員が子会社の取締役又は子会社の執行を担当する役員を兼務している例は、国内子会社は 36.3％、海外子会社は 28.5％、④親会社管理部門など非営業部門の職員が子会社の監査役又は子会社の執行の監督を担当する役員を兼務している例は、国内子会社 47.5％、海外子会社は 32.6％であったとのことである。

以下では、まず、会社法における兼任に関する規制（【図表 4-3】参照）と、取締役・監査役の権限を概観する。

(a) 親会社取締役と子会社取締役の兼任

まず、親会社の取締役が子会社の取締役を兼任することについては会社法上特に制限はなく許される。ただし、平成 26 年改正会社法により、親会社の取締役、執行役、支配人その他の使用人は社外取締役の要件を充足しないこととなったので（会社法 2 条 15 号ハ）、上場子会社など社外取締役が必要な会社に派遣する場合には注意を要する。

また、親会社の代表取締役を子会社に取締役として派遣する場合、あるいは、親会社の取締役を子会社の代表取締役として派遣する場合、当該子会社が 100％子会社でない限り、会社法上の利益相反取引の規制に服することになる。すなわち、当該親子間で何らかの取引を行う際、前者の場合は親会社において、後者の場合は子会社において、利益相反取引の取締役会決議を得なければならない（会社法 356 条 1 項、365 条 1 項）。利益相反取引について取締役会の承認が得られたとしても、当該利益相反取引によって会社に損害が発生したときは、①第三者のために会社と取引した取締役（すなわち取引相手の代表取締役として会社と取引を行った取締役）、②会社を代表し当該取引をすることを決定した取締役、③当該取引に関する取締役会の承認決議に賛成した取締役は、任務を怠ったものと推定され、過失がなかったことの挙証責任を負うことになり（同法 423 条 3 項）、これらの取

---

6) https://www.kansa.or.jp/support/library/post-505/

締役の損害賠償責任が発生しかねないことから、このような派遣はできる
だけ避けたいところである。ただし、代表取締役が複数存在し、当該取引
において他方の会社を代表して行動している代表取締役が当該会社の取締
役でない場合には、かかる利益相反取引の規制は適用されないと解されて
いることから[7]、かかる場合には問題ない。

　同様に、親会社と子会社が競業取引を行っている場合についても、利益
相反取引と同様に取締役会の承認が必要となる。また、取締役会の承認を
得た場合であっても、利益相反取引のような任務懈怠の推定規定こそない
ものの、取締役の損害賠償責任は生じ得る（会社法 423 条 1 項）。ただし、わ
が国では、競業承認は取締役を系列会社（合弁会社等）に代表取締役として
派遣する等の正当な事業目的に基づきなされることが多いので、結果的に
会社に損害が生じたからといって、簡単に競業取締役や取締役会で賛成し
た取締役の任務懈怠を認定すべきではないとされている[8]。

(b)　親会社の取締役と子会社の監査役の兼任

　次に、親会社の取締役が子会社の監査役を兼任することについても会社
法上特に制限はないので許されると言わざるを得ない。しかし、このよう
な兼任者は、一方では、親会社取締役として子会社の業務を指揮し、他方
では、そのようにして自ら指揮した子会社の業務を子会社監査役として監
査する結果となり、「自己監査」のおそれがある[9]。したがって、子会社監
査役を兼任する親会社取締役には、当該子会社を所管としない取締役を充
てるなど、実態として自己監査にならないように留意する必要がある。

(c)　親会社の監査役と子会社の取締役の兼任

　監査役は、子会社の取締役、支配人その他の使用人、会計参与、執行役
を兼任することはできないので（会社法 335 条 2 項）、かかる選択肢はない。

(d)　親会社の監査役と子会社の監査役の兼任

　会社法上、親会社の監査役が子会社の監査役を兼任することは禁止され
ておらず、実際、実務的にも兼任する例はかなり多い。ただし、親会社の
監査役が常勤監査役（会社法 390 条 3 項）であるときは、子会社の非常勤監
査役を兼務することはできるが、子会社の常勤監査役を兼務することはで

---

7)　江頭憲治郎『株式会社法〔第 9 版〕』（有斐閣、2024 年）465 頁。

8)　江頭・前掲注 7) 461 頁。

9)　田代有嗣『親子会社の法律と実務』（商事法務研究会、1983 年）188 頁。

きないと解されている[10]。常勤監査役の定義が、通説によれば、他に常勤の仕事がなく、会社の営業時間中原則としてその会社の監査役の職務に専念する者とされていることの論理的帰結である。

また、平成26年会社法改正により、親会社等の取締役、監査役若しくは執行役若しくは支配人その他の使用人は、子会社の社外監査役になることができなくなった（会社法2条16号ハ参照）。従前は、親会社の取締役、監査役、使用人等が子会社の社外監査役に就任していたことから、この社外性要件の改正により子会社の社外監査役を確保することが困難になった。しかし、平成26年会社法改正前は、会社法上の大会社は監査役会を置く義務があった結果、監査役の過半数の社外監査役を確保する必要があったが、平成26年会社法改正により、全株式譲渡制限会社である大会社については監査役会を置かない選択肢も可能となった（同法328条）。これにより、子会社が大会社であったとしても上場会社でない限りは、監査役会を設けないことにより、親会社派遣の者が社外監査役を務めることができないという問題を回避することができ、人的資源が限られている企業グループには有用な選択肢であると思われる。かかる場合、同時に、常勤監査役の設置も求められないことになるが、下記に述べるとおり、子会社管理の観点からは子会社監査役が子会社の重要な会議に出席するなどして日常から子会社の状況を把握することが望ましいので、子会社の監査体制が後退しないよう常勤監査役については引き続き設置すべきであろう。

【図表4-3】　親会社・子会社の各役職兼任の可否

	子会社取締役	子会社監査役	子会社使用人
親会社取締役	◯	△	◯
親会社監査役	×	◯（常勤の兼任は×）	×
親会社使用人	◯	◯	◯

(e)　取締役・監査役の権限

会社法上、取締役会設置会社においては、取締役の職務執行の監督を行

---

10)　稲葉威雄ほか編『実務相談株式会社法4〔新訂版〕』（商事法務研究会、1992年）85〜88頁〔元木伸〕。江頭・前掲注7）568〜569頁。

うのは、取締役ではなく取締役会の職務とされている（会社法362条2項）。したがって、取締役の職務執行の監督のための調査権は、個々の取締役が単独で行使することはできず、取締役会を通じてのみ行使することができると解されている[11]。下級審裁判例においても、個々の取締役の会計帳簿等の閲覧謄写請求権は否定されている[12]。また、取締役は、会社に著しい損害を及ぼすおそれのある事実があることを発見したときは、直ちに当該事実を監査役に報告しなければならないとされているに過ぎず（同法357条1項）、自ら、これを差し止める権限を有しない。

これに対して、監査役は、独任制であるため、複数の監査役がいたとしても、その多数決により権利行使をするのではなく、単独で、事業報告徴求権・業務財産調査権（会社法381条2項）を行使することができる。また、監査役は、取締役が会社の目的の範囲外の行為その他法令若しくは定款に違反する行為をし、又はこれらの行為をするおそれがある場合において、当該行為によって会社に著しい損害が生ずるおそれがあるときは、当該取締役に対して、当該行為をやめることを請求することができるという強力な権限を有する（同法385条1項）。

(f) 検討と留意点

以上の取締役・監査役の権限をふまえた場合、子会社代表取締役の反乱などの「有事」に備えるという視点を持つ場合には、親会社は、取締役のみならず、監査役も派遣しておくべきであろう。取締役会の過半数を親会社に籍を残している者によって支配できていればよいが、そうでない場合には監査役の派遣は検討すべきである。

また、機能面から考えたときには、親会社の財務・経理部門出身者を子会社のCFO（常勤）として送りこむことにより、何よりも子会社の財務・経理面をしっかりグリップしておきたい。親会社から常勤を送り込むほどの人的資源がない場合には、親会社の当該子会社の所管部門（後述する3つのディフェンスラインの第1線）から非常勤取締役を派遣することにより、事業・経営面をグリップし、財務経理部門やコンプライアンス部門などの第2線から非常勤監査役を派遣することによって、財務・法務などの管理面

---

11) 落合誠一編『会社法コンメンタール8──機関(2)』（商事法務、2009年）〔落合誠一〕218頁。

12) 東京地判平成23年10月18日金判1421号60頁。

300

をグリップするのがバランスが取れていると思われる。

　なお、親会社の内部監査部門が充実している企業グループでは第2線の代わりに第3線である内部監査部門の従業員が監査役として派遣されている例も耳にする。特に、派遣先が子会社ではなく関連会社であって、何の法的根拠も持たない内部監査の受入れについて消極的である場合には、内部監査部門を関連会社の監査役として派遣することによって、監査役としての権限を背景に実質的に内部監査を行うことができるのであって、極めて有用なアプローチである。

　ただし、従前は親会社から派遣される監査役は、非常勤監査役として月に1回程度の取締役会に出席するほかは、せいぜい月に1、2回程度出社すれば十分というのが一般的な実務であったと思われる。しかし、派遣先の子会社の重要度、リスクの程度にもよるが、不正の兆候がないかを掴むためには、それだけでは足りず、その他の重要な社内会議にも積極的に出席することが望まれる。もちろん、他に常勤監査役が選任されており、当該常勤監査役と十分連携・意思疎通できる場合には問題ないが、監査役は1名のみという役員構成である子会社も少なくないと思われるので、その点については十分考慮した方がよい。その意味では、親会社の役員・従業員が子会社の非常勤監査役を兼務するといっても、2社も3社も兼務することはできるだけ避けるべきであろう。

　ところで、親会社取締役が子会社取締役を兼任する場合には、子会社の業務執行に関する報告や決裁に際して具体的な損害発生の可能性のある情報に接する機会が増し、適切な監視監督が行われない場合には親会社取締役としての任務懈怠が認められる可能性が高まる[13]。このように、親会社と子会社において取締役を兼任する場合には、子会社の取締役として認識していた事実関係を元に親会社取締役としての監視監督義務違反を判断され得ることになり、損害賠償責任を負う可能性が高まることから要注意である。本来、子会社の取締役に対しては、取締役等の責任の原因となった事実が生じた日において、最終完全親会社等及びその完全子会社等における当該子会社の株式の帳簿価額が当該最終完全親会社等の総資産額の5分

---

13)　村中徹「子会社の管理における取締役・監査役の職務と実務課題」田原睦夫先生古稀・最高裁判事退官記念『現代民事法の実務と理論（上巻）』（金融財政事情研究会、2013年）706頁。

第 4 章　子会社管理上の留意点

の 1 を超えるような子会社でない限り、最終完全親会社の株主は責任追及
することができない（会社法 847 条の 3 第 1 項・4 項）。しかし、親会社の役
員が子会社の取締役を兼任している場合には、子会社の取締役として行っ
た意思決定についても、親会社の取締役としての監視義務違反を理由とし
て責任追及を受けかねず（実際、そのような事例も増えている）、多重代表訴
訟の対象子会社が極めて限定されているにもかかわらず、親会社取締役は、
子会社取締役を兼任することによって、多重代表訴訟の対象とならない子
会社の取締役として行った意思決定についても責任追及を受ける事態を招
いていることには留意すべきである。

(2)　社外取締役の選任

　コーポレートガバナンス・コードの策定や、議決権行使助言会社の助言
方針もあって、上場親会社には社外取締役が複数選任されることが珍しく
なくなったが、上場親会社の取締役会に対して全ての子会社の取締役会の
議論の状況が報告されるわけではない。いかに親会社の取締役会に有能な
社外取締役が名を連ねていたとしても、それらの社外取締役にまで情報が
届かなければ全く意味がない。有事の情報は報告される仕組みに当然なっ
ているであろうが、平時の情報にも社外の目が入ることによって不祥事を
より未然に防止し得る。コーポレート・ガバナンスの強化のためには社外
取締役が有効ということであれば、グループ・コーポレート・ガバナンス
の強化にも社外取締役は有効なはずであって、だとすれば上場子会社のみ
ならず、非上場会社についても社外取締役を選任することは十分検討に
値する。

　不祥事が発覚したときに第三者委員会等の調査の結果、しばしば指摘さ
れることの 1 つに「社内の常識は社外（社会）の非常識」という言葉があ
る。例えば、昔の業界慣行を現在も続けていることについて、当該業界内
の者であれば何ら不思議に思わないところ、外部の目が入れば「おかしい
のではないか」と指摘が入ることも期待される。時代とともに事業環境は
当然変化していくところ、社外取締役は、そうした変化に対して、社内の
論理だけにとらわれず、社外の価値観をもって助言し、チェックをしてい
くことが可能なのである。社内の論理や従前の仕組みだけで様々な危機対
応を取っていると、どうしても対応が鈍くなる側面が出てくる。

302

かかる意味では、全ての子会社に導入する必要まではないものの、売上規模が大きいかあるいは利益貢献度の大きい中核子会社や、何らかの理由でリスクが相当程度大きいと考えられる子会社には、社外取締役を選任することによりグループ・ガバナンスを強化することも検討すべきであろう。この点は、100％子会社か否かにかかわらず妥当するものであるが、100％子会社でない場合には、少数株主保護の観点から社外取締役の設置要請はますます強いものになると考えられる。

(3)　その他の実務上の課題

　親会社からの役員派遣において実務上よく耳にする問題は、それまで親会社において通常の従業員として勤務しており、取締役会に出席や陪席したことのない者がいきなり役員として派遣されて、子会社のコーポレート・ガバナンスに貢献できるかという点である。役員経験のない者が何の教育・研修も受けずに、子会社の取締役会に出席しても戸惑うだけであるというのは想像に難くない。そのように戸惑う人間が取締役会において胆力を発揮して誤りや不正を指摘することはおよそ不可能に近い。

　コーポレートガバナンス・コード原則 4-14 は、上場会社は個々の取締役・監査役に適合したトレーニングの機会の提供・斡旋やその費用を支援すべき旨を規定し、補充原則 4-14① は、「社外取締役・社外監査役を含む取締役・監査役は、就任の際には、会社の事業・財務・組織等に関する必要な知識を取得し、取締役・監査役に求められる役割と責務（法的責任を含む）を十分に理解する機会を得るべき」と規定するが、真に子会社管理を考えるのであれば、かかるトレーニングの機会は上場企業の役員でなくとも付与されて然るべきであろう。

　次に比較的よく聞く実務上の課題としては、子会社の社長がグループ内の年次で言えば「先輩」であり、派遣された役員を含めて意見を言い出せないという点である。何らかの意見を具申したいものの、後輩の言うことなど聞く耳を持たないというのは割とよくあることのようである。後述する COSO フレームワークの原則 2 にもあるように、取締役会は上級経営者から独立してなければならないから、役員として派遣される者は年次に関係なく意見を言える者でなければならない。しかし、言うは易し行うは難しであって、そのようなときに有効なのが上記に述べた社外取締役の活用

第4章　子会社管理上の留意点

であろう。社外取締役は、社内の先輩・後輩関係に囚われないからである。

　かかる策が取れない場合には、究極的には、子会社の社長人事は親会社が握っているのであるから、当該子会社の親会社での所管部門（カウンターパート）の部門長、あるいは当該部門長を通じて親会社の役員を通じて意見具申するというのが現実的な解決策なのであろう。

(4)　子会社社長の人事

　言うまでもなく子会社の社長人事は重要である。株式会社は営利目的である以上、業績に貢献し得るか否かが最大の考慮要素であることは疑いない。しかし、今一度、不正のトライアングルを思い出していただきたい。不正の3つの要素のうちの「機会」である。子会社社長に対しても様々な相互牽制を働かせるなどにより「機会」が生じないようにしていたとしても、それらの相互牽制が故意に無効化されているおそれもあるし、内部通報制度を整備していたとしてもそれが有効に活用されないこともあり得る。同一人物がトップを長らく務めているとブラックボックス化する部分が出てくるおそれもある。現に、子会社において長らくトップを同じ人間が務めていたため不正がなかなか発覚しなかったという事例は少なくない。

　したがって、同じ人間がずっとトップを務めるというのは不正防止の観点からはできる限り避けたいところである。一定期間で人事ローテーションがあることがわかっていれば、短期間のうちに不正が発覚することを恐れてそもそも不正に手を染めないという予防効果が期待できるのである。かかる観点からは、どんなに業績がよくても一定期間をもって子会社の社長を交代させる制度を導入することは検討に値するであろう。

5 　三様監査とグループ内部統制

(1)　三様監査

　会計監査人は、会社法444条4項に基づき連結計算書類の監査証明業務を行い、また、金商法193条の2第1項に基づき連結財務諸表の、また、同第2項に基づき内部統制報告書の、監査証明業務をそれぞれ行うことか

ら、親会社の会計監査人は連結計算書類の監査に必要な範囲で連結子会社の決算を検証することが想定されている。したがって、会計監査人による会計監査は、連結計算書類及び連結財務諸表の監査に必要な範囲ではあるものの、法的権限をもって連結子会社から情報収集することが可能である。

次に、監査役の職責は、あくまでも自社の取締役の職務の執行を監査することである（会社法381条1項）。監査役には、子会社調査権が認められているものの、それはあくまでもその職務（自社の監査）を行うために必要な場合に限られており（同条3項）、監査役が子会社それ自体を監査する権限を有するわけではない。

しかし、監査役に子会社調査権が付与されたのは、親会社の子会社に対する支配関係の行使による違法行為、例えば、架空売上の計上、子会社の押込み販売、親会社不良債権の子会社肩代わり等の防止に資するためであって、企業集団の内部統制の信頼性及び有効性を担保する機能を有するとされている[14]。また、監査役は、グループ内部統制システムの決議内容と運用状況について相当でないと認めるときは、その旨及びその理由を監査報告に記載することが求められている（会社法施行規則129条1項5号）。監査役協会「監査役監査基準」（昭和50年3月25日制定、令和4年8月1日最終改定）においても、「子会社を有する会社の監査役は、連結経営の視点を踏まえ、取締役の子会社の管理に関する職務の執行の状況を監視し検証しなければならない」（26条1項）、「監査役は、子会社において生じる不祥事等が会社に与える損害の重大性の程度を考慮して、内部統制システムが会社及び子会社において適切に構築・運用されているかに留意してその職務を執行するよう努める」（同条2項）と規定されている。このように、親会社の監査役も、親会社の取締役の職務の執行を監査するために、子会社から積極的な情報収集することが期待される。

内部監査とは、組織体の経営目標の効果的な達成に役立つことを目的として、合法性と合理性の観点から公正かつ独立の立場で、ガバナンス・プロセス、リスクマネジメント及びコントロールに関連する経営諸活動の遂行状況を、内部監査人としての規律遵守の態度をもって評価し、これに基づいて客観的意見を述べ、助言・勧告を行うアシュアランス業務及び特定

---

14) 山本一範「企業集団における内部統制とそのあり方——会社法施行規則100条1項5号に関する体制記載事例の検討」監査役523号（2007年）37頁。

第 4 章　子会社管理上の留意点

の経営諸活動の支援を行うアドバイザリー業務をいう[15]。内部監査は、経営者、社長に代わって従業員の適切な業務を把握して統制することが目的であって、組織体の運営に関し価値を付加するものである。内部監査については法律上の設置根拠はなく、金融商品取引所等における要請があるに過ぎない。しかし、会社法は「業務の適正を確保するために必要なものとして法務省令で定める体制」を取締役会決議事項として定め、その中には「企業集団の業務の適正を確保するための体制」が含まれるところ、その運用の実効性を確保するためには内部監査部門の関与が不可欠である。特に、子会社は組織的に別法人であるために、親会社の経営陣に伝達される情報が限定的になる可能性があり、企業集団において内部監査機能は一層重要なものとなる。したがって、内部監査は内部統制の一翼を担う存在として、子会社からの情報収集機能を始めとして、グループ内部統制においても積極的な役割を果たすことが期待される。

　子会社管理においては以上の三様監査をいかに実効的に行って不正の端緒を発見するかがポイントとなろうが、以下では、まず、内部監査部門が不可欠の役割を果たしている内部統制に関して、COSO のフレームワークと The Three Lines of Defense（3つのディフェンスライン）について紹介した上で、その後にグループ監査役監査、グループ会計監査に関してみていくこととする。

(2)　内部統制に関する COSO フレームワーク

　米国のトレッドウェイ委員会支援組織委員会（Committee of Sponsoring Organization of the Treadway Commission、以下「COSO」という）が平成 4（1992）年に公表した報告書は内部統制フレームワークのスタンダードとなった。その後、COSO は、平成 25（2013）年に当該報告書の改訂版として、『内部統制の統合的枠組み』（*Internal Control Integrated Framework*）（以下「COSO 新レポート」という）を公表した。COSO 新レポートのフレームワーク（以下「COSO フレームワーク」という）は、変化するビジネス及び業務環境に適応し、リスクを許容可能な水準に低減し、組織が、健全な意思決定及び組織のガバナンスを支える内部統制システムを有効かつ効率的に整備

---

15)　一般社団法人日本内部監査協会「内部監査基準」1.0.1。

できるようにするものであって、子会社への内部統制にも適用され得るものである。

COSOフレームワークにおいては、内部統制とは、「事業体の取締役会、経営者及びその他の構成員によって実行され、業務、報告及びコンプライアンスに関連する目的の達成に関して合理的な保証を提供するために整備された1つのプロセスである」と定義されている。このように、COSOフレームワークは、業務目的（事業体の業務の有効性及び効率性に関連）、報告目的（内部及び外部の財務及び非財務の報告に関連）及びコンプライアンス目的（事業体が法律及び規則を遵守することに関連）の3つの目的を提示し、内部統制は当該目的の達成に関して合理的な保証を提供するものと位置づける。

したがって、子会社管理、特に、法令遵守という意味合いでの子会社管理を行うには、このCOSOフレームワークを有効活用すべきであろう。

COSOフレームワークにおいては、組織の目的達成への取組みを支援するものとして、内部統制は次の5つの統合された構成要素で構成されるとする。なお、COSOは監査役が存在しない米国で生まれたフレームワークであることから、COSOを日本の法制に持ち込むに当たっては、新COSOレポート等で言及されている「取締役会」には監査役会、監査委員会、監査等委員会も含まれ得ると解されていることに留意する必要がある。

① **統制環境** 統制環境とは、組織全体にわたって内部統制を実行するための基礎となる1組の基準、プロセス及び組織構造である。取締役会及び上級経営者は、内部統制の重要性及び期待される行動基準に関するトップの気風を確立する。

② **リスク評価** リスク評価は、目的の達成に対するリスクを識別及び分析し、リスクの管理の仕方を決定するための判断の基礎を形成する動的かつ反復的なプロセスを伴う。経営者は、目的達成能力の妨げとなり得る外部環境及びビジネスモデル内の変化の可能性について検討する。

③ **統制活動** 統制活動は、目的の達成に対するリスクを低減させる経営者の指示が確実に実行されるのに役立つ方針及び手続により確立される行動である。統制活動は、事業体のあらゆる階層で、また、ビジネスプロセスの様々な段階で、テクノロジー環境にまたがって実行される。

④ **情報と伝達** 情報は、事業体が内部統制の目的を達成することを支援

するために、内部統制に関する責任を遂行するために必要なものである。伝達は、内部と外部の両方で発生し、組織に日々の統制の実施に必要な情報を提供する。伝達により、構成員は内部統制の責任とその目的達成に対する重要性を理解することができる。

⑤ **モニタリング活動** 日常的評価、独立的評価、又は両者の一定の組み合わせは、各構成要素における原則を実行する統制を含む内部統制の5つの各構成要素が存在し、機能しているかを確かめるために利用される。発見事項は評価され、不備は適時に伝達される。深刻な問題は上級経営者及び取締役会に報告される。

これらの構成要素は、事業全体及び全社レベル、子会社、部門又は個々の業務単位、機能若しくはその他の事業体の一部に関連しているとされており、以上の目的、構成要素及び事業体の関係を図示すると【図表4-4】のとおりとなる。

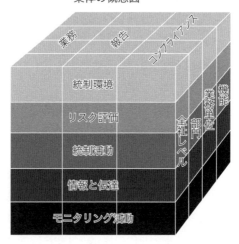

【図表4-4】 内部統制の目的・構成要素・事業体の概念図

そして、これらの5つの構成要素を支える原則として、新COSOレポートは、【図表4-5】記載の17の原則を打ち出し、これらの全ての原則を提供することによって有効な内部統制を達成することができるとする。

5 三様監査とグループ内部統制

【図表 4-5】 内部統制の 5 つの構成要素を支える 17 原則

統制環境

1．組織は、誠実性と倫理観に対するコミットメントを表明する。

2．取締役会は、経営者から独立していることを表明し、かつ、内部統制の整備及び運用状況について監督を行う。

3．経営者は、取締役会の監督の下、内部統制の目的を達成するに当たり、組織構造、報告経路及び適切な権限と責任を確立する。

4．組織は、内部統制の目的に合わせて、有能な個人を惹きつけ、育成し、かつ、維持することに対するコミットメントを表明する。

5．組織は、内部統制の目的を達成するに当たり、内部統制に対する責任を個々人に持たせる。

リスク評価

6．組織は、内部統制の目的に関連するリスクの識別と評価ができるように、十分な明確さを備えた内部統制の目的を明示する。

7．組織は、自らの目的の達成に関連する事業体全体にわたるリスクを識別し、当該リスクの管理の仕方を決定するための基礎としてリスクを分析する。

8．組織は、内部統制の目的の達成に対するリスクの評価において、不正の可能性について検討する。

9．組織は、内部統制システムに重大な影響を及ぼし得る変化を識別し、評価する。

統制活動

10．組織は、内部統制の目的に対するリスクを許容可能な水準まで低減するのに役立つ統制活動を選択し、整備する。

11．組織は、内部統制の目的の達成を支援するテクノロジーに関する全般的統制活動を選択し、整備する。

12．組織は、期待されていることを明確にした方針及び方針を実行するための手続を通じて統制活動を展開する。

情報と伝達

13．組織は、内部統制が機能することを支援する、関連性のある質の高い情報を入手又は作成して利用する。

14．組織は、内部統制が機能することを支援するために必要な、内部統制の目的と内部統制に対する責任を含む情報を組織内部に伝達する。

15．組織は、内部統制が機能することに影響を及ぼす事項に関して、外部の関係者との間での情報伝達を行う。

第 4 章　子会社管理上の留意点

モニタリング活動

16. 組織は、内部統制の構成要素が実在し、機能していることを確かめるために、日常的評価及び/又は独立的評価を選択し、整備及び運用する。

17. 組織は、適時に内部統制の不備を評価し、必要に応じてそれを適時に上級経営者及び取締役会を含む是正措置を講じる責任を負う者に対して伝達する。

　したがって、子会社管理に当たっても、これらの 5 つの構成要素と 17 の原則が存在し、機能していることを確認することが必要になる。

(3)　3 つのディフェンスライン

　COSO フレームワークは、リスクとコントロールが妥当であり適切に管理されることを確実にするように、それらを検討するための仕組みを示しているが、その示された具体的な職務の責任を誰が負うかについてはほとんど述べていない。しかし、様々なリスク及びコントロール機能が存在するというだけでは十分でないことは自明である。困難なのは、コントロールに「ギャップ」が生じないように、また、カバー範囲に重複が生じないように特定の役割を与え、各グループ間において効果的かつ効率的に調整することである。

　以下に紹介する The Three Lines of Defense（3 つのディフェンスライン）モデル[16]は、導入する組織体制と、リスクとコントロールの有効な管理をより成功させるような役割と責任の割当について、ガイダンスを示すものである。日本では、金融機関を中心に導入されているが、効果的な内部統制を発揮するには極めて有用なモデルであるから広く普及することが望まれる。

　3 つのディフェンスラインモデルは、リスクとコントロールの有効な管理のためには上級経営者と取締役会（監査役会や監査委員会を含む）の監督と指揮の下で 3 つのディフェンスラインが必要だという考えに立脚している。わかりやすく言えば、3 重の目でリスクとコントロールの有効な管理をチェック・モニタリングし、改善していくモデルである。

---

16)　The Institute of Internal Auditors, Inc., *The Three Lines of Defense in Effective Risk Management and Control*（2013）.

第1のディフェンスライン（第1線）は、各業務執行部門がリスクオーナーとして各事業から発生するリスクを所有しコントロールする。具体的には、第1線は日常業務から発生するリスクを特定した上で、評価、管理、低減等の必要な統制手続を行い、内部方針・手順の策定・実施を指導し、リスク事象から生じた結果について責任を負う。また、手順やコントロールの不備に対する是正措置を講じる責任も負う。

第1線は、COSOフレームワークの5つの構成要素のうち、リスク評価（原則6〜9）、統制活動（原則10〜12）及び情報と伝達（原則13〜15）について重大な責任を負っている。

第2のディフェンスライン（第2線）は、リスク管理部門、コンプライアンス部門などの内部統制を担当する専門部署が、（経営陣の管理下にはあるものの）第1線の業務執行部門から独立した立場でリスク及びその管理状況の監視を行う。これは第1線が導入したコントロール及びリスクマネジメントのプロセスが適切に設計され、意図されたとおりに実施・運営されることを確実にするためのものである。第2線に区分され得る専門部署としては、リスクマネジメント、コンプライアンス、法務、財務管理、情報セキュリティ、品質、検査、環境などが挙げられる。

第2線の機能は組織や業界によって変わり得るものであるが、典型的には、業務執行部門による効果的なリスク管理手続の実施を促進し監視し、また、ターゲットとなるリスク・エクスポージャーを画定し、十分なリスク関連情報を組織中に報告することについて、業務執行部門を支援するリスク管理機能、適用法令の不遵守のような様々な特定のリスクを監視するコンプライアンス機能、財務リスク及び財務報告問題を監視するコントローラ機能が含まれる。そして、これらの機能の責任としては、リスク管理フレームワークの提供、既知の問題及び今後生じ得る問題の特定、組織の黙示的なリスク選好の変化の特定、リスク及び問題の管理のためのプロセス及びコントロールを発展させることの業務執行部門の支援、リスク管理プロセスのガイダンス及びトレーニングの提供、業務執行部門による効果的なリスク管理手順の実施の促進及び監視、生じつつある問題に対する業務執行部門への警告並びに規制・リスクシナリオの変更、内部統制の十分性・有効性、報告の正確性・完全性、法令等遵守、不備の適時の是正の監視が含まれ得る。

第4章　子会社管理上の留意点

　第3のディフェンスライン（第3線）は、内部監査部門が、第1線及び第2線から完全に独立した立場で上級経営者及び取締役会に対してリスク管理とコントロールの有効性に関して合理的な保証を与えるものである。内部監査の業務範囲は、組織の業務のあらゆる側面を網羅することができるから、かかる保証は、業務の効率性及び有効性、報告プロセスの信頼性及び完全性、法令、規則、指針、手順及び契約の遵守等を含む広範囲の目的、リスク管理及び内部統制フレームワークの全ての要素をカバーする。

　3つのディフェンスラインは、その各々が、リスクを有効に管理して組織の目的達成を支援するという同じ目的を持っている。したがって、3つのディフェンスラインは互いに情報を共有し業務を連携する必要がある。

　これらの第1線から第3線を担う主体、役割を表にすれば【図表4-6】のとおりとなる。

【図表4-6】　3つのディフェンスラインの主体・役割等

	第1線	第2線	第3線
主体	業務執行部門	リスク管理・コンプライアンス等の内部統制部門	内部監査部門
経営陣からの独立性	経営陣に直属	限定的な独立	完全な独立
役割・責任	日常業務におけるリスクを特定・評価し、必要な統制手続を行う。業務の方針や手続の策定、改定を行う。	第1線から独立した立場で、リスク及びその管理状況の監視を行う。第1線に対し、必要に応じて専門的見地からリスク管理上のアドバイスを行う。リスク管理フレームワークの設計・改定について第1線を支援する。	第1線、第2線から独立した立場で、リスク管理機能及び内部統制システムについて取締役会に対して合理的な保証を提供する。
レポート先	経営陣（業務執行取締役）	経営陣（業務執行取締役）	上級経営者・取締役会（監査役会、監査委員会）

5 三様監査とグループ内部統制

また、三様監査と3つのディフェンスライン、内部通報制度の関係を図にすると【図表4-7】のとおりとなる。

【図表4-7】 三様監査・3つのディフェンスライン・内部通報制度の関係図

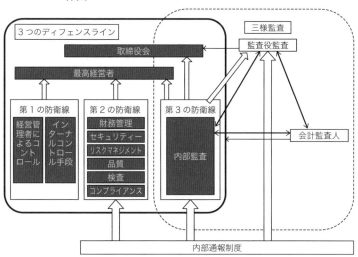

なお、上級経営者及び取締役会は、この3つのディフェンスラインのいずれにも属するものではないと考えられているが、組織目的の設定、それらの目的達成のためのハイレベルな戦略の決定、リスクを最善に管理するためのガバナンス体制の構築について共同で責任を負っており、また第1線と第2線の活動に最終的な責任を負っている。また、上級経営者及び取締役会は、内部統制の構成要素の1つである統制環境に一義的な責任を負っている。

コンプライアンス部門や内部監査部門を有する子会社であれば、以上の3つのディフェンスラインを活用した内部統制を子会社内にて完結することもできようが、コンプライアンス部門や内部監査部門を有していない子会社も多いのが実態であるし、また、仮にこれらの部門を有しているからといって内部統制を一切子会社任せにしてしまうとすれば、それはグループ内部統制として心許ない。したがって、親会社と子会社において3つのディフェンスラインをどのように振り分けて運用していくかがグループ内

第 4 章　子会社管理上の留意点

部統制において工夫すべきポイントになると思われる。以下では、この 3 つのディフェンスラインを活用したグループ内部統制について実務上の工夫・留意点について解説する。

6　3 つのディフェンスラインを活用したグループ内部統制

(1)　統制環境の整備

　上述のとおり、上級経営者及び取締役会は、組織目的の設定を含め統制環境について一義的な責任を負っている。統制環境に関する原則としては、【図表 4-5】に示したとおり、原則 1～5 までがあるが、中でも「原則 1. 組織は、誠実性と倫理観に対するコミットメントを表明する」が重要である。要するに、不正は絶対に許さない、隠ぺいはしない、という企業風土の確立である。内部統制の議論では必ず強調されるのが、内部統制において最も大事なことは法令遵守に向けたトップの姿勢であるということである。したがって、子会社管理においても、かかる企業風土を子会社において確立させることが重要である。そのためには、子会社のトップにその旨のメッセージを社内に向けて発信してもらう必要がある。しかし、かかるメッセージが企業グループの意図することとずれていては全く意味がない。

　親会社は、グループ全体に適用される企業グループ理念や企業グループ行動指針などを策定しているであろうが、これらを策定さえすれば統制環境の整備は終わりではない。「形だけ」整えても全く意味がないのである。子会社のトップはこれらを自らの言葉で、生きた言葉で、社内に向けて発信をしなければならない。真に企業グループ理念や企業グループ行動指針を理解していなければ、子会社トップがこれらを社内に向けて語ったところで、社員の心には何ら響かないはずである。そうすると、グループのトップである親会社のトップがことある度に、例えばグループ経営会議などの場で、子会社のトップに企業グループ理念・行動指針を語り、仏に魂を入れる必要がある。子会社のトップはこのようにして理解した企業グループ理念や行動基準を子会社に持ち帰って、自らの言葉で社員に向けて

314

説明をして、企業風土を確立していかなければならない。

　子会社といっても千差万別である。親会社から分社化されて設立され、親会社の DNA を承継している子会社もあれば、M&A で新たに取得して企業文化が全く異なる子会社もあるかもしれない。グループによっては、子会社の社員は親会社の社員と比べて業務に対するモチベーションが低く、コンプライアンスに対する意識も低い（無関心）という例もみられる。

　子会社管理においては、グループ全体で同じ方向を向いた経営がされるように、意識合わせ・目線合わせが重要である。価値観の共有である。そのためには、グループとしての経営方針、企業理念・行動指針が子会社にも深く浸透するよう、親会社の役員と子会社の役員がこれらを共有できる場を定期的に設けることが肝要であろう。その中で、絶対に譲れない一線として、コンプライアンス経営の徹底を共有すべきことはいうまでもない。

　また、子会社の役員・従業員にコンプライアンス意識を浸透させるためには定期的に繰り返し研修を行う必要がある。かかる研修は、講義形式が一般的であるが、講義形式は受講者が受動的になるため浸透度があまり高くならないおそれがある。特定のテーマを与えたグループディスカッションを導入するなど、受講者が積極的に参加する形式のものはコンプライアンス意識を相対的に高めるので、そのような工夫をしてグループ全体のコンプライアンス意識を醸成したい。

(2)　第 1 線による管理（業務執行部門）

　上記にみたとおり、第 1 線は、業務執行部門がまさに業務を担当する上で日々発生するリスクについて、リスクオーナーとしてコントロールを行うものである。したがって、子会社の各業務執行部門がリスクオーナーとして第 1 線を担当するわけであるが、これについて親会社はどのようにして管理あるいは関与していくべきか。この点は、各企業グループによって千差万別であろうが、一般的に考えられるのは、親会社において子会社管理を行う部署（カウンターパート）による管理と経営のハイレベルによる管理であろう。

　経営のハイレベルによる管理は、予算・業績に関する管理に限定されるのが通常である。例えば、親会社の役員と子会社の社長から構成されるグループ経営会議を定期的に開催し（例えば、毎月、あるいは四半期に 1 回程

度）、各社の予算説明や業績報告を行わせることにより、親会社の社長・担当役員が各子会社の業績を直接に把握することが可能になる。また、このようなグループ経営会議は、各子会社の業績把握を行うにとどまるのではなく、親会社の策定するグループ経営方針の共有や、親会社の考えている課題・意識を子会社に浸透させるのにも役立つ。

　親会社のカウンターパートによる管理についてであるが、まず、そもそも親会社のどの部署がカウンターパートとなるべきか。各事業部門による個別管理と、関連事業部などの管理部門による一括管理が考えられる。前者は子会社の行う事業に精通しているので、リスクオーナーたる第1線を管理するのに適しているであろう。第1線の取り扱うリスクは、コンプライアンスリスクに限られず、あらゆるビジネスリスクも対象となるのであるから、かかるリスクについても精通していることからすれば、各事業部門が第1線を管理する部署として相応しいと思われる。他方で、このような事業部門による管理は、法務・財務経理等に関する知識が乏しいので不正リスクの把握に課題が残るとの指摘もみられるが、かかる点については次に見る第2線によるフォローが期待できるので、第2線の体制次第であると思われる。

　関連事業部による管理は、子会社・関連会社の管理を単一の部署で一括して行うというものである。単一の部署で取り扱うので、子会社ごとに管理の手法・品質にバラつきが生じにくく、また、通常は、財務経理等の専門部署経験を積んだ人材も配置されていることが多いので、不正リスクの把握にも強みを有すると考えられる。他方で、子会社が行っている事業について精通しているわけではないので、ビジネスリスクの把握には相対的に弱いと考えられる。

　いずれの体制にするかは個社の事情によって左右されると思われるが、いずれにしても親会社のカウンターパートは、経営のハイレベルによる管理と比較してより細かな業績管理を行うのが一般であろう。

　また、親会社の定めた権限規程に基づき、親会社の事前承認・事前協議事項や報告事項が規程どおりに運用されているかについても確認することとなる。権限規程の理解に親会社と子会社間においてギャップがあることもままみられるので、日々の業務においてかかるギャップを埋めていくことも重要である。

なお、親会社の権限規程どおりでは実務がうまく回らないとして、意図的に規程どおりに運用しない事例も耳にするが注意が必要であろう。例えば、権限規程上は親会社の事前承認事項であるにもかかわらず、親会社には事前報告で足り、子会社限りの意思決定で進めてよいという運用をしていた場合において、かかる子会社限りの意思決定に基づき子会社、ひいては親会社に損失が発生した場合、かように権限規程を逸脱した運用を認めていた親会社の取締役は責任追及を受ける可能性がある。親会社の権限規程を数十から数百もある子会社全てに適用される前提で作成すると、かかる権限規程どおりの運用では実務に支障を来すという子会社が1つ、2つ出てきても不思議ではない。かかる場合に権限規程自体を見直さずに、権限規程から逸脱した運用をすることについては慎重を期したい。

(3) 第2線による管理（内部統制部門）

第2線は業務執行部門から独立したリスク管理、コンプライアンス、財務・経理などの内部統制部門が第1線が行う自律的統制活動を監視・評価し、また、必要に応じて第1線に対してリスク管理上のアドバイスを提供するものである。第1線がリスクオーナーとして、リスクを特定し、評価した上で、受容可能なリスクか否かを取捨選択し、統制活動を行うのに対して、第2線は、専門的見地から第1線の自律的統制活動を監視・評価し、必要に応じてアドバイスを行うという、いわば横串による管理である。これにより、第1線のリスク統制活動がより実効的なものに格上げされる。したがって、この第2線は、法務・財務・コンプライアンス・リスク管理などの専門部署からの目線で適宜監視活動を行うことになる。

ところが、間接部門はコストセンターという意識が経営層に強いのか、日本の企業グループにおいては、そもそも子会社にリスク管理部、コンプライアンス部、法務部などの内部統制部門が置かれていないことが多い。この場合には、親会社の専門部署が子会社における第2線を担当しなければならないが、人的資源の関係から十分に役割を果たすことができるかという問題が生じる。したがって、ここでも監査等において用いられているリスクアプローチを用いてどの子会社の第1線に対して第2線の役割を果たすかについて取捨選択することになろうが、その場合は、経理財務、法務、コンプライアンス等の機能別にリスクアプローチを採用することになろう。

317

第4章　子会社管理上の留意点

　子会社に各内部統制部門が置かれている場合には、機能別にグループ会議を設けて親会社の担当部門と子会社の担当部門で目線・意識合わせを行う。例えば、グループ法務委員会、グループ財務委員会、グループコンプライアンス委員会などである。このように親会社と子会社の各第2線が連携することにより、親会社に集約された各担当部門のノウハウが子会社にも提供されることになるし、親会社のグループ内部統制の力点・ポイントなども共有されることになり、かかる観点から子会社の第1線の自律的統制活動をさらに向上させることが期待できよう。また、かような機会を通じて子会社の各機能部門に対する教育効果も期待でき、結果として、グループとしての人材育成にも資すると考えられる。

⑷　第3線による管理（内部監査部門）

　第3線は、業務執行部門、リスク管理等の内部統制部門から独立した立場から、リスク管理機能及び内部統制システムについて取締役会に対して合理的な保証を提供する。

　子会社の内部監査については、①全ての子会社の内部監査を親会社の内部監査部門が実施する「親会社集中型」、②各子会社においてそれぞれ内部監査部門を設け、子会社において内部監査を実施する「子会社分散型」、③一定規模以上の子会社は自前の内部監査部門が内部監査を行い、その他の子会社については親会社の内部監査部門が監査を実施する「ハイブリッド型」等がある。その他には、例えば、海外子会社については地域ごとに統括管理会社を設け、その統括管理会社に内部監査部門を設けて傘下の子会社の内部監査を担当し、親会社に報告を上げるなどの形態がみられる。

　企業グループの規模があまり大きくない段階では、子会社には内部監査部門を設けず、親会社集中型の内部監査体制を採るのが一般的である。親会社にて集中するので内部監査の品質が均一に保たれ、また、効率的な内部監査が可能であるが、当然のことながら日頃子会社に常駐しているわけではないので監視活動が弱くなるおそれがある。他方で、子会社の増加につれ、あるいは海外子会社が増えてくると、親会社の内部監査部門の人的資源の有限性から子会社の内部監査を全て親会社にて担うことが困難になってくる。

　また、M&Aなどによって全くの異業種の事業を営む会社を子会社化し

たような場合には、親会社の内部監査部門に当該事業に知見がないために対応できない場合もあり得る。

子会社分散型は、日常的な監視活動が可能であるため子会社に対して実効的な内部監査が可能であるが、子会社ごとに内部監査の品質にバラつきが生じやすい。

ハイブリッド型は、内部監査の網羅性と効率性を一定程度両立させようとするものであるが、親会社集中型と子会社分散型のデメリットをそれぞれ部分的に抱えることになる。

いずれの型が正解ということはなく、どのような形態で内部監査を行うかについては、企業集団としての戦略、子会社管理方針、各子会社の戦略的重要性・リスクの程度、親会社による支配の程度等の事情を勘案して決定することになろう。ただ、内部監査部門にあまり人的資源を投入していない日本の企業グループでは、親会社集中型を基本としつつ、売上規模が大きいなどの重要な子会社には個別に内部監査部門を設けるなどのハイブリッド型が現実的かもしれない。

子会社に内部監査部門がない場合には、親会社の内部監査部門が子会社における3線をそのまま担当することとなる。しかし、親会社の内部監査部門は子会社に常駐していないことから、監視活動が弱くなる可能性があることは上述のとおりである。この場合、全ての子会社に対して往査して内部監査を実施することは子会社数によっては困難となろうから、リスクアプローチによりリスクが高いと考えられる子会社を抽出して集中的に内部監査を行うべきであろう。

他方で、子会社において自前の内部監査部門を有する場合には、子会社の内部監査部門の自主性に任せる企業グループが多いようである。しかし、グループ内部統制の観点からは、親会社の内部監査部門と子会社の内部監査部門が協議・意見交換をして親会社の内部監査部門の問題意識を共有した上で子会社にて内部監査を実施すべきであろう。親会社の内部監査部門には、他の子会社の内部監査の結果も集約されていることから、他の子会社との比較で新たなリスク要因・ポイントなどを把握していることもあり、まさにグループ経営からの視点を提供できるからである。このように親会社と子会社の内部監査部門が連携することにより両部門の保有する情報量や分析力・ノウハウが高まるとともに、必要な人材育成も促進する効果が

第4章　子会社管理上の留意点

期待される。

　また、子会社の内部監査部門による内部監査の結果を子会社の経営陣に報告するのみならず、親会社の内部監査部門にも報告するルートを確立することにより、子会社の経営陣が不正を行っている場合やリスク許容度を超えたリスクを取っている場合には、親会社経営陣による支援が期待され、グループとしての是正可能性が高まる。近年の子会社の不祥事の中には、不正に関する情報が親会社の経営陣に報告されるまでに数か月から、場合によっては1年以上かかり、そのこと自体が、グループとしての対応の遅れにつながった例もみられる。したがって、把握した不正の兆候の程度如何によっては、親会社の内部監査部門のみならず、親会社のコンプライアンス担当取締役や社長、社外取締役、社外監査役を含む監査役に対しても同時に報告するような体制・運用を行うことが望ましい。特に、不正の兆候を掴んだとしても、外部の目を通さないことにより「内輪の論理」、「社内の常識」だけで判断した結果、不正の兆候を不正と認識せずに何らの対応も取らないケースが考えられる。これは危機管理としては最悪であるため、親会社の社外役員をレポーティング・ラインに入れることも真剣に検討しなければならない。

７　監査役等によるグループ監査

　上場企業各社においては、監査役監査のベストプラクティスを定めたとされる監査役協会策定の「監査役監査基準」（以下「監査役監査基準」という）をそのまま、あるいは多少のカスタマイズをして自社の監査基準としている会社も多いと思われる。

　監査役監査基準は「企業集団における監査」について、以下のとおり定める。

（企業集団における監査）
第26条
　1．子会社を有する会社の監査役は、連結経営の視点を踏まえ、取締役の子
　　会社の管理に関する職務の執行の状況を監視し検証しなければならな

い。

2．監査役は、子会社において生じる不祥事等が会社に与える損害の重大性の程度を考慮して、内部統制システムが会社及び子会社において適切に構築・運用されているかに留意してその職務を執行するよう努めるとともに、企業集団全体における監査の環境の整備にも努める。

3．会社に重要な関連会社がある場合には、当該関連会社の重要性に照らして、前2項に準じて監査を行う。

4．親会社等を有する会社の監査役は、少数株主の利益保護の視点を踏まえて取締役の職務の執行の監査を行わなければならない。

（企業集団における監査の方法）

第39条

1．監査役は、取締役及び使用人等から、子会社の管理の状況について報告又は説明を受け、関係資料を閲覧する。

2．監査役は、その職務の執行に当たり、親会社及び子会社の監査役、内部監査部門等及び会計監査人等と積極的に意思疎通及び情報の交換を図るよう努める。

3．監査役は、取締役の職務の執行を監査するため必要があると認めたときは、子会社に対し事業の報告を求め、又はその業務及び財産の状況を調査する。

4．会社に重要な関連会社がある場合には、当該関連会社の重要性に照らして、第1項及び第2項に準じて監査を行うものとする。

また、監査役監査基準25条は、取締役会決議に基づいて整備される「会社並びにその親会社及び子会社から成る企業集団における業務の適正を確保するための体制」を含む内部統制システムに関して、当該取締役会決議の内容及び取締役が行う内部統制システムの構築・運用の状況を監視し検証しなければならない旨を定める。内部統制システム監査については、監査役協会が「内部統制システムに係る監査の実施基準」（平成19年4月5日制定、令和3年12月16日最終改定。以下「内部統制システム監査基準」という）を策定しており、その中で企業集団に関連する規定としては以下のものがある。

第4章　子会社管理上の留意点

（内部統制システムの監査の基本方針）

第4条

3．監査役は、内部統制システムが、会社及びその属する企業集団に想定されるリスクのうち、会社に著しい損害を及ぼすおそれのあるリスクに対応しているか否かに重点を置いて、内部統制システム監査を行う。内部統制システムがかかるリスクに対応していないと認めた場合には、監査役は、内部統制システムの不備として、代表取締役等、内部監査部門等又は内部統制部門に対して適時に指摘を行い、必要に応じ代表取締役等又は取締役会に対して助言、勧告その他の適切な措置を講じる。

（企業集団内部統制に関する監査）

第13条

1．監査役は、企業集団内部統制について、以下に列挙する重大なリスクに対応しているか否かを監査上の重要な着眼点として、監視し検証する。

①重要な子会社において法令等遵守体制、損失危険管理体制、情報保存管理体制、効率性確保体制に不備がある結果、会社に著しい損害が生じるリスク

②重要な子会社における内部統制システムの構築・運用の状況が会社において適時かつ適切に把握されていない結果、会社に著しい損害が生じるリスク

③子会社を利用して又は親会社及び株式会社の経営を支配している者（本基準において「親会社等」という。）から不当な圧力を受けて不適正な行為が行われ、その結果、会社に著しい損害が生じるリスク

2．監査役は、企業集団内部統制が前項に定めるリスクに対応しているか否かについて、以下の事項を含む重要な統制上の要点を特定のうえ、判断する。

①代表取締役等が、会社経営において企業集団内部統制及びその実効的体制の構築・運用が必要不可欠であることを認識しているか。

②企業集団全体で共有すべき経営理念、行動基準、対処すべき課題が周知徹底され、それに沿った法令等遵守、損失危険管理及び情報保存管理等に関する基準が定められ、その遵守に向けた適切な啓発活動とモニタリングが実施されているか。

③企業集団において重要な位置を占める子会社、内部統制リスクが大きい子会社、重要な海外子会社などが、企業集団内部統制の管理・モニタリングの対象から除外されていないか。

④子会社の内部統制システムの構築・運用の状況を定期的に把握しモニタリングする統括本部等が会社に設置され、子会社の内部統制システムに係る重要な課題につき問題点が発見され、適切な改善措置が講じられているか。子会社において法令等違反行為その他著しい損害が生じる事態が発生した場合に、会社が適時かつ適切にその状況を把握できる情報伝達体制が構築・運用されているか。グループ内部通報システムなど子会社に関する状況が会社において把握されるシステムが構築・運用されているか。

⑤子会社に監査役、監査委員会又は監査等委員会（本条において「監査役等」という。）が置かれている場合、当該監査役等が、第9条から本条に定めるところに従い、当該子会社の内部統制システムについて適正に監査を行い、会社の統括本部等及び会社の監査役との間で意思疎通及び情報の交換を適時かつ適切に行っているか。子会社に監査役等が置かれていない場合、監査機能を補完する適正な体制が子会社又は企業集団全体で別途構築・運用されているか。

⑥企業集団内で共通化すべき情報処理等が適正にシステム化されているか。

⑦子会社に対して達成困難な事業目標や経営計画を設定し、その達成のため当該子会社又は企業集団全体の健全性を損なう過度の効率性が追求されていないか。

⑧子会社を利用した不適正な行為に関して、会社がその状況を適時に把握し、適切な改善措置を講じる体制が構築・運用されているか。

⑨会社に親会社等がある場合、少数株主の利益を犠牲にして親会社等の利益を不当に図る行為を防止する体制が構築・運用されているか。

　内部統制システム監査基準には、その他に、財務報告内部統制に関する監査の条項も設けられている。

　したがって、親会社監査役は、基本的には監査役監査基準及び内部統制システム監査基準に則して、親会社取締役の職務の執行を監査していくこととなる。

　親会社監査役が行うこととしては、①子会社監査役による監査の質の担保と、②親会社監査役自身による子会社の状況確認・情報収集が考えられる。①については、グループ各社の監査役全員を構成メンバーとするグループ監査役会議ないし監査役連絡協議会なる名称の会議を定期的に開い

ている企業グループが多い。これは、親会社の監査役がグループとしての監査の方針、監査の計画、監査の重点ポイントなどを共有し、また、子会社でどのような監査を行い、どのような所見を持っているかを意見交換する、各監査役に対して最新の法令動向に関するセミナーを開催するなどして監査役の知識向上に資する、などの目的で行われるものである。また、子会社の数次第では、より密度の高い情報交換を可能とするために、中核子会社の監査役のみを構成メンバーとする別途の会議体を設け、監査方針・計画、監査結果、監査ノウハウの共有を図る場を設けている企業グループもある。

②については、往査して行う方法と往査をせずに行う方法がある。そもそも監査役数が限られているため、毎年全ての子会社を往査できない企業グループもある。したがって、通常は、監査計画において往査すべき子会社を選定し決定する。往査すべき子会社の選定は、ローテーションによる定期往査先のほかは、基本的にリスクアプローチにより決定する。例えば、グループリスク管理委員会などにおいて企業グループ全体のリスクマップ等を作成している企業は、当該リスクマップ等も参考にして、往査すべき子会社を決定する。具体的な考慮要素としては、売上規模、重要性、トップやCFOの交代の有無、事業の運営状況（業績）、内包される事業リスクのトレンド、不祥事の発生状況などが考えられる。

なお、往査先の選定に当たっては内部監査部門や会計監査人と意見交換して決定する企業グループが増えている。内部監査部門や会計監査人は監査の視点が必ずしも同じではないので、往査先を必ずしも完全に分担するわけではないものの、どのような観点で往査するのかなども含めて意見交換をし、その結果、監査ポイントが重複するなどの理由により分担できる子会社は分担するなどして、監査効率を上げることも行われている。

往査する場合は、①事前準備、②往査、③往査後のフォローというステップを踏むことになる。①事前準備では、前回の往査記録の検討、担当事業部門のヒアリング、往査先の役員経験者からのヒアリング、監査チェックポイントの作成などを行う。②往査においては、子会社の社長やCFOのインタビューが中心になるが、必要に応じて、顧問弁護士や会計監査人とのインタビューを設定することも考えられる。これらのインタビューを通じて、当該子会社のリスク状況や、コーポレート・ガバナンス

やコンプライアンスへのスタンスを見極め、その後の監査・情報収集にどれくらいの力点を置くのかを決定していく。また、子会社の経営目標が高く、社長から従業員に対して過度のプレッシャーがかかっていないかなどもチェックしたい。③往査後のフォローは、基本的には報告書の作成業務が中心であるが、監査での指摘事項への対応状況・定着状況をチェックするために一定期間後にフォローアップ監査を行うことも有用である。

往査対象外の子会社については、子会社役職員への電話ヒアリング、書類閲覧、親会社の担当部署へのヒアリング、会計監査人、内部監査部門の監査結果の受領などにより行う。

また、通常、監査計画においては、往査すべき子会社とは別途に全ての子会社を横断的にチェックするテーマ監査（例えば、情報セキュリティ体制、時間外労働の状況など）についても定めることが多い。かかる場合、当該テーマについては全ての子会社の対応状況について往査せずに監査することになる。

8 グループ会計監査

上場企業グループに属していようとも、子会社自身が会社法上の大会社に該当するか、上場会社でない限り、会計監査人の設置は任意である。親会社の監査人は、会社法及び金商法に基づき親会社の連結計算書類及び連結財務諸表監査を行うが、監査人は、連結財務諸表全体に対する適法性の範囲内で、連結子会社の個別財務諸表の会計処理について責任を有するとされる。しかし、連結監査は、連結財務諸表の信頼性を保証するものであるが、それは必ずしも連結子会社の個別財務諸表の信頼性を保証するものではない。したがって、子会社にも会計監査人を設置するか否かはコストの兼ね合いもあるものの、当該子会社が重要な子会社である場合には、会計監査人の設置が義務づけられていなくても会計監査人を置くことを検討すべきであろう。海外子会社については、法制度や言語の違いなどから会計監査人を設置しないことはリスクが大きすぎると思われる。したがって、海外子会社については会計監査人の設置義務の有無にかかわらず、会計監査人を設置することは必須であろう。

第4章　子会社管理上の留意点

　子会社にも会計監査人を設置する場合には、親会社の会計監査人と同系列の監査法人を起用することが望ましい。海外子会社の場合は、費用面、あるいは現地子会社の執行サイドの要望から親会社の会計監査人と同系列の監査法人を起用している例は50%程度のようである。しかし、これでは、親会社の会計監査人と子会社の会計監査人が短い決算手続の期間内に緊密に連携できるかについて不安が残る。したがって、子会社が同系列の監査法人を起用していない場合には、同系列の監査法人に切り替えることが推奨される。

　また、会計監査の前提として、親会社と子会社とで同じ会計システムを用いることが財務報告の信頼性を確保する上では重要であろう。しかし、監査役協会アンケートの結果によれば、国内子会社では36.4%、海外子会社では実に70.5%が別の会計システムを利用しているとのことである。海外子会社の場合は言語や会計制度が異なる問題もあるためやむを得ないように思われるが、会計システムが異なると、親会社の監査役、あるいは内部監査部門が子会社の監査を行ったときに使い慣れていないことにより戸惑うなど、些細な点であるように思われるが、この点は監査の効率性・有効性への影響は大きいように思われる。したがって、少なくとも国内の子会社については同一の会計システムに切り替えるべきであるし、よりリスクの大きい海外子会社についても可能な限り会計システムを統一していくよう、場合によってはグループ全体で会計システムを変更するなど、何らかの方策を模索すべきである。

　なお、日本公認会計士協会は、令和5年1月に改正監査基準報告書600「グループ監査における特別な考慮事項」（以下「改正監基600」という）を公表しており、公認会計士法上の大規模監査法人は令和6年4月1日以後に開始する事業年度に係る財務諸表監査から、それ以外の監査事務所でも同年7月1日以後に開始する事業年度に係る財務諸表監査から適用される。改正監基600においては、まず、グループ監査人が、グループ財務諸表に対する重要な虚偽表示リスクを識別及び評価し、評価したグループ財務諸表に対する重要な虚偽表示リスクに基づき、リスク対応手続を決定することがより強調されている。これは、これまでは構成単位を軸にグループ財務諸表におけるリスクへの対応を考えていたものをグループ財務諸表の勘定残高、取引種類及び注記事項等を軸に重要な虚偽表示リスクを識別・評

326

価し、リスク対応手続を実施するという考えに変わることを意味している。そして、構成単位の監査人の責任の明確化もなされているが、①グループ監査の基本的な方針の策定及び詳細なグループ監査計画の作成、②構成単位の監査人への指揮、監督及びその作業の査閲、③グループ財務諸表に対する意見形成のための基礎として入手した監査証拠から導かれた結論についての評価はグループ監査人の責任であることを明確化している。

⑨ 三様監査における連携

以上のとおり、グループ内部監査、監査役監査及び会計監査における留意点を概観してきたが、子会社管理においては、特に、これらの監査業務を連携して行うことが、効率性の観点からも、また、不正発見の観点からも重要である。

というのも、企業の不正は容易に発見できるものではない。監査を担当する者が監査の過程において業務執行の効率性や妥当性に疑問を抱き、その疑問を解決しようとする過程において不正のおそれが浮上することが多い。すなわち、監査を担当する者が職業的懐疑心を持って、監査における違和感を取り除く作業が行われなければ不正の発見は容易ではない。監査役監査も、会計監査も、親会社内部監査部門による内部監査も、子会社に常駐して行われる監査ではなく、各監査による情報収集はどうしても断片的なものになりがちである。したがって、これらの三様監査で入手した情報を広くこの三者で共有することが、思いがけない不正の発見につながるきっかけとなり得るのである。

かかる意味では、会計監査を担当する会計監査人、業務監査を担当する監査役、経営監査を担当する内部監査人が連携することは重要である。

監査役協会会計委員会の平成28年11月24日付「会計不正防止における監査役等監査の提言―三様監査における連携の在り方を中心に―」においては、以下の提言がなされている。

第4章　子会社管理上の留意点

１．監査役会等の監査と三者間の連携

監査役等として、日常の経営監査、業務監査、会計監査を踏まえた、総合的な観点で会計不正防止に対応していくべきである。

監査役等、内部監査部門、会計監査人の三者間の連携に当たって、監査役等は三様監査を統括する意識を持って、主体的な役割を果たすべきである。また、監査役等、内部監査部門、会計監査人はそれぞれの役割を理解し、相互に改善点について意見交換を行うなど一定の緊張感を保ちながら、リスク・アプローチに必要なリスクの分析等において三様監査全体の実効性を高めるよう連携すべきであり、監査役等としても必要な情報を積極的に発信していくべきである。

２．監査役等と内部監査部門との連携

監査役等は内部監査部門と緊密な連携を保ち、内部監査部門の監査内容、監査範囲、陣容等を考慮した上で、監査の有効性及び効率性向上に向け、監査計画、監査方法、監査実施状況等の情報共有とそれぞれの監査への活用を図るべきである。

内部監査部門が業務監査及び内部統制監査（金融商品取引法上の財務報告に係る内部統制の監査）に加え会計監査も行っている会社もあるが、大半は業務プロセス監査の観点から会計監査を行っている。監査役等は、業務の有効性と効率性、財務報告の信頼性等の内部統制の有効性を確保するため、内部監査部門による監査の有効性を把握するとともに、会計監査人とも連携を図り、必要に応じて内部監査部門の充実などについて、執行側に改善を促すことも重要である。

３．監査役等と会計監査人との連携

監査役等は監査全体の実効性・透明性を向上させるべく、会計監査人との間で積極的な情報・意見交換を図り、連携強化に努めるべきである。また、会計監査人の監査の実効性を高めるべく、会計監査人の監査環境の整備に努めるべきである。

情報・意見交換すべき事項として、事業リスク、事業運営リスク、業務リスク、会計リスクなどの共有に加え、会社側の経理業務遂行能力、受査体制、監査実施の過程での重要な議論内容、グループ監査の状況等について議論を深めるべきである。情報・意見交換の結果、把握された課題等について、必要に応じ執行側に改善を促すべきである。

328

それぞれの監査品質の向上に向けては、相互評価など緊張感ある連携方法を模索すべきである。会計監査人に対する評価としては、「会計監査人の評価及び選定基準策定に関する監査役等の実務指針」（以下、「実務指針」という）を基本とした評価基準に基づき、監査役等は監査法人の品質管理、監査チームの監査体制、監査計画、監査内容等の把握に努めるべきである。評価に当たっては、執行部門、内部監査部門及び子会社から意見を聴取することも重要である。

4．会計監査人と内部監査部門との連携

会計監査人と内部監査部門も、業務監査、内部統制監査を切り口に積極的に連携すべきである。特に内部統制監査は情報交換だけでなく、役割分担を明確にして、効率のよい監査を進めていくべきである。また、会社の業種・取引形態等にもよるが、会計監査人監査だけでなく、会社業務に精通した者が会計監査に関与することで、監査品質の向上が期待できる領域がある場合は、内部監査部門が補完することも考えられる。

監査役等は両者の連携を推進し、定期的に報告を受けることにより、両者の状況を適宜把握し、監査全体の実効性の向上に努めるべきである。

　さらに、監査役協会は、監査役監査基準38条に内部統制部門からの報告に関する規定を定めた上で、監査役等と内部監査部門との連携について、以下の4つを提言している[17]。

1．内部監査部門から監査役等への報告

監査役等の情報収集体制の強化を図るため、内部監査部門の年間監査計画、要員計画、予算、内部監査規程の改廃等について、会社法第381条第2項及び第3項に規定された監査役の報告徴求権を、社内ルールによって具体化・明文化すべきであろう。また、内部監査部門がその業務執行に関して行う社長、内部監査担当役員等への事業の報告についても、並行して監査役等に報告することをルール化すべきであろう。

ルールの規定方法としては、監査役の自主ルールである監査役監査基準に加えて、取締役会にて決議され、開示される内部統制基本方針等の業務執行側

17）　監査役協会監査法規委員会「監査役等との内部監査部門の連携について」（2017年1月13日）10〜18頁。

が決定・承認する規則等に盛り込むことが望ましいであろう。

2．内部監査部門への監査役等の指示・承認

監査役等の補助使用人に対する指揮監督権の行使として、内部監査部門の職員の補助使用人としての活動について指示・承認をすることができるようにするため、内部監査部門の職員を監査役等の補助使用人とする（他部署との兼務とすることを含む）ことを内部統制基本方針等で定めることを検討すべきである。その際、内部監査部門長も補助使用人を兼務させれば、監査役等は内部監査部門長を通じる等して、内部監査部門に対して適切に指示・承認を行うことができる。

また、内部監査部門の職員を補助使用人としない（補助使用人を兼務させない）場合であっても、会社法第381条第2項の報告徴求権や業務財産調査権の行使の一環として、または、それを超えて、監査役等が内部監査部門の職員に一定の指示・承認を行うことができることを明確にするため、これらの指示・承認権限を内部統制基本方針等に明記して、業務執行機関の決定により制度的な担保を設けることを検討すべきである。

3．内部監査部門長の人事への監査役等の関与

内部監査部門長の人事（選任、異動、考課・評価、処分等）に関し、執行側から監査役等への事前報告を求めることは会社法第381条第2項に基づき可能である。ただし、会社法第381条第2項に即して事前に報告を求めることのできる情報の範囲については、監査役等と業務執行側とで見解を異にすることもありうることから、内部統制基本方針等に明記することが望ましい。一方、事前報告を超えた監査役等との協議やその承認については、会社法第381条第2項の報告徴求権だけを根拠に認めることは難しいと考える。内部監査部門の職員が監査役等の補助使用人を兼務している場合はもちろんのこと、そうではない場合も、監査役等の協議や承認を認めるのか否か、さらには、どの範囲で認めるのかを明確にするためには、内部統制基本方針等により制度的に担保することが必要となろう。

4．内部監査部門と監査役等との協力・協働

監査日程の調整、合同監査、定期的情報交換などは、監査役等と内部監査部門との提携・協働という観点から優れた取り組みと思われ、さらなる強化が図られることが望ましい。内部監査と監査役監査は、その内容が必ずしも同一ではないかもしれないが、相互の連携を図ることにより、各々の実効性を高めることが可能な面はあろう。また、企業規模によっては、内部監査部門

に振り向けられるリソースには差があるのが実態であろうし、中堅・中小企業などの場合には、内部監査部門に加え、監査役等もまた体制が十分ではない可能性があることから、特に合同監査や合同往査などの手法が検討されてもよいと考える。

このように、三者の連携に当たっては、監査役が主導的な役割を果たすこととし、三者それぞれの保有する情報を交換する機会を適宜持ち、監査計画の策定・変更、監査方法・重点監査項目の確認、事業リスクや事業運営リスクを含む各種リスクの抽出・共有、監査過程を通じて懸念される項目、執行サイドと議論になった項目の共有を図るべきであろう。三者はそれぞれがその専門的見地から異なった視点で監査するため、互いに保有する情報を持ち寄り協議することにより、新たな気づきが得られる可能性もあり、かかる協議プロセスを経ることにより三者のリスク認識・問題意識も高まるものと思われる。不祥事の防止のためには情報収集が重要であるが、不正の情報をいきなり「どんぴしゃ」で入手できるケースは限られており、むしろ監査の過程では断片的な情報が得られるにとどまることが大半であろう。そのような情報でも広く他者と共有することによって、他者が別の機会に得た情報と合わせると「違和感」につながっていくことも往々にしてみられる。また、様々な情報を広く共有することにより、不正の3要素となり得るものがどこに眠っているのかも意識することができ、その点を意識して監査業務に臨むことができる。したがって、三者の連携は極めて重要であり積極的に行うことが望まれる。

なお、監査役は業務執行を行い得ないため内部監査部門と深く連携し、内部監査部門に対して指示・指摘を行うことは業務執行に該当するのではないかとの疑念が生じる。しかし、平成26年会社法改正に伴う法務省令改正についてのパブリックコメントの回答において、法務省は、「監査等委員会は、内部統制システムが適切に構築・運用されていることを監視し、必要に応じて内部監査部門等に対して指示を行うという方法で監査を行うことが想定されている。したがって、監査等委員が内部監査部門に対して監査等委員会の職務の執行に必要な範囲で指示を行うことは、その職務として当然に許容される」としている。また、経済産業省のコーポレート・ガバナンス・システムの在り方に関する研究会の平成27年7月24日付報告

書の別紙3「法的論点に関する解釈指針」においては、「業務執行者の指揮命令系統に属して行われる行為が、『業務を執行した』にあたる」と整理した上で、「内部統制システムを通じて行われる調査等に対して、業務執行者から独立した立場に基づき、指示や指摘をすること」は業務執行に当たらないとしている。したがって、監査役も業務執行部門から独立した立場で内部監査部門に対して指示・指摘を行う限り、それが業務執行に該当すると解される可能性は低いと考えてよいであろう。むしろ、コーポレートガバナンス・コード補充原則4-13③では、「上場会社は、……内部監査部門と取締役・監査役との連携を確保すべきである」とされており、積極的に連携を行うべきである。

10 グループ内部通報制度

(1) 子会社管理におけるグループ内部通報制度の重要性

内部通報制度には、企業内における法令違反行為や不正行為を早期に発見して、自浄作用により対処・是正し、問題の解決及び拡大防止を図るという機能がある。また、内部通報制度の存在による違法行為や不正行為の抑止という効果も期待される。重大な企業不祥事であっても、より早期に発見して自ら対処・是正することができれば、外部への内部告発、マスコミ報道、行政機関からの指摘等を端緒として不祥事が発覚する場合と比較すれば、不正事案を主体的にコントロールすることにより企業に対するダメージを軽減することができる。

グループ内部通報制度は、内部通報制度の対象範囲を一企業内に限定せず、グループ企業全体を対象とし、グループ企業共通の一元的な窓口を設置して内部通報を受け付ける制度である。グループ内部通報制度は従業員らからの通報があって初めて機能する仕組みであるため、親会社が積極的に子会社の情報を収集する（伝達させる）手段とはなり得ないが、本来の業務執行ライン（情報伝達体制）が正常に機能しなくなった場合の補完的な情報伝達手段という重要な役割を担っている（レポーティング・ラインの補完）。また、グループ内部通報制度は、子会社における重大事案に関する内部通

報や情報提供が子会社内で行われたにもかかわらず、子会社が当該事案の重大性に気づかない等の理由により親会社に対する報告等の適切な対応を怠った結果、外部への情報提供（通報）に至ってグループ全体の企業価値の重大な毀損につながるというような事態を未然に防止するという重要な機能も担っている。過去に起きた子会社の不祥事では親会社への報告が早期になされなかったために親会社の対応が後手にまわったとみられる事例が少なくない。これは親会社と子会社の間のコンプライアンスや危機管理に対する意識の温度差から生じ得る問題であるが、グループ内部通報制度は親会社が当初から通報内容を把握することによりこうした問題を回避するという機能も有する。これらの役割・機能に鑑みれば、グループ内部通報制度は子会社管理のツールとして極めて重要であり、ここにグループ内部通報制度を導入する意義が認められる。

　グループ内部通報制度を設置し、実効的なものとして整備することにより、親会社が子会社における不正行為を早期に発見することや、子会社における会社ぐるみの不正行為の抑止につながることが期待されるため、子会社管理の手段としても重要性が高い。例えば、株式会社ジョイフル本田の連結子会社である株式会社ホンダ産業において架空の棚卸資産の計上がなされたという不適切会計処理の事案では、ホンダ産業の従業員からジョイフル本田になされた内部通報により不適切な会計処理が発覚したとのことである[18]。

　ただ、ひとくちにグループ内部通報制度といっても、制度の前提となる社内体制、通報受領後の情報伝達体制、通報に基づく調査の実施体制、調査結果をふまえた対応の方法等には種々の選択肢がある。そこで本項では、充実した子会社管理を実現するという観点からいかなる体制や運用が望ましいかという点を検討したい。

　また、いかに充実したグループ内部通報制度の体制を整備したとしても、制度が活用されて実効性を持たなければ意味がない。内部通報制度の対象となり得る事実や情報を得た従業員には、当該情報の取扱い（伝達先）に種々の選択肢があり、そのような中でグループ内部通報制度の活用を促すためには、制度に対する信頼感が必要であり、制度が実効的に機能してい

---

18)　http://www.daisanshaiinkai.com/cms/wp-content/uploads/2016/01/160217_chousa3191.pdf

第 4 章　子会社管理上の留意点

ることが必要である。そのため、グループ内部通報制度の実効性を高める
ための留意点についても検討することとする。

(2)　コーポレートガバナンス・コード、内部通報制度に関するガイドライン

内部通報制度はコーポレートガバナンス・コードにおいても整備が求められており、補充原則2-5①では「経営陣から独立した窓口の設置（例えば、社外取締役と監査役による合議体を窓口とする等）を行うべきであり、また、情報提供者の秘匿と不利益取扱の禁止に関する規律を整備すべきである」とされている。

また、公益通報者保護法の改正を受けて策定された「公益通報者保護法第11条第1項及び第2項の規定に基づき事業者がとるべき措置に関して、その適切かつ有効な実施を図るために必要な指針」（令和3年8月20日内閣府告示第118号）（以下「公益通報指針」という）には「内部公益通報受付窓口を設置し、当該窓口に寄せられる内部公益通報を受け、調査をし、是正に必要な措置をとる部署及び責任者を明確に定める」と規定され、令和3年10月に消費者庁の公表した「公益通報者保護法に基づく指針（令和3年内閣府告示第118号）の解説」（以下「公益通報指針解説」という）では、「子会社や関連会社における法令違反行為の早期是正・未然防止を図るため、企業グループ本社等において子会社や関連会社の労働者等及び役員並びに退職者からの通報を受け付ける企業グループ共通の窓口を設置すること」が望ましい措置等の具体例として記載されている。

なお、「グループ・ガバナンス・システムに関する実務指針（グループガイドライン）」においても、「不祥事が発生した場合の社会的損害やグループとしてのレピュテーションダメージを最小化するためには、早期発見・早期対応が基本である。そのための仕組みとして、不祥事の端緒を把握するための実効的な内部通報制度の整備が重要であり、グループ本社が主導してグループ全体として取り組むことが検討されるべきである」と指摘されるとともに、「子会社における不祥事についても、グループ本社の内部通報窓口（担当部門）や監査役等で直接受け付ける体制とすることも有効である」とされている（78頁）。

334

(3)　各社におけるグループ内部通報制度の運用の実例

　本項では、各社におけるグループ内部通報制度の運用の実例を確認することを目的として、過去の不祥事案に関して公表された調査報告書等に記載されていたものを紹介する。これらの内容からすると、グループ内部通報制度は、制度としては整備されているものの、通常の内部通報制度の場合以上に実効的な運用が行われていない事例が多いことが窺われる。

(a)　長野計器

　連結子会社（株式会社フクダ）による不適切な会計処理の問題に関する調査報告書によれば、長野計器株式会社は、フクダを含む国内のグループ会社を対象に、長野計器のコンプライアンスマニュアルと同様の内容を各社で制定し、各社の役員・従業員にその周知を図るように求めた。そして、配布されたコンプライアンスマニュアルのひな形ではコンプライアンス問題の相談窓口（内部通報先）は長野計器の法務・コンプライアンス部及び外部弁護士とされていたが、フクダはそれをフクダ自身の管理部に変更した上で、コンプライアンスマニュアルとして制定していたとのことである。本件は親会社はグループ内部通報制度の構築を想定していたにもかかわらず、子会社が意図的にグループ内部通報制度を無効化していたという事例である。

(b)　日本製鋼所

　連結子会社（ファインクリスタル株式会社）による不適切な会計処理の問題に関する調査報告書によれば、株式会社日本製鋼所では内部通報規程を定め、法務担当部門と外部の弁護士を通報窓口とする内部通報制度を整備しており、同社グループ全体をその適用対象としているとのことである。グループ内部通報制度自体は整備されていたことになるが、当該調査で問題とされた事象に関して通報がなされた事実はないようであり、少なくとも本件の不正行為を未然に防止したり早期に発見する機能を果たすことはできなかったことになる。

(c)　日産自動車

　車両製造工場における不適切な完成検査実施（正規検査員に任命されていない補助検査員による完成検査の常態化）の問題に関する調査報告書[19]によ

---

19)　https://www.nissan-global.com/PDF/20171117_report01.pdf

れば、日産自動車では「イージーボイスシステム」と呼ばれる内部通報システムを採用し、平成18年からは日本の日産グループ各社でも同システムを導入している。その後、平成20年から電子メールによるイージーボイスシステムへの受付対応を開始したほか、匿名での通報を可能とするため、平成25年8月より外部の通報窓口として「日産コンプライアンスホットライン」の運用を開始した。さらに、外部の通報窓口を強化するため、平成29年4月からは海外拠点をも包含する内部通報システムの運用を開始した。しかし、調査で問題となった事象の発覚の端緒となる内容（補助検査員が完成検査に従事していること）の内部通報がなされた事例はこれまでになかったとのことである。多くの完成検査員は補助検査員が完成検査に従事することが形式的には法令や基準に違反することを認識していたとのことであり、それにもかかわらず内部通報制度が利用されなかったことからすると、制度が機能していなかったと言わざるを得ない。

(d) 富士フイルムホールディングス

連結子会社（富士ゼロックス株式会社）の海外販売子会社に関する会計処理の妥当性に関する調査報告書によれば、富士ゼロックスグループでは、富士フイルムホールディングスグループとは別個に独自の内部通報制度を整備している。当該制度は、規定の文言からすれば利用対象者に海外子会社等も含まれると考えられるが、実際には国内関連会社の利用が前提となっており、海外子会社等から直接に通報がなされた例はなく、制度の周知等もなされていなかったとのことである。不正会計が行われているという告発メールが送付されているとおり、本件事案の不正行為を認識している関係者は複数名いたと考えられるものの、それに関する内部通報はなされておらず、制度は機能していなかったことになる。実際に調査報告書においても、富士ゼロックスグループの内部通報制度は実質的に機能していなかった可能性が高いと記載されている。

(e) KDDI

香港に所在する連結子会社における不適切な会計処理の問題に関する調査報告書[20]によれば、KDDI株式会社ではグローバルでの内部通報制度が整備されており、同制度を通じて不祥事が発見された事例もあるが、全体

---

20) http://news.kddi.com/kddi/corporate/ir-news/2015/08/21/pdf/20150821_jp.pdf

としてその運用実績は低調であり、本件で問題となった事象に関する内部通報はなかったとのことである。子会社への資本参加を検討する時点から売掛金のリスクが指摘されていたとのことであり、これらの問題を認識する関係者は少なくなかったと考えられるから、それにもかかわらず内部通報が利用されていないことからすると、やはり制度が機能していなかったと考えられる。

(f) 住友ゴム工業

南アフリカに所在する 100％子会社の工場で製造販売される乗用車用タイヤについて、承認された規格から逸脱した製品が顧客に納入されていたという検査不正の事案に関する調査報告書によれば、住友ゴム工業では内部通報制度として、同社の「企業倫理ヘルプライン」（日本人駐在員対象）と大手監査法人が窓口を務めるホットライン（ローカルメンバー対象）の二種類が用意されていたものの、日本人駐在員は、グループ内部通報制度を利用したとしても、親会社から距離が遠く、通報後に十分なサポートを受けることができないのではないか、不適切行為への関与者などに通報の事実を把握され、子会社内で不利益を受けるのではないかなどとおそれ、内部通報制度は利用されなかったとのことである。調査報告書でも指摘されているとおり、内部通報制度については、海外子会社に赴任中の日本人駐在員がグループ内部通報制度を利用した場合、通報者の特定がされやすいことから、通報後のサポートに対する不安を軽減する措置を講じておくことが求められる。

(g) 川崎重工業

川崎重工業株式会社の子会社において不正な製品検査が行われていたという事案に関する調査報告書によれば、同社グループを対象としたグループ内部通報制度が存在するほか、子会社独自の内部通報制度も設けられていたが、問題となった事案に関する内部通報が行われることはなかったとのことである。そもそも過去 10 年間にわたり子会社独自の内部通報制度の利用実績はなく、グループ内部通報制度についても 1 件利用されたのみとのことであり、これらの内部通報制度は有効に機能していなかったと指摘されている。

(h) 東洋機械金属

東洋機械金属株式会社の中国所在の子会社の従業員が資金の私的流用及

第4章　子会社管理上の留意点

び虚偽の仕訳計上を行っていたという事案に関する調査報告書によれば、同社は海外グループ会社の従業員も対象としたグループ内部通報制度を設けており、制度の存在自体は海外グループ会社従業員にもある程度認識されていたと考えられるが、同制度は日本語での通報のみが想定されており、多言語対応の窓口は設置されていないとのことである。このため、仮に日本語を使えない海外グループ会社の従業員から通報を受けたとしても、言語上の問題から、当該窓口において通報内容を十分に理解し、通報内容をふまえた対応をなし得るのかという点には疑義が存するとの指摘がなされている。

(4)　グループ内部通報制度を設計・運用する際の留意点

(a)　個人情報の取扱い

　グループ内部通報制度においてグループ企業共通の一元的な外部窓口が設置されており、当該窓口に寄せられた通報内容に子会社の役職員に関する個人情報が含まれている場合、当該個人情報の取扱いに関しては個人情報保護法との関係も整理する必要がある。①外部窓口から親会社担当部署、②さらに子会社担当部署への情報の伝達が想定されるが、親会社と子会社の間の情報伝達は個人情報保護法の第三者提供に該当しうる。また、通報に基づく調査結果を親会社及び子会社の間で伝達する場合にも個人情報の第三者提供の問題は生じる。しかし、通報対象者や調査手続において個人情報が取り扱われる全ての関係者から第三者提供に関する同意を得ることは現実的ではないため、あらかじめ親会社及び子会社の間で共同利用の手続をとっておくか、労働契約や就業規則等で親会社への情報提供の包括的同意を得ておくことが考えられる。

　なお、通報が顕名でなされた場合には通報者に関する個人情報の問題も想定しうるが、内部通報規程において通報受付後の情報伝達経路が明確に規定されていれば、当該経路での情報の提供については同意がなされているとも考えられる。ただし、通報に関する秘密保持の重要性からすれば、親会社と子会社との間で通報者の個人情報の伝達を行う場合には、その都度丁寧な説明をして通報者の了承を得ることが望ましい。

(b)　親会社による子会社事象の調査権限

　例えば子会社の代表取締役が不正行為をしているという内部通報が親会

社に対してなされた場合、親会社（担当部署）は調査に先だって当該通報の事実を子会社（代表取締役）に直接的に伝えることはできない。そのような場合には、親会社としては子会社との間で個別の合意をすることなく調査を行うことになる。また、子会社の調査担当部署が共同して調査を行う場合には、当該子会社担当者は自社の代表者の了承や指揮命令なく調査活動を行うことになる。このため、グループ内部通報制度を設ける際には、親会社（担当部署）に調査権限を付与すること、子会社担当者も当該調査に協力する権限を有すること等をグループ企業間であらかじめ確認して合意しておくことになる。

(c) 子会社独自の内部通報制度

本項では、内部通報制度の対象範囲を一企業内に限定せず、グループ企業全体を対象とし、グループ企業共通の一元的な窓口を設置して内部通報を受け付ける制度を前提としているが、グループ企業における内部通報制度の整備の在り方には【図表4-8】のとおり選択肢がある。

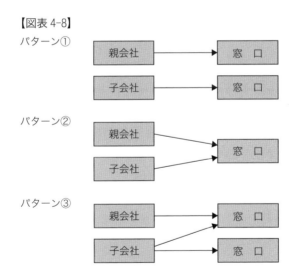

【図表4-8】

パターン①は、子会社には子会社独自の内部通報制度を設けて運用させ、その体制や運用の在り方を親会社が監督する方法である。従前から内部通報制度を有する会社の株式を取得して子会社化した場合などはこのような体制になる。パターン②が本項で「グループ内部通報制度」と称するもの

である。また、実例はあまり多くないが、パターン③として、グループ内部通報制度と子会社独自の内部通報制度を併存させる方法も考えられる。パターン①の状態から親会社の内部通報制度の対象を子会社関係者からの通報にも拡大するよう変更し、その際に子会社独自の内部通報制度を廃止しなければこのような状況になる。

パターン①については、子会社独自の内部通報制度に対する通報がなされた段階で即時に親会社が通報内容を認識して対応することができなければ十分な機能が発揮されないという問題があり、本来の業務執行ライン（情報伝達体制）が正常に機能しなくなった場合の補完的な情報伝達手段としての役割を果たしづらい。また、パターン③のように制度が併存する場合には、子会社関係者が通報しようとする場合に、いずれの制度を利用すべきか判断に迷うことになりかねない上、実際の運用の場面でも非効率的である

(d) 子会社の類型に応じた設計・運用の留意点

グループ内部通報制度の設計及び運用を検討するに当たっては、100％子会社なのか、他に少数株主がいる子会社なのか、上場子会社なのかという点を考慮する必要がある。上場子会社であったり規模の大きな子会社の場合には、子会社が独自の内部通報制度を有していることも多いであろう。既に独自の内部通報制度が確立しているとすれば、親会社の内部通報制度と統合することが難しいという事情も考えられる。また、他に少数株主がいる子会社の場合には、上記のとおり親会社による子会社事象の調査権限を明確にしておく必要性が特に高い。

また、複数のグループ企業を有する場合には、子会社によって組織体制、業種や会社規模等の事情が大きく異なることもあるだろう。そのような場合には、子会社における事象に関していかなる体制で調査を進めるかといった運用の在り方を子会社に応じて異なるものにする選択肢もある。例えば、多数の従業員を抱えており従業員から多数の通報が寄せられる子会社については、子会社の担当部署が中心となって調査を実施する体制とすることが考えられる。

(5) グループ内部通報制度の運用モデル

以下では、子会社管理の実効性を高める手段としてグループ内部通報制

度を位置づけた場合にいかなる運用が望ましいかという点（各手続における留意点）を、内部通報制度を運用する際の時系列に沿って検討する。

(a) 社内体制の整備、内部通報規程の策定

グループ内部通報制度を整備する場合、まずは内部通報制度担当役員、担当部署（担当従業員）等の社内体制を整備する必要がある。調査の実効性を確保するためには、担当部署に社内における調査権限と独立性を付与する必要がある（公益通報指針解説7頁）。公益通報指針解説では「必要な人員・予算等の割当等の措置が考えられる」とも記載されている。親会社に子会社の事象に関する調査権限をあらかじめ付与しておくためには、グループ内部通報制度を設ける時点でその旨を合意しておく必要がある。

また、通報対応の仕組み、通報者への不利益取扱いの禁止、通報者の匿名性の確保等を規定した内部規程を整備する必要がある（公益通報指針解説23頁）。内部規程には「労働者等及び役員は、例えば、担当部署による調査に誠実に協力しなければならないこと、調査を妨害する行為をしてはならないこと」を明記することが望ましい（公益通報指針解説23頁）。

子会社や関連会社において、企業グループ共通の窓口を自社の内部公益通報受付窓口とするためには、その旨を子会社や関連会社自身の内部規程等において「あらかじめ定め」ることが必要である（公益通報者保護法2条1項柱書参照）。

グループ内部通報制度に関しては、制度担当役員や担当部署等の社内体制を整備する場合の在り方に【図表4-9】のとおり選択肢がある。

第 4 章　子会社管理上の留意点

【図表 4-9】

パターン①

親会社

内部通報制度
担当部署　　　通報に関する情報伝達

窓　口

子会社

パターン②

親会社

担当部署　　　通報に関する情報伝達

窓　口

子会社

担当部署

パターン③

親会社

担当部署

子会社

窓　口

担当部署　　通報に関する情報伝達

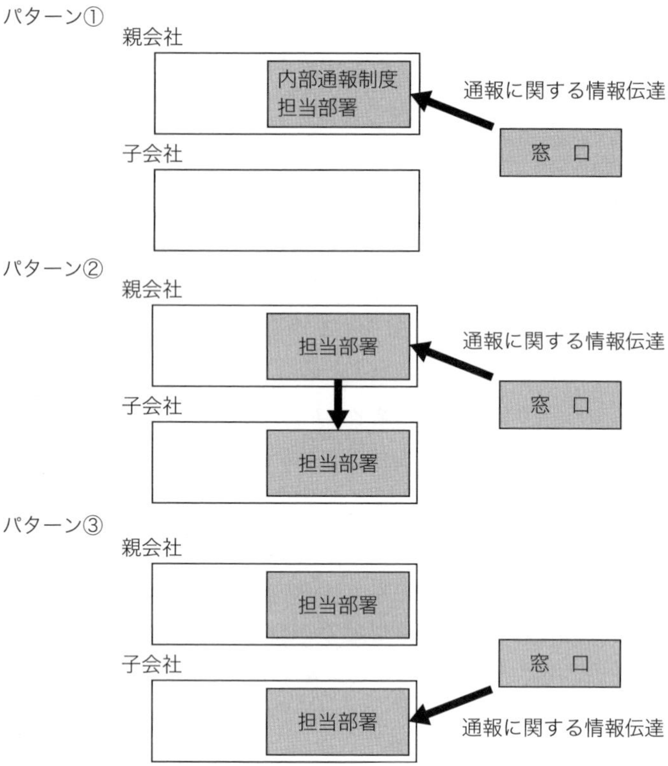

　具体的には、【図表 4-9】パターン①は、内部通報制度担当役員や担当部
署を親会社のみに設置し、子会社における事象に関する通報への対応も基
本的には親会社の担当部署が主体となる方法である。

　また、【図表 4-9】パターン②は、内部通報制度の社内担当部署を各子会
社にも設置し、子会社における事象に関する通報への対応は基本的に子会
社の担当部署が主体となる方法という選択肢である。ただし、この場合で
も受付窓口からの通報事実の提供はまずは親会社の担当部署に対して行わ
れ、そこから子会社の担当部署に伝達されることになる。

　この他に、【図表 4-9】パターン③として、内部通報が子会社における事
象に関するものであった場合、窓口が受領した情報を親会社（担当部署）に
伝達せず、子会社（担当部署）にのみ伝達するという体制も想定しうるが、
この体制では子会社における問題事象を親会社が把握し、是正に向けた取

342

組みを主導する（あるいは監視する）ことができない。

　親会社による子会社管理を充実させるという観点からすれば、子会社における事象に関する通報の調査においても、親会社に設置した担当部署が中心となって調査を実施することが望ましいということになりそうである。ただし、調査を実施する場合には問題となっている事象との距離が離れるほどに実効性のある適切な調査が難しくなるという懸念もある。

(b)　通報の受付

①　通報手段

　通報手段には、電子メール、FAX、封書、ウェブサイト、電話、面談（口頭）等の選択肢がある。電話を含めた口頭での通報受付は記録化が難しいため、原則として避けるべきである。

②　通報受領主体（窓口）

　通報受領主体（窓口）には、外部法律事務所、外部委託会社、社内担当部署等の選択肢がある。通報者の匿名性と独立性を確保するという目的からすれば、可能な限り事業者（会社）の外部に窓口を設置することが望ましい（公益通報指針解説8頁）。グループ内部通報制度の場合、グループ企業共通の一元的な窓口を設置して内部通報を受け付けるのが原則となる。

　特に、組織の長その他幹部に関係する事案については、これらの者からの独立性を確保する措置をとることとされ（公益通報指針第4の1(2)）、組織の長その他幹部から独立した内部公益通報対応体制を構築するため、内部公益通報受付窓口を事業者の外部に設置する必要性が高い（公益通報指針解説8頁）。

③　通報主体（利用対象者）

　通報主体（利用対象者）に関しては、現在の役職員（正社員だけでなく契約社員やアルバイトも含む）、退職した役職員、取引先（消費者）、第三者などのうち、いずれの者による通報を認めるかという選択肢がある。在職中は通報者であることを特定されるリスクや周囲の人間関係等から通報しづらいという懸念があるためか、退職直前の者や退職者による通報も少なくないため、通報主体を在職中の者に限定することは望ましくない。

④　受け付ける通報内容

　法令違反行為、社内ルールに反する行為、その他社会通念に照らして不当な行為等のうち、いずれの内容を通報として受け付けるかという点にも

選択肢がある。具体的事実に基づかない一般論の問い合わせ、法律問題の相談や対応方針に関する助言を求める通報がなされることも少なくないが、内部通報制度の趣旨等を説明して理解を求め、それでも受付可能な通報の形式に是正されないようであれば、通報としては受領できないという対応にならざるを得ない。

⑤　匿名通報の受付

匿名での通報を受け付けるか否かという選択肢もあるが、通報者が秘密保持を重視することには相当な理由があるので、基本的には匿名での通報も受け付けるべきである（公益通報指針解説10頁）。匿名の公益通報者との連絡をとる方法として、例えば、受け付けた際に個人が特定できないメールアドレスを利用して連絡するよう伝える、匿名での連絡を可能とする仕組み（外部窓口から事業者に公益通報者の氏名等を伝えない仕組み、チャット等の専用のシステム等）を導入する等の方法が考えられる。

⑥　受付後の対応

公益通報指針解説21頁では、内部公益通報受付窓口にて通報を受け付けた場合、内部公益通報の受付や調査の開始についても通知する等、適正な業務の遂行等に支障が生じない範囲内において、公益通報者に対してより充実した情報提供を行うことが望ましいとされている。

会社（社内担当部署）への連絡に先だって直ちに受領連絡をすることも考えられるが、その場合には単に「受領しました」という程度の内容を通知することしかできないため、通報内容を会社に伝え、初期対応の方針が定まった上で当該方針とともに通報の受領を通知するという対応も考えられる。いずれにしても、電子メールでの通報の場合であれば、受領してから1週間以上もの期間にわたり何らの返答もしないという対応は望ましくなく、可能な限り速やかに何らかの返答はすべきである。

⑦　通報受付後の対応に関する事前の説明

通報者に対しては、①通報受付窓口がどこに設定されているのか、②受け付けられた通報内容がどこにどのように伝達されるのか、③通報に基づく調査はどのように実施されるのか等の事項を事前に説明する必要がある。特にグループ内部通報制度において例えば子会社の従業員が通報した場合には、内部通報窓口がどこに設置されているのか、外部窓口は受領した通報をどこに提供するのか（親会社なのか子会社なのか）、通報に基づいて調査

を実施するのが親会社又は子会社いずれの担当者なのか等の事項を内部通報規程等で明確に定めておかなければならない。

(c) 通報受付から調査開始まで

① 受付窓口から会社（社内担当部署）への通知

内部通報受付窓口（例えば外部窓口弁護士）が通報を受領した場合、親会社の担当部署に対して、電子メール又は文書により通報があった事実及びその内容を通知する。この際、通報自体に通報者の個人情報（氏名、メールアドレス、電話番号、所属部署等）が記載されている場合、（通報者から了承を得ない限り）これを会社側に開示してはならない。公益通報者を特定させる事項は、公益通報者を特定した上でなければ必要性の高い調査が実施できない等のやむを得ない場合を除いて、公益通報者の書面や電子メール等による明示的な同意がない限り、外部窓口から事業者に対しても開示してはならないこととする等の措置を講ずることも考えられるとされている（公益通報指針解説16頁）。

② 社内担当部署による対応方針（調査方法等）の検討

受付窓口から通報に関する連絡を受けた親会社の担当部署では、通報内容をふまえて調査方法等の対応方針を検討することになる。通報が子会社における事象に関するものである場合には、いかなる体制で調査を進めるかの検討も重要である。

調査に先立ち通報者に確認すべき事項がある場合には、受付窓口を通じて連絡するか、氏名及び連絡先の開示可否を確認した上で社内担当部署が直接にやり取りすることになる。調査方法の検討に際しては、特に通報者が誰であるかを関係者に特定・推認されないことを重視する必要があるため、通報者とのやり取りが重要となる。

③ 通報者とのやり取り

通報内容の詳細が不明確である等の事情のために通報者への事実確認をしなければ調査を実施できない場合もある。また、通報に関する秘密保持のために調査方法等について通報者への説明との意向確認が必要となる場合もある。実際に通報を受けた場合には、通報内容だけを確認しても詳細が明らかでなく、ただちに調査に着手することはできないということが少なくない。

また、公益通報者本人からの情報流出によって公益通報者が特定される

第 4 章　子会社管理上の留意点

ことを防止するため、自身が公益通報者であること等に係る情報管理の重要性を、公益通報者本人にも十分に理解させることが望ましい（公益通報指針解説 16 頁）。

(d)　調査の実施

①　調査主体

事業者は、公益通報を受け、当該公益通報に係る通報対象事実の調査をし、その是正に必要な措置をとる業務に従事する者を定めなければならない（公益通報者保護法 11 条 1 項、公益通報指針第 3 の 1）。

また、従事者は、公益通報者を特定させる事項について刑事罰により担保された守秘義務を負うものとされているが（公益通報者保護法 12 条、21 条）、公益通報者を特定させる事項に関して慎重に取り扱い、予期に反して刑事罰が科される事態を防ぐため、従事者を定める際には書面により指定する等の明確な方法をとることが必要とされている（公益通報指針解説 6 頁）。

調査主体に関しては、①親会社の担当部署が中心となって行う、②（通報が子会社における事象に関するものであった場合）子会社の担当部署が中心となって行う、③通報対象部署（通報対象となっている事実や事象が発生しているとされる部署）の責任者が調査する等の選択肢がある。

通報内容が特定部署の具体的な業務内容に関わる場合も多く、総務部等の社内担当部署の担当者のみで充実した調査を行うことには困難もある。これはグループ内部通報制度の場合に、親会社の社内担当部署が子会社の特定部署に関する事実や事象についての通報事案を調査する場合もそうであるし、規模の大きな一社において社内担当部署が特定部署の事象に関して調査する場合にも当てはまる。そこで、社内の一定の部署のまとまり（例えば事業本部など）ごとに、一定の職位にある管理者を内部通報制度の責任者（従事者）と定め、所管する部署に関する通報がなされた場合、社内担当部署が当該通報対象部署の責任者と共同して調査を実施するという運用も考えられる。

なお、いかなる調査体制が適切かということは通報対象事実の内容によっても異なってくるので、原則的な体制は定めておくとしても、実際には通報事案ごとに具体的事情を考慮して柔軟に対応することが望ましい。

しかし、通報対象部署の責任者による調査の場合には、現場に近いこと

346

の裏腹として、通報に関する秘密保持との関係で問題が生じる可能性も高まる。そのため、秘密保持には十分に留意し、しかも担当部署が通報対象部署による調査の内容及び進捗を常に把握し監督する必要がある。

通報内容に利害関係（利益相反）のある者は調査主体とはなり得ないため（公益通報指針解説11～12頁）、通報対象事実に関係するか、関係する可能性のある者は調査の実施主体としてはならない。そのため、仮に該当部署の内部通報制度担当者が関与している可能性のある通報内容である場合には、社内担当部署は当該担当者と共同することなく調査を実施しなければならない。

② 調査方法（内容）

調査方法には、①資料、文書やデータ等の客観情報の確認、②関係者からのヒアリングがあるが、関係者からのヒアリングに先だって客観資料に基づいて事実関係を確認しておく必要があるし、関係者からのヒアリングを実施した場合にはどうしても通報を端緒とする調査であるとの推測を招きやすいから、まずは①を先行させ、その後に②を行うのが原則となる。

通報者の特定を避けるため、そもそも通報を端緒とする調査であること自体を認識されないように、該当部署以外の部署にもダミーの調査を行う、定期監査と併せて調査を行うなどの工夫をすることも考えられる（公益通報指針解説16～17頁）。しかし、通報を端緒とする調査であること自体を認識されないように調査しようとすれば余計に手間がかかる場合もあるため、どこまで慎重に対応しなければならないかは事案ごとに判断する必要がある。この点でも通報者がどのような意向や懸念を持っているかということが重要であり、詳細にやり取りして意向を確認することが肝要である。

(e) 調査結果をふまえた対応の検討、実施

調査の結果、法令違反や不正行為等の存在が明らかになった場合には、速やかに適切な是正措置及び再発防止策を講じることになる。さらに、必要に応じて、関係者の社内処分、関係機関への報告等を行う。

グループ内部通報制度において、子会社における事象に法令違反や不正行為等の問題が確認された場合には、親会社も関与して速やかに是正措置が講じられる必要があるし、再発防止策の実行状況に関するモニタリングに際しても親会社は積極的に対応すべきである。

第4章　子会社管理上の留意点

(f)　通報者への説明・回答

調査が完了し、調査結果に基づく対応を実施した段階で、調査結果及び是正措置の内容及び結果を通報者に回答する。また、調査中であっても、通報者の希望や調査の進捗状況等の事情に応じて通報者に対する説明を行うことも考えられる。

通報者への回答は書面にて行うのが原則である。業務上の機密情報や他の従業員に関する秘密情報をどこまで記載すべきかの判断は難しいが、関係者の名誉やプライバシーに配慮した上で、可能な限り丁寧に説明すべきである。ただし、調査過程において誰が何を証言したか、人事処分の詳細な内容等はプライバシーに関わる場合もあるため、公益通報者に内部公益通報への対応結果を伝えるべきではない場合も想定される（公益通報指針解説20頁）。

(6)　グループ内部通報制度を機能させるための留意点

(5)(340頁)においてはグループ内部通報制度の前提となる社内体制や運用モデルとしてどのようなものが望ましいかという点を通報処理の時系列に沿って説明したが、本項では、グループ内部通報制度の実効性を高めるための留意点を検討することとする。

(a)　子会社における不正行為に関する通報の調査にも親会社担当者が積極的に関与する

(5)(d)(346頁)において述べたとおり、グループ内部通報制度において子会社における不正行為に関する通報がなされた場合にいかなる体制で調査を実施するかについては、制度設計及び運用の在り方に複数の選択肢がある。親会社が子会社に関する情報を的確に把握してそれに基づいた対応を行うための手段としてグループ内部通報制度を位置づけるという観点からすれば、このような場合に通報に伴う対応を子会社の担当部署に任せてしまうことは望ましくなく、調査及び是正措置の実施等について親会社担当者が積極的に関与すべきである。

(b)　子会社においても通報制度の周知徹底を図る

充実した通報制度を整えたとしても、実際に制度が利用されなければ意味がないため、通報制度の周知徹底は最も重要である。しかし、グループ内部通報制度を設けていても、子会社では制度の存在が十分に周知されて

おらず、実効的に活用されていないという事例も少なくないようである。特に子会社においては、グループ内部通報制度の仕組みとして、通報窓口、通報受付後の情報の伝達経路、調査主体等について詳細な説明をすることにより、積極的な利用を促すことが期待される。

グループ内部通報制度を運用していると、グループ内の特定の会社からの通報の件数が多くなるということもある。グループ内各社の業態の相違により件数にばらつきが生じることもあるだろうが、会社によって内部通報制度の認識の在り方に相違があることは多いと考えられる。

周知の方法には、イントラネットでの掲示、社内研修での説明、リーフレットの交付等がある。通報内容はともかくとして、とりあえずは通報の件数を増やす取組みが望ましい。

(c) その他の留意点

なお、内部通報制度の実効性を高めるための一般的な留意点には、①通報者への不利益取扱いの禁止、通報者の探索禁止、通報に関する秘密保持等の基本的原則を徹底すること、②重大な不正行為を認識した従業員に内部通報又は社内での報告を義務づけること、③不正行為に関与した従業員が自主的に内部通報又は社内報告をした場合には処分の減免を認める制度を導入すること、④調査は迅速に行うことなどがある。

(7) グループ内部通報制度により生じうる親会社のグループ会社従業員に対する法的責任

平成30年2月15日、最高裁は、グループ内部通報制度を設けて対応を行っている場合に、当該窓口に申出がなされたときには、申出の具体的状況等の事情によっては、親会社は申出を行ったグループ会社の従業員に対して信義則上の義務を負う場合があるとの判断を示した（最判平成30年2月15日判時2383号15頁）。

本判決は、グループ内部通報制度が設けられているグループ会社の従業員間で発生したいわゆるセクシャルハラスメントの事案に関して、親会社が被害者たるグループ会社従業員に対して法的責任を負うか否かが問題となったものである。原審は、法令等の遵守に関する社員行動基準を定めた上で、相談窓口を含む法令遵守体制を整備していたことからすると、親会社がグループ会社の全従業員に対して相応の措置を講ずべき信義則上の義

第4章　子会社管理上の留意点

務を負うと判断したが[21]、最高裁はこれを是認できないとした上で、以下
のとおり判示している。

・上告人は、本件当時、本件法令遵守体制の一環として、本件グループ会社
　の事業場内で就労する者から法令等の遵守に関する相談を受ける本件相
　談窓口制度を設け、上記の者に対し、本件相談窓口制度を周知してその利
　用を促し、現に本件相談窓口における相談への対応を行っていたものであ
　る。
・その趣旨は、本件グループ会社から成る企業集団の業務の適正の確保等を
　目的として、本件相談窓口における相談への対応を通じて、本件グループ
　会社の業務に関して生じる可能性がある法令等に違反する行為（以下「法
　令等違反行為」という。）を予防し、又は現に生じた法令等違反行為に対
　処することにあると解される。
・これらのことに照らすと、本件グループ会社の事業場内で就労した際に、
　法令等違反行為によって被害を受けた従業員等が、本件相談窓口に対しそ
　の旨の相談の申出をすれば、上告人は、相応の対応をするよう努めること
　が想定されていたものといえ、上記申出の具体的状況いかんによっては、
　当該申出をした者に対し、当該申出を受け、体制として整備された仕組み
　の内容、当該申出に係る相談の内容等に応じて適切に対応すべき信義則上
　の義務を負う場合があると解される。

　この判示によれば、親会社が法令遵守体制としてグループ内部通報制度
を整備していたことのみをもって、親会社がグループ会社の従業員に対し
て適切に対応すべき信義則上の義務を負うという帰結にはならないと解さ
れる。しかし、法令遵守体制の一環としてグループ会社で就労する者から
法令等の遵守に関する相談を受ける相談窓口制度（すなわちグループ内部通
報制度）を設けて対応を行っている場合に、当該窓口に申出がなされたと

---

21)　原審判決（名古屋高判平成28年7月20日金法2109号80頁）は、「被控訴人イ
　ビデンが人的、物的、資本的にも一体といえるそのグループ企業に属する全従業員
　に対して、直接又はその各所属するグループ会社を通じてそのような対応をする義
　務を負担することを自ら宣明して約束したものというべき」と指摘した上で、「Dが
　控訴人のために被控訴人イビデンのコンプライアンス相談窓口に電話で連絡をして
　調査及び善処を求めたのに対し、被控訴人イビデンの担当者らがこれを怠ったこと
　によって、控訴人の恐怖と不安を解消させなかった」として、親会社は被害者に対
　して債務不履行に基づく損害賠償責任を負うと判示している。

きには、申出の具体的状況いかんによっては、親会社は申出者たるグループ会社従業員に対し、適切に対応すべき信義則上の義務を負う可能性があることになる。

なお、上記判示はグループ内部通報制度を設けて対応しているという事実を前提とするものであるため、制度が設けられていない場合にも同様の帰結となるものではないと考えられる。また、上記のとおり本判決の事案は親会社がグループ企業の従業員に対して損害賠償責任を負うか否かが問題となったものであるため、会社法上の内部統制システム構築義務との関係でグループ内部通報制度を設けるべきといった法的判断を示したものと理解することもできない。

しかし、グループ内部通報制度が設けられている場合に、仮に通報に対する対応を誤れば、「体制として整備された仕組みの内容、当該申出に係る相談の内容等」の事情によっては、親会社としても、直接的に労働契約関係のないグループ会社の従業員に対して信義則上の義務違反に基づく損害賠償責任を負う可能性があることを示したという点においては意味のある判決である。

なお、本件事案では、結論としては、内部通報窓口（相談窓口）への通報がグループ会社の事業場外で行われた行為に関するものであり、職務執行に直接関係するものとはうかがわれないこと、通報がなされた当時、被害者は既にグループ会社を退職して加害者と同じ職場で就労しておらず、通報の対象行為が行われてから8か月以上が経過していたこと等を根拠として、通報の際に求められた被害者への事実確認等の対応をしなかったとしても損害賠償責任を生じさせることとなる義務違反があったとはいえないと判断されている。

本判決の判示を前提として、具体的にいかなる対応をした場合に信義則上の義務が認められ、また当該義務に違反したと認定されるのかという点は必ずしも明らかではないが、通報の際に求められた対応を行わなかったということのみで義務違反が認定されるわけではないというのが本判決の判断である。通報内容をふまえていかなる対応を行うべきかについてはグループ内部通報制度を運用する会社の側に相当程度の裁量が認められるべきであり、通報者の要求や要請に必ずしも拘束されるものではないから（もちろん、通報に関する秘密の保護といった観点からの通報者の要求や要請に

第4章　子会社管理上の留意点

は可能な限り対応すべきである）、この点の判断は妥当なものである。

　また、「適切に対応すべき信義則上の義務」の具体的内容は「体制として整備された仕組みの内容」等に応じて判断されるという判示であるため、本判決の判示を前提としても、たとえば「グループ会社での事象に関する通報に対しても親会社が主体となって調査を行うべき」というように、一定の調査体制を整備すべきという帰結とはならないものと解される。

第5章

グループ類型ごとのガバナンス

第 5 章　グループ類型ごとのガバナンス

1 海外子会社の管理

(1) はじめに

　近年、海外での需要の増加に加え、少子高齢化や人口減少を背景とする国内需要の減少などにより海外市場の重要性は一段と高まり、日本企業のグローバル化はますます進んでいる。日本企業の海外売上高比率も海外営業利益比率も年々高まっており、製造業では、海外生産比率も海外売上高比率も約 4 割を占めているとするアンケート結果もある[1]。これは、日本企業全体の業績の海外市場への依存度が今後も高まっていくということを意味している。

　他方で、海外子会社を含めたグローバル経営は、常に大きなリスクに晒されている。物理的な距離や時差に加え、国民性や宗教、文化、習慣、言語、法制度などの違いから、そもそもわが国の「常識」は通用しない。そのため、わが国の常識では考えられない理由で不正が行われたり、本社で実践しているガバナンスも現地で理解されず、その結果、海外子会社がブラックボックス化して、その本当の姿、実態が把握できなくなり、これが問題を引き起こす原因となる。

　現に、本社の目が届かない海外子会社での不祥事が相次いで発覚し、これが日本の親会社を直撃して、莫大な損害を被るケースが散見されるようになってきた。せっかく苦労して、多額のコストをかけて海外企業を買収したのに、不祥事などで本体の屋台骨を揺るがしかねない事態となっているのである。

　このような不祥事をいかに防ぐのか、そのための仕組みや運用をどのように行っていくのかは、日本企業にとって待った無しの喫緊の課題であり、海外子会社のガバナンスの重要性は高まる一方である。

　経済産業省も、平成 29 年 8 月、「買収後に海外子会社の経営に関する問題が生じたり、当初想定していたような成果が得られない、といったケー

---

1)　株式会社国際協力銀行 企画部門 調査部「わが国製造業企業の海外事業展開に関する調査報告—2024 年度 海外直接投資アンケート結果（第 36 回)—」(2024 年 12 月) 9 頁。

スも顕在化しており、我が国企業による海外 M&A については、課題がある」との認識のもと、「我が国企業による海外 M&A 研究会」を設置し、わが国企業による海外企業の買収とその後の海外子会社の経営について、その実態と課題を分析した上で、海外 M&A に携わる企業や関係者（アドバイザー・実務家等）が、その業務を遂行する際に参考となる事例・取組み等を提示するとしていた。そして、平成 30 年 3 月 27 日、「我が国企業による海外 M&A 研究会」報告書（以下「海外 M&A 研究会報告書」という）が、経済産業省より公表された。この報告書では、詳細に海外 M&A を実施していく上でのポイントが検討されており参考になる。

　また、日本取引所自主規制法人が平成 30 年 3 月 30 日に公表した「上場会社における不祥事予防のプリンシプル」においても、その原則 5「グループ全体を貫く経営管理」において「グループ全体に行きわたる実効的な経営管理を行う」とされた上で「特に海外子会社や買収子会社にはその特性に応じた実効性ある経営管理が求められる」とされている。

　もちろん、海外子会社を含む子会社管理体制を考えるに当たっては、仕組みや規程類だけを整備しても何の意味もない。親会社の役職員はもちろん、子会社の役職員も、企業グループの理念、グループガバナンスの重要性・意義を心の底から理解し、納得した上で、仕組みを運用していくこと、つまり「魂の入った」グループ管理体制を構築し、運用することが何より重要である。近時の不祥事を挙げるまでもなく、仕組みだけ立派なものをつくってみても何の役にも立たない。親会社の経営者はこのことをまず肝に銘じるべきである。

　海外子会社に対するガバナンスの仕組み作りや運用は、国内子会社に対するガバナンスの仕組みづくりや運用の延長線上にあるものであるから、第 3 章で述べた子会社管理の仕組みづくりや第 4 章で述べた子会社管理の運用上の工夫等を応用すべきものである。そこで、本章では、海外子会社のガバナンス体制の仕組みづくりや運用を行っていく上で留意すべき点について、海外子会社に特有の事項を中心に検討していく。

第5章　グループ類型ごとのガバナンス

⑵　子会社化をする際の留意点（子会社設立の場合とM&A で子会社化する場合）

(a)　海外進出の状況

　独立行政法人日本貿易振興機構（JETRO）が令和6年3月に公表した海外事業展開に関するアンケート結果[2]によれば、日本企業の海外進出状況は以下のとおりである。

　まず、海外拠点を有する企業は全体の36.8%であり、その海外拠点の所在地は、中国が56.0%と最も多く、次いでタイ（36.1%）、米国（32.9%）、ベトナム（30.0%）、EU（20.6%）、インドネシア（18.6%）、台湾（18.6%）、シンガポール（17.3%）と続いている。

(b)　子会社化の手法

　子会社化の手法としては、大きく、①買収を伴わずに、法人を新しく設立する手法（グリーンフィールド型投資）と、②既に現地で事業を行っている企業を買収する手法（ブラウンフィールド型投資）の2つの手法がある。

　グリーンフィールド型投資の場合、許認可、設備、顧客や従業員の確保等を一から行うことになるため、現地での事業が軌道に乗るまでに時間が掛かる。そのため、グローバルな激しい競争に勝ち残るという観点からは、ブラウンフィールド型投資がより適している。もちろん、社風や会社ごとの歴史的経緯によりM&Aは実施しないという方針をとる企業もあるが、近時は、日本企業が既存の海外企業を買収するIN-OUT型のクロスボーダーM&Aが年々増加する傾向にあり、令和5年には661件であり、買収金額は合計で8兆1576億円にのぼっている[3]。

(c)　デューディリジェンスの留意点

　このように、日本企業は海外進出を拡大させつつあるが、前記のとおり、海外子会社を通じて事業を行うことは大きなリスクを伴うものである。そのため、新規設立による場合であれ、M&Aによる場合であれ、日本企業の取締役会が意思決定を行う際には、拙速になることなく合理的なプロセス

---

2)　JETRO調査部「2023年度ジェトロ海外ビジネス調査 日本企業の海外事業展開に関するアンケート調査—海外事業の拡大意欲、上向く。対中国は様子見姿勢へ—」（2024年3月）9頁以下を参照。

3)　MARR 2024年12月号「統計（表とグラフ）」16頁、20頁。

を経ることが重要となる。

　具体的には、ビジネス、法務、会計などの観点から、デューディリジェンス（以下「DD」という）をしっかり行って、リスクの洗い出しを行うとともに、特定されたリスクの評価・分析を行うことが必要となる。まずは進出国でのビジネスの状況、法制度、商慣習、カントリーリスクを含め、わが国におけるビジネスとの違いやリスクの把握をしっかりと行う必要があるのである。

　ビジネス的には、そもそも進出を企図している海外市場で自社のビジネス成功の可能性を調査することが必要となるし、会計面でも、（特に新興国の場合には）ディスクロージャー制度の不備に加え、粉飾のリスクが小さくないため、会計DDも不可避である。また、事業を行っていく上で必要となる現地法制についても知る必要があるし、賄賂防止法違反を含め、重大なコンプライアンス問題が存在しないかの調査を行うことも必要となるため、法務DDの重要性は非常に大きい。以下、法務DDを中心に主な留意点を概観することにする。

　① 法域ごとのデューディリジェンス

　海外企業は、多くの場合には設立国の法令に基づいてビジネスを行っているため、海外の企業に対して法務DDを行う場合には、現地の法律事務所を起用して実施する必要がある。特に、不正リスクの高いとされる新興国などに進出しようとする場合、徹底的にリスクの洗い出しを行う必要がある。

　新興国その他の進出予定国の法律事務所とコネクションがなく、どうしてよいかわからないという場合、日本において起用しているフィナンシャルアドバイザー（FA）や法律事務所に尋ねると、現地の法律事務所を紹介してくれるケースが多い。この際、コストセーブも重要であるが、信頼のおける現地法律事務所を起用することがより重要である。

　また、DDにおいて偶発債務や簿外債務などを発見するためには、現地の法令や会計制度を理解することが不可欠であるため、海外の対象会社が複数の国にまたがってビジネスを行っている場合、あるいは、対象会社の子会社が別の国でビジネスを行っている場合、それぞれの法域の法律事務所を起用してDDを実施する必要がある。すなわち、買収対象会社が子会社を有している場合、日本企業からすると孫会社を取得することを意味す

第5章　グループ類型ごとのガバナンス

るが、この孫会社の実態を把握し、適切な管理を行うことは、人的リソースの面から考えても困難である。そのため、当該孫会社を含めて買収するのかを検討し、買収する場合は当該孫会社についても一定の DD を実施することは必須と考えるべきである。例えば、LIXIL が、平成 27 年 4 月に、ドイツの GROHE 及び GROHE の上場子会社である Joyou AG を子会社化したところ、その直後に、Joyou AG の中国子会社（LIXIL からみると中国における孫会社）における不正会計が発覚して、同年 5 月には、Joyou AG は破産申立てを行うに至り、LIXIL も約 660 億円の損失を被っている[4]。ドイツの会社を買収する場合、ドイツの法律事務所のみを起用して DD を行えば足りるというものではなく、対象会社が中国に重要な子会社を有している場合、中国でも法律事務所を別途起用して中国子会社についても DD を適切に実施する必要がある。

　他方で、全ての法域ごとに法律事務所をそれぞれ起用して DD を実施することは、（望ましいことではあるが）現実的には、時間的にもコスト的にも負担が大きいため、対象会社のビジネスの内容や規模等の状況に応じて、重要性の観点から対象会社を絞ってメリハリをつけて DD を行うことも検討することになる。どの国で DD を行うかという DD の対象範囲の検討・決定は非常に重要である。重要性の高い国では現地の法律事務所を起用してフルスコープの DD を行う一方で、重要度の低い国では簡易の DD を実施するか、あるいは DD を実施しないことも考えられる。ただし、不正リスクの高いとされる新興国などへ進出する場合には、法務 DD は欠かせないと考えるべきである。簡易な DD を実施する方法の 1 つとしては、ある国・地域の事業活動を統括している対象会社の役員や、現地で法務を所管している役職員などに対してインタビューを行ったり、内部監査の記録の開示を求めてその内容を確認することで、当該国・地域での法的リスクの有無・程度を確認する方法がある[5]。もちろん、簡易な DD によって重要な法的リスクが識別された場合、より深度を上げて調査することになる。

　さらに、各関係国で複数の法律事務所を起用する場合、M&A 取引やスケ

---

4)　株式会社 LIXIL グループの平成 27 年 6 月 8 日付「当社海外子会社における不適切な会計処理に関する調査経過について」と題するプレスリリース等。

5)　長島・大野・常松法律事務所編『M&A を成功に導く法務デューデリジェンスの実務〔第 4 版〕』（中央経済社、2023 年）104 頁参照。

ジュールの全体を把握し、問題の所在や進行状況等の管理を行って全体を統括する法律事務所（リードカウンセル）を選定することも必要となる。リードカウンセルを中心に、現地の法律事務所（ローカルカウンセル）を適宜起用してDDの実施を含むカウンセルの体制を構築することになる。日本企業の海外進出の場合、日本の法律事務所がこのリードカウンセルの役割を果たす場合が多い。リードカウンセルは、M&A取引の構想段階から、DD、契約書の作成・交渉、クロージングまでの取引全体に関与し、統括する。DDの結果、法的な事項が各国・地域で問題となった場合、当該国・地域の法律事務所に照会して対応方針を検討し、解決するなどの役割を果たすことになる[6]。

② DDにおける情報開示

DDにおける情報開示は、あくまでも対象会社による任意の情報開示によって成り立っている。したがって、リクエストした情報が全て開示されるとは限らない。

他方で、通常のDDであれば開示されてしかるべき書類が開示されない場合には、何かの問題がある可能性があることを認識すべきである。例えば、重要な契約書などは法務DDでは基本的な書類として開示されるのが通例である。しかし、このような基本書類の大部分が開示されないとなると、何か問題があるのではないかとの疑義を感じるべきである。

例えば、KDDI株式会社（以下「KDDI」という）がシンガポールの上場会社であるDMX Technologies Group Limited（以下「DMX」という）を買収したところ、実はDMXでは架空取引による不適切な会計処理が行われており、その関係でCEO及びCFOが逮捕されるという事件が発覚し、KDDIにおいて約338億円もの特別損失の計上を余儀なくされたという事案がある。この事案では、DDの段階で、顧客との契約関係書類の開示も拒否されるなど、全体として、DDでの情報開示が不十分であり、かつ、このことは法務DDのレポートにも示唆されていた。結果的にみれば、架空取引であり、取引自体存在しなかったのであるから、契約書を開示できるわけがないのであるが、DDの時点では、契約書の「不開示」という形でこの問題が表れていたのである。DDレポートにおいても指摘されるほどの情

---

6) 長島・大野・常松法律事務所編・前掲注5）104～105頁参照。

報開示の不十分さがみられる場合、それは何らかの問題の兆候である可能性があるため、注意が必要である。

③ コンプライアンス DD

対象会社が、そのビジネスに適用される法令を遵守しているか、あるいは、適切なコンプライアンス体制が構築されているかについては、海外における法務 DD で重要である。なぜなら、対象会社に重大な法令違反が存在するにもかかわらず、これを DD で発見できず、クロージング後にこれが発覚したような場合、莫大な損害を被ることになるからである。

特に、海外企業の買収に際しては、贈収賄リスクが認識されるようになっており、平成 28 年 7 月 15 日に公表された日弁連の「海外贈賄防止ガイダンス（手引）」（平成 29 年 1 月 19 日改訂）においても、対象会社の海外贈賄問題の承継リスクを負わないための DD（海外贈賄防止 DD）を行うべきとされている（第 16 条）。

すなわち、新興国、特に Transparency International が調査・公表している腐敗認識指数（Corruption Perceptions Index（CPI））が低い国・地域にある対象会社を買収する場合は贈収賄リスクが高いと考えられるため、何らの DD も行わずに買収すると、過去に行った贈賄行為について、現地法や米国 FCPA 等の域外適用法に基づく贈賄リスクをそのまま引き受けてしまうことになる。したがって、贈賄リスクが認識される M&A を実施する場合、①対象会社においてこれまで賄賂を支払ったことがあるか、②贈賄防止体制が構築されているか、③政府関係者等との人的なつながりなどの属人的な贈賄リスクの有無及び程度などを確認する贈賄 DD を実施する必要がある[7]。なお、経済産業省の平成 16 年 5 月 26 日付「外国公務員贈賄防止指針」（令和 6 年 2 月最終改訂）19〜20 頁にも DD に際しての贈賄リスクに関する留意点が挙げられているので参照されたい。

④ 外資規制等

現地法の下で、外国資本による投資規制の有無やその内容については確認を要する。この外資規制の内容によっては、投資自体の障害事由になり得るし、スキームにも影響を及ぼし得る。

また、外国資本による投資規制のほか、対象会社の事業に適用のある業

---

7) 西垣建剛＝立石竜資「日弁連海外贈賄防止ガイダンス（手引）の解説　第 7 回　子会社管理・企業買収」NBL1095 号（2017 年）55 頁以下参照。

法のもとで個別に外資規制がかかっていることも考えられる（例えば、防衛関連事業など）。昨今では経済安全保障の観点から、インフラ関連事業や半導体関連事業、データ関連事業なども個別の当該国・地域の業法による外資規制を受ける可能性があるため、調査の必要がある。

さらに、海外子会社にて得られた利益を配当する際に、いかなる規制が課せられるのかについても、買収者の投資回収方針に影響を及ぼし得るため、十分な確認が必要である。近時はデータの国外移転についても規制が強化される傾向にあるため、対象会社から日本の本社へのデータ移転の可否・要件など規制の内容も確認しておくべきである。

⑤　リスクの評価・分析──「買収ありき」の態度は NG

ビジネス、会計、法務などの DD の実施によってリスクを把握したら、次はそのリスクの評価・分析を行うことになる。これが重要な作業なのであって、リスクがわかったというだけで決して満足してはならない。

すなわち、認識されたリスクについて、当該リスクは取り得るリスクなのか、何らかの対応策を講じることによってコントロールし、管理していくことができる性質のものなのか、その場合、具体的なリスク管理策にはどのようなものがあるのかなどの分析・評価を行う必要がある。

しかし、実際には、いったん動き出している M&A 案件を成功させたい、あるいは、この対象会社を何としても買収したいという気持ちが強くなり過ぎて、リスク自体は認識されたにもかかわらず、そのリスクに対して適切な問題意識を持つことができず、しかるべきフォローもなされないままに、買収の意思決定に至ることがある。

例えば、前記の KDDI の事例では、買収前の財務 DD において、対象会社特有の売上計上の方法による多額の売掛金の発生や、売掛金の長期滞留現象が生じている状況等について指摘がなされるとともに、個別契約の検討が推奨されていた。このような現象は、一般的には、典型的な会計不正の兆候の 1 つであり、不正の疑いを抱かせるものであるから、これらの指摘に関しては、一層深い問題意識を持ち、そのような疑念やリスクを払しょくするに値する検討を行うべきであった。にもかかわらず、実際には、そのような検討は行われず、対象会社たる DMX が上場会社であり外部監査を受けていたという事実はあるものの、その一方的説明を額面どおりに受け止め、買収の意思決定に至っている[8)]。

第 5 章　グループ類型ごとのガバナンス

せっかく DD を実施してリスクや不正の兆候を把握しても、それを適切に分析・評価しなければ意味がない。決して「買収ありき」の態度で DD を行うのでなく、特定されたリスクについては真摯に向き合う姿勢を忘れてはならない。これは海外 M&A 研究会報告書でも強調されている点である（51 頁等）。

(d)　合弁契約、M&A 契約に関する留意点

子会社化する際の合弁契約（資本参加時の契約）に関する留意点は第 3 章 [8]（264 頁）に記載のとおりであるが、以下では、海外子会社化する際に留意すべき点を中心に述べる。

①　事前承認事項、報告事項について

海外の子会社管理において留意しなければならないことは、海外子会社をブラックボックス化させないということである。すなわち、冒頭で述べたとおり、海外子会社を管理するに際しては、本社で実践しているガバナンスも適用できず、その結果、海外子会社の本当の姿、実態が把握できなくなってしまうことが最も懸念される事態である。こうなってしまうと、海外子会社で「やりたい放題」となってしまい、子会社管理は機能不全に陥る。

そのため、海外子会社管理を行うに際しては、海外子会社における重要な意思決定に事前承認という形で一定の関与をしたり、報告という形で情報提供が行われる仕組みにしておく必要がある。特に、海外子会社に対しては日本の会社法の適用がないため、監査役等の子会社調査権（会社法 381 条 3 項等）も及ばないため、事前承認事項や報告事項については、合弁契約ないし M&A 契約において、別紙等を用いて規定すべきである。

51％以上のマジョリティをとって子会社化した後で、ゆっくり行えばよいと悠長に構えていると、現地の CEO などに後で拒否されるケースもあるため、買収前の契約で明記しておくべきである。

②　監査権について

海外子会社の管理を行うに際しては、PDCA サイクルの C すなわちモニタリングが重要であり、このモニタリングには、内部監査、監査役による監査、会計監査人による監査（いわゆる三様監査）を行うことが必須である。

---

8)　前記 KDDI の事例に係る外部調査委員会の平成 27 年 8 月 21 日付「調査報告書（公表版）」33 頁。

しかし、日本企業の監査役等の子会社調査権は、海外子会社には及ばないため、法律上当然には海外子会社に対して監査を行うことはできない。したがって、合弁契約やM&A契約においては、内部監査等を受け入れる旨の条項を規定しておくべきである。

③ 「高値づかみ」の回避
——アーン・アウト（Earn-out）条項の利用

子会社の豪物流会社トール・ホールディングスの業績不振を受けて、「のれん代」や有形固定資産など4003億円を一括で減損損失を計上した日本郵政の事例や、原子力事業の米子会社ウェスティングハウス等に関して数千億円の減損損失を計上した東芝の事例に代表されるように、買収後の海外子会社関係で巨額の損失を計上する例が目立っている。

もとより、会社のバリュエーション（価格算定）は困難なものであるが、これが海外企業になると困難さが増して、リターンに見合わない高すぎる対価を支払ってしまう「高値づかみ」のリスクは海外M&Aでは高いといわざるを得ない。

このようなリスクに対応するために、アーン・アウト（Earn-out）条項を利用することがある。

アーン・アウト条項とは、買収金額の一部を後払いにしておき、クロージング後、一定期間における対象会社の売上や利益などの一定の財務指標を基準として、財務指標の目標が達成された場合には残額の支払いがなされることとする規定である。買収者からすれば、クロージング後の業績に応じて買収金額が調整されるため、過大な対価を支払うリスクのヘッジが可能となる。売主にとっても、買収価格の意見の相違によりディールがブレイクしてしまうよりは、この条項を規定することにより、自らが望む買収金額に近い金額でディールを成立させることができるメリットがある[9]。ただし、アーン・アウト条項を入れると、クロージング後に財務指標を操作して目標を達成できないようにし、残額の支払いを無くす／軽減するという会計不正のリスクがあるため、売主側からすると要注意である。また、買収後のバリューアップは、買収者の貢献による成果であって、それを売主に帰属させることについては抵抗感があるという場合もあるが、スター

---

9) 林宏和「M&Aの最新動向」監査役673号（2017年）19頁参照。

第5章　グループ類型ごとのガバナンス

トアップなどの海外 M&A における「高値づかみ」のリスクを軽減する方策の1つとしては、アーン・アウト条項の利用も検討に値する。

④　デッドロックなどに備える条項

海外 M&A により 100％子会社にする場合は別であるが、現地のパートナーと組んでジョイントベンチャーを組成する場合には、デッドロックなどのトラブルが生じた場合の措置を検討しておく必要がある。共同事業を組成する時に友好的なのは当然であるが、いざデッドロックなどのトラブルになって、何らのジョイントベンチャー解消措置がなく、投資が「塩漬け」になってしまうような事態はあらかじめ避けられるようにしておく必要がある。

過半数の株式を取得して子会社化する場合も、創業者などのパートナーがいる場合には、想定どおりの事業運営や子会社管理が行えない可能性があることから、イグジット（Exit）の手段（投下資本回収の手段）を確保しておくべきである。

具体的には、例えば、共同事業者に重大な契約違反や義務違反が生じたり、デッドロックが発生し、契約に規定されたハイレベルの協議などの手段を尽くしてもなお解決に至らず、一方当事者が撤退を望む場合、他方当事者に株式を売り付ける権利（Put option）や、逆に事業継続を望む場合の買い取る権利（Call option）が付与されるなどの方策が考えられる。最終的な手段として、会社を解散するという手段を規定することもある。実際、ジョイントベンチャー契約を締結し、海外進出したものの、デッドロック解消措置が十分に規定されておらず、デッドロックが解消できずに運営がスタックすることもあるため、この点は注意が必要である。

(e)　表明保証保険について

最近の M&A に絡む巨額損失事例、特に、表明保証違反が絡むとみられる巨額損失事例が生じてきたことなどを背景に、欧米における M&A 取引において急速に普及し、日本国内の M&A 取引においても表明保証保険を利用する例が増えている。案件によっては、買主が表明保証保険に加入することが案件の前提として義務づけられるケースもある。

表明保証保険とは、M&A 契約において規定された売主の表明保証違反があった場合に、買主が被る経済的損失を補償する保険である。日本の損害保険会社でも表明保証保険の取扱いは行われている。

一般的には、買収者が被保険者として加入し、売主の表明保証違反に起因して買収者が被る損害が保険の対象となる。これにより、投資ファンドが売主の場合や、オーナー個人が売主の場合などで、表明保証責任の追及が難しい場合でも、買収者は、表明保証違反に起因する損失を補てんしてもらえる。他方で、表明保証保険には、相応のコストが発生するし（保険料は保証限度額の1〜3％程度に設定されることが多いといわれる）、DDの過程で検出された問題など、一般的・類型的に表明保証保険の対象からは除外される事由も存在する[10]。

IN-OUT型のM&Aの場合、株式譲渡契約などのM&A契約が海外の法令を準拠法とし、紛争解決手段としても海外の裁判所の専属管轄や国際仲裁などが規定されることが多い。日本企業が売主に対して表明保証違反を追及すること自体も困難が伴うなどの事情もあるため、海外企業を買収する場合には表明保証保険への加入の検討は行うべきである。

(f) PMI の設計

M&Aにおいてそのシナジー効果を早期、かつ、効率的に享受するためには、M&A当事者の戦略、事業、組織、従業員の意識、情報システム等を有機的に機能させなければならない。

そこで重要となるのは、M&A取引のクロージング後の統合、すなわちPMI（Post Merger Integration、ポスト・マージャー・インテグレーション）である。

M&Aの成否はこのPMIにかかっているといっても過言ではないのであって、PMIはクロージング後に行えばよいというのではなく、M&Aの検討段階においても、DDの結果などもふまえて、本当にこの対象会社と共同して事業運営を行っていけるのか、そのためには何が必要となるのか、ディール実行時に積み残された課題・イシューへの対応方法などを含め、カウンセルの助言なども得ながらPMIの設計を行っておくべきである。

そしてM&A後の海外子会社の管理・監督は、既存事業とのシナジーを実現し、買収資金を回収してグループ全体としての企業価値向上につなげるためにも非常に重要である。異なる制度・言語・文化・商慣習を有する海外企業を適切に管理・監督することは、日本企業にとって特に難易度が高く、PMIは、グループガバナンスの中でも特に重要な課題となっている。

---

10) 林・前掲注9)18〜19頁などを参照。

第5章　グループ類型ごとのガバナンス

この観点から、業務プロセスの明文化等、従来は暗黙知とされていたものの形式知化を図る等、グローバルで通用する経営力・体制や管理・監督の仕組みを整える必要がある。また、日本企業は本社から現地へ人材を派遣しても、海外子会社からの理解・信頼を得られるようなコミュニケーション力・適応力がなく、期待された役割を果たせなかった事例も多いと言われており、海外子会社の経営陣に適格な人材を充て、適切なコミュニケーションを図っていくことも重要である[11]。

(3)　具体的な海外子会社の管理体制

(a)　グループ本社の役割

　グループ経営の本質は、グループとしての経営理念や経営戦略を示し、その実現に向けてグループ内の経営資源を最適に分配・管理し、グループとしての企業価値の向上を図ることにある。このため、グループ本社の重要な役割として、各法人の企業価値（あるいは各事業部門の事業価値）の総和（単純合計）を超える企業価値を実現すべく、グループ全体でのシナジーを最大化することが期待される[12]。

　すなわち、グループ本社の役割としては、グループ全体の司令塔として財務的シナジーと事業的シナジーの最大化のための戦略を策定・実行することと、グループ（内部市場）としてのスケールメリットを発揮するための共通インフラを提供することが重要である。より具体的には、グループ本社には、以下のような役割を果たすことが期待される[13]。

---

(1)　グループ全体の方向性の決定と実行モニタリング
- ➢　グループ全体の企業理念・ビジョンや経営方針の策定とグループ各社への普及・浸透
- ➢　グループとしての中期経営計画の策定（KPI の設定を含む）と進捗管理
(2)　グループの顔としての対外発信
- ➢　グループとしての PR・ブランディング活動や IR 活動

---

11)　経済産業省「グループ・ガバナンス・システムに関する実務指針（グループガイドライン）」（2019 年 6 月 28 日）41 頁。
12)　経済産業省・前掲注 11) 24 頁。
13)　経済産業省・前掲注 11) 29～30 頁。

(3) スケールメリットを活かした経営資源の効率的な確保とグループの全
体最適の実現のための経営資源の適切な配分
➢ 資本市場での資金調達や金融機関からの借り入れ
➢ 事業評価と予算配分、そのためのグループ共通基盤の構築（事業セグ
メントごとの評価指標の設定、評価システムの構築を含む）
➢ 人材の採用、計画的な育成・評価・配置、経営陣の後継者計画
(4) 事業ポートフォリオ戦略の策定・実行
➢ M&A や事業の切り出し（事業売却等や事業撤退）の基準策定
➢ 事業ポートフォリオ見直しの検討プロセスの明確化と実施
(5) グループとしての内部統制システムの構築と運用の監督
(6) 中長期の事業部門横断的な課題への対応
➢ 事業部門間のシナジーの実現
➢ インキュベーション機能（新規事業の創出）
➢ 基礎的な R&D
➢ IT 投資戦略（デジタル・トランスフォーメーションの推進、そのため
のシステムの刷新を含む）等

以上のようなグループ本社の役割を、整理の切り口を変えて図で表すと
【図表 5-1】のようになる。

【図表 5-1】 グループ本社の役割

見極める力	経営資源配分	・各事業を見定め、事業ポートフォリオをどのように作るか 　・全体的な投資方針の決定と各事業の見極め、メリハリ付け
	経営資源配分基盤整備	・各事業を評価できる事業ポートフォリオをどのように運営するか 　・組織構造の設計、マネジメントサイクルの運営、必要なインフラ整備
連ねる力	事業推進（ポートフォリオの入替）	・新規に行うべき事業・撤退すべき事業に関する見極め、入替の実行 　・インキュベーション、R&D、M&A、事業再生、撤退支援等の機能充実
	事業推進（シナジーの発揮）	・事業横断的な働きかけ 　・事業横断的に進めるべき競争優位性の追求と必要な機能充実
束ねる力	グループアイデンティティ	・グループの代表として「全体をひとつに方向付ける」役割 　・共有すべきミッション・バリューの確立とアイデンティティの伝達
	経営資源調達	・ヒト・モノ・カネ・情報を外部市場から如何に効率的・効果的に調達するか 　・事業の状況に応じた最適化

（出典）本研究会第 8 回資料 5 松田教授説明資料より抜粋（松田千恵子『グループ経営入門〔第 3 版〕：グローバルな成長のための本社の仕事』（税務経理協会、2016）より加筆修正）。

（出所：経済産業省「グループ・ガバナンス・システムに関する実務指針（グループガイドライン）」（2019 年 6 月 28 日）32 頁）

第5章　グループ類型ごとのガバナンス

　グループ設計もグループガバナンスも、グループ全体としてのシナジーを最大化するための方策なのであり、この観点は常に意識しておく必要がある。ガバナンスのためのガバナンスになってはならないということである。

　また、会社法上、海外子会社は企業集団を構成する存在であり、内部統制システムに組み込まれるべきものである。

　子会社管理には、子会社の自主性の尊重と親会社による管理の強化との間の緊張関係をどう調和させるのかという根本的な課題がある。本社による中央集権型（一体管理型）の管理がよいのか、グループ各社の自律性を重視した分権型がよいのかという問題であるが、一般に、企業グループの規模が拡大し、進出している地域が広がれば広がるほど、その管理は難しくなる。

　すなわち、土地勘の薄い事業領域又は地域で買収を行う場合、突然本社から経営陣を派遣して全ての事業を遂行しようとしても、実際の経営はうまくいかないのであって、そのような意味で、海外子会社の経営については、現地経営陣・幹部への依存度が高くならざるを得ない。海外子会社の場合、中央集権型というのは困難であるし、うまく機能しないものと思われる。

　実際、中央集権型か自立分権型かの選択について、グループとしての基本的な方向性と実際の取組みとが整合していない場合が多く、典型的には、「自律分権」を掲げながら、実際には結果管理すらせずに「放任」に陥っている事例も見られるという指摘がある[14]。

　したがって、現実問題としては、事業運営に関しては大幅に権限を委譲するほかないのであるが、他方で、ガバナンスについても現地子会社に任せきりにするということはリスクが高すぎて適切ではない。本社としては、海外子会社を含めた内部統制システムをしっかり構築し、管理を行っていくということになる。

　内部統制システムは、企業活動を取り巻くリスクを管理するためのシステムであり、その構築・運用は P（Plan）→D（Do）→C（Check）→A（Act）サイクルを繰り返すことによって改善を繰り返していくものであって、完成

---

14)　経済産業省・前掲注11) 16頁。

形ないし終わりはない。法制度を含めた経営環境は常に変化していくものであり、リスクの所在や内容も変わっていく。そしてガバナンス体制もそれに合わせて改善を重ねていかなければならない。

こうしたガバナンス体制の構築・運用は子会社のガバナンス体制の延長線上にあるため、その基本は第3章、第4章を参照されたいが、以下では、海外子会社の管理の視点及び手法を概観した上で、PDCA サイクルを意識しながら留意すべき点を検討していく。

(b) 管理の視点

① リスクベース・アプローチという視点

事業規模の拡大や事業の多様化・複雑化に伴って、リスクも多様化し、複雑化している。企業が海外進出するということは、意図的かどうかはともかく、様々なリスクをとって事業展開するということである。その一方で、こうしたリスクの管理にさける経営資源は限られているのが現実である。

日本企業は、こうした状況下にあっても、一律に完璧を目指すという思考に陥りがちであるが、実際には最初から完璧で網羅的なリスク管理を行うことは不可能であり、そのような思考でリスク管理を行おうとすると、全体として中途半端になってしまい、かえって非効率である。

また、リスクの内容や高低にかかわらず、国内の子会社にまずリスク管理を導入し終わって初めて海外の子会社のリスク管理に手を付けるといった硬直的な思考にも陥りがちであるが、海外では、その間にも大きなリスクにさらされているのであって、すぐにでも対処することが必要なこともある。

そうしたことから、効果的で効率的なリスク管理を行うためには、事業におけるリスクを識別した上で、リスクの高い分野に優先して経営資源を投入し、思い切ってメリハリをつけるリスクベース・アプローチを採用することが必要となる。

リスクベース・アプローチの下では、多方面にわたる事業領域や業務内容について、どこにどのような種類・大きさのリスクが存在するのかを把握するリスクの識別を行うことになる。海外子会社を含めたグループ会社の事業領域や業務内容を俯瞰し、どこに（どの国や地域に）、どのようなリスクがあるのかを見極める作業である。

369

第 5 章　グループ類型ごとのガバナンス

このリスクの識別方法には、以下のような方法がある。

(i)　業務プロセスや業務フローを分析し、リスクを特定する方法

(ii)　あらかじめ用意したチェックリストに基づいてリスクの特定を行う
　　方法

(iii)　過去の事例や他社の事例からリスクの特定を行う方法

(iv)　内部監査を通じた特定方法

　リスクが識別されたら、次にその評価を行うことになる。定量的評価、定性的評価を行って、リスクの大きさや性質を評価・分析し、リスクへの対応方針や優先順位を決める。

　このようなプロセスを経て、高いリスクが認められる事業領域・業務内容に対しては重点的に対応を行う。すなわち、人材の積極的な投入、各種ルールの制定と実施、従業員に対する教育・研修などの対策を行ってリスクの低減を図るとともに、内部監査などを重点的に実施する。一方、リスクが低い事業領域・業務内容については、より簡素化された対応を行うことになる。

　要するに、グループ本社においては、権限配分等の基本的な枠組み（共通プラットフォーム）を構築した上で、子会社の規模・特性等に応じてリスクベースでの子会社管理・監督、権限委譲を進めた場合の子会社経営に対する結果責任を問える仕組みの構築、業務プロセスの明確化やグループ共通ポリシーの明文化等について検討されるべきである[15]。自社グループを取り巻くリスクをきちんと把握し、そのリスクの高低・内容に応じて、自社グループ用のリスク管理体制をオーダーメイドでつくり上げていくということである。

　リスクを回避せずにこれをとる場合の対応策としては、リスクが顕在化した場合の対応策（危機管理マニュアル等の策定・教育等）を十分に行うことはもちろんのこと、例えば、現地のコンプライアンス要員を増加させたり、IT セキュリティ対策を高めるといった何らかの方策をとることによりリスクを低減・最小化したり、保険に加入するあるいはリスクのある業務自体を外部にアウトソースするなどの方策によりリスクを移転することなどが挙げられる。また、リスクをとる場合でもリスク限度の設定をしておく

---

15)　経済産業省・前掲注 11) 36 頁。

ことも必要である。

さらに、リスク管理の一環として、収益性は低いがリスクだけは高いといった子会社や拠点を統廃合したり、第三者に売却したりすることも考えられる。

そして以上のようなリスクの識別⇒評価⇒対応は一度行えばそれで終わりということではない。例えば毎年一度は行うといったように、繰り返し行っていくべきものである。

こうしたリスクベース・アプローチは国際的にも認められているリスク管理の手法であって、このアプローチに従って、高いリスク分野に経営資源を投入した結果、低いリスク分野における違反事例を結果的に防げなかったとしても、だからといって、そのリスク管理体制は欠陥であったと断ずることはできない。

② 親会社取締役の善管注意義務という視点

子会社は、親会社からは独立した法人であり、かつ、子会社の内部統制システムを構築・運用する義務を負っているのは第一次的には子会社の取締役である。そして、親会社取締役は、子会社の経営や業務を直接監督する法的権限がないことはもちろん、子会社の内部統制システムを自ら構築・運用するわけではないし、そのような法的権限も有していない。

一方で、子会社がその取締役や使用人のした違法行為等により損害を被れば、保有する子会社株式の価値が毀損し、親会社も損害を被るのであるから、親会社取締役は、子会社の経営に全く無関心でいてよいというわけにはならない。

親会社取締役は、株主権の行使、端的には人事権を背景とした影響力を行使して、子会社の取締役（会）に対して、親会社が定める子会社管理規程などのグループ内部統制システムを構成する諸規程を遵守させたり、子会社自らの内部統制システムを構築・運用するように指示する（その指示に従わない子会社取締役は解任する）といった形で、一定の監督を及ぼすことは可能である。

また、平成 26 年改正会社法は、内部統制システムを「株式会社の業務並びに当該株式会社及びその子会社から成る企業集団の業務の適正を確保するために必要なものとして法務省令で定める体制」と定義している（会社法 362 条 4 項 6 号等）。

第5章　グループ類型ごとのガバナンス

以上をふまえると、親会社取締役は、親会社に対する善管注意義務・忠実義務の一内容として、合理的な範囲で、子会社の業務を監督する義務を負うものと解される。そして近年の裁判例は、こうした監督義務を認めていると解し得るとされる（福岡高判平成24年4月13日金判1399号24頁〔福岡魚市場事件〕、東京高判令和2年9月16日資料版商事440号176頁〔ユニバーサルエンターテインメント会社訴訟事件〕）16）。

そうすると次に、いかなる範囲ないしレベルで、親会社取締役は、子会社の業務を監督する義務を負うのかが問題となる。

ここで「業務を監督する」という場合、(i)子会社の経営判断に対して親会社取締役が関与して監督するケース（一体管理型）と、(ii)子会社の内部統制システムの構築・運用に関与する形で監督するケース（モニタリング型）が考えられる。

まず、(i)の子会社の経営判断に対して親会社取締役が（事前承認などの形で）関与する場合、そもそも子会社の意思決定自体に経営判断原則が適用されるのであるから、これに親会社取締役が関与した場合にも、親会社取締役の判断には経営判断原則の適用が当然にある。そのため、親会社取締役の意思決定の過程、内容が著しく不合理でない限り、任務懈怠とはならない。

また、(ii)に関しては、子会社の内部統制システムを構築・運用する第一次的な責任は子会社取締役にあるのであるし、親会社が持つ人事権を背景に影響力を行使できるとはいっても、親会社が子会社の内部統制に関してできることは、株主権の行使のほかは限られているのであるから、親会社取締役の義務のレベルとしては、親会社自身の内部統制の構築・運用とは格段の差が生じると思われる17）。

したがって、(i)のケースについても、(ii)のケースについても、親会社取締役が善管注意義務違反によって任務懈怠責任を負うべき場合というのは極めて限定的であると思われる。

しかし、地理的にも遠い場所にあり、時差もある上に、法制度も異なる

---

16)　田中亘『会社法〔第5版〕』（東京大学出版会、2025年）296頁、法制審議会会社法制部会第24回会議（平成24年8月1日開催）議事録9頁〔岩原紳作部会長発言〕参照。

17)　中村直人『ケースから考える内部統制システムの構築』（商事法務、2017年）161頁参照。

372

異国の地にあるなどの理由で、海外子会社の業務ないし内部統制システムの構築・運用に関し、全く無関心で、合理的な理由もなくこれを放置するような場合、親会社取締役としても、任務懈怠の責めを負う可能性があることには留意すべきである。

(c) 管理の手段等

① 管理の手段──株主権、契約、ITシステム

子会社の管理を行う手段としては、大きく、株主権（主として人事権）に基づく管理、契約に基づく管理、ITシステムによる管理とが考えられる。

まず、親会社が保有している株式の議決権を行使し、あるいはこれを背景として、CEOその他重要な役員・従業員を派遣して管理を行う方法がある。中には、海外子会社の幹部を親会社の役員に昇格させ、本社の幹部として組み込むことで海外子会社への管理を強化するケースもある。

株式を100％保有している場合は完全な支配権を有する。他方で、過半数は有しているが100％未満の株式しか保有しておらず、他の現地パートナーと合弁契約等を締結している場合、合弁契約等によって人事権その他の意思決定権を大幅に制限されることも考えられるため、このような契約を締結する際には慎重に検討することが必要となる。子会社化する際にかかる契約をいったん締結し、現地パートナーなどに強大な拒否権を与えてしまうと、子会社化した意味が大きく減殺されることにもなりかねない。

また、内部統制システム、中でも報告・決裁体制は中心的な管理の手段となる。海外子会社の状況を認識し、重要案件については意思決定に関与することで管理を行う。こうした報告の義務づけと意思決定権限の分配は、管理の重要な手段である。体制の構築は法令の要請に基づくものと、任意の各社固有の要請に基づくものとがある。構築プロセスは、規程等の文書によることになる。こうした規程によって、ヒト、モノ、カネ、情報の流れを規定する。そして、グループ内部統制システムを海外子会社に導入する場合、子会社管理規程、関連会社管理規程、グループ稟議規程、決裁権限規程などの諸規程を海外子会社に遵守させなければならない。このための方法としては、(i)子会社の取締役会に遵守する旨の決議、あるいは、当該子会社自身の規程とする旨の決議をさせること、(ii)グループ会社との間で、グループ管理規程を遵守する旨の契約を締結することなどがある。

また、契約に基づく管理としては、子会社との間で経営管理契約を締結

し、親会社・子会社間における意思決定権限の分配や親会社への報告事項の範囲などを決めて管理する方法がある（上記(ii)の方法の一種）。この経営管理契約の規定例等については、第3章7（202頁）を参照されたい。

さらに、子会社管理上、ITシステムによる管理が重要である。海外子会社における業績などの重要情報を即時に共有する手段として、ERPパッケージなどのソフトウエアがある。人的なリソースには限界があるため、こうしたITインフラについては積極的に活用すべきである。すなわち、海外子会社を含むグループ会社において、本社と同じパッケージソフトウエアを用いた基幹システムを導入し、連結会計に必要な財務上の情報だけでなく、事業上の情報や人事上の情報を即時に把握できるようにするとともに、業務フローをできる限りパッケージソフトウエアの機能に合わせることでグループをあげて業務効率を上げることも可能になるし、情報管理をシステム化することによって、データ改ざんなどの不正防止にも大きく寄与してくれる。M&Aによって海外子会社化したケースでは、海外子会社では、日本本社の基幹システムとは異なる基幹システムを使い続けることがあるが、基幹システムの統合については、M&Aの実行前から移行計画を策定しておくべきである。

② 海外進出の進捗度に応じた管理

海外子会社を設立して、生産拠点なり販売拠点をつくって海外進出をこれからしようとしているケース、現地子会社はつくっているがまだマーケティングだけしか行っていないケース、既に海外子会社で事業を行っているケース、海外子会社が企業集団において重要な子会社となっているケースなど、海外進出の進捗度合いは様々である。

こうした進捗度合いを無視して一律に同じような管理手法を導入しようとすることは非効率であり、うまく機能しない。進捗度合いに応じて、何に力点を置いて取り組むべきなのかも当然に異なる。

例えば、子会社設立やM&Aなどによってこれから進出することを検討している場合、進出を企図している国や地域におけるリスクを識別し、特定されたリスクの分析・評価を実施することが重要である。このリスクには、事業リスクのみならず、政治や統治体制に関わるリスク、地政学上のリスク、経済安全保障上のリスク、賄賂等の汚職リスク、治安リスク、感染症を含む医療リスク、大気汚染等の環境リスク、労務関連リスクを含む

法制度に関わるリスクなど、実に多様なリスクが考えられる。これから進出しようとする会社は、かかるリスクの分析評価をできるだけ慎重に行い、自社がとれるリスクなのか否かを真剣に検討しなければならない。無理をして進出し、かかるリスクが顕在化して、大きな人的・物的損害を被ったのでは本末転倒である。

　そして既に海外子会社において事業を開始している場合には、特定されたリスクの分析・評価して、とれるリスクであると判断される場合には、そのリスクへの対応策を内部統制システムに落とし込んでいくことが重要となる。この過程で、経営判断としてとれないリスクが識別された場合、撤退も含めて検討されることになる。

(d)　グループ管理体制の構築

①　会社法による要請

　平成26年改正により、取締役会が決議すべき事項として、会社法362条4項6号において、「当該株式会社及びその子会社から成る企業集団の業務の適正を確保するために必要なものとして法務省令で定める体制の整備」が規定された。それまでは会社法施行規則で定められていた事項が「格上げ」されたものである。

　これを受けて会社法施行規則100条1項5号では、以下の事項が規定されている。

　(ｱ)　当該株式会社の子会社の取締役、執行役、業務を執行する社員、法第598条第1項の職務を行うべき者その他これらの者に相当する者の職務の執行に係る事項の当該株式会社への報告に関する体制

　(ｲ)　当該株式会社の子会社の損失の危険の管理に関する規程その他の体制

　(ｳ)　当該株式会社の子会社の取締役等の職務の執行が効率的に行われることを確保するための体制

　(ｴ)　当該株式会社の子会社の取締役等及び使用人の職務の執行が法令及び定款に適合することを確保するための体制

　上記(ｱ)は、子会社の取締役等の職務の執行等に関する親会社への報告体制であり、(ｲ)は子会社に係るリスク管理体制の整備である。また(ｳ)は、子会社の取締役等の職務の執行が効率的に行われるようにするための決裁体制や情報管理、情報伝達などの仕組み等であり、(ｴ)はコンプライアンス体制である。

第5章　グループ類型ごとのガバナンス

これらの(ア)～(エ)に掲げる体制は、企業集団における業務の適正を確保するための体制の例示である。また、(ア)～(エ)の体制は、当該株式会社における体制であって、子会社自体の体制ではないから、個別の子会社について、当該株式会社単体の体制と同様の体制を決定することまで求められるものではない。さらに、(ア)～(エ)の体制は、形式的に(ア)～(エ)の区分に従う必要はなく、実質的にこれらの事項について決定がされていればよい[18]。

グループガバナンスを形作るのは、グループの企業理念及びこれを具体化した行動規範（Code of Conduct）を頂点とする親会社及びグループ各社における諸規程である。これらの規程の体系を構築することが、グループガバナンスを構築するということを意味する。

規程体系を構築するに際しては、グローバルで共通化できるもの、現地法制などの現地の事情に合わせてカスタマイズ（ローカライゼーション）が必要なものを区分して、グローバルでの規程体系の全体設計を行った上で、規程類の整備を進めていくべきである。そうすることにより、必要な規程の全体像が把握でき、どこが取組みのゴールなのかが親会社・海外子会社に分かるため[19]、抵抗感がより低減することになる。

特に、海外子会社の場合には、親会社において規程を整備するだけでは実効性のある内部統制システムの構築・運用はできない。規程を整備するだけであれば簡単なのであって、いかにしてその規程によって形作られるシステムを機能させるか、いかにして仏に魂を入れていくのかが肝となる。

これらの体制の構築に関する詳細は第3章に記載のとおりであるが、以下においては、これらの体制を海外子会社についても構築・運用する上で、以上の観点をふまえ、留意すべき点などについて検討していく。

②　理念・価値観の浸透──グループ間のコミュニケーションの重要性

言語も異なれば、宗教、文化、価値観の異なる異国の地にあって、日本企業の理念や価値観を海外子会社に浸透させることは容易ではない。海外子会社を管理する規程やマニュアルは整備し、導入したが、結局は伝わらなかったという声はよく聞く。

---

18)　坂本三郎ほか編著『別冊商事 No. 397 立案担当者による平成26年改正会社法関係法務省令の解説』（商事法務、2015年）3頁。

19)　ベーカー＆マッケンジー法律事務所(外国法共同事業)＝KPMGコンサルティング株式会社編『海外子会社リーガルリスク管理の実務〔第2版〕』（中央経済社、2024年）240頁参照。

しかし、何のためにこの企業は存在しているのかという企業理念や価値観は、企業風土を醸成し、役員及び従業員の行動を規律する。こうした理念や価値観の共有は、内部統制システムに実効性を持たせ、海外子会社の管理を行う上で重要である。

企業理念は、企業憲章といった形で文書化されていることも多い。「当社グループでは品質基準は何より優先するものであり、検査データ等の数値の偽装はいかなる場合も許さない」、「儲けよりも法令遵守」といったビジネス上の価値観は行動規範といった形で規定化されている。

こうした企業憲章や行動規範を海外子会社に浸透させることは一朝一夕でできるものではない。

日本の親会社のトップ、海外子会社のトップが率先してこれらを誠実に実践するという姿勢を見せることがまず大事である。海外子会社の規模は、特に M&A ではなく設立する場合には、小さな規模からスタートすることが多いため、最初からこうした理念や価値観を浸透させる。M&A で買収した子会社についても、海外子会社のトップにまずはこうした企業理念や価値観を共有してもらい、実践してもらうことが重要である。規模の大小にもよるが、海外子会社においては、社長などの経営トップの個人的資質や能力、経営姿勢、さらにはガバナンスやコンプライアンスに臨む姿勢が大きく影響する。また、海外子会社に限らず、経営トップの姿勢（Tone at the Top）が組織の風土を決定し、ガバナンスやコンプライアンスにも耐え得る強力な経営体制が構築できるかにも大きな影響を与える。そのため、海外子会社の経営トップへの啓発が重要な意味を有する[20]。

また、こうした企業理念や価値観を知り尽くしている日本企業から派遣された役員・従業員が、社内研修やそれ以外の場面でも、「伝道者」として日々これらを伝えていくということも重要である。海外子会社の役職員に日本本社などに集まってもらい、定期的に会合を持ったり、あるいは、海外子会社から日本本社にて出向を受け入れたりするなどして、積極的に交流し、交わることが重要である。重要な海外子会社のトップには、時には日本本社の執行役員会や取締役会などで業務報告を行ってもらい、質疑応答を重ねることもあり得る。日本本社の社外役員は、個別に海外子会社の

---

20) 三輪淳之「国際法務の観点から見た海外子会社ガバナンスと監査役等の着眼点」監査役 765 号（2024 年）27 頁、29 頁参照。

第5章　グループ類型ごとのガバナンス

役職員と（オンライン）面談などを行って、現地での悩みなどを吸い上げることも考えられる。コロナ禍を経てオンライン会議が発達・浸透した。こうしたツールを使えば海外子会社もぐっと距離感が近くなる。こうした日々のコミュニケーションの頻度と品質をあげていくことによって海外子会社の役職員とも日本本社との一体感が醸成され、グループへの帰属意識も高まる。逆に、M&A で子会社になったはいいが、日本本社からは特に支援やサポートもされず放置されると、海外子会社のビジネスがうまくいかないだけでなく、不正が生じる原因になる。グループ会社間のコミュニケーションは非常に重要なのである[21]。

　加えて、年に1回といったように定期的に、自らが企業理念を理解しているのか、行動規範を遵守できているのかといった事項を自己チェックする機会を設けてもよいであろうし、内部監査などの際に確認されてもよいであろう。

　そして、行動規範は、当該企業グループが遵守すべき価値観を具現化したルールであるから、これに違反する者に対してはペナルティを課すという形で強制力を持たせることも必要である。

　なお、海外の会社を M&A により買収する場合、あるいは、現地パートナーとジョイントベンチャーを組む場合、わが社の企業理念や価値観を共有し、共に事業を行っていくことができるのかについては、買収あるいはジョイントベンチャーを組成する前のデューディリジェンスの段階で、ヒアリングや面談、会食等を通じて、慎重に吟味、検討すべきである。買収したものの、価値観を全く共有できず、向いている方向がまるで違うといった事態は避けなければならない。こうした事態になればガバナンスも子会社管理も難しくなってしまう。

　③　グローバル人材戦略──リソース不足という課題

　企業における全ての営みにおいてそうであるが、海外進出においても何より重要なのは人材である。

　海外子会社の経営者として適切な人材、海外での営業に適した人材、生産に適した人材、経理や管理に適した人材など、現地の人材を活用するのか、日本企業から派遣するのかはともかく、いずれにせよ、こうした人材

---

21)　経済産業省・前掲注11) 35頁参照。

の確保が第一の課題であり、海外進出をしている日本企業において喫緊の課題となっている。グループの価値観、倫理観の浸透した人材を親会社から派遣するなり、現地で育成するなりしなければならない。

海外子会社の日常的な運営を行うのは、海外子会社における経営者なのであるから、その経営者がコンプライアンスに対して希薄な意識・感度しか持ち合わせていないと、コンプライアンスよりも収益を優先させる体質になってしまうし、仮に、自らが不正の兆候に触れたとしても、それを不正の兆候と捉えることができず、被害の金額がより大きくなっていく。また、そうした経営者のもとでは、従業員もコンプライアンス意識が醸成されないのは自明である。

実際、海外への進出は、海外子会社の経営・オペレーションを遂行可能な人材育成がカギであるとか、現地の法制度に精通した人材が不足しており、進出国におけるコンプライアンス要員の確保は喫緊の課題であるといった声はよく聞かれる。

教育や研修、派遣留学や海外駐在などを通じて、グローバル人材を育成するとともに、「伝道者」として企業理念や価値観を浸透させることができる人材をいかに育成できるか、確保できるかがこれからの最大のカギを握るといっても過言ではない。

また、人材戦略という意味では、現地の経営陣及び従業員の人材登用・確保の問題もある。海外では人材の流動性が高く、ヘッドハンティング等により、CEOなどの経営トップや従業員は容易に転職してしまう。かかる状況下にあっては、いかにして現地で経営人材や従業員を確保するのかの施策も重要であるが、それに加えて、経営トップや主要な従業員が抜けた場合の経営体制や後継者計画についても検討しておくことが必要となる。

以上のような教育・人材育成あるいは採用・登用については、中長期的な視点に立って、戦略及び計画を立て、着実に実行していきたいものである。

④　海外子会社管理のための組織体制の構築——グループ設計

このように人材が不足している状況下にあって、非効率な人材の配置は避けなければならず、海外子会社の管理、内部統制の運用も効率的に行っていかなければならず、限りあるリソースを最大限に活用できる組織体制を構築する必要がある。

第 5 章　グループ類型ごとのガバナンス

　すなわち、海外子会社の管理を行うための内部統制システムを機能させるためには、親会社の規程などで、親会社の各事業部、コンプライアンス部、リスク管理部、内部監査部などがそれぞれ担当する子会社管理における責任及び役割を明確化しておく必要がある。海外子会社を含むグループガバナンスにおいても、3 線ディフェンスの考え方が妥当するが、これについては、**第 4 章 6**（314 頁）を参照されたい。

　こうしてあらかじめ決められた役割分担に応じて、それぞれが自らの役割を果たすことで、グループが抱えるリスクの一元管理、リスクへの統一的な対応策の策定、リスク管理に関する情報やノウハウの集積、不祥事に至る前段階での発見・対処、コンプライアンスを業務遂行の土台としながら企業価値を向上させる企業風土の醸成等の効果が得られる。

　海外子会社を含むグループ設計は、グループとしての企業理念の下、事業特性や多角化、グローバル化の程度、経営戦略やガバナンス等の考え方をふまえ、中長期の企業価値向上と持続的成長を実現するために合理的な在り方はどのようなものか、という視点から検討されるべきである[22]。

　グループ設計の在り方は、大きく分けて、(i)関連事業部などの管理部門による一括管理を行う体制、(ii)各事業部門による個別管理を行う体制、(iii)地域統括会社を用いた管理体制の 3 つが考えられる。子会社化の時期や子会社の事業内容（販売子会社か製造子会社かなど）、M&A による子会社化の歴史的経緯の違いなどにより、海外子会社の管理体制が一元化されておらず、株式の保有状況といった資本関係を含め、複雑な管理体制となっていることがある。しかし、かかる状態は、子会社管理の状況としてはよくない状況であるため、早期に是正するべきである。

　以下、これら 3 つの管理方式についてより具体的に検討する。

---

22)　経済産業省・前掲注 11) 18 頁。

〔関連事業部管理方式〕

【図表5-2】　関連事業部が管理する一括管理体制

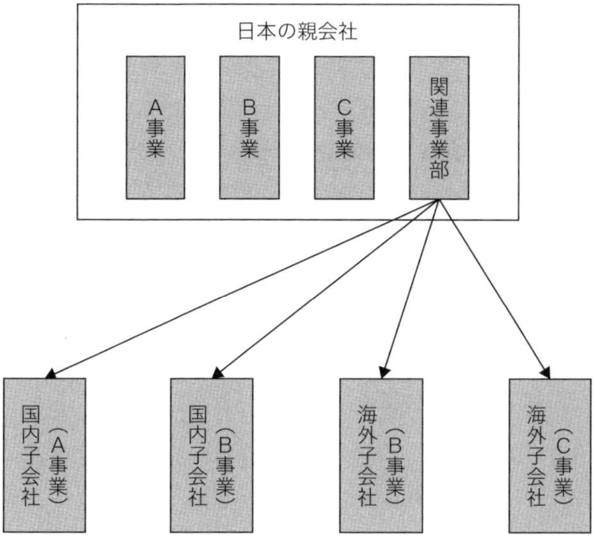

　【図表5-2】のタイプの管理方式では、親会社に、全ての海外子会社を管轄する関連事業部を設置した上で、当該部を中心として海外子会社を管理する。関連事業部は海外子会社を含めた子会社管理の専門部署という位置づけである。

　関連事業部管理方式では、海外子会社の事業運営及び管理に関するノウハウ、海外特有の商慣習や法制度に関する知識が同事業部に集まってくるため、子会社ごとに、管理のバラつきが生じにくく、均一な品質の子会社管理を行うことが可能となる。また、不正把握のノウハウも関連事業部には集まってくるため、リスク管理にも強みを有するし、グローバル人材を関連事業部で集中的に育成することも可能となる。

　一方、関連事業部は管理部門であり、実際の事業を行わないため、他の事業部と交流が少なくなりがちであり、親会社内で孤立化（ブラックボックス化）してしまい、関連事業部では何が行われているか限られた者しか知らないという事態となってしまいがちである。そのため、親会社内で各事業部や他のコーポレート管理部門との横の連携、リスク情報等の共有をいかに行うかが課題となる。また、関連事業部は、実際の事業について専門

性を有しているわけではなく、(海外)子会社を管理することに特化しているため、海外子会社の事業を適切に監督できるのかという課題もある。特に、子会社が本業と異なる事業を営む場合がそうである。そのため、関連事業部には、各事業に精通した人材も配属される必要がある。

関連事業部管理方式では、海外子会社の業務上のレポートラインは、関連事業部となり、同部は、子会社設立から事業の遂行まで、あらゆる面に責任を持つ。海外子会社は、親会社の関連事業部に対し、事業計画案を提出して承認を求め、月次決算数値等の報告を行い、事業の状況を報告する。海外子会社において必要となる規程類や内部統制システムの整備についても、関連事業部が指導・監督することになる。

この方式においては、関連事業部は、第1線として、海外子会社におけるコンプライアンス意識の醸成のほか、コンプライアンスを含む経営状況について第一次的にモニタリングを行う責務を負う。モニタリングは内部監査室や監査役に任せておけばよいという意識ではいけない。関連事業部においては、モニタリングについても第一次的な責任を負っているという認識を持つことが重要である。

〔各事業部門による管理方式〕

【図表5-3】 各事業部門による個別管理体制

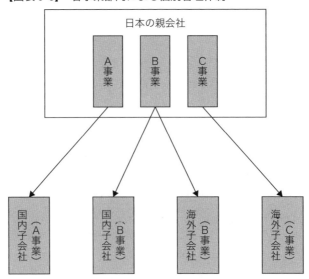

　　　　　　　　　　　　　　　　　　　　　　　　1　海外子会社の管理

【図表5-3】のタイプの管理方式では、親会社の各事業部の下に、同種の
事業を行っている（海外）子会社が位置づけられる（第1線による管理。第
4章 6 (2)（315頁）参照）。

　この管理方式の下では、各事業に精通した事業部門が、専門性を持って
機動的かつ実情にマッチした形で海外子会社における事業運営及び管理を
行うことが可能となる。同一事業を複数の国や地域で行う場合に有効な管
理方法である。生産や販売といった機能別に、生産子会社、販売子会社と
いう形で、複数の国において海外子会社を設立する場合にも有効である。

　一方、各事業部門の者は、当該事業については専門性を有するが、子会
社の管理という意味では専門性を有していない。そのため、外国語や海外
の商慣習等にも通じ、かつ、子会社管理を行える人材を各事業部門に配置
する必要がある。また、この管理方式では、親会社の事業部が、関連事業
部方式における関連事業部と同じ役割を担わなくてはならないため、海外
における事業環境はもちろん、商慣習や法制度等にも精通し、海外子会社
におけるリスクをふまえつつ、指導・監督することになる。各事業部門に、
海外子会社の管理監督を行える人材がいない場合にはそもそもこの管理方
式は採用することが困難である。また、この管理方式では、事業部門ごと
に海外子会社の管理に関するノウハウや情報が散らばっており、一部門に
集約されにくいため、全社的にみれば、海外子会社の管理ノウハウの集積
等を行うことが難しく、海外子会社管理の品質にバラつきが生じ得ると
いったデメリットもある。

　日本の多角化企業においては、伝統的に各事業部門（いわば縦のライン
であり、特に中核事業部門が該当）の権限・影響力が強く、各部門の「部分最
適」が優先される傾向があり、グループ本社（コーポレート部門）において、
グループ全体の司令塔として各事業部門に対して「横串」を通して、経営
資源の最適配分や、事業評価や実効的な経営管理のための共通プラット
フォームを構築するといった機能が必ずしも十分発揮されていないのでは
ないかという組織構造上の問題も指摘されている[23]。

　そのため、事業部ごとに横の連携を密にしたり、親会社のコーポレート
管理部門との連携を図ったりすることにより、こうしたノウハウの共有を

---

23)　経済産業省・前掲注11）15〜16頁。

行い、全社的に効率的かつバラつきのない海外子会社の管理体制を構築していくことが必要となる。

この管理方式の下では、海外子会社のレポートラインは、自らを所管する親会社の事業部であり、海外子会社は、当該事業部に対し、事業計画の策定をし、承認を求め、月次決算数値等の報告を行い、事業の状況を報告する。また、各事業部は、第1線として、海外子会社におけるコンプライアンス意識の醸成のほか、コンプライアンスを含む経営状況のモニタリングを行う。さらに、海外子会社において必要となる規程類や内部統制システムの整備についても各事業部が責任主体であり、親会社のコーポレート管理部門と協働して策定・導入を進めていくことになる。

〔地域統括会社による管理方式〕

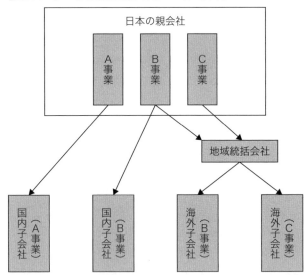

【図表5-4】 地域統括会社を用いた管理体制

【図表5-4】のタイプの管理方式では、海外子会社と親会社の事業部門との間に、「地域統括会社」が設立される。海外子会社管理に特有の管理方法であり、国内子会社の管理方法としては用いられない。

地域統括会社は、北米、中国、ASEAN、ヨーロッパといった地域ごとに設立され、各地域に存在する海外子会社の管理を行う。具体的には、所管

する地域に存在する海外子会社の財務、人事、総務等のコーポレート機能を担うことが多い。営業活動や顧客開拓、購買、研究開発といった機能を集約して担うこともある。

　世界的に事業展開している、あるいは、1つの地域であっても、比較的多数の子会社を設立して事業展開している会社に適している。海外子会社の数が多くなってくると、コーポレート機能をそれぞれの海外子会社に持たせるよりも、地域ごとにそれらの機能を地域統括会社に集約させて管理を行った方が効率的である。管理機能をヨーロッパならヨーロッパ、ASEAN諸国ならASEAN諸国でまとめることができるのであれば、それは便利であり、効率的である。一括して子会社管理を行うため、ノウハウや情報の集積もしやすく、管理の品質にバラつきも生じにくい。また、経済連携協定等により、経済面や法律面においても地域内の国際連携が進んでおり、各国のコーポレート機能を集約するということ以上に、地域全体の管理の効率性が高まるという利点もある。

　しかし、地域統括会社の役割、権限、責任範囲を明確にし、適切な組織・人材を配置し、統括する海外子会社に周知徹底しておかないと、海外子会社に管理・統制が効かない状態となり、結局、日本の親会社と事業を行う海外子会社の間に挟まれ、親会社にも十分な情報が伝わらない状況となり、海外子会社について中途半端な管理しかできないという機能不全に陥ってしまうため、留意が必要である。

　この管理方式を用いる場合、レポートラインは、地域統括会社がどこまでの役割を担うかによって異なってくる。地域統括会社が、事業面まで当該地域の管理を行うという場合、事業面のレポートラインも、コーポレート機能に関するレポートラインも、地域統括会社が担うことになる。他方で、地域統括会社が事業面の管理は行わず、親会社の事業部がこれを行う場合、事業面のレポートラインは親会社の事業部が担うことになり、コーポレート機能に関するレポートラインは地域統括会社が担うことになる。後者の場合、レポートラインは2つになるため、指揮命令系統や情報の流れが錯綜したり、抜け漏れが生じないようにしなければならない。こうした難しさがあるため、地域統括会社では、経理、財務、人事、IT業務等の間接業務を地域の子会社から一括して受託するシェアードサービスセンターとしての役割をより重視する例もみられる。シェアードサービスのよ

第 5 章　グループ類型ごとのガバナンス

うに代替可能なサービスは、各子会社から切り離し、地域統括会社が一括
して行うことで競争力を高めるという考え方である。

　⑤　３線ディフェンスによる海外子会社管理

　海外子会社の管理においても、**第 4 章 6**（314 頁）で解説されている３つ
のディフェンスラインを活用してグループ内部統制を構築することは有用
である。

　海外子会社管理の文脈でいうと、第 1 線では、親会社の営業部門や生産
部門などの業績に責任を負う業務執行部門（あるいは関連事業部ないしは地
域統括会社）がリスクオーナーとしてレポートラインを活用し、自己の所管
する子会社に内在するリスクを管理・モニタリングする。また、第 1 線に
おけるコンプライアンスを確保するため、社内規程の整備や業務フローの
明確化、トレーサビリティのための IT インフラ等のハード面の整備に加え、
企業文化や経営理念等に基づく現場へのコンプライアンス意識の浸透を図
るソフト面の対応も重要となる[24]。

　第 2 線では、親会社のリスク管理、財務、人事、コンプライアンス、品
質管理、情報セキュリティといった管理部門が、第 1 線の内部統制の有効
性を検証し、サポートする。第 2 線の実効的な機能発揮のためには、管理
部門が事業部門から実質的に独立した立場にあることが重要であり、管理
部門と事業部門との間でレポートラインや人事評価権者などをできる限り
分離し、親会社の管理部門と子会社の管理部門を直接のラインとして通貫
させる（いわば「タテ串」を通す）ことにより、事業部門からの不当な影響
を排除し、健全な牽制機能を発揮できるようにすることが重要である[25]。
例えば、法務部門についていえば、法務・コンプライアンスリスクからグ
ループを守るために、グループ全体で法務・コンプライアンス体制を構築
し、適宜グループ会社の法務・コンプライアンス部門で連携をとりながら
リスク管理を行うことが重要である。1 つの在り方としては、グループ各
社に法務・コンプライアンスの担当責任者（担当部署）を任命し、当該担当
者（担当部署）を通じてグループ全体でのルールの整備及び理解の浸透を図
る。グループ各社の法務・コンプライアンス部門の責任者・担当者が集ま
り、各社が抱える課題などを話し合う会議をグローバルに定期開催したり、

---

24)　経済産業省・前掲注 11) 81 頁参照。
25)　経済産業省・前掲注 11) 82 頁参照。

あるいは、同時に有事の際の調査における連携体制なども整備しておく。このように「タテ串」を通してグローバル法務・コンプライアンス体制を構築する。海外子会社については特に法令や商慣習、リスクの内容や程度がそれぞれ異なるため、特に法務・コンプライアンス部門の連携が重要である[26]。以上の考え方は第2線の他の管理部門についても妥当する。

第3線では、親会社の内部監査部門が、第1線・第2線の業務体制、リスク管理体制及び内部統制体制の有効性を検証し、課題やリスク情報などを親会社の経営者や監査役等に報告する。また、子会社業務に関する内部監査については、子会社側の監査体制やリソース制約等、各社の事情に応じて、(i)子会社において実施することとしつつ、親会社の内部監査部門等がその実施状況を監視・監督するか、(ii)親会社又は地域統括会社の内部監査部門が一元的に実施するかについてポリシーを決定すべきである[27]。そのポリシーの決定に際しては、内部監査の対象となるグループ会社の範囲や頻度、発見事項の報告ライン、是正措置、フォローアップ等の在り方についても決めることになる。このようにしてグローバルの内部監査体制を構築する[28]。

経済産業省の令和元 (2019) 年6月28日付「グループ・ガバナンス・システムに関する実務指針（グループガイドライン）」でも、3線ディフェンスをグループガバナンスにおいて活用することの有用性が説かれており、【図表5-5】のような運用例が図解されている（79頁）。

---

26) KPMG コンサルティング株式会社編『企業実例で理解を深める法務・コンプライアンス組織の構築・運営』（中央経済社、2024年）19〜20頁参照。
27) 経済産業省・前掲注11) 87頁参照。
28) ベーカー＆マッケンジー法律事務所(外国法共同事業)＝KPMG コンサルティング株式会社編・前掲注19) 252〜255頁参照。

【図表5-5】「3線ディフェンス」の運用例

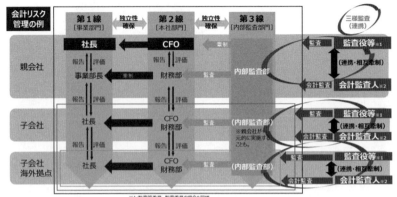

（出所：経済産業省「グループ・ガバナンス・システムに関する実務指針（グループガイドライン）」（2019年6月28日）79頁）

このように海外子会社の管理においても3線ディフェンスによる内部統制は有効である。

⑥　グループ会社の整理・統合——グループ会社の数が多すぎないか

グループ設計と密接に関連する問題として、グループ会社の数が適正かという問題がある。

グループガバナンスに取り組む上で、グループ会社の数が多すぎることが課題だと考えている会社は多い[29]。リスク管理をしなければならない子会社などのグループ会社は多いが、グループ会社の数を減らさないことにはリスク管理が行き届かないという問題である[30]。この問題は、グループ会社を合併させるなどして整理・統合しなければ解決しないが、それには非常に手間とコストがかかる。よほど親会社の取締役会が問題意識を強く持って取り組まなければ、問題を認識しているだけで中々解決に進まない。

グループ会社の整理・統合の考え方には、大きく3つある。自動車事業、金融事業、IT事業などの事業別にグループ会社を整理・統合する方法、生

---

[29]　松田千恵子「グループガバナンスにおける現状と今後に向けた取組み(2)」商事2361号（2024年）35〜36頁及び同論文（3・完）商事2362号（2024年）28〜29頁のアンケート結果においても、グループガバナンスを進める上でコミュニケーション上の障害となっている項目として「子会社等の数が多すぎる」と回答している会社が少なくない。

[30]　経済産業省・前掲注11）23頁参照。

産・販売・研究開発などの機能別に整理・統合する方法、そして北米、欧州、ASEAN などの地域別に整理・統合する方法の 3 つである。

これに会社の規模などの考慮要素を組み合わせて、まずは整理・統合の基本方針を策定する必要がある。この基本方針の策定には、重要な子会社の意見もふまえ、十分なコンセンサスを得る必要がある。給与水準などの労働条件等も異なる中で、どのような基本方針を策定するのかが最大の課題といってもよい。この際、最終的にどの程度の数までグループ会社を減らすのかの目線も持っておくべきである。

この基本方針を策定したらタイムラインを引いて、あとはこれを実行（断行）することになる。

ビジネスを拡大していく上では、M&A などによってグループインする会社が生じるのは当然であるが、買収した会社をそのまま子会社として存続させるのか、あるいは買収する時点で吸収合併のスキームを用いて法人の数は増やさないのかなども考慮の上、上記の基本方針との整合性をとりながら M&A も実行していくということになる。

⑦　意思決定権限の分配

関連事業部管理方式であれ、事業部門管理方式であれ、地域統括会社管理方式であれ、新興国、グローバルな市場環境での競争に勝ち抜くためには、海外子会社での迅速な経営判断と機動的な事業運営が不可欠なのであって、海外子会社における経営判断を全て本社主導で行うことは現実的ではない。

また、現地に密着した人脈や取引先、経営ノウハウ等は、現地に根差した経営者に属人的なものである場合も多く、買収後も現地法人の経営陣はそのまま起用するケースが多い。これらは、日本にいながらにして習得できるわけもないし、親会社の事業部ではいかんともしがたい。

せっかく海外子会社を設立してまで海外進出を行うのであるから、親会社による管理が厳しすぎて、競争に勝てないという状況は本末転倒である。

したがって、親会社において、グループ全体の企業理念や経営方針の策定、グループとしての中期経営計画の策定と進捗管理、グループの全体最適の実現のための経営資源の適切な配分、さらには事業ポートフォリオマネジメントなどの必要最低限の事項は決定するが[31]、それ以外の日常的な経営にわたる事項は海外子会社に対して積極的かつ大幅に権限委譲せざる

を得ない。その上で、経営を現地に根ざした形にしていく必要がある。具体的には、海外子会社における従業員の採用から育成、製品の企画から製造、販売、管理まで現地に根差した形で行っていくことが望ましい。

しかしそうすると、親会社としては、それだけ海外でリスクを負担することになるため、どこまでの権限の付与が必要なのか、各子会社があまりにもバラバラに動いてしまい、部分最適に陥っていないか、その見極めと線引きが必要になる。

また、権限を付与するだけでなく、もちろん、権限を付与すればするほど、リスク管理の体制をよりしっかりと確立しなければならないということになる。海外子会社の自治機能に任せきりとし、重要な情報があがって来ていない、あるいは、本社から内部監査を一切行っていないといった聖域、死角があるのであれば、直ちに是正されるべきである。

さらに、親会社から派遣された役員や従業員が、海外子会社において「蚊帳の外」におかれ、実質的には全く機能しないという事態にならないよう、本社からの派遣役職員について、その権限等もしっかり確保しなければならない。特に、100％子会社ではなく、現地パートナーとジョイントベンチャーを組成するような場合にはこの点はJV契約等に明記するなどしてあらかじめ対処しておかなければならない。

このように、海外子会社への権限委譲をどこまで行うのか、海外子会社における経営判断についてどこまでの事項を親会社における事前承認事項とするのかは悩ましいところである。

しかし、実際にはどこかで線引きをしなければならないのであって、実際にも、多くの会社で、海外子会社の決議事項に関しても、内容の重要度、金額等の基準によって、本社決裁を経ているのが実情である[32]。

親会社の事前決裁事項のサンプル例は第3章 7 （202頁）を参照されたいが、親会社の事前決裁をいかにして海外子会社に遵守させるかが大きな課題となる。

子会社への権限委譲を進めた場合には、単なる「放任」とならないよう、グループ本社が子会社の経営トップの人事・報酬に対する決定権限の行使を通じ、子会社経営に対する結果責任を問える仕組みを構築しておくこと

---

31) 経済産業省・前掲注11) 29～30頁参照。

32) 経済産業省・前掲注11) 33～34頁参照。

が特に重要となる。特に、海外を含めて多様な組織を適切にマネジメントするためには、業務プロセスを明確化しておくことが必要であり、そのベースとなるグループ共通のポリシー（所定のプロセスが求められる趣旨等に関する考え方）を明文化することで、子会社の現場の従業員に対してもアカウンタビリティーを果たすことが重要となる。また、このような取組みを実践するためにも、IT システムの統合を進めることが有効である[33]。

さらに、海外子会社を含め、多様な子会社を実効的に管理するため、(i)明確なグループ管理規程（親会社の決裁・事前承認事項、報告事項、承認・報告ルート等を具体的に定めたもの）を策定・周知するとともに、(ii)子会社における(i)の遵守担保措置（例えば、親子間で管理契約を締結する、子会社における社内規程として導入させる等）を講じることが必要である[34]。

なお、親会社の取締役（会）が海外子会社の経営判断に関与した場合で、かつ、当該経営判断により海外子会社が損失を被った場合、親会社取締役の善管注意義務違反が認められやすくなるのかという問題があるが、前記のとおり、これはまさに経営に関する意思決定の場面であるため、経営判断原則の適用によって守られ、親会社取締役は、その決定の過程、内容に著しく不合理な点がない限り、取締役としての善管注意義務に違反するものではない[35]と解すべきである。

⑧ 報告体制

海外子会社の管理において避けなければならないのは、海外子会社が、日本からのコントロール、統制が及ばない独立王国となり、中の事情が把握できないブラックボックスとなることである。実際に事件や不祥事が発覚して初めて、日本の本社は、海外子会社で何が起きているのかの実態を認識するといった事態になることは避けなければならない。

他方で、海外子会社においては、重要事項は事前承認事項としてコントロールするとしても、日常的な業務に関する意思決定については大幅に権限委譲せざるを得ない状況にある。

そのため、海外子会社の管理においては特に、海外子会社における経営、

---

33) 経済産業省・前掲注 11) 36〜37 頁。
34) 経済産業省・前掲注 11) 39 頁。
35) 最判平成 22 年 7 月 15 日判時 2091 号 90 頁（アパマンショップ HD 株主代表訴訟事件）。

第 5 章　グループ類型ごとのガバナンス

財務その他の「生の」情報が親会社に集まる仕組みが極めて重要となり、明確な報告基準を定める必要がある。

その情報収集の手段の 1 つが、レポートラインに沿った報告制度である。

海外子会社の経営陣等に、毎月あるいは四半期に一度といったペースで定期的に業績や経営状況、リスク情報などについて報告する義務を課して、月次定例会議などで報告させることになる。

また、売上や利益、経費などの会計に関わる事項のみならず、製造や物流、販売、人事などについても、グループに共通の IT システムを導入することでリアルタイムに海外子会社の状況を把握することが可能となるため、ERP パッケージのような会計ソフトウエアを管理ツールの 1 つとして導入することも重要であり、DX 化の観点からもこれは必須といえる。

報告事項のサンプル例は第 3 章 7 （202 頁）を参照されたいが、報告事項の報告をいかにして、海外子会社に実行させるかが大きな課題となる。方法論としては、事前承認事項と同じく、子会社管理規程といった規程を親会社において策定し、これを海外子会社の取締役会に自社も遵守すべき規程として適用することを決議させることが必要となる。また、規程の整備だけではなく、本社から派遣した役員・従業員を通じて、これらの規程の趣旨を現地役員等に理解させるとともに、規程の運用状況をモニタリングして監督することも必要である。

⑨　各部署間の「横の」連携と問題への対処──情報共有体制

ある部署がリスク情報を入手したり、業務に関して問題意識を持ったりした場合に、どのように対応し、その対応をいかにフォローアップしていくのか、どの部門が問題解決に向け対応に責任を持つのかということが大事になる。

経理・財務部では、不正の兆候などのリスク情報を入手していながら、それが、管理部門等の関連部署に連携されていなかったが故に、不正の発覚が遅れたという事例はしばしば目にするところである。

レポートラインや内部監査、内部通報等を通じて入手した情報、特にリスク情報は極めて貴重な情報である。これを事実上放置してしまうことは避けねばならず、必要に応じて、各事業部からコーポレート管理部門に伝えて横の連携を図り、（日本の親会社の）取締役会などに報告するなどしてエスカレーションさせ、そのリスクを分析評価して、その緊急度に応じて

対策を講じることができる体制を用意しておくことが重要となる。特にリスク情報については、特定の部門に集約され、一元的に管理する仕組みが望ましい。

ポイントは、(i)適切な者が、適切なタイミングで、必要なリスク情報を入手できるようにする情報の流れに関する仕組みと、(ii)認識されたリスク・問題に対して、いかに対応するのか、誰が解決に向けて責任を持つのかという解決に向けた仕組みを用意しておくということである。

⑩ 役職員の派遣

事前承認事項や報告事項を規程類で定めたとしても、これらが実際に定めたとおりに運用されなければ意味がない。これらを実際に運用するのは「人」なのであるから、現地の役員・従業員を教育・啓もうすることはもちろんのこと、親会社からも役員、従業員を派遣し、海外子会社の役員や上級職に就任させてこれらの運用を実施あるいは監督指導する体制にすることは有用である。

より具体的には、CEO ないし代表取締役を始めとする業務執行を行う上級役員を派遣することが考えられる。業務執行のトップを送りこむことによって、親会社の企業理念や価値観の伝播を図るとともに、自ら規程類を率先垂範させることができる。そればかりでなく、親会社は、(i)派遣した役職員が海外子会社の役員として意思決定プロセスに関与することによって海外子会社における経営判断を適正化させるとともに、(ii)海外子会社における経営に関する情報やリスク情報等の情報収集を行うことが可能となる。

また、経理や財務などの管理系の役員（CFO）・従業員を派遣したり、（日本法でいうところの）監査役を派遣することも考えられる。こうした場合、CEO などの業務執行者は、現地国の者に託すことになるが、派遣した管理系の役職員や監査役等に規程類の運用状況をモニタリングしてもらうことになる。CFO のポストを確保することを基本原則とし、海外子会社の事業運営を資金面から掌握・管理することも考えられる。

さらに、派遣する親会社側においても、親会社の取締役を海外子会社の役員と兼務させるのか、執行役員を派遣するのか、それとも部長職を派遣するのかについては、海外子会社の事業規模や事業の内容、重要性、海外子会社で果たすべき役割などの事情を総合的に考慮して慎重に決める必要

第5章　グループ類型ごとのガバナンス

がある。この際に問題となり得る事項として、親会社取締役が、子会社の役員を兼務する場合、これを兼務することで親会社取締役としての善管注意義務違反が認められやすくなるかという問題がある。この問題については諸説あり得るが、現在の裁判例等をふまえると、親会社取締役が、子会社取締役を兼務する場合、子会社の業務執行に関する報告又は決裁に際して、具体的な損害発生の可能性ある情報に接する機会が増して、子会社において違法・不適切な行為が行われている兆候のあることを認識しやすくなるという意味において、親会社取締役の善管注意義務違反が認められるリスクが高まるという考え方も生じ得る。ただし、だからといって安易に親会社役員の兼務は止めておこうというのではなく、あくまでも子会社の重要性や事業規模などに応じて、誰を派遣するかは決められるべきである。

　また、日本から派遣した役職員に「講師」となってもらい、社内研修や社内の飲み会など、あらゆる機会を捉えて、親会社の理念や価値観等を伝えてもらうべきである。

　加えて、派遣した役員・従業員が、海外子会社においてどのポストにつき、いかなる責任と権限を持つのかについては、職務権限規程などで明確にしておくべきである。特に、100％子会社でない場合には、日本から派遣する役員・従業員の現地でのポスト、権限についてはあらかじめ合弁相手などと明確に書面で合意しておく必要がある。

　こうした地道な努力の積み重ねにより、自らも胸襟を開き、現地の役職員にも心を開いてもらってはじめて徐々にローカライズ（現地化）が進み、コミュニケーションも円滑に行われるようになるのである。

　「心の通った」内部統制システムにしないと、単に、規程類を渡して「ハイ、この通りによろしく」と言っても適切に運用されるわけがない。企業グループとしてその事業目的を達成するためには「価値観の共有」が最も重要といっても過言ではない。実はここが一番重要なところで、もっとも難しいところかもしれない。

　⑪　違反に対する厳しい制裁と周知

　規程類を揃えたり、教育・研修を行ったりして、現地の役職員を啓もうすることは必要不可欠のものであるが、それだけでは不十分であり、法令や社内規程などのルールに違反した場合、どのような制裁が待っているのかを十分に知らしめる必要がある。この際に、「この国では、このような行

為（支払い等）は慣習であり、これを行わないとビジネスが回らない」といった言い訳は通用しないことを十分に認識させる必要がある。そのためには、ルール違反に対しては毅然とした態度で臨み、厳しい制裁（懲戒処分）や解職・解雇処分を課すこともまた必要不可欠であり、重要である。

そして、ルール違反を行った場合、徹底した社内調査が行われ、当局への通報を含む厳しい処分が実施されること、ルール違反は「割に合わないこと」、内部通報制度もあるから誰から通報されるかわからないことなどを社内のコンプライアンスセミナー等で機会のあるごとに周知すべきである。

⑫　連結決算と経理業務体制の整備

海外子会社における不祥事の多くは不正会計に起因するものであり、これらの事案では親会社の連結決算にダイレクトに悪影響が生じ、経営の屋台骨を揺るがす事案も生じている。海外子会社の業績も日本本社の連結決算に取り込まれる以上、適時・適切に必要な経理情報が報告される仕組みが構築される必要性は高い。

ところが、多くの日本企業グループでは、欧米の企業グループとは異なり、経理業務の内容や報告される情報にばらつきがあるなど、オペレーションがグループ各社によって異なっているため、日本本社の経理部門は、子会社から報告された情報の精査とその後の子会社との追加的なコミュニケーションを通じて、連結決算や経営管理に必要十分な情報になるように検証・調整することに重点を置いている[36]。

日本企業がグローバル展開を進めるのであれば、このような状態は適切な状態ではないのは明らかであるから、まずは、現状の経理業務体制が、いかなるルールに基づいて、必要な情報が適時に本社に報告されるようになっているかを正確に把握する必要がある。

その上で、グループ本社が決定したグループ会計方針や経理業務マニュアルなどのルール集、グループ共通の会計システムや業績報告システムなどの「経理業務プラットフォーム」を整備していくべきである。

具体的には、まず、会計基準並びに関連法規に従った適切な会計処理・

36）　南原亨成＝田村秀俊「全体最適の観点で推し進めるには？　海外子会社の経理業務体制はこう整備する」経理情報 1483 号（2017 年）11 頁。以下、本項では、同論考の 10〜20 頁を適宜参照した。

決算を実施し、親会社に報告することに加え、会社資産の保全を図り、横領等に対する不正防止対策を導入する必要がある。日本では、一般的には、上場企業は決算日後45日以内に決算を公表しなければならない。海外子会社は、親会社がかかるルールに準拠して連結決算を組めるようなタイミングで必要な情報を報告・提出することが求められる。そのため、会計方針にばらつきを生じさせず、効率的な作業ができるように、親会社が子会社で適用する会計方針を統一的に定めて遵守を求めることも考えられる。

　また、前記のとおり、海外子会社を含む全てのグループ会社に共通の会計システムを導入すると、子会社の事業運営を財務・経理面から日常的にモニタリングすることが可能となり、それ自体が牽制あるいは不正抑止の効果を有するのみならず、経営の透明性を確保することにもつながる（事後的な検証も可能になる）ことから、有益である。

　さらに、子会社から親会社に報告される連結決算を組むのに必要な情報（連結パッケージ）において、報告される全ての情報の均質性を確保するために各種情報の作成方法を定めたマニュアルを整備することも考えられる。

　また、資産保全や不正防止、その他コンプライアンス確保のために、経理業務に関する各種ルールを経理規程として定め、海外子会社にもこれを採用させて徹底させることが必要である。ここで、海外子会社それぞれに経理規程を整備させるのではなく、親会社がグループとして遵守すべきルールや管理水準をグループ経理規程として明確にし、それを海外子会社が整合をとる形で個社の経理規程を定めることが肝要である。経理規程を始めとする必要な内部統制を整備・運用することが、一義的には子会社の経営者に、究極的にはグループ経営者に課された責任であると理解すべきである。

　加えて、人不足の問題から、海外子会社においては、現地の1名か2名程度の限られた人間によって長年経理処理が行われるケースもあるが、このような経理体制では、経理業務に対するチェックも牽制も海外子会社内では働かないことになる。しかし、このような事態は不正の温床となるため、少なくとも経理業務については本社から人員を派遣するなどして、経理業務については特にチェック・牽制が働くようにしておくべきである。

　また、海外子会社においては、経理システムが十分に整備されていないこともあり、業務部門の現場から経理部門に正確な情報が提供されないこ

ともあるが、かかる事態が生じないようにシステムの改善のみならず、経理に関するルールを整備し、現場の要員に対する日常的な教育・訓練を行うことも必要になる。

以上のような施策を通じて、子会社における経理業務を会社ごとにバラつきが生じないように標準化し、グループ共通の会計システムを利用し、経理部門の要員のスキルアップと計画的な人材育成・配置が実現され、経理業務の品質やコストがグループとして管理できるような仕組みを実現したいところである。

(e) 海外子会社自体における内部統制

海外子会社を含むグループ内部統制システムは、親会社が構築するだけでは完結しない。海外子会社自身においても、自らの内部統制システムを自立的に構築する必要があり、現地の法制度によっては、海外子会社の経営陣は、これを構築・運用する法的義務を負っている。

もちろん、海外子会社が各自好きなようにシステムの構築を行ってよいというわけではなく、システムの方針と設計は親会社が決定し、それを海外子会社が導入ないしカスタマイズするというケースが多い。現地法によって内部統制システムの構築が義務づけられている場合もあろう。日本の親会社は、海外子会社が遵守すべき現地法制に精通していない場合が多いであろうから、現地での顧問弁護士（ローカルカウンセル）を起用してサポートを受ける必要がある。

ところが、海外子会社側では、業績に直結しないガバナンスへの取組みのインセンティブを感じにくい傾向にある。したがって、海外子会社のCEO など経営トップにまずこの重要性をしっかり理解してもらい、経営陣自らが率先して内部統制の構築・運用に取り組んでもらう必要がある。

また、海外子会社にあっては、各部署、各使用人の役割を明確化し、責任範囲を明らかにしておく必要がある。そうすることで責任の所在が曖昧になる事態も防止できるし、管理もしやすくなる。

海外子会社といっても、設立間もない小規模な会社から、M&A で大規模な会社を買収した場合まで、規模も多様であり、内部統制システムもその規模と業務内容等に応じて構築すればよいのであって、日本の本社と同様のシステムを一律に導入すればよいというわけではない。

日本本社のコーポレート管理部門及び（海外）事業部は、こうした海外

第5章　グループ類型ごとのガバナンス

子会社の実情を把握した上で、それをふまえて、海外子会社自体の内部統制システムの設計、導入についても積極的な役割を果たすべきである。この作業に際しては、海外子会社を取り巻くリスクの識別、リスクの分析・評価、対応策の策定といった作業を行い、その結果をふまえ、グループの方針に沿いつつも、実情に応じた設計にすることが肝要である。

　より具体的には、海外子会社においても、日本の親会社で決定したグループ会社管理規程（親会社の事前承認事項、親会社への報告事項等を規定したもの）に相当する規程を、現地の法制等をふまえてローカライゼーションした上で、海外子会社の取締役会によって承認してもらう。これは（名称は何でもよいが）海外子会社自身の取締役会規程という形をとることが考えられる。当該規程は、親会社への事前承認事項や事前協議事項、報告事項などを定めるとともに、海外子会社自身の運営に関する事項を定めるものとして、海外子会社のガバナンスの骨格を規定する。海外子会社自身のガバナンスの構築において極めて重要な規程である。親会社で決定したグループ会社管理規程を現地法制等をふまえてローカライゼーションする作業は、海外子会社の法務・コンプライアンス部門が、現地のローカルカウンセル等からサポートを得て行うことになる。

　このようにして、親会社の策定するグループ内部統制システムと海外子会社が策定する自身の内部統制システムとが調和して構築され、うまく機能することになるのである。

(f)　モニタリングの在り方

①　モニタリングの種類と内容

　内部統制におけるモニタリングとは、内部統制が有効に機能しているかどうかを確認するプロセスである。PDCA の C（Check）といってもよい。

　このモニタリングは、COSO によれば、日常的な評価と独立的評価、あるいはその両方によって行われる。

　日常的評価とは、日常業務に関連して行われる日々の業務プロセスに組み込まれた監視活動であり、独立的評価は、業務プロセスを担当する業務部門とは独立した部門・チームが、内部統制の整備・運用状況を確認するモニタリング活動とされるが、海外子会社管理の文脈においては、モニタリングはもう少し広く捉えてもよいと思われる。例えば、営業部内における異例取引について担当課長が毎週内容を確認し、担当課長が確認してい

る状況を月次で営業部長が確認しているとする。担当課長が実施しているのは、内部統制においては統制活動に当たり、営業部長が実施している活動が日常的評価のモニタリングに該当する。

一方で、独立的評価は、通常の業務から独立した視点で定期的又は必要に応じて随時内部統制の整備・運用状況を確認するモニタリング活動であり、経理部門が営業部門の承認状況を適宜確認する行為や、内部監査部門等による内部監査がこれに該当する[37]。

こうしたモニタリングは、子会社に対する権限委譲とセットの関係にある。権限委譲のみ行ってモニタリングを行わないという事態は単なる放置になるのであって、想定されない。権限委譲による意思決定の迅速化と適切なモニタリングを両輪として、グループガバナンスを設計する必要がある。

多角化に伴い事業戦略や業務執行に関する権限委譲を進めた場合、明確な評価指標に基づく事後的なモニタリングを行い、その業績評価に基づき事業部門の長や子会社の CEO 等の人事や報酬決定を行う権限をグループ本社が留保し、これを適切に行使することにより、事業部門に対するガバナンスを効かせ、分権化と本社によるコントロールとの適切なバランスを図ることも重要となる[38]。

② 日常的モニタリングについて

日常的モニタリングは、前記のとおり、レポートラインによる報告とそれをふまえた監督によって行われる（第1線）。海外子会社と情報システムを共有化するなどして、海外子会社の売上や利益等をリアルタイムで本社が把握できる場合には、このような海外子会社の業績等の監視を通じてモニタリングが行われることになる。

この際、月次決算のほか、異例な取引や法制度の変更等を含むリスク情報など、レポートラインに従った報告事項として、誰が、誰に対して、いかなる事項を、いかなる手段で（会議形式なのかメール等の書面報告なのか）報告するのかをグループ管理規程などで決定し、海外子会社においてもか

---

37) デロイト トーマツ リスクアドバイザリー編『海外子会社管理の実践ガイドブック〔第2版〕──ガバナンスから内部統制・コンプライアンスまで』（中央経済社、2023年）157〜158頁参照。

38) 経済産業省・前掲注11）21頁参照。

かる規程等を自らのルールとして承認させ、海外子会社における業務フローに組み込むべきである。

③ 独立的評価によるモニタリングについて

前記のとおり、独立的評価によるモニタリングとしては、内部監査、監査役等による監査、会計監査人による監査（三様監査）が挙げられるが、これらは相互に独立して行われるものではない。リスク情報の共有など連携を行い、三様監査全体の実効性を高められるように、子会社の事業内容、規模、リスク評価等に基づき、有効なグループ監査体制を確立すべきである（三様監査の在り方及び連携の詳細については第4章5（304頁）を参照）。

海外子会社に対する内部監査は、本社あるいは地域統括会社の内部監査部門あるいは管理部門が中心となって行うことが多いが、海外子会社の数が増えてくると年に1度実施することも困難となってくるため、リスクベース・アプローチによる考え方に従い、リスクの高い子会社の、リスクの高い事象から監査を順次行っていくことになる。この場合、各海外子会社は、数年に1度内部監査を受けることになる。このように、海外子会社に対する内部監査は、内部監査の対象となる拠点とローテーションを決定し、内部監査の体制と項目を決めて、優先度の高い課題から監査を実施していくことになる。内部監査部門が出向いて内部監査を行わない海外子会社に対しても、チェックリストなどの書面でヒアリングを行うなどして、何らかの方法で内部監査を年に1度は行う方が望ましい。

また、親会社の監査役等は、グループ内の主要な子会社やリスクが高いと思われる子会社、親会社の本業とは別の事業を行っている子会社を中心に、子会社の内部統制システムの整備状況や監査体制を確認・把握するとともに、必要に応じて往査を行うべきである。

さらに、監査役等は、子会社の役職員のみならず、監査役等との間でも定期的に面談を行うなどして関連情報の収集に当たるべきである。子会社には監査役等がおかれていない場合も多い。このような場合には、子会社の取締役会において、子会社の監査を担当する取締役を選任し、子会社の監査体制を整備・改善するとともに、当該取締役を通じて親会社の監査役等と連携することも行うべきである。親会社の監査役等との連携に際しては、子会社の監査を担当する取締役や監査役等がまず当該子会社の監査を行い、その結果把握されたリスク情報等について情報共有を行うことにな

る。本社から派遣している役員、従業員がいる場合には、当該役職員を通じて情報収集を行い、監査において適宜利用することになる。

なお、上記は完全子会社を典型事例として述べたものであるが、上場子会社や少数株主が存在する子会社にあっては、親会社との間で、監査役等の間での情報共有についてあらかじめ合意しておく必要がある。

また、海外子会社については、海外子会社特有の経営環境、経営上の課題、所在地国特有のリスクなどをふまえた監査を実施する必要がある。以下では、公益社団法人日本監査役協会が平成24年7月12日「監査役の海外監査について」で策定公表しているチェックリストの中から、海外監査において業種・規模等を問わず必要と考えられる基本的事項とされているものを紹介する[39]。

---

(1) 経営全般
① 企業集団で共有すべき経営理念・行動基準・課題が事業会社内部に周知徹底されているか。特に法令遵守を周知徹底しているか。
② 内部統制の基本方針は、本社の方針との整合性が取れているか。
③ 定款、取締役会規則、株主間協定、職務権限規程、経理規程、就業規則などの社内諸規則・規程は整備されているか。
④ 経営責任者がコンプライアンスの重要性などのメッセージを全従業員に発信する機会はあるか。
⑤ 本社の圧力が不当にかかったり、あるいは本社が過度に無関心になっているようなことはないか。
⑥ 株主総会、取締役会等の決定機関は適正に機能しているか。
⑦ 株主総会、取締役会等の議事録は整備されているか。
⑧ 意見箱を含む内部通報制度が構築され、適切に運用されているか。(たとえば、管理規程等の仕組み・対応者・処理や公益通報者保護の定め、通報の適切な処理・対応の周知など)
⑨ 当該事業会社の大口投融資案件、その他の重要案件は、適切な機関により十分な検討を経て決定されているか、本社として確認しているか。
⑩ 不良在庫（不要・陳腐化・滞留の在庫）に関する評価および引当てのルールが規定され適切に運用されているか。
⑪ 期末実地棚卸は、手順どおり網羅的に整然と実施され、帳簿との差異の

---

39) より詳細なチェックリストは日本監査役協会のホームページ（https://www.kansa.or.jp/support/library/post-353/）に掲載されている。

追究は行われているか。滞留品や棚卸除外品の現物確認によりその判断に問題はないか。

⑫ 固定資産の台帳と現物を定期的に照合しているか。

⑬ 与信の管理方法は確立され、適切に運用されているか。

⑭ 不正防止のために発注・検収・支払の三権は分立しているか。たとえば、発注の担当者が検収も担当していないか、発注または検収の担当が支払も担当していないか。

⑮ 財務（出納）と経理（記帳）に関する一連の業務または仕入に関する業務について、他者による実効的なチェックを経る仕組みまたは人事ローテーションや休暇の強制取得といった牽制の仕組みは構築・運用されているか。

(2) 内部統制システムの構築・運用

① 現地及び当該事業に特有かつ検討の対象とすべき特殊な事項および事業分野はないか。

② リスク管理のための体制は構築され、適切に運用されているか。(たとえば、リスク管理の規程や委員会、代替機関または定期的会議での検討など)

③ 事業会社の事業そのものに関わるリスク全般、すなわち自然災害、政体の安定性、経済・為替変動を含めた金融市場の混乱、市況・原材料価格変動を含めた市場動向、競争環境、外的脅威等の外部環境リスク並びに、社内体制、人材流出、顧客満足度、ブランド力、IT セキュリティ、調達、生産、金融リスク等の内部リスクなど、外部および内部の要因に基づく諸々の予見されるリスクに関して、十分な分析・評価が行われているか。

④ 事業会社に別の親会社やパートナーがある場合、関連当事者との取引はないか。(取締役・従業員（親戚及び支配する会社を含む）と会社間の取引を含む)

⑤ 前項で関連当事者との取引がある場合、取締役会にて事前承認されているか、承認後の当該取引の妥当性が定期的に確認されているか。

⑥ コンプライアンスに関わるリスク分析は適切に行われているか。(たとえば、倫理観の欠如、不正、不祥事の可能性、契約上の義務や第三者へのコミットメントなど)

特に、現地特有でリスクの高いリーガルリスクを洗い出しているか。(次の法令等の事例などを参考にして)

◎ リスクの高い法令等の事例

贈賄に関する刑法及び関連する特別法、カルテル等に関する独禁法、日本の不正競争防止法及び同様の目的を有する外国の法令（米国：The Foreign

Corrupt Practices Act（FCPA）、英国：The UK Bribery Act、中国：反不正当
競争法、韓国・マレーシア等：公務員に対する贈賄を禁止する法律）等
会社法、不当表示、P/L法等消費者保護法規、下請法（マニュアル含め）等
安全保障貿易管理、輸出入取引法等
大気・水質・騒音等の環境保全法規、消防法（消火設備・危険物管理含め）、
建築基準法等
労働基準法（残業時間管理含め）、安全衛生法（過重労働の基準と対策含め）、
人種・性別・年齢・宗教等の差別取扱い、セクハラ、パワハラ、労働組合法
（設置義務含め）・労働者派遣法等の労働法等
知財の侵害・被侵害・機密情報漏洩等
税法（関税・所得税含む）、外為法、移転価格税制等

⑦ 電子情報のセキュリティに関する規程はあるか、適切に運用されている
か。（たとえば、持出し管理・セキュリティレベル管理・パスワード管
理・アクセス権の制限など）

⑧ 大型の自然災害、火災、重大労災、テロの発生や広域の停電等の非常時
の対応体制は構築・運用されているか。（たとえば、非常時連絡網、管
理体制など）

⑶ 指摘事項・重要情報のフォロー等

① 会計監査人による指摘があった場合、その内容およびマネジメント・レ
ターを受領後の経営側の対策の状況に問題はないか。

② 財務報告内部統制について現地監査人監査における問題点や指摘され
た不備事項がある場合、期限内に是正されたか。

③ 内部監査により発見ないし指摘された問題がある場合、実態把握と対応
状況を確認しているか。

④ 税務当局から指摘された事項はあるか。ある場合、不適切な決算・不祥
事につながるような事項はないか。

⑤ 係争中あるいはそのおそれのある案件はないか。

⑥ 事業会社における重大な法令違反や重大な損害の発生またはそのおそ
れがあるときは、監査役に報告が来ているか。監査役への報告体制は構
築され、適切に運用されているか。

⑦ 会計監査人・監査人・内部監査部門・親会社の関係部門・意見箱を含
む内部通報等から指摘・発見・通報された重大な法令違反・重大な損
害・不正行為や不当な事実の発生またはそのおそれはないか。

　また、海外子会社を含めたグループ会社では、親会社の会計監査人が、
これらのグループ会社の監査を行っている例が多い。これは、連結決算を

第5章　グループ類型ごとのガバナンス

組む上で自然な流れであるし、子会社における会計上の問題は、親会社の会計監査人に共有されることが必要であり、重要であるためである。したがって、M&A 等によって子会社化した場合に、（海外）子会社の会計監査人が親会社の会計監査人と異なるファームである場合、親会社の会計監査人と同じファームに属する監査法人に変更することも検討に値する。実際、海外 M&A において、親会社の会計監査人と同じファームに属する監査法人に変更したところ、不正会計が発覚した事例もある。

(g)　早期発見システムとしてのグローバル内部通報制度の充実、実効化[40]

①　グローバル内部通報制度の意義と経営トップのメッセージ

現状、国内の上場企業では内部通報制度の導入はかなり浸透しているが、これが海外子会社となると内部通報制度自体が導入されていないケースの方が多い。

しかしながら、昨今、海外子会社においてこれだけ多くの不祥事が問題となっている状況下にあって、不正ないし不適切な行為をいち早く認識し、問題に対処するためのリスク管理として、海外子会社を含めたグローバルな内部通報制度を実効性のあるものとして設計・導入することは、喫緊の課題である。

また、内部通報による不正発覚の場合、事案の内容にもよるが、公表の時期及び内容を会社側がある程度主体的に決定でき、関係者の処分や再発防止策まで併せて公表することで生じるダメージを最小限に抑えられる可能性もあるが、関係当局による調査やマスコミ報道等の外部からの情報による発覚の場合、対応は後手後手にまわりがちになり、ダメージコントロールもままならなくなることになりかねない。

シンガポールにおける調査結果ではあるが、社内不正の発見手段としては、内部通報や他のチャネルによる従業員からの通報を合わせると 37％を占め、これに顧客からの通報を合わせると 54％となっている。社内の内部通報制度の整備の必要性が高いことを示しているとともに、何らかの形で従業員や顧客から通報があった場合にはこれを真剣に捉えて対応する必要

---

40)　本項では、海外子会社等の役職員を対象としたグローバル内部通報制度に関して述べるが、グループ内部通報制度の詳細については、**第4章 10**（332頁）を参照されたい。

があることが示されているといえる[41]。

　また、内部通報制度は、公正で透明性の高い組織文化をはぐくみ、組織の自浄作用を健全に発揮させるためには、単に仕組みを整備するだけではなく、経営トップ自らが、海外子会社の経営幹部を含め、全てのグループ企業の従業員に向け、以下のような事項について、機会のある度に繰り返し発信することが必要である。

- ➢ コンプライアンス経営推進における内部通報制度の意義・重要性
- ➢ 内部通報制度を活用した適切な通報は、リスクの早期発見や企業価値の向上に資する正当な職務行為であること
- ➢ 内部規程や公益通報者保護法の要件を満たす適切な通報を行った者に対する不利益な取扱いは決して許されないこと
- ➢ 通報に関する秘密保持を徹底するべきこと
- ➢ 利益追求と企業倫理が衝突した場合には企業倫理を優先するべきこと
- ➢ 上記の事項は企業の発展・存亡をも左右し得ること　指摘事項・重要情報のフォロー等

---

② グローバル内部通報制度のスキーム設計と運用上の留意点

　通報から事実調査、是正措置の実施、再発防止策の策定までを適切に行うためのグローバル内部通報制度のスキームは、各企業グループの海外進出の在り方に応じて多種多様であり、正解が一義的にあるわけではない。

　海外子会社それぞれに内部通報窓口を設置し、通報に対して対応していく方法も考えられるが、企業グループ全体に適用されるグループ内部通報制度を導入する方法もある。

　各企業グループのニーズに応じて設計すればよいのであるが、参考例として、以下では、日本の親会社を頂点とするグローバル内部通報制度のスキーム図【図表5-6】を挙げるとともに、海外に特有の基本的な留意点を述べる。

41）　小松岳志＝眞鍋佳奈「東南アジアにおける社内不正対応とグループ・コーポレートガバナンス」商事 2149 号（2017 年）30 頁。

【図表5-6】 グローバル内部通報制度のスキーム図

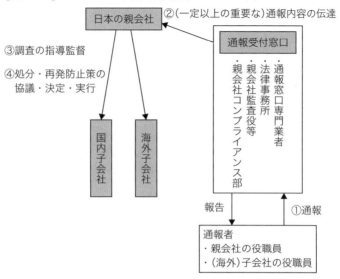

i 窓口と受付言語

海外子会社の役職員が、内部通報をしようと思った際の通報窓口を誰にするのかについては、考え方が分かれる。

まず、海外子会社を含め、企業グループの共通の受付窓口を外部の法律事務所や通報受付専門業者とすることが考えられる。この場合、本社のある日本の法律事務所等を窓口にすることが考えられるが、少なくとも海外子会社からの通報については、英語で対応可能としておく必要がある。この際、現地語での通報も受け付ける方が望ましい。

また、親会社の管理部門等に受付窓口を設置するかという問題もある。敢えて日本本社に直接通報することはできないようにし、いったん子会社で情報を選別し、ひととおりの処理を終えてから本社に伝達する例もあるが、コンプライアンス情報の迅速な把握という観点からすると、本社の管理部門や監査役会等に直接通報する窓口を設置することは有用である。ブロックごとの地域統括会社に窓口を設置することも考えられる。会社法施行規則100条3項4号ロは、子会社の役職員等が親会社の監査役に報告するための体制を親会社の取締役会決議事項として規定している。親会社の経営陣から独立性が法的に担保されており、連結計算書類の監査をその職

務とする監査役等を窓口にすることは検討に値する。

　海外子会社については、特に英語圏ではないアジア等では言語の問題もあるし、通報窓口が地理的に近くにあることが通報の際の安心感につながることもあるため、上記のような外部あるいは親会社での窓口に加え、海外子会社ごと又は地域統括会社に受付窓口を設置する方が望ましい。

　さらに、FCPA 違反や独禁法違反事例に限定して海外窓口を設ける例や、FCPA 違反や独禁法違反については窓口自体を第三者の専門業者に依頼している例もある。

　海外子会社の所在国や事業の内容、規模等を鑑みて窓口の設計を考慮して、優先順位を考えながら検討することになるが、通報のしやすさ、安心感に鑑みると、外部の法律事務所等を通報窓口にしておく方がよい。

ii　利用者の範囲

　国内であれば、コンプライアンス情報を早期に把握するという観点から、取引先にまで利用者の範囲を広げることも考えられるが、海外子会社の内部通報制度の設置状況に鑑みると、まずは導入することにプライオリティを置き、利用者の範囲は子会社の役員、従業員から始めるということも十分に考えられる。匿名通報は受け付ける方が望ましい。

iii　通報者の徹底した保護とインセンティブ

　海外子会社における内部通報制度においても、国内におけるのと同様、通報者に対し、解雇その他一切の不利益を与えないようにすること、かかる不利益な取扱いをした者は懲戒処分とすることを海外子会社の内部規程にも明記すべきであり、下記のとおり、実際に報復行為が行われていないかについては事後的にも確認を行うなどして、通報者の保護は徹底して行う必要がある。

　内部通報制度を十分に利用してもらうためには、通報に対して、会社が事実調査を含め、適切かつ合理的な対応を実施してくれる、そして不利益取扱いは行われないといった安心感や信頼感を高めることが極めて重要である。

　また、通報者は、会社の貴重なリスク情報を勇気をもって提供してくれる者であり、企業グループの企業価値向上に貢献してくれる有り難い存在であるとの認識を持つことが重要である。そしてこのような認識の下、通報が違法行為等の発覚に寄与した場合に報奨金を出したり、最初に違法行

為を申し出た場合、処分を減免するといったリニエンシーのような制度を設けることもある。通報するインセンティブがなければ内部通報が活発化しないこともあり得るため、このような措置も十分検討に値する。

会社内で違法行為や社内規程違反を認識した場合、通報する義務を課すことも考えられる。

iv　事実調査、是正措置、再発防止策の策定

通報内容をふまえた違反事実の調査、違反事実の認定、処分、再発防止策の策定などは、親会社の指導・監督の下、海外子会社が主体となって行うことになるが、事案によっては、適用法令の専門家たる現地の弁護士等を起用してこれらの事実調査等を行っていくことになる。海外子会社の内部通報制度に係る規程において、海外子会社の従業員等の調査への協力義務を課し、調査の妨害を禁止する旨を明記しておくべきである。これらの調査結果や是正措置の内容は、被通報者等のプライバシーや名誉等に配慮しつつ、通報者に報告する仕組みにしておく必要がある。通報者が、通報内容が適切に処理・対応されたことを認識できる仕組みが重要である。

v　通報内容や調査結果等の親会社との共有

親会社はあくまでも海外子会社の株主に過ぎず、情報開示請求権を当然に有しているわけではないため、海外子会社は当然に親会社に通報内容や調査結果等の情報を共有してよいということにはならない。

そのため、（特に親会社が通報窓口にならない場合）通報から是正措置の実行、再発防止策の実施までのフローにおいて、いかなる情報を親会社といかなる手段で共有するのか等については、親会社及び海外子会社にて承認される規程において明記しておくべきである。パワハラ、セクハラなどの一定の事項については、原則として海外子会社のみで対処し、親会社にいちいち報告しない（親会社の窓口では受け付けない）という扱いをしている例もある。

また、被通報者等の個人情報の（域外への）伝達に関しては、EU 一般データ保護規則（GDPR）を含め、各国、各地域の個人情報保護法制の適用を受け得るため、注意が必要である。GDPR について若干補足すると、GDPR の下では、欧州経済領域内から域外への個人データの移転は原則として禁止されているため、欧州経済領域外に内部通報窓口が設置される場合、被通報者等の個人データの移転についても GDPR 上の域外移転規制に

服し得る。平成31年1月に日本とEUとの間で相互の円滑な個人データの移転を図る相互認証（十分性の認定）が成立し、これまで必要とされてきたデータ主体（内部通報の場合、通報された事象に関与している者等）の明示的な同意取得等は不要になったものの、引き続き欧州から域外移転された情報自体はGDPRの適用を受ける点には注意が必要である[42]。

vi　フォローアップ

通報者等に対し、通報を行ったことを理由とした解雇その他の不利益な取扱いが行われていないかを通報後しばらくの間確認し、万が一そのような事実関係が認められた場合は、報復等を行った者に対して懲戒処分などの是正措置を直ちに採るなど、通報者の保護については十分なフォローアップが必要である。

また、是正措置や再発防止策の導入後、同じ問題が再発していないか、再発防止策が機能して十分な改善がみられるかなどについてもフォローアップを行い、必要に応じて再発防止策を強化すべきである。

③　教育・啓もう

グループ内部通報制度の存在や仕組み、重要性等について、社内通達やメール、社内電子掲示板といった様々な機会を捉えて、海外の従業員等にも広く周知するとともに、定期的な研修や説明会などの開催等を通じ、十分かつ継続的に教育活動を行っていくことが重要である。その際、いかなる仕組みで通報者が保護されるのかについても十分に周知される必要がある。

⑷　各法対応

海外子会社における日常的な法的問題に関しては、それぞれ海外子会社において現地の法律事務所の助言等を得ながら処理していくのが原則である。

世界情勢の急激な変化に伴い、企業を取り巻くリスクの多様化と高度化が進んでいる。米中対立などの地政学リスクの高まりやそれに伴う各国政

42）　ベーカー＆マッケンジー法律事務所(外国法共同事業)＝KPMGコンサルティング株式会社編・前掲注19）259〜260頁参照。なお、グローバル内部通報制度とGDPRの適用関係は、矢田悠＝辰野嘉則「企業グループにおける内部通報制度」商事2161号（2018年）62頁以下に詳しい。

第 5 章　グループ類型ごとのガバナンス

府の動向を受け、経済安全保障リスクや経済制裁リスクへの対応も不可欠になりつつある。また、人権と環境に関する法制、米国の海外腐敗行為防止法（FCPA）をはじめとする賄賂法制、独禁法などの競争法制、個人情報保護法令などの域外適用のある法制、労働関係法制など、親会社としても押さえておくべき法制の幅が広がりをみせている。さらには、海外子会社などの海外拠点における営業秘密漏洩リスクや模倣品リスク、商標侵害リスクへの対応も必要である。

そこで以下では、親会社が押さえておくべき個別の法制についてポイントを簡潔に概観する[43]。

(a)　贈収賄汚職関連

近年、米国のみならず、イギリスやフランス等の欧州、中国、インドをはじめとするアジア諸国、ブラジル等の南米など、文字どおり、世界各国で外国公務員贈賄防止の規制強化が図られており、摘発も強化されている。日本でも、摘発事例こそ少ないものの、各都道府県警察に外国公務員贈賄担当者を置き、検察でも、各特別捜査部に担当検察官を置くなど、外国公務員贈賄罪に対する捜査体制は強化されている。

他方、日本企業の海外進出はますます進んでおり、経済産業省の平成 16 年 5 月 26 日付「外国公務員贈賄防止指針」（令和 6 年 2 月最終改訂。以下「贈賄防止指針」という）でも指摘されているとおり、今や外国公務員贈賄は、海外企業にのみ関係のあるリスクではない。日本企業が海外で事業を行う上で、現に直面している重大なリスクである。

しかも、外国公務員への贈賄については、贈賄を行った国の贈収賄防止法が適用されることに加え、域外適用のある米国 FCPA や英国の賄賂防止法（Bribery Act）、日本の不正競争防止法などが重畳的に適用される可能性もある。これらの適用法を持つ全ての国で処罰されるリスクがあるということである。

実際、日本企業においても、ナイジェリアのボニー島における天然ガスプラントの建築プロジェクトに関し、ナイジェリア政府が設立した Nigeria

---

43)　各法制の詳細は、ベーカー＆マッケンジー法律事務所（外国法共同事業）＝KPMG コンサルティング株式会社編・前掲注 19）16 頁以下、KPMG コンサルティング株式会社編・前掲注 26）55〜130 頁、デロイトトーマツリスクアドバイザリー・前掲注 37）140〜150 頁参照。

410

LNG Limited（ナイジェリア政府の持ち株保有比率は49％で、51％は数社の多国籍石油会社が保有）から一連の契約を受注するために、日揮株式会社は、同社を含む4社による多国籍合弁会社を通じて、ナイジェリアの公務員への贈賄を行う大規模な計画に関与したとして、平成23年4月、米国司法省（DOJ）との間で訴追延期合意（Deferred Prosecution Agreement）を締結し、罰金2億1880万ドルを支払うことに同意した。丸紅株式会社も、これと同じプロジェクトに関連し、平成24年1月、訴追延期合意をし、罰金5460万ドルを支払うこと等を合意している。さらに、株式会社ブリヂストンは、同社の子会社が中南米の外国公務員に対する贈賄を行ったということでFCPA違反に問われ、平成23年9月、有罪答弁を行い、罰金2800万ドルを支払うこと等に合意した。のみならず、この件に関し、ブリヂストンの日本人部長は2年の拘禁刑を言い渡されている。FCPAの日本企業に対する適用事例はこれのみではない。日本企業は、FCPA違反など「対岸の火事」と捉えるのではなく、自らのリスクとして認識する必要がある。

　また、わが国の不正競争防止法違反（外国公務員への贈賄）についても、例えば、三菱日立パワーシステムズ株式会社（当時）の役員らは、タイで火力発電所の建設工事を請け負っていたところ、タイの公務員に対し、許可条件違反を黙認し、仮桟橋への接岸及び貨物の陸揚げを禁じないなどの有利かつ便宜な取り計らいを受けたいとの趣旨の下に、約3993万円相当の金銭（タイ バーツ）を供与した。同事案においては、被告人2名にそれぞれ懲役1年6月（執行猶予3年）、被告人1名に懲役1年4月（執行猶予3年）が科された。なお、当該事件は、平成30年に導入された、捜査協力の見返りに刑事処分を減免する司法取引制度が初めて適用された事件であり、当該制度が適用された結果、会社は刑事訴追を受けなかった。

　海外進出する会社としては、①日本法（外国公務員贈賄罪を規定した不正競争防止法）、②海外進出している現地国の法律、③米国FCPAや英国贈賄法（Bribery Act）のように、域外適用のある法令に留意しつつ、自らの企業集団における外国公務員贈賄防止体制を構築し、運用していくことが必要となる。

　特に、世界各国の腐敗に関して一般的に用いられる指標の1つであるTransparency Internationalが公表している腐敗認識指数ランキング[44]などで、贈収賄リスクが高いとされる国に進出する場合は注意が必要である。

第 5 章　グループ類型ごとのガバナンス

以下では、贈賄防止指針 10〜17 頁を参照しながら、内部統制システムの一環としての外国公務員贈賄防止体制の構築・運用に関する主な注意点を簡潔に指摘する[45]。

①　基本方針の策定・公表と経営トップによるコミットメント

国内外の法令違反となる外国公務員贈賄行為を未然防止するため、(i)「目先の利益よりも法令遵守」という経営者の基本姿勢、(ii)外国公務員等に対し、当該国の贈賄罪又は不正競争防止法の外国公務員贈賄罪に該当するような贈賄行為を行わないこと、(iii)贈賄防止に向けた社内体制の構築や当該社内体制に基づく取組みを盛り込んだ、外国公務員贈賄防止に関する基本方針を策定する。

また、策定された基本方針を、社内及び社外に対し公表し贈賄防止に向けた企業意思を発信すること、そして、国内外の外国人従業員への周知のみならず、外国政府や外国投資家、商取引相手の理解を求める等の場面でも活用できるよう必要に応じ翻訳しておく。

のみならず、この基本方針を社内で浸透させるため、経営トップ自らが、「目先の利益よりも法令遵守」という方針にコミットすることを機会のあるごとに繰り返し述べるとともに、コンプライアンス責任者や、海外子会社のトップなどにもメッセージを発信させる。「賄賂なしにこの地ではビジネスはできない」といった考えはまず親会社の経営者が捨て去り、それを子会社の現場にまで浸透させることが肝要である。

②　社内規程の策定

外国公務員等との会食や視察のための旅費負担といった外国公務員等に対する利益の供与と解される可能性がある事項については、承認要件、決裁手続、記録方法、事後検証手続等に関するルールを定めるとともに、違反者に対しては、厳格な社内処分が課される旨を社内規程で定めるべきである。

---

44)　2024 年度の調査結果（https://www.transparency.org/en/cpi/2024）。

45)　なお、米国 DOJ と SEC が共同作成した FCPA のガイドライン（A Resource Guide to the U. S. Foreign Corrupt Practices Act）第 5 章（特に 56 頁以下）においては、当局が処分の内容等を決定する際には、コンプライアンスプログラムの十分さも考慮すると明言されており、効果的なコンプライアンスプログラムのポイントが解説されているので、併せて参照されたい（https://www.justice.gov/criminal/criminal-fraud/file/1292051/dl）。

③　組織体制の整備・実効性のある内部通報制度の構築

コンプライアンス担当役員やコンプライアンス統括責任者を指名し、これらの役員等は、関係法令、経済産業省の指針等政府からの各種情報を適切に把握し理解するとともに、実務上生じた問題点についても適宜整理し、経営者及び取締役会に対し定期的に報告を行う。

また、実効性のある内部通報制度を構築・運用する。外国公務員贈賄専門の窓口を設置したり、現地語で24時間対応するなどの工夫を行う例もある。リスクの高い新興国については、こうした工夫を取り入れることも検討に値する。なお、FCPAガイドラインでも、実効性のある内部通報制度を構築することは重要視されている。

④　教育・啓もう活動

従業員の贈賄防止に向けた倫理意識の向上を促し、内部統制の運用の実効性を高めるため、親会社、子会社双方において、適切な教育活動を実施する。贈賄行為を行わないこと及び関連する社内規程を遵守することについて、誓約書を提出させることも考えられる。

⑤　監査

定期的又は不定期の内部監査や監査役等による監査により、社内規程の遵守状況を含め防止体制が実際に機能しているか否かを確認するとともに、必要に応じて改善措置を講じる。

⑥　経営者等による見直し

継続的かつ有効な対策や運用を可能とするよう、定期的監査をふまえ、必要に応じて、経営者やコンプライアンス責任者等の関与を得て、防止体制の有効性を評価し、見直しを行う。この改善プロセスを繰り返すことによって、形だけの制度ではなく、より実効性の高い制度にしていくことが重要である。

(b)　競争法関連

外国公務員贈賄防止法制と同様、企業活動がグローバル化していく中で、EUや米国のみならず、中国、インドをはじめとするアジアや、中南米など、世界各国で競争法の整備・執行が活発化している。特に平成22年頃から調査が始まった自動車部品カルテルにおいては、多くの日本企業が各国当局から摘発され、違法行為に対する制裁の大きさや解決の困難さ、影響の長期化について認識することとなり、日本企業においても、改めて競争

法遵守の重要性や問題意識を高めることになった。自動車業界以外でも、複数の日本企業が EU や米国で巨額の制裁金を科せられている。こうした状況をふまえ、経済産業省においても、平成 27 年 4 月 24 日付「各国競争法の執行状況とコンプライアンス体制に関する報告書」がとりまとめられ、より実効的な競争法コンプライアンス体制の整備に関する提案が行われている。

以下では、この報告書 42〜45 頁を適宜引用・整理して、競争法コンプライアンス体制についてポイントを簡潔に述べる。

① 実効的なコンプライアンス体制の確立

形式上のコンプライアンス体制については、現在、多くの企業が既に取り入れているところであるが、それを真に実効的なものとすることが必要である。過去の競争法違反には、役員クラスの関与があった事例が存在することから、経営トップが率先してコンプライアンスを徹底する方針を役職員に伝え、その重要性を認識させる必要性が高いといえる。また、抽象的なルールに留まることなく具体的に、すべきこと・すべきでないことを明確にしたルールをつくる等の工夫が求められる。実際に競争当局の調査が行われた場合、競争当局による制裁の減免の判断において、有効なコンプライアンス体制が存在しているかどうかを確認されることもある。このような観点からも、コンプライアンス体制の実効性を高めることの重要性は高い。

② 事業者団体・競合他社との関係

わが国においては、数多くの事業者団体が存在しており、会社の業務遂行において、事業者団体との関わりは避けて通ることはできないが、事業者団体における競合他社との接触は、競争法に抵触すると疑われるリスクを高めることも事実である。競争法との抵触リスク削減のためには、参加している事業者団体を再度点検し、そこへの参加の必要性と意義、参加者の属性を再確認することが必要といえる。また、従前の日本企業におけるいわゆる営業情報には、同業他社の動向を探って得たものが多かったが、このような情報交換はともするとカルテルという認定を招きやすい。さらに、事業者団体での公式の会合後の非公式な接触によって、機微情報の交換や調整がなされるおそれもあり、実際にその点が問題とされ、摘発される例も存在する。他社との関わり方や情報取得では、特に EU では、競合

他社の担当者と接触しただけで、違法な情報交換とみられる可能性もあり、とりわけ注意が必要である。

③　子会社との関係

特にEUにおいては、子会社の競争法違反事案においても、親会社が責任を問われる可能性がある。そのため、親会社は、自ら法令違反行為を行わないことは言うまでもないが、常に当事者意識をもって、子会社の法令遵守の活動を行うべきである。また、特にEUにおいては、親会社が子会社を買収する前に子会社が競争法違反を犯していた事案であっても、親会社が連帯責任を負わされてしまう場合があることから、他社の買収等を行うに当たっては、買収先となる会社に関する競争法上のリスクの洗い出し等、厳格なデューディリジェンスを行う必要性が高まっている。

④　社内調査

内部通報制度が競争法関連で活用されることは比較的少ないとされているが、より実効性の高い内部通報制度を構築することを含め、効果的な情報収集について工夫をすべきである。また、競合他社に調査が入った場合や隣接業種で調査が行われた場合でも、社内調査を開始し、自社のリスク分析を行うことが重要である。

⑤　文書管理体制

日々の業務における文書管理の在り方も社内コンプライアンス体制として重要である。すなわち、文書を残しておいたことで、後日違法行為を疑われた際に違法行為でないことを示す証拠として価値がある場合もあれば、逆に文書を廃棄してしまっていたために、リニエンシーを申請しようとした場合に、リニエンシーとして認められるだけの証拠が不足し、リニエンシーを諦めたという事例もある。こうした観点をもふまえ、適切に文書の記録・保存を行うこと、適切な管理方法・期間を定めること、特に弁護士との通信等特別な管理が必要なものについては、後に開示の争いの対象とならないように対外的に説明可能な形で管理すること、また適切な期間が経過するまでは廃棄しないこと等を文書管理規程に定めることが必要と考えられる。

(c)　労務関連

海外進出先、特に、新興国においては、現在又は過去に社会主義国であることが多く、労働者保護の傾向が強いこともあり、現地従業員の給与、

第5章　グループ類型ごとのガバナンス

解雇、退職金、福利厚生、労働時間、休暇等に関して多くの問題が発生し、訴訟になるケースも頻発している。とりわけ新興国の多くでは、いったん雇用すると解雇が難しく、労働争議も多いとされる。昨今では、急速な経済発展に伴い、労働者の権利意識が向上し、労働争議がさらに増加する傾向にある。労働争議も国によって状況が異なっており、インドでは暴力を伴うような労働争議、サボタージュ、破壊行為に発展するケースも少なくない。平成24年7月には、インドにおいて、大手日本企業の工場での労働争議が暴動へと発展し、約1か月間、工場の操業が停止したというケースもある。このような事情に加え、労働市場の逼迫、政府による大衆迎合的な姿勢等により、賃金の上昇も顕著である。さらには、新興国における多様な宗教や言語の問題が、労務管理リスクも多様化させている。例えば、宗教によってそれぞれ異なる宗教上の義務、制約、禁忌等があり、それに伴い、労務関連リスクが顕在化することが多い。このように、新興国では非常に難しい労務管理を強いられることになる[46]。また、いったん進出すると、解雇が困難であることから、当該国から撤退することにも大きなコストがかかる国もあるといわれている。

　このように、日本企業が海外進出、特に新興国に進出する際には、当該国の労務関連リスクについては、将来、仮に撤退する場合の方法及びコストを含め、しっかりと把握をし、当該リスクの対応策を立案しておく必要がある。

(d)　個人データ保護・管理関連

　個人情報ないし個人データを保護するための法制度は、世界的に急速に広がっている。EUがこれまでリードしてきたが、アジア各国でも個人データ保護法制は広がりを見せており、エンフォースメントも活発に行われている。

　しかも、個人データ保護法制は域外適用される例が多いため、グローバルに事業展開している企業は、まず自社にどの国・地域の個人データ保護法制が適用されるのか、適用される個人データ保護法制のもとでいかなる対応を講じなければならないのかなどについて、現地のローカルカウンセ

---

46)　有限責任監査法人トーマツ　エンタープライズリスクサービス編『海外子会社管理の実践ガイドブック——ガバナンスから内部統制・コンプライアンスまで』（中央経済社、2015年）162〜164頁。

ルのサポートも得ながら確認する必要がある。コストを伴うため、自社の
ビジネス状況を勘案して国・地域に優先順位をつけるなどして対応してい
く。

　EU を例にみると、平成 30 年 5 月 25 日に EU の一般データ保護規則
（General Data Protection Regulation。以下「GDPR」という）が施行された。こ
れは、「指令」とは異なり、EU 各国に対し直接効力を有する「規則」であ
り、域外適用もある。すなわち、EU 域外にある日本企業をも直接の規制
対象とする場合があるということである。しかも、GDPR に規定される義
務に違反した場合、義務違反の類型によって、①1000 万ユーロ又は全世界
年間売上高の 2% のいずれか高い方、あるいは、②2000 万又は全世界年間
売上高 4% のいずれか高い方という極めて重い制裁金が行政罰として科さ
れるものとされている。実際に令和 3 年ごろから、米グーグルや米メタ（旧
フェイスブック）、米アマゾン・ドット・コムなどに巨額の制裁金を科す例
が相次いでいるとされ、令和 4 年 11 月には、日本企業である NTT データ
についても、そのスペイン子会社に対し、システムを提供していた取引先
（保険会社）の顧客情報漏洩について過失があったとして、現地のデータ保
護当局より約 6 万 4000 ユーロ（約 940 万円）の制裁金が科されたことが大
きな話題となった。EU の個人情報保護法対応は、日本企業の欧州向けビ
ジネスに大きな影響を与える経営事項であり、高い優先順位をつけて対応
を行う必要があると言われるゆえんである。

　そこで、以下では、いかなる場合に域外適用がなされるのかを押さえた
上で、個人データを EU 域外に移転させる場合に関する規制内容、さらに
は、GDPR の適用を受ける企業がいかなる対応をする必要があるのかにつ
いて検討する[47]。

①　域外適用の要件

　EU 域内に拠点のない管理者又は処理者であっても、EU にいるデータ主
体に係る個人データの処理が、(i)支払を要するか否かを問わず、EU 域内
にいるデータ主体に対する商品又はサービスの提供に関するものであるこ

---

[47]　本項(d)では、石川智也＝菅悠人「EU 一般データ保護規則対応ガイド」経理情報
　　1488 号（2017 年）66 頁以下を参照した。なお、JETRO も、『『EU 一般データ保護
　　規則（GDPR）』に関わる実務ハンドブック（入門編・実践編）」をホームページ上
　　で公表しており、GDPR の内容をふまえ、対応策を考える上で参考となる。

第5章　グループ類型ごとのガバナンス

と、又は、(ii)EU 域内で起こるデータ主体の行動の監視に関するものである場合には、当該個人データの処理に対して、GDPR が適用される（GDPR 3 条 2 項）。

要するに、EU 域内にいる個人に対して、EU 域外から商品をインターネット上で販売したり、サービスを提供する場合、あるいは、EU 域内における消費者の行動履歴をモニターするために個人データを利用するような場合には、EU 域内に拠点を有していなくとも、当該ビジネス主体にはGDPR が適用されるということである。

②　EU からの個人データの移転に関する規制

GDPR のもとでは、EU から日本を含む第三国への個人データの移転は原則として禁止されており、GDPR が定める条件に従って行われる場合にのみ許されるところ（GDPR 44 条）、個人データの保護に関して十分なレベルを確保していると欧州委員会が決定した第三国への個人データを移転する場合、個人データの移転が許される。

わが国は、平成 31 年 1 月 23 日、アジアの国では初めて十分性の認定を受けた。同日、わが国の個人情報保護委員会も、「個人の権利利益を保護する上で我が国と同等の水準にあると認められる個人情報の保護に関する制度を有している外国」（個人情報保護法 28 条）として EU を指定したことから、EU と日本の間では、相互に個別対応を要することなく個人データの移転が認められることとなった。詳細は、個人情報保護委員会が令和 4 年4 月に策定・公表した「個人情報の保護に関する法律に係る EU 及び英国域内から十分性認定により移転を受けた個人データの取扱いに関する補完的ルール」も参照されたい。

③　親会社としての役割

EU 域内の拠点においては、GDPR に則った規定類、契約の整備等を行うなど、全般的な対応が必要となる。日本企業としては、EU 域内の拠点が自身で対応できるのであれば、当該拠点に対応を任せるということもあり得るが、そうでない場合には、日本の親会社が主導して、全体の作業を整理・統括していく必要がある。GDPR 対応の具体的な内容としては、(i)扱っている個人データの内容・フローの確認、(ii)その確認結果をふまえ、GDPR のもとで何をどのように対応すべきかの確認・把握、(iii)把握した事項への対応が挙げられる。

418

EU の拠点にこれらの対応を任せる場合でも、少なくとも親会社は、子会社等の拠点において、GDPR 対応が適切に進められているかについては監視・監督する必要がある。

(e) 人権侵害（人権監視法）関連

多くの日本企業が生産拠点、販売拠点等を海外に設けるに従い、原材料等のサプライチェーンは多国籍化し、その管理・対応は容易ではない。

最近では、人権関連において、主に欧米諸国でサプライチェーンの透明性向上（開示の強化）とリスク低減策を求める法規制が急速に進展している。対処しない場合には罰則などの重い制裁を受ける可能性があり、違反に対するエンフォースメントも活発化している。

平成 23 年、国連において「ビジネスと人権に関する指導原則」が採択され、企業による人権尊重、救済が規定された。また、平成 23 年に「OECD多国籍企業行動指針」に人権に関する項目が追加された。それらをふまえて英国現代奴隷法（平成 27 年）などが制定され、報告・開示の義務化によって企業の自主的な人権尊重の取組みを促す制度が設けられた。日本でも、令和 2 年、「『ビジネスと人権』に関する行動計画（2020-2025）」が政府より公表され、令和 4 年には「責任あるサプライチェーン等における人権尊重のためのガイドライン」が策定・公表されている。令和 5 年には、ドイツにおいても「サプライチェーン・デューディリジェンス法」が施行された。人権と環境に関するリスク管理、リスク評価、問題の是正などが要求され、違反に対する制裁も定められている。

また、開示に関しては、令和 5 年 1 月に EU において発効した「企業サステナビリティ報告指令」（CSRD）がある。EU 域内の大規模企業を中心とする企業に適用があるため、EU 域内に子会社等を有する場合には適用を受けることになる。さらに、人権デューディリジェンスの義務化に関しては、令和 6 年 7 月、EU において「コーポレート・サステナビリティ・デューディリジェンス指令」（CS3D）が発効しており、これも EU 域内に子会社等を有する場合には日本企業も適用対象となり得る[48]。このような状況を受け、日本企業にとって、グローバル・コンプライアンスないし国際

---

48) 本項(e)につき、KPMG コンサルティング株式会社編・前掲注 26) 67〜69 頁、ベーカー＆マッケンジー法律事務所（外国法共同事業）＝KPMG コンサルティング株式会社編・前掲注 19) 62〜64 頁参照。

第5章　グループ類型ごとのガバナンス

的危機管理、ひいてはグループガバナンスに関する重要なトピックの1つとして、人権関連の開示やデューディリジェンスへの対応の必要性が高まってきている。

2 持株会社形態でのグループ経営とガバナンス

持株会社は、その子会社及び企業グループの支配、管理そのものを事業目的としており、その役割としては、グループ本社として、グループ全体の司令塔となって、グループの経営戦略や中期経営計画を策定し、グループにおける進捗の管理や事業ポートフォリオマネジメント等を行うことになる。特に、純粋持株会社は、自らは収益事業部門を持たず、もっぱら子会社等の支配、管理のみを行っている。これは、持株会社が子会社の経営活動をその指揮下におくことを意味し、子会社にとっては、日常的な経営活動は別論、持株会社の意思に反して、経営の基本方針、中長期的な事業計画、重要な財務や人事など、重要な経営上の意思決定を行うことは許されないことを意味している。つまり、持株会社には、このような子会社に対する指揮権があることが前提となるのであるが、以下では、そもそもこのような指揮権に法的根拠があるのか、純粋持株会社の取締役と事業持株会社を含む親会社取締役との間で、子会社管理に係る義務の程度及び内容は変わってくるのかなどの問題について検討する。

(1) 子会社に対する指揮権に関する法的根拠と経営管理契約

会社法上、持株会社の子会社に対する上記のような指揮権は存在するのであろうか。

もちろん通常は、子会社の取締役は、持株会社により示された方針に沿って経営活動を行い、ときには具体的な指示に基づいて行動している。その限りでは、持株会社の子会社に対する経営上の指揮は子会社を拘束する強制力を有しているといえる。

しかし、このような強制力は、持株会社が子会社の唯一の株主又は過半数の株式を有する支配株主であることによって子会社の取締役の選任・解任を自己の意思に基づいてなし得ることを背景とした事実上の支配力に基

づくものである。

　持株会社による子会社に対する指揮は、子会社取締役にとっては、これに従うことが法的に強制されるものではなく、親会社による支配的影響力の行使によってこれに従うことが事実上強制されているに過ぎない[49]。

　実際上は、株主権に基づく人事権を背景とした事実上の強制力によって、子会社の取締役は親会社の指揮に従うが、海外子会社にあっては、本社からの派遣取締役だけでは業務が回らないことに付け込み、「クビにできるものならクビにしてみろ」と言わんばかりの態度で親会社の指揮に従わないCEOなども出てくることが想定される。

　このような事態に備えるため、事前承認事項や報告事項などを定めたグループ管理規程や職務権限規程などの親会社が定めたグループ内部統制に関する社内規程を子会社においても遵守することなどを定めた経営管理契約をあらかじめ締結するとともに、実際にこのような者が現れた際には、業務に支障をきたさないようにしつつも、速やかに解任を含めた適切な対処を行う必要がある。なお、事実上の支配力あるいは上記の経営管理契約に基づく管理方法のほか、子会社の重要な意思決定については株主総会の決議によることを子会社の定款に定めるなどの方法も一応は考えられるが、ここでは詳述はしない[50]。

　なお、経営管理契約において、上記のような持株会社の子会社に対する経営上の指揮権などを定める場合で、当該契約が持株会社による子会社の支配、管理のために締結される場合、会社法467条1項4号の経営委任契約に該当するものとして、子会社の株主総会の特別決議を経るべきとする見解もある。しかし、子会社に対する経営上の指揮権を定めずに、前記のグループ内部統制に関する社内規程を子会社においても遵守することなどを定める程度では、（社内規程で子会社の日常業務についても意思決定権限を制限するといったことをしない限り）同号の経営委任契約には該当しないものと解される。

---

49)　前田重行「持株会社による子会社の支配と管理―契約による指揮権の確保―」金融法務研究会編『金融持株会社グループにおけるコーポレート・ガバナンス』（金融法務研究会事務局、2006年）48頁。

50)　詳細は江頭憲治郎ほか「持株会社の取締役をめぐる問題①」取締役の法務76号（2000年）11頁以下を参照。

第5章　グループ類型ごとのガバナンス

(2)　純粋持株会社の取締役と事業持株会社を含む親会社の場合

　次に、純粋持株会社の取締役と事業持株会社を含む事業会社の取締役の場合とで、子会社管理に関する義務の程度及び内容は異なるのかという点について検討する。

　純粋持株会社の場合、収益事業は行わず、もっぱら傘下の子会社の支配、管理を業務としているため、純粋持株会社の取締役の方が、事業持株会社を含む事業会社の取締役に比べて、子会社管理についてはより厳格な善管注意義務を負うようにも思われる。

　しかし、純粋持株会社の形態で子会社の管理を行う場合と、事業持株会社を含む事業会社の形態で子会社の管理を行う場合とで、子会社管理の本質に違いはなく、持株会社が収益事業部門を有しているか否かで、子会社管理に関する善管注意義務の程度が高くなったり、低くなったりすることはないと考えられる。

　この点に関しては、親会社取締役に対する子会社管理責任の追及といった会社法的な紛争の局面に限定すれば、問題となった子会社が親会社にとってどのような位置づけであるということ、それから当該子会社との間で適切な役割分担がされているかどうか、適切な体制が構築されているかという点が問題であって、問題とされていないほかの事業が親会社本体にあるか、別の子会社にあるかはあまり意味がない旨を指摘する見解があるが[51]、結論において同旨であると考えられる。

　このように、純粋持株会社の取締役と事業持株会社を含む事業会社の取締役の場合とで、前者が子会社管理に関してより重い善管注意義務を負うことはないとしても、当然、両者の負う善管注意義務の内容は異なり得る。

　すなわち、純粋持株会社の取締役の場合には、傘下にあるグループ会社の経営状況をモニタリングすることが中心的な職務となる。純粋持株会社の取締役は、例えば、子会社の業績や内部統制システムの構築・運用の状況に関する報告を受け、その内容を監視・監督する必要があり、仮に、子会社の業績等に問題や不正の兆候等が生じた場合にはその事象の内容及び

---

51)　舩津浩司ほか「座談会　グループ・ガバナンス強化に向けた企業の取組みと法的論点〔上〕」商事 2113 号（2016 年）16 頁〔舩津発言〕。

原因を解明し、適時適切な対策を講じる義務があるであろう。一方、事業持株会社の取締役の場合には、自らが担当する事業子会社については、当該子会社の管理面のみならず、その事業そのものについても、レポートラインの上位者として善管注意義務があると思われる。このように、事業の内容によって、善管注意義務の内容はそれぞれ異なり得るものである。

3 上場子会社の管理

上場子会社の数・割合は、完全子会社化や子会社株式の売却などにより、緩やかに低下している。平成26年には社数で324社、上場会社に占める割合で9.7％あった上場子会社は、令和6年には社数で230社、上場会社に占める割合で6.0％まで低下している[52]。以下で述べるとおり、上場子会社の独立性に配慮せざるを得ないため、グループ全体で見たときの経営資源を十分に活用しにくく、グループ価値の最大化に必ずしも資さないといった問題などが国内外の投資家等から指摘されており、引き続きこの傾向は続くものと思われる。

上場子会社について子会社管理を実施するに際しては、上場子会社の上場会社としての独立性、上場子会社の一般株主の利益に配慮する必要がある。管理される側もコーポレートガバナンス・コードが適用される上場会社であり、独立社外取締役も存在するのであって、当然、親会社としては、上場子会社を一体管理することはできず、上場子会社自身の内部統制システムを尊重しなければならない。

以下、上場子会社の一般株主と親会社との利益相反リスクについて対応するためのガバナンスの在り方（上場子会社の役員の指名と報酬の在り方を含む）などについて、経済産業省の令和元（2019）年6月28日付「グループガイドライン」等を参照しながら検討する。

(1) 上場子会社をめぐる利益相反構造

親会社は、上場子会社の犠牲の下に、自己に一方的に有利な取引を行う

52）　株式会社東京証券取引所「従属上場会社における少数株主保護の在り方等に関する研究会（第2期）第6回　東証説明資料」（2024年10月17日）6頁。

などして、上場子会社から親会社に利益移転させるリスクが構造的に存在する。仮にそのようなことをされると、上場子会社の企業価値は毀損し、上場子会社の一般株主は株価下落という形で損害を被る。このように、上場子会社においては、支配株主である親会社と上場子会社の一般株主との間に構造的な利益相反リスクが存在する。

こうした利益相反のリスクが顕在化し得る場面としては、以下のようなケースが考えられる。

① 親会社と上場子会社との直接取引
② 一部事業部門の譲渡・関連事業間の調整
③ 親会社により上場子会社の完全子会社化が実施される場合

上記のような場合、その取引条件（対価等）の設定によっては、親会社が一方的に利益を得る一方で、一般株主の利益が害され得る。そのため、上場子会社における実効的なガバナンス体制の構築を通じ、一般株主の利益に十分配慮した対応を行うことが求められる[53]。

(2) 親会社における対応の在り方

親会社は、グループ全体としての企業価値向上や資本効率性の観点から、上場子会社として維持することが最適なものであるか、定期的に点検するとともに、その合理的理由や上場子会社のガバナンス体制の実効性確保（必要な資質を備えた独立社外取締役等の適切な選解任権限の行使に係る考え方）について、取締役会で審議し、投資家に対して情報開示を通じて説明責任を果たすべきであるとされる[54]。

上場子会社を維持することの合理性的な理由については、以下の事項が検討されるべきである。

① グループの事業ポートフォリオ戦略と整合的か
② ベネフィットが制約やコストを上回っているかなど、グループとしての企業価値の最大化の観点から上場子会社として維持することが合理的か

その上で、親会社は、当面、上場子会社として維持する場合には、①上場子会社を維持することの合理的な理由や、②上場子会社のガバナンス体

---

53) 経済産業省・前掲注11) 121頁。
54) 経済産業省・前掲注11) 124頁。

制の実効性確保に関する事項（独立社外取締役の選任など）について、取締役会で審議し、投資家に対して、情報開示を通じて十分な説明責任を果たすことが求められている[55]。

特に、情報開示については、東京証券取引所から、①グループ経営に関する考え方及び方針（事業ポートフォリオ戦略における上場子会社の保有方針等）、②上場子会社を有する意義、③上場子会社のガバナンス体制の実効性確保に関する方策などについて、充実した情報開示が要請されている[56]。

(3) 上場子会社におけるガバナンス体制の在り方

(a) グループガバナンス上のリスク管理（事前協議等）

上場子会社は自ら内部統制システムを備えており、かつ、親会社の利益とは衝突し得る一般株主の利益をも考慮する必要がある。

現状では、完全子会社に対しては多くの事前承認事項や報告事項を定めている会社であっても、上場子会社に対しては、その独立性を尊重し、正式に親会社の取締役会で承認すべき事項は設けないといった扱いをしている例も見られる。

確かに、親会社から上場子会社に取締役として派遣した者を通じてある程度の情報を収集したり、上場子会社の取締役会における議決権の行使を通じてコントロールを効かせることも可能ではある。

しかし、完全子会社と同様の基準は適用しないとしても、グループ経営上重要な事項については、事前承認あるいは事前協議を求めるべき事項もあるであろうし、連結決算上報告を受ける必要のある事項もあるであろう。また、親会社は、グループのリスク管理上必要な事項等については、上場子会社による独立した意思決定が担保されることを前提に、事前の協議を求めることも合理的である。

すなわち、親会社に対しては、グループ全体の内部統制システムの構築・運用が求められており、上場子会社についても適切なリスク管理を行うことが求められるため、上場子会社における大規模な取引やM&Aなど、グループとしてのリスク管理上必要な事項については、上場子会社による

---

55) 経済産業省・前掲注11）126頁。

56) 東京証券取引所 上場部「少数株主保護及びグループ経営に関する情報開示の充実」（2023年12月26日）7頁参照。

第5章　グループ類型ごとのガバナンス

独立した意思決定が担保されることを前提に、事前の協議などを求めることも合理的と考えられる。

また、上場子会社の企業価値に重大な影響を与え得る業務執行に関する決定事項についても、上場子会社による独立した意思決定が担保されることを前提に、事前の協議などを求めることは合理的と考えられる[57]。

そこで、事前承認あるいは事前協議を行うべき事項や報告事項については、あらかじめ契約書を作成し、合意しておくべきである。

(b)　上場子会社自身のガバナンス体制の基本的な考え方

上場子会社においては、親会社と一般株主との間に利益相反リスクがあることをふまえ、上場子会社としての独立した意思決定を担保するための実効的なガバナンス体制が構築されるべきである。ポイントは、この利益相反リスクが顕在化し、上場子会社の一般株主が不利益を被らないようにするための体制づくりをするということである。

この観点から、親会社と一般株主の利益相反が問題となる取引については、上場子会社において独立性を有する者で構成する特別委員会でその是非を審議するという仕組みが現在取り入れられている。すなわち、コーポレートガバナンス・コード補充原則4-8③では、「支配株主を有する上場会社は、取締役会において支配株主からの独立性を有する独立社外取締役を少なくとも3分の1以上（プライム市場上場会社においては過半数）選任するか、または支配株主と少数株主との利益が相反する重要な取引・行為について審議・検討を行う、独立社外取締役を含む独立性を有する者で構成された特別委員会を設置すべきである。」とされており、現在多くの上場子会社でこうした特別委員会が設置されている。その上で、上場会社の取締役会は、特別委員会の意見を最大限尊重し、必要な決議を行わなければならないとするケースもある。

また、どうしても上場子会社の業務執行取締役は、親会社の存在を意識し、忖度する可能性がある。そのため、上場子会社のガバナンスにおいては独立社外取締役の役割が非常に重要となる。

独立社外取締役には、一般に執行陣による業務執行を監督する役割を果たすべく、執行陣からの独立性が求められるが、上場子会社の独立社外取

---

57)　経済産業省・前掲注11）127頁。

締役にはこのような役割に加え、上場子会社としての中長期的な企業価値向上を図るべく、支配株主である親会社との利益相反を監督し、一般株主の利益を確保する役割も期待されるため、支配株主である親会社からの独立性も求められる。さらに、独立社外取締役には、上場子会社の指名委員会・報酬委員会において主要な構成メンバーとなって、上場子会社の企業価値向上やガバナンス強化に向け、経営陣の指名や報酬設計においても重要な役割を果たすことが期待される。

そしてこのような役割を実効性をもって果たすには、独立社外取締役は、親会社に忖度することなく、親会社から高度の独立性を有することが必要となる。そのため、上場子会社の独立社外取締役については、一般株主の利益保護という重要な役割を果たし、一般株主や資本市場からの十分な信頼が得られる必要があるため、少なくとも10年以内に親会社で業務執行を行っていた者は独立社外取締役としては選任しないこととすべきであるとされている[58]。

上場子会社における情報開示に関しては、東京証券取引所より、①親会社におけるグループ経営に関する考え方及び方針（親会社の事業ポートフォリオにおける自社の位置づけ等）、②少数株主保護の観点から必要な親会社からの独立性確保に関する考え方・施策等（特別委員会の設置の有無及びその概要等）などについて充実した情報開示が要請されている[59]。

(c) 会社法上の「親会社」を含む内部統制システム

上場子会社は、自らを含むグループ内部統制システムを構築する義務を有しており、それぞれ現に構築しているものと思われるが、親会社が構築しているグループ内部統制システムと整合性がとれている必要がある。そのため、上場子会社が内部統制システムの構築・改善を行う際には、その内容につき事前に協議を行い、内容のすり合わせを行うべきである。

また、上場子会社にあっては、「その親会社」を含む企業集団の内部統制システムを構築する必要がある（会社法施行規則100条1項5号）。かかる決議においては、例えば、①取引の強要など親会社による不当な圧力に関する予防・対処方法（特に、親会社と上場子会社間の取引が不当に親会社に有利な条件とされないようにするための施策等）、②親会社の役員等との兼任役員

---

58) 経済産業省・前掲注11) 127〜128頁。

59) 東京証券取引所 上場部・前掲注56) 9頁参照。

第5章　グループ類型ごとのガバナンス

等の上場子会社に対する忠実義務の確保に関する事項（兼任役員がどこまで上場子会社の情報を親会社に提供できるかを含む）、③子会社の監査役と親会社の監査役等との連絡に関する事項などが決定されることになる[60]。

また、親会社の内部監査部門による内部監査を受け入れ、内部統制の改善策の指導、実施の支援・助言を受ける旨を規定することもある。

親会社との関係については、以下のような事項を規定することも考えられる。

当銀行並びに親会社及び子会社から成る企業集団における業務の適正を確保するための体制
(1)　日本郵政株式会社、日本郵便株式会社及び株式会社かんぽ生命保険との間で、日本郵政グループ協定を締結するとともに、日本郵政株式会社との間で日本郵政グループ運営に関する契約及びグループ運営のルールに関する覚書を締結し、グループ運営を適切かつ円滑に実施するために必要な事項等について事前協議又は報告を行う。
(2)　子会社等の管理に関する規程を定め、子会社等の業務運営を適切に管理する態勢を整備する。
(3)　グループ内取引の管理に関する規程を定め、グループ内取引を適正に行う。

（株式会社ゆうちょ銀行のHPにて公開されている「内部統制システムの構築に係る基本方針」より抜粋）

(4)　上場子会社における役員の指名の在り方

上場子会社の役員の指名については、支配株主である親会社が実質的には選任権限を有しており、その指名プロセスにも大きな影響を与えているのが実情である。

他方で、上場子会社の役員の指名については、親会社と一般株主との間で構造的な利益相反リスクがあることをふまえ、一般株主の利益にも配慮して、上場子会社の企業価値向上に貢献できる人物を選任することが重要となる。

---

60)　相澤哲＝石井裕介「株主総会以外の機関」商事 1761 号（2006 年）15 頁参照。

この観点からすれば、上場子会社の企業価値向上にとって最適な人選が行われるよう、親会社の有する知見やネットワークを活用する観点からも、候補者選定に関して協議を行う等、親会社と連携して取り組むことは合理的であり、親会社から候補者の提案を受けることも否定されないものの、上場子会社において、その適格性について客観的な判断を行うことが求められる[61]。

　また、コーポレートガバナンス・コード補充原則4-10①では「上場会社が監査役会設置会社または監査等委員会設置会社であって、独立社外取締役が取締役会の過半数に達していない場合には、経営陣幹部・取締役の指名（後継者計画を含む）・報酬などに係る取締役会の機能の独立性・客観性と説明責任を強化するため、取締役会の下に独立社外取締役を主要な構成員とする独立した指名委員会・報酬委員会を設置することにより、指名や報酬などの特に重要な事項に関する検討に当たり、ジェンダー等の多様性やスキルの観点を含め、これらの委員会の適切な関与・助言を得るべきである。特に、プライム市場上場会社は、各委員会の構成員の過半数を独立社外取締役とすることを基本とし、その委員会構成の独立性に関する考え方・権限・役割等を開示すべきである。」とされている。

　上場子会社においても、独立社外取締役が取締役会の過半数に達していない場合には、独立社外取締役を主たる構成員として任意の指名委員会を設置し、そこでの検討結果をふまえて、親会社からの独立性が確保される形で取締役の選任を行うべきである。そして、指名委員会が実効的に機能するためには、その運営において実質的に親会社からの独立性が担保されていることが重要である。

　上場子会社の経営陣が親会社から派遣されるケースも想定されるが、上場子会社の指名委員会は、親会社から独立した独立社外取締役が中心となり、その候補者が上場子会社の企業価値向上に貢献できるかについて厳格に審査し、必要な場合には親会社に対して候補者の再考を促すことも検討されるべきである。親会社の指名委員会において、グループ全体の経営陣の後継者計画等に関する審議に当たって、上場子会社における経営陣の指名や育成の状況について報告を受けることやグループ全体の方針を示すこ

---

61)　経済産業省・前掲注11) 135頁。

第5章　グループ類型ごとのガバナンス

とは問題ないが、上場子会社（の指名委員会）における審議や検討に対し、不当な影響を与えないよう留意すべきである[62]。

(5)　親会社と上場子会社の兼務取締役の善管注意義務

　親会社と上場子会社の取締役を兼務する場合、当該兼務取締役は、上場子会社の取締役としては、親会社のみならず一般株主に対しても善管注意義務を負っている。

　例えば、兼務先の上場子会社が親会社と取引を行うに際しては、当該取引が、上場子会社にとっても何らかの利益になるといえるかどうか（親会社に不当に有利な取引内容・取引条件になっていないか、上場子会社に損害が生じないか）に留意する必要がある。特に、親会社との競合事業の調整（親会社と競合する事業の取止め）や親会社の不採算事業の引取り、子会社による研究成果の提供、親会社に対する情報提供などの場面では注意を要する。

　他方で、親会社に一方的に有利な取引に見えるものであっても、長期的な視点でみたり、他の取引と合わせて総合的に考えると子会社の利益にもなるということは十分に考えられるのであって、ある取引で親会社に一方的に有利であったからといって、子会社の（兼務）取締役の善管注意義務違反になるというのは早計である。ただし、親会社との取引について上場子会社で取締役会決議を行う際には、兼務取締役は親会社における地位など利益相反の程度によっては審議及び議決に参加すべきでないこともでてくるのでこの点にも留意が必要である。

　また、上場子会社の取締役としてインサイダー情報を得た場合、親会社の取締役会等にかかる情報を伝達してよいということにはならない。インサイダー情報を伝達する場合は、親会社の役職員であっても、誓約書等の提出を受けてインサイダーになることを十分に認識させた上で伝達するべきである。なお、上場子会社が親会社に対してどこまでの情報を伝達してよいのかという問題があるが、親会社への情報の伝達に関わる問題については第4章 2 (4)（289頁）を参照されたい。

---

62)　経済産業省・前掲注11）135〜136頁参照。

430

(6)　上場子会社の役員報酬の在り方

　上場子会社の経営陣の報酬については、親会社は、支配株主として株主総会決議を通じて実質的に決定権限を有している。その権限行使に当たっては、一般株主との利益相反リスクに留意し、上場子会社としての企業価値向上に向け適切なインセンティブとなる報酬設計とすることが重要である。

　上場子会社の経営陣の報酬政策については、上場子会社としての企業価値の向上を図る方向で適切なインセンティブが付与されるよう、上場子会社が独立した立場で検討を行うことが求められる。その際、親会社と協議を行うことやグループ全体の報酬ポリシーに沿って報酬額の決定を行うこと自体は問題がないものの、上場子会社としての企業価値の向上への適切なインセンティブとなっていることを確認すべきである。なお、上場子会社の経営陣に対し、親会社株式を報酬として付与することは、上場子会社の利益に対して親会社の利益を優先する不適切なインセンティブを与えるおそれもあるため、基本的には避けるべきである[63]。

　また、前掲のコーポレートガバナンス・コード補充原則4-10①では、独立社外取締役が取締役会の過半数に達していない場合には、任意の報酬委員会を設置することが求められている。

　報酬委員会が実効的に機能するようにするためには、その運営において実質的に親会社からの独立性が担保されることが重要である。この観点から、基本的には、上場子会社の役員報酬は上場子会社の報酬委員会で審議されることが想定されている。

　また、上場子会社の報酬委員会においては、親会社が定めたグループ全体としての報酬政策もふまえつつ、一般株主の利益にも配慮し、上場子会社の企業価値向上への適切なインセンティブとなる報酬設計とすることが期待される。上場子会社の役員報酬について、親会社の取締役会・報酬委員会等の決定・承認を必須の条件とすべきではない。なお、親会社と上場子会社（の報酬委員会）が報酬政策について対話や協議を行う場合には、上場子会社の独立した意思決定が担保されるよう配慮すべきである[64]。

---

63)　経済産業省・前掲注11) 136〜137頁参照。
64)　経済産業省・前掲注11) 137〜138頁参照。

有事への備えと有事対応

第6章　有事への備えと有事対応

リスクが顕在化し、有事になって初めて、誰が、どのような体制で、何を行うのか、その際の連絡はどうするのか等の対応を慌てて考え始めるようでは遅すぎる。

有事においては初期対応が極めて重要であり、何をすべきなのか、何をしてはいけないのか、いかなる対応をとるのか、どのような体制で臨むのかなどについては、あらかじめ検討しておく必要がある。

本章では、（海外）子会社において不祥事やテロ等の危機が生じた場合の対応について、平時における備えと実際に有事になった際の対応とに分けて検討する。

1 　平時における有事への備え

平時における有事への備えはまさにリスク管理の一環として行われるべきものであるが、以下では、そのうち、不正が発生した場合の調査体制と（主として海外子会社を念頭に）役員・従業員の安全管理体制に関する平時の備えについて検討する。

(1) 　不正調査体制の整備

不正ないし違法行為が子会社において発覚した場合、親会社としてはまず事実関係を把握する必要があり、発覚の端緒が何であれ、あるいは、子会社の役員が認識した場合であれ、従業員が認識した場合であれ、正確な情報が迅速に報告される必要がある。

そのため、まずは、いかなる事態が発生・発覚した場合に、誰が、誰（どのレベルの組織）に対して、何を、いかなる手段で報告するのかという情報のルート、報告体制を危機管理規程や危機管理マニュアル等で整備し、それだけでなく、社内セミナー等で普段から周知しておく必要がある。

また、親会社が、上記の報告や内部監査、内部通報等によって不正を認識した場合、どのレベルの組織、役職員が、いかなる基準で、どのような対応をとるのか等の処理フローについても危機管理規程やマニュアル等で定めておく方がよい。社内不正調査を行う場合、親会社のどの部署が所管するのか、あるいは子会社が所管するのか、外部専門家を起用する場合の

434

候補先等についても、あらかじめ検討しておく方が望ましい。

さらに、不正が発生した場合に、当該不正が発生した子会社（拠点）のみで対処されることになると、揉み消しや隠ぺいなどの不適切な対応がなされるリスクが高まるため、社内不正の疑いが覚知された場合には、日本本社又は地域統括拠点等の他の拠点が関与した上で対応を行う体制が整備されていることが望ましい[1]。

なお、上記は、親会社に対する情報提供について、契約ないし子会社における規程の整備が行える場合（完全子会社の場合が典型）についてであり、上場子会社については、有事といえども親会社に対して何でも情報提供できるというわけではない。しかし、上場子会社についても有事の際に親会社といかなる連携体制をとるのかについては平時から検討しておくべきである。

⑵　役員、従業員の安全管理体制の整備（主として海外子会社を念頭に）

日本企業の拠点が海外支店等である場合はもちろん、現地法人化し、海外子会社となっている拠点においても、各社の実情に合わせて、そこでの従業員、帯同家族、海外出張者等に対する安全対策や危機管理体制の構築は平時から行っておく必要がある。

平時における危機管理体制の構築の一環として、例えば、以下のような施策が考えられる[2]。

> ①　安全対策を所轄する組織の組成
> ・海外安全対策委員会等の設置（委員長は経営トップとし、人事部、総務部、経営企画部などからも委員を出す横断的組織とする）。
> ・海外安全対策委員会と各社内組織、外務省や警察等の政府組織、弁護士事務所等の外部組織との関係、連携の検討（安全対策に関する体制図の作成）。

---

1)　小松岳志＝眞鍋佳奈「東南アジアにおける社内不正対応とグループ・コーポレートガバナンス」商事 2149 号（2017 年）35 頁。

2)　有限責任監査法人トーマツ エンタープライズリスクサービス編『海外子会社管理の実践ガイドブック──ガバナンスから内部統制・コンプライアンスまで』（中央経済社、2015 年）56〜58 頁を参照して筆者において再構成した。

第6章　有事への備えと有事対応

② リスクに関する評価・分析・対応策の立案
・海外安全対策委員会が中心となって、海外拠点における安全に関わるリスクの洗い出しと評価・分析を行う。
・その結果をふまえて、対応策を立案・決定する。
・安全マニュアル等の制定/改廃
③ 情報収集・分析・対応
・海外に駐在、出張する従業員、帯同家族、関係会社従業員の氏名等を日々正確に把握する。
・各海外拠点の政治、経済、社会情勢、治安状況等の関連情報をリアルタイムで、海外拠点や外務省等の関係当局からの情報収集を含め、情報の収集・分析を実施する。
・その結果は、適宜委員長等の経営トップに報告し、対応の要否・内容等を協議、決定する。必要に応じて、外務省、警察等の政府機関、弁護士等の外部機関と情報を共有し、連携する。
・海外拠点の従業員等からの要望等を聞き、必要に応じて対応を速やかに行う。
④ 帰国指示等
・海外情勢や治安状況等の変化に伴い、注意喚起、特定国・地域への渡航禁止、特定国系施設への接近禁止、特定航空会社等の使用禁止、帰国指示等を決定し、伝達する。
⑤ 教育、訓練の実施
・海外拠点の役員、従業員、家族等に対する安全に関連する教育、啓もうのためのセミナー、講習会等の実施。
・避難訓練等の各種訓練の計画、実施
⑥ 企業グループの各社における安全対策に関する検証・勧告等
・海外拠点でそれぞれ実施している安全対策の内容の検証、勧告等。

2 有事対応

　東京証券取引所の策定した上場会社の不祥事対応のプリンシプルや、福岡魚市場事件、ダスキン事件、東洋ゴム（現 TOYO TIRE）事件といった裁判例をふまえ、子会社で不正あるいはその兆候が発覚した際に、親会社としての対応のあり方を考察する。

(1) 不正の兆候を発見した場合の対応

　親会社の取締役としては、子会社において不正行為が発生することを予見させるような特別な事情に接した場合、すなわち、海外子会社を含む企業グループを管理する内部統制システムを整備して、それが機能しているかを監視する過程において、子会社側で不正の兆候があるといった情報に接したような場合には、問題を是正するための適切な措置を講じることが任務となる。例えば、以前に同様の手法で不正行為が行われたことがある場合、自社グループの内部通報において同種事案の通報が複数寄せられていたことや、行政官庁から同種事案について処分されたことがある場合、さらには、同種事案で顧客との紛争や取引先からのクレームが相当数存在していたことが判明したような場合には、親会社取締役としても、グループ内部統制システム及び子会社の内部統制システムに不備がないかの確認・是正をさせるとともに、当該問題の原因解明と改善を行わしめるべきである。親会社取締役が、子会社の兼務取締役である場合は、これらの改善プロセスにおいてより積極的な役割が期待される。

　また、福岡高判平成24年4月13日金判1399号24頁〔福岡魚市場事件〕は、「控訴人ら〔親会社取締役〕は、フクショク〔子会社〕に不明瞭な多額の在庫があるとの報告を受け、その後も、在庫や借入金が急速に増加し、その状況が一向に改善しない等の状況を認識していながら、何らの有効な措置を講じないまま、経営破綻の事態が差し迫った状況になった後に、支援と称して本件貸付等〔親会社から子会社への貸付等〕を行ったのである。また、フクショクの再建にはその経営困難に陥った原因解明が必要不可欠であったのに、それをなさないで、そして現実の経営回復の裏付けがないため回収不能による多大な損失が出ることが当然予測されることが認識できたのに、本件貸付けなどの支援をフクショクに行ったことは、福岡魚市場〔親会社〕の取締役としての経営判断として合理性はなく、正当なものであったなどとは言い得ないことは明らかである。」と判示している。この判示からすると、子会社に不明瞭な多額の在庫があることや、子会社の在庫や借入金が急速に増加し、その状況が一向に改善しないといった状況が判明した場合にも、親会社取締役としては、問題解決に向けた適切な措置を講じるべきということになろう。

第6章　有事への備えと有事対応

(2)　不正などの不祥事が発覚した場合の有事対応

　企業における有事対応において最も重要なのは、社内あるいはグループ内における不祥事等の発生又はその疑いを察知した場合、速やかに事実関係を調査し、当該事案の根本原因（root cause）の究明と再発防止策の検討を行うとともに、十分な説明責任を果たすことであり、これらの一連の対応は、問題に直面した企業が多様なステークホルダーからの信頼を回復し、それを通じた中長期的な企業価値の維持・向上を図ることを目的に行われるべきものである[3]。

　不祥事が発覚した場合、その後の会社の対応いかんによって、会社に生じるダメージないし損失の大きさは随分変わってくる。それだけ有事対応が重要ということであるが、これは、子会社において不祥事が生じた場合も同様である。以下では、初期対応、情報伝達ルート、有事対応チームの組成・親会社の指揮、事実調査、情報開示などについて、網羅的に論じるのではなく、特に留意すべき点を中心に検討する[4]。

(a)　初期対応

　不祥事の端緒を把握した場合、まずは情報収集が必要となるが、前記のとおり、平時の段階から、情報ルートを確立しておく必要があるが、そのルートに従って、関連情報を集約する。事案の性質や重大性などにもよるが、重大事案については親会社の経営トップに報告され、その経営トップが関連事項について判断を下していくことになる。

　その後、初期対応としての事実調査を実施し、本格的な調査・対応の要否について検討し、これが必要ということになれば、経営トップをリーダーとする対策チームを組成することになる。広報対応も重要となるため、親会社の広報担当役員などもチームに入れておく。

　独立社外取締役・監査役に対しては、可能な限り速やかに事案の発生と把握している事実関係を第一報として報告するとともに、事案の進展に応じて適宜報告を行い、助言等を仰ぐ。

---

3)　経済産業省「グループ・ガバナンス・システムに関する実務指針（グループガイドライン）」（2019年6月28日）95～96頁。

4)　本項(2)については、中村直人編著『コンプライアンス・内部統制ハンドブック』（商事法務、2017年）258～300頁〔松本真輔〕、中村直人編著『コーポレートガバナンスハンドブック』（商事法務、2017年）312～313頁〔西本強〕参照。

438

また、初期対応として重要となるのが証拠の保全と被害の拡大防止措置である。PCなどの端末を押さえることのほか、ハードコピーの資料等についても広めに保全する。後に保全行為自体が違法だといわれないように、子会社の所在国の弁護士や会計士等の専門家に保全の範囲・方法については相談を行う。被害が刻々と生じている場合には、これを直ちにとどめる方策を講じ、いわゆる止血を行う。

(b) 事実調査

有事対応においては、事実調査が、原因の究明や再発防止策の策定、開示など全ての施策の基礎となる。

日本取引所自主規制法人が平成28年2月24日に公表した「上場会社における不祥事対応のプリンシプル」では、不祥事又はその疑義が把握された場合、必要十分な調査により事実関係や原因を解明し、その結果をもとに再発防止を図ることを通じて、自浄作用を発揮する必要があるとされており、そのために、①不祥事の根本的な原因の解明、②第三者委員会を設置する場合における独立性・中立性・専門性の確保、③実効性の高い再発防止策の策定と迅速な実行、④迅速かつ的確な情報開示を行うという4つの原則が挙げられている。そして、原則①においては、「必要十分な調査が尽くされるよう、最適な調査体制を構築するとともに、社内体制についても適切な調査環境の整備に努める。その際、独立役員を含め適格な者が率先して自浄作用の発揮に努める。」とされている。

このプリンシプルでも挙げられているが、不祥事を把握した場合、まずは実態解明のために調査を開始することになる。調査の最終的な目的は、実効性の高い再発防止策を実施することにあり、そのためには、不祥事の根本的な原因の解明が必要である。

そして、根本的な原因を解明するためには、それを可能にするための調査体制の構築及び調査環境の整備が重要である。

調査体制については、子会社主導で行うと、証拠隠滅、隠ぺい等の可能性が高まるため、(上場子会社を除き)親会社の主導で調査体制を組むべきである。より具体的には、①社内の役職員のみで社内調査を行う、②社内調査に外部の専門家等を調査メンバーに加える、③日弁連ガイドラインに準拠する形で第三者委員会を設置するといった選択肢が想定される。その上で、必要に応じて、子会社の役職員等に調査への協力をさせるべきであ

第6章　有事への備えと有事対応

る。不祥事に少しでも関与した可能性のある者、不祥事が行われた時期に
（内部）監査を行っていた者など、調査の客観性を害する可能性のある者は
調査の実施者としては関与させない。なお、上場子会社の場合には、自ら
の調査体制を構築することになり、親会社は当該調査体制に不備はないか
の監視等を行っていくことになる。

　近時、第三者委員会の設置が盛んに行われているが、何でもかんでも第
三者委員会を設置しなければならないというわけではない。不祥事の内容
（経営者が不正に関与しているか等）、性質（一般の被害者が存在するか等）、重
大性（被害金額の規模等）などの事情を考慮しつつ、弁護士等の専門家にも
意見を聞きながら、調査体制を決めていくことになる。会社経営者の関与
が疑われる場合や被害者が一般の消費者や株主等に広がりを有する場合、
会社に多大な損害を生じさせる可能性がある場合などには、調査の信頼性
と客観性を高めるべく、第三者委員会の設置が検討されることになる。

　なお、調査の過程では、多くの関係者に対してヒアリングが実施される
ことになるが、事実調査中に、調査の内容等が外部に意図せぬ形で漏れる
と、社内が動揺し、業務に支障が出るほか、場合によっては不祥事の内容
がインサイダー情報に該当する可能性もあるし、証拠隠滅等が行われる可
能性もある。特に、海外子会社では、情報漏えいに対して抵抗を感じない
可能性もある。そのため、不祥事及び調査に関する情報は厳格に管理する
必要がある。

(c)　関係者の処分・再発防止策の策定と実行

　調査終了後は、認定された事実関係に基づき、不正行為を行った者、そ
れに関与した者、監督責任が問われるべき者等に対して、処分等（役員報
酬の自主返上を含む）が行われる。

　また、再発防止策の策定と実行も行われることになるが、調査によって
解明された根本的な原因に即した再発防止策が策定されているか、再発防
止策が、表面的・形式的なものにとどまらず、実効性の高いものとして実
行されているかなどについて、親会社の取締役会等においてもしっかり検
証されなければならない。

(d)　公表・情報開示

　不祥事が把握された段階から、再発防止策を実施し、その運用状況の検
証段階に至るまで、必要に応じて迅速に、情報開示を行う必要がある（「上

場会社における不祥事対応のプリンシプル」の原則④)。会社の信頼回復のためには、適時適切な情報開示は重要なファクターである。最低限の適時開示事項のみならず、例えば、調査体制・調査期間・調査範囲等についてその根拠を含めて開示する、第三者委員会を設置する際には、委員の選定プロセスや独立性・中立性・専門性に関する考え方も併せて開示する、事態の進捗に応じて状況や調査結果を開示する、再発防止策の内容やその後の実施状況についても開示する、といった対応が考えられる[5]。

　ただし、グローバルに事業展開している企業においては、第三者委員会の活用や調査報告書の公表の在り方を検討するに当たって、米国のディスカバリー制度等における訴訟対応への影響をふまえることも重要である。こうした検討により、ステークホルダーの信頼回復のために十分な説明責任を果たすという要請と、米国におけるクラスアクション等も想定した適切な訴訟対応の要請とを比較衡量の上、仮に調査報告書を公表しない、あるいは要約版を公表する等の判断をした場合には、その判断についても十分な説明を行うことが検討されるべきである[6]。

(e)　親会社の取締役の責任

　親会社の基本的な役割は、グループ内部統制システムの総元締めとして、当該子会社における対応状況をモニタリングするとともに、その経営陣の責任追及や再発防止策の有効性や実施状況の確認等を含むグループとしてのガバナンス機能の回復・強化（つまり、内部統制システムの再構築）であり、親会社の取締役等の責任は、こうした役割を適切に果たしているかという観点で判断されるべきである。独立した業務運営が行われている子会社において不祥事等が発生した場合でも、直ちに親会社の経営陣自身が辞任等の形で「責任を取る」ことまで求められる風潮は、前述のようなグループ内部統制システムに関する基本的な考え方をふまえれば合理的なものとはいえない[7]。

---

　5)　田中大介「『上場会社における不祥事対応のプリンシプル』の解説」監査役654号
　　（2016年）62頁参照。
　6)　経済産業省・前掲注3) 100～101頁。
　7)　経済産業省・前掲注3) 101～102頁。

第7章

子会社不祥事の事例と教訓
(ケーススタディ)

第7章　子会社不祥事の事例と教訓（ケーススタディ）

　本章では、実際に子会社で生じた不祥事に関して公表された調査報告書を題材として、事案の概要、不祥事の発生原因、再発防止策及び留意点、子会社管理・グループガバナンスという観点からの指摘事項等について整理・検討する。

　なお、初版時に検討した5事例に加えて、近時公表された子会社における不祥事に関する13の調査委員会報告書に関する検討を追加した。

　本章で取り上げる調査委員会報告書を問題となった不祥事の類型ごとに整理すると以下のとおりである。

不祥事類型	対象会社	公表時期	事案の特徴
検査、品質不正	東レ	平成29年12月	品質保証室長によるデータ書換
	住友ゴム工業	令和3年11月	駐在員の指示による検査不正
	川崎重工業	令和5年3月	品質保証部門の主導する検査不正
会計不正	タマホーム	平成26年2月	不正な売り上げ計上
	シャープ	令和3年3月	子会社化直後の会計不正
	ラサ商事	令和3年8月	子会社化以前からの会計不正
	ナイガイ	令和元年11月	複数の子会社での会計不正
	ホシザキ	令和元年5月	複数の販売子会社での不正
海外子会社会計不正	イオンフィナンシャルサービス	平成25年10月	海外子会社トップによる会計不正
	KDDI	平成27年8月	買収後の不正発覚
	富士フイルム	平成29年6月	海外子会社2社における会計不正
	理研ビタミン	令和2年9月 令和2年11月	元国営企業という特殊性から海外子会社に経営陣を派遣せず
	東洋機械金属	令和5年7月	海外子会社の幹部職員（現地採用）による意図的な不正行為
その他不正	NTT西日本	令和6年2月	顧客情報の漏えい
	九州旅客鉄道	令和6年11月	高速船の浸水の隠蔽
	東亜建設工業	令和5年12月	複数役職員によるキックバック、着服

その他海外子会社不正	DTS	令和6年8月	取引先からのキックバック及びそれを原資とする外国公務員への現金交付（贈賄）
	天馬	令和2年4月	外国公務員への現金交付（贈賄）及びその追認

1 富士フイルムホールディングス

　富士フイルムホールディングス株式会社（以下「FH」という）は、平成29年6月12日、海外子会社における会計不祥事に関する第三者委員会の「調査報告書」を公表した。

(1) 事案の概要

(a) FHグループの全体像

　FHは、FHグループの2大事業会社である富士フイルム株式会社（以下「FF」という）及び富士ゼロックス株式会社（以下「FX」という）並びに富山化学工業株式会社等を傘下とする持株会社であり、平成28年3月31日時点における子会社数は285社（うち連結子会社271社、持分法適用会社14社）、関連子会社数は27社（全て持分法適用会社）である（【図表7-1】参照）。

【図表7-1】　FHグループ全体図

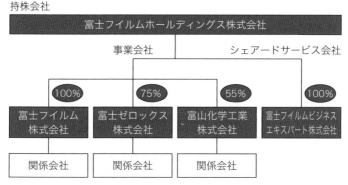

第 7 章　子会社不祥事の事例と教訓（ケーススタディ）

　FH は、昭和 9 年 1 月に写真フィルムの製造・販売等を目的に設立された「富士写真フイルム株式会社」が、平成 18 年 10 月に持株会社体制に移行する際に商号変更した会社であり、その際、「富士写真フイルム株式会社」の写真フィルムの製造・販売等の事業を継承したのが FF である。FF は FH の 100％子会社であり、現在の FF 取締役 13 名のうち 9 名が FH 取締役を兼任するなど、FH と FF は一体ともいうべき関係にある。

　他方、FX は、昭和 37 年に FH と英国企業が合弁（出資比率は 50％ずつ）で設立した会社であり、オフィス用複写機・複合機、プリンタ等の製造・販売等を目的としている。FH は、平成 13 年 3 月に FX の発行済株式総数の 25％を追加取得し、出資比率 75％の連結子会社として現在に至っている。FX 取締役 12 名のうち、25％出資の実質的株主（以下「XC」という）が指名する取締役が 3 名いるほか、FH と兼務する取締役は 2 名に過ぎず、FH と FX の関係は、FH と FF のような一体ともいうべき関係ではない。

　FX では、アジア・オセアニア地域の販売子会社を統括することを目的とする地域統括会社（以下「FXAP」という）をシンガポールに置いている。シンガポールには、FX の内部組織として、アジア・パシフィック地区全体のマーケティング戦略を立案し、各販売会社の販売計画・利益計画達成支援を実施することを基本的役割とするアジア・パシフィック営業本部（APO）も置かれており、両者は特段の区別されることなく業務を行っている（例えば、FXAP の CEO は APO 営業本部長が、FXAP の CFO は APO 経理部長が務めている）。

　FXAP の傘下に、ニュージーランドにおける販売会社とファイナンシング会社（以下、2 社を併せて「FXNZ」という）、オーストラリアにおける販売会社とファイナンシング会社（以下、2 社を併せて「FXAU」という）があり、いずれも FXAP の 100％子会社である（【図表 7-2】参照）。

446

【図表 7-2】 FX と FXAP・FXNZ・FXAU の関係

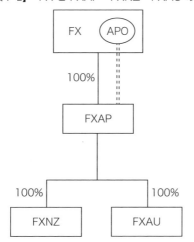

(b) 不正行為の概要
① FXNZ における不正行為の概要

FH は、FXNZ の平成 23 年 3 月期から平成 28 年 3 月期の財務諸表数値を見直し、(i)リース取引に係る不正な会計処理の修正、(ii)契約未締結売上・機器未設置売上の取消し、(iii)DSG 調整の取消し、(iv)決算時の業績調整の取消しにより、株主資本修正額（持分割合 75％換算）として 238 百万 NZ ドル（185 億円）の修正額を計上する方針を公表した。

i リース取引に係る不正な会計処理

FXNZ では、顧客の機器利用量に応じてリース料を変動させるリース商品を開発・取引しており、米国会計基準における販売タイプリース（キャピタルリース）と分類して財務数値を作成していたが、それらの中には販売タイプリースの要件を満たしていないためオペレーティングリースに分類すべきものが多数含まれていた。オペレーティングリースでは、リース料受取に伴い収益を計上するのに対し、販売タイプリースでは、取引開始時にリース資産の売却額相当を一括収益計上し、その代金をリース契約期間にわたって回収するため、どちらのリースに該当するかによって収益計上時期に重要な影響を与える。FXNZ では、これらを販売タイプリースと分類した上、ターゲットボリュームや残存価額の過大見積り、契約ロールオーバー、スポンサーシップ費用や他社精算費用の加算などにより売上を

第7章　子会社不祥事の事例と教訓（ケーススタディ）

過大計上していた。

ii　契約未締結売上・機器未設置売上の計上

FXNZ では、リース資産が顧客に出荷又は顧客の事業所に納入される前に ORS（ファイナンスリース契約時に認識する機材売上）収入及び対応する原価を計上していた（一部に架空取引を含む）。

iii　DSG 調整

FXNZ では、顧客の機器利用量に応じてリース料を変動させるリース商品について、契約当初の想定サービス利用量に基づき売上を計上しており、実際のサービス利用量が想定に達しない場合でも、DSG 調整と称する仕訳を計上することで、契約当初に計上した売上を取り消していなかった。その結果、売上が過大計上されることになり、過大計上分のリース債権について回収可能性に疑義が生じていた。

iv　決算時の業績調整

FXNZ では、業績を調整する目的で、費用の繰延処理等の不適切な会計処理を実施していた。

②　FXAU における不正行為の概要

FH では、FXAU の平成 24 年 3 月期から平成 28 年 3 月期の財務諸表数値を見直し、(i)リース取引に係る不正な会計処理の修正、(ii)R&O スプレッドシートで管理されていた項目の修正、(iii)その他修正により、株主資本修正額（持分割合 75％換算）として 111 百万豪ドル（96 億円）の修正額を計上する方針を公表した。

i　リース取引に係る不正な会計処理

FXAU では、顧客の印刷等のオフィス業務を包括的又は一部を引き受ける契約（GS 契約）とそれ以外の機器やサービスを含む枚数当たり単価を決める契約（Non-GS 契約）を扱っており、米国会計基準におけるキャピタルリースと分類して財務数値を作成していたが、GS 契約の一部と Non-GS 契約はキャピタルリースの要件を満たしていないため、オペレーティングリースに分類すべきものが多数含まれていた。FXAU では、これらをキャピタルリースと分類した上、売上を過大計上していた。

ii　R&O スプレッドシートにおける費用繰延等

FXAU では、財務諸表に対する「リスク」となる項目を R&O スプレッドシートと呼ばれる管理表を用いて管理・報告していたが、当期の発生費用

448

を計上しないで翌期以降に繰り延べ、翌期以降に実現する売上を見越して計上するなどしていた。

iii　その他修正

FXAU において従来記載誤りとしていなかったものの、外部監査人等から過年度財務諸表の修正が必要であると判断された項目があった。

(c)　不正行為が発覚した経緯

①　平成 21 年 9 月の APO による内部監査

APO の内部監査部は、平成 21 年 9 月、FXNZ の監査を行い、FXNZ のリース契約の一部（MSA 契約と呼ばれる類型）がキャピタルリースの要件を満たしていないことを発見し、監査意見において、FXNZ は MSA 契約の売上認識の適切性について APO 経理部と協議すべきこと、発見された MSA 契約についてオペレーティングリースとして計上すべきことを Top Priority として指摘した。

これを受けて、APO 経理部は、監査法人の意見を取得すべきとの見解を示し、2 つの監査法人から、FXNZ はキャピタルリースとして計上することが合理的であるとする意見書を取得した。しかし、それらの意見書において合理的とされたのは、意見書取得に際して提供された標準契約書に基づくリース契約についてのみであった。

そのため、APO 内部監査部（s 部長）は、キャピタルリース要件を満たさない既存の MSA 契約について会計処理を修正すべきと強く主張したが、APO 経理部は、将来分については標準契約書に厳格に従うことを条件に売上計上を認め、既存の MSA 契約について会計処理の修正は行わないことを決定した。さらに、標準契約書に厳格に従うという条件を遵守させるための特段の対応も行わなかった。

②　平成 21 年 11 月から平成 27 年 7 月までの状況

FXNZ は平成 22 年 4 月から 48 か月連続で業績目標を達成し、当時 FXNZ のマネージングディレクター（MD）であった A 氏は 3 回表彰された。その間、FXNZ における MSA 契約は急増した。

APO 経理部長と意見の合わなかった内部監査部長 s 氏は、平成 24 年夏に FXAP（シンガポール）から FXP（フィリピン）へ異動となった。

また、後任の APO 内部監査部（t 部長）は、平成 26 年 2 月に FXNZ に対して内部監査を行ったが、APO 経理部長から複数回にわたり監査報告の修

第 7 章　子会社不祥事の事例と教訓（ケーススタディ）

正を求められ、指摘事項のレベルが Top Priority から Need to improve に格下げされるなどした。t 氏は、同年 7 月に退職した。

③　平成 27 年 7 月の告発メール対応

　FX 副社長及び XC 幹部は、平成 27 年 7 月、FXNZ について MSA 契約のターゲットボリュームを水増しして売上を過大計上する不正会計を行っている等の指摘がされた告発メールを受領し、株主対応（FH 及び XC への対応）を担当していた FX 副社長の下で FXNZ への調査等の対応が進められることとなった。

　これを受けて、APO 内部監査部（x 部長）らは、FXNZ の監査を行い、MSA 契約のターゲットボリュームの水増しによる過大売上の計上という告発メールの指摘どおりの実態を把握し、同年 8 月、FX 副社長及び専務らに対し、監査結果を報告した。

　しかし、FX 副社長は、監査法人からの指摘がないことを確認した上、監査報告書及び XC への回答は問題ないとして回答するが、その後の処理はしっかり行うという方針を指示した。FX 社長に対しても、当該方針に従い、問題はなかったという報告がされた。

④　平成 28 年 3 月期「監査リスク」対応

　APO は、FXNZ の CFO を退職させ、平成 28 年 1 月から後任 CFO として K 氏を派遣したところ、K 氏は前任者が報告していなかった会計事務所からの平成 27 年 9 月 3 日付レターを発見した。同レターには処理すべき損失等が指摘されており、K 氏らは、平成 28 年 3 月期に必ず処理しなければ監査法人から指摘される可能性が高いものを選定し、監査対応として合計 35.7 百万 NZ ドルの損失処理が必要であると APO へ報告した。

　しかし、FX 専務は報告に対して「どこまで保守的に見てるんだ」等と述べた上、損失処理額について監査で指摘されるリスクを精査してランク分けすること等を指示した。FX 副社長及び専務は、ランク分けの結果、最終的に最重要と整理された 32.5 百万 NZ ドルのみを平成 28 年 3 月期に処理することを決定し、FX 会長及び社長に対しては、副社長及び専務の指示により決定された処理額のみが報告された。

　その後、FXNZ 等で多額の損失が生じた経緯を明らかにするため、シンガポールの法律事務所の調査が行われることとなり、その報告書において、FXNZ が採用してきた過度にアグレッシブな会計処理の結果として損失が

450

発生しており、A氏が醸成した売上至上主義に起因する等と結論づけられた。また、売上至上主義の風潮は厳しい数字を押し付けたAPOのプレッシャーも原因であるとも言及されている。

FX副社長は、上記報告を受けてA氏を解任する方向を示し、平成28年4月、FX会長及び社長にも報告の上、A氏を退職させることが決定した。同年5月、A氏との間で退職合意書が締結され、任期を全うした場合の報酬及び退職金当（約103万豪ドル、8800万円）が支払われた。

⑤ FX社長による調査指示

FX社長は、平成28年3月期と同様の事象が再発しないように、FX経営監査部に対し、FX経理部と協力してFXNZの現地調査をするように指示を出した。また、FXNZが赤字構造に陥っている原因についても検討するよう指示が出され、同年8月、将来損失として70百万NZドルの損失が生じることが報告された。

その後、ニュージーランドの経済新聞において、FXNZは数年にわたり売上を不正計上してきたとする特集記事が掲載され、捜査当局から資料提出指示を受け、会計監査人からも説明を求められた。さらに、調査会社及び英国の投資家からFHに対し、FXNZの報道に関して問い合わせがなされた。これらの問い合わせに対し、FX副社長及び専務は、報道にあるような不正の事実はないと回答するよう指示した。なお、その間、FH監査部からもFX経営監査部に対して質問状が出されていたが、FX副社長は、FXは独立した会社であるとコメントし、FH監査部へ回答する必要はないと指示した。

FX経営監査部は、FX社長に対し、指示されたFXNZ調査のフォローアップ監査の結果を報告したが、FX社長は納得せず、繰り返し継続調査を命じた。

⑥ 会計監査人の変更と不正の疑義に関するレター

FHでは、会計監査人の継続監査年数等を考慮し、平成28年6月開催の定時株主総会終結の時をもって会計監査人を交代することとし、平成29年3月期をもって会計事務所を変更した。それに伴い、FF及びFXにおいても会計事務所を変更した。

後任の会計事務所は、ニュージーランドの経済新聞で会計不正を告発する記事が掲載されたことを受けて、FX法務部やFXNZ経営陣へのインタ

451

第7章　子会社不祥事の事例と教訓（ケーススタディ）

ビューを行ったが、問題ないという虚偽の説明を受けた。その後、前任会計事務所の監査調書をレビューし、追加的な監査手続を実施する中で判明した事実をふまえて、平成29年3月、不正の疑義に関するレターを提出した。

　FHは、平成29年4月20日、「第三者委員会設置及び2017年3月期決算発表の延期に関するお知らせ」を開示し、同年4月27日に予定していた決算発表を延期した。

(2)　調査報告書で特定された不祥事の原因

(a)　FXNZにおける問題点

　調査報告書では、FXNZにおける不適切な会計処理の発生原因として、以下の点が指摘されている（調査報告書72頁以下）。

---

① インセンティブ
　FXNZでは、売上達成を重視して算定されたコミッションやボーナス等のインセンティブの仕組みが導入されていた。そのため、A氏を含む役職員が、より高い売上高を求めて売上至上主義がエスカレートしていったものと推測される。
② 報告ラインの集中
　FXNZ内部では、エグゼクティブ・オフィサーが取締役会ではなくMDであるA氏に直接業務の報告をしていたとみられ、全ての社内の報告ラインがA氏に集中することで、権限が集中し、取締役会による監督が有効に機能していなかったものと考えられる。
　また、APOに対するFXNZの報告が、A氏からAPOのCEOに対して行われ、年次マネジメントレターはA氏からFX社長に直接提出されていたとのことであり、グループの親会社等への報告ラインがA氏に集中し、情報のラインが集約されているため、牽制機能が効かず透明性に抱えていたものと考えられる。
③ 売上至上主義の社風
　FXNZの社風として売上至上主義という考え方があり、グループとしても日本国内の売上が伸びない中でFXNZの売上に対する期待があり、インセンティブ報酬等を通じてFXNZの売上至上主義の社風を形作ったと考えられる。A氏自身も売上拡大について強いリーダーシップをとっていたものと考えられる。

---

1 富士フイルムホールディングス

④ 取締役会による適切な監督の欠如

　FXNZ の取締役会の開催頻度は、年次計算書類の承認のための 1 回を含む年 2 回程度（書面決議も含む）であり、その内容も書類の承認程度で業務報告がなされる体制にはなっておらず、取締役会が実質的に機能していなかった。

⑤ 委員会・担当部署（経理）の機能不全

　FXNZ の機関として、取締役会の下部組織である各種委員会が設けられていたはずだが、実際には、コンプライアンス委員会やリスク管理委員会等がガバナンス機能を十分に発揮していなかった。また、CFO を始めとする本来専門的な会計知識を有しているべき経理部門は、会計処理の適切性を担保して牽制機能を発揮することができなかった。

⑥ 内部規程の整備不足及び違反

　FXNZ における不適切な会計処理は、様々な会計方針・規程に違反していた。そのほか、契約締結、顧客の信用状態の把握等においても内部規定に違反していた可能性がある。

⑦ 内部通報制度

　FX グループ及び FXNZ の内部通報制度は実質的に機能していなかった可能性が高い。

⑧ グループ内の子会社管理体制の不備

　FH においては、APO 傘下の子会社に対する管理については APO に委ねる体制となっており、直接管理する体制となっていなかった。また、APO においても、ニュージーランドとの物理的距離や内部監査の人員不足等により、FXNZ に対する管理体制が十分ではなかった。

(b)　FXAU における問題点

　調査報告書では、FXAU における不適切な会計処理の発生原因として、以下の点が指摘されている（調査報告書 101 頁以下）。

① 契約書の承認プロセス

　A 氏が FXAU の MD に就任後、標準的契約以外の契約（特にセット販売の契約）については FXNZ から移籍した従業員に報告・許可を求めるといった不透明な取り扱いがなされていたようである。

② インセンティブ報酬

　一部の従業員に支払われたインセンティブ報酬が不適切な会計処理を

453

第 7 章　子会社不祥事の事例と教訓（ケーススタディ）

誘発した可能性がある。

③　信用リスクについての不適切な判断プロセス

クレジットチームが顧客として不適切と判断した場合でも特定の者の判断により取引を行うなど、信用リスクについての規程が遵守されていなかったようである。

④　不適切な組織運営及び組織変更

A 氏がトップになって以降、正式な ELT（経営幹部チーム）会議はあまり開催されなくなり、財務部内のコマーシャルチームや法務部の従業員を販売チームに異動させるなど、ガバナンスやチェックアンドバランスが効きにくい組織となっていた。

⑤　売上至上主義の社風

組織的ガバナンスが働かない中で、A 氏による売上至上主義の社風が広まっていった。その原因として、日本国内の売上が伸びない中で FXAU の売上に対する大きな期待があったこと、インセンティブとして目標値達成によるボーナスが報酬の大きな割合を占めており、そのうち売上の考慮割合も大きかったことが売上至上主義につながったと考えられる。

⑥　グループによる子会社管理体制の不備

FH グループの子会社管理体制として、APO 傘下の子会社に対する管理については APO に委ねる体制となっており、直接管理する体制となっていなかった。また、APO においても、ニュージーランドとの物理的距離や内部監査の人員不足等により、FXAU に対する管理体制が十分ではなかった。内部通報制度も整備はされていたが、海外子会社から直接の通報があった形跡はない。

(c)　APO における問題点

調査報告書では、APO において FXNZ 等の不適切な会計処理を防止できなかった理由として、以下の点が指摘されている（調査報告書 143 頁以下）。

①　APO 内部監査部の独立性の欠如

平成 21（2009）年 9 月に行われた APO 内部監査部による内部監査において会計処理の修正が必要であることが指摘されていたにもかかわらず、経理部長は既存のリース契約の会計処理を行わないことを決定し、不正会計が継続されることとなった。この当時、APO の社内体制が変更されて、APO 内部監査部は APO 経理部長にレポートする形となってい

ため、内部監査部は直接営業本部長に報告できなくなった。このように、APO内部監査部の独立性が欠如していたこと、そして、会計処理の是正のための適切な指示がAPO経理部から出されなかったことが問題であった。

② APO経理部の機能不全

APO経理部は、会計を行う部署と予算管理を行う部署の両方を含んでいたため、会計上適切な対応をすべき時に予算達成のインセンティブにより対応を妨げられ、適切な処理が行われないという結果につながった可能性がある。

③ FX副社長及び専務らによる隠蔽

APOがFX副社長及び専務のコントロール下に置かれ、同氏らがAPOに関する情報を隠していたことが、本件の発覚が遅れた一因となっている。

④ APO内部監査部のリソース不足及びシンガポールからオセアニアへの物理的距離

FXNZの会計については、第一義的にはFXNZの経理部が適切な会計処理をし、FXNZの内部監査部が自社の監査を行い、不適切会計を発見し訂正することが期待されている。次に、FXNZの会計について監視機能を担うのがAPOの内部監査部である。

しかし、APOはFXのアジア・オセアニア地域における多数の子会社を統括しており、APO内部監査部もこれら全ての地域統括会社〔APO傘下の子会社〕に対して監査を行う職責を有しているが、基本的に管理職及び一般各1名の2名のみで構成されており、平成21 (2009) 年4月から平成27 (2015) 年3月までの人員の入れ替わりも激しかった。そのため、全ての海外販売子会社について毎年監査を行うことは到底かなわず、1年に数社をピックアップして監査を実施するということが状態であり、特にFXAUやFXNZはシンガポールから物理的距離もあり、監査に行くのも容易でない状況にあった（実際、FXNZについては、平成21 (2009) 年に問題が指摘されていながら、平成26 (2014) 年まで監査が実施されておらず、同年にはMSA契約は重点監査項目ではなかった）。

(d) FXにおける問題点

調査報告書では、FXにおいて不適切な会計処理を防止できなかった理由として、以下の点が指摘されている（調査報告書148頁以下）。

第 7 章　子会社不祥事の事例と教訓（ケーススタディ）

① FXAP 及び APO に対する管理体制の不備

FX において、FXAP を管理するための子会社管理規程及び APO に関する社内規定の整備、運用状況が不明確である。FXAP は FX の子会社であるが、FX による FXAP の活動に関する管理規定は存在しない。一方、APO は FX の社内組織であり、APO に関する意思決定は FX 社内の稟議規程によるはずである。FXAP 及び APO においては、社内規程は十分に機能しておらず、APO から FX に対する報告債においても明文のルールが整備されておらず、事実上の運用がなされるなど、透明性が低く、人的なつながりに依拠する意思決定プロセスが許容されていた。

② APO 統括下の各子会社に対する管理体制の不備

FX には、APO 統括下の子会社を直接管理するための明文の子会社管理規程が整備されていない。FXAP と APO 統括下の子会社の間には、コミュニケーション・マトリックスと呼ばれる規程が存在するが、FX との関係を定めたものではなく、APO 統括下の子会社においていかなる重要事項が発生したとしても、当然に FX に直接報告が要求される規定は存在していない。

③ FX と APO、APO 統括下の子会社との情報共有体制の不備

APO 及び子会社の管理体制上の不備も原因となり、FX と APO 及び同社管轄下の子会社との間では、重要な情報すら共有されていないという実態が見られる。

④ APO に関する FX 社内手続の不透明性

FX には、FXAP を管理するための十分な規定が整備されておらず、FXAP から FX に対するレポートラインについても明確なルールがない。FX の組織である APO については、稟議規程によるはずであるが、そのような定めもない。その結果、本事案においては、FXAP としての意思決定が必要なのか、APO としての意思決定が必要なのかについて明確な了解がないまま、不透明な社内手続が行われた。

⑤ FX 副社長及び専務らの隠蔽体質

FX 副社長及び専務ら FX トップ経営陣の一部には、営業上マイナスのインパクトを含む情報の報告に消極的であるという隠蔽体質が見られる。

⑥ FX 会長及び社長に対する不十分な報告

FX 副社長及び専務ら FX トップ経営陣の一部野隠蔽体質により、FXNZ に関する潜在的なリスクという重要情報が、FX 会長及び社長に対して早期に報告されていない。

⑦ 取締役会による監督の機能不全

本事案については、FX 取締役会で議論された形跡が見当たらず、取締役会による監督が機能しなかった。

⑧ 監査役による監査の機能不全

FX と国内子会社の常勤監査役間では数ヶ月に 1 回、オール FX 監査役会連絡会議にて情報交換が行われているが、海外子会社との間では行われていない。そのため、FX 監査役が海外子会社の情報を入手するための体制が十分に整備されていないという問題があり、監査役による監査が機能しなかった。

⑨ 経営監査部の問題

APO 統括下の海外販売子会社に対しては、APO に海外販売子会社の監査等を行う役割のインターナルオーディター 2 名が置かれており、基本的には彼らが統括的な監査を行うため、FX 経営管理部は直接的に海外子会社を監査するという仕組みではない。経営監査部における内部監査（海外）チームは現在 3 名のみであり、この人員で全ての海外子会社の監査を行うのは不十分であるとの印象を持たざるを得ない。

⑩ 経理部の問題

経理部門は本来専門的な会計知識による会計処理の適切性を担保し牽制機能を発揮することが期待されているが、FX 経理部門は業績管理機能も有しており、適切な牽制機能が発揮されない可能性がある。本件では、経理部長が FX 副社長及び専務とともに FXNZ の会計処理について既に了解していたため、FX 経理部としては疑念を抱きながらも改めてその適切性について審査しなかった可能性がある。

⑪ 売上至上主義の社風

日本国内の売上が伸びない中で、とにかくアジア・オセアニア地域の売上を伸ばせという社内方針があり、そのため厳しい目標を設定されているとの認識が現場にあった。

⑫ 不十分な法令遵守意識

FX の不十分な法令遵守意識が不適切会計の発見を遅らせ、あるいは助長した可能性を否定できない。

(e) FH における問題点

調査報告書では、FH において不適切な会計処理を防止できなかった理由として、以下の点が指摘されている（調査報告書 162 頁以下）。

① 子会社管理体制の不備

　FHでは、FFを始めとする子会社を管理するルール「富士フイルムグループ　重要な業務執行に際しての承認規程」が存在するが、FX及びFXの子会社・関連会社を対象としていない。また、FHの取締役会上程基準は、当然FXも遵守する仕組みとなっているが、実際にはFXから議案が上程されることは少ない。

② FXに対する監視体制

　FHの役員がFXの取締役及び監査役として取締役会に参加することによって、一定の監視機能が期待されていたと思われるが、取締役会に上程される項目に限定され、本事案のようなリスク案件の初期段階での発見に寄与するところは少ない可能性がある。

③ 監査部門の監査体制の不備

　FH監査役は、監査計画に基づき毎年2回程度のFX本社への監査及び毎年10数社の関係子会社への監査を行っていたが、これで十分かどうかは議論の余地がある。また、FH監査役4名のほか、FH監査部内の監査役スタッフは3名（うち1名は秘書）のみであり、FXグループに対する監査役の監査が十分に機能していなかった可能性がある。

④ 情報共有体制の不備

　FH役員がFX取締役としてFX取締役会に参加することでは、結果として、リスク案件についての情報収集体制として不十分であり、監査部門の情報共有体制についても、両社間に監査に関する十分な情報共有がされていたとは考えにくい。

⑤ 調査活動によって収集した情報が不十分であったこと

　本事案に関するFHの調査活動が十分であったのかどうかは、議論の余地がある。

⑥ FXの株主であるXCとの関係について

　FXAP傘下の各販売子会社は、FXの販売地域を日本より海外に拡大することをFXとXC間で合意したことに伴い、ニュージーランド、オーストラリア、マレーシア、シンガポールといった各地域におけるXCの販売子会社がFXに譲渡されたもので、もともとはXCが自らの販売子会社として管轄していた。このような経緯があるため、FXAP傘下の各販売子会社は、事業のオペレーションがXC流であり、FXよりもXCとの関係が深い面がある。

　また、FXについても、XCの日本における販売会社として設立された経緯があり、現在もXCの技術情報を利用しながら製品の製造・販売を行っていることから、XCの影響を重視せざるを得ない。そのため、FHが75%

の株主であるにもかかわらず、FX としては、FH に対しては必要最小限の管理と承認・報告で済ませたいとする風潮がある。これが、FX が FH との情報共有に消極的であり、FXAP 傘下の各子会社についての管理・監督や情報は空くが不十分であったことの背景である可能性がある。

(3) 調査報告書で提言された再発防止策

(a) FXNZ における再発防止策

調査報告書では、FXNZ における再発防止策として、以下の点が指摘されている（調査報告書 75 頁以下）。

① 社内体制の整備
　取締役会や各種委員会を内部統制・牽制システムとして機能させ、不正な行為を抑止するような人材配置やチェック体制の整備とともに、不正行為があった場合には早期に発見、是正できるような体制を整えることが必要である。
② 社風
　売上至上主義の社風については、グループ全体及び MD のリーダーシップで是正していくことが必要である。社内のコンプライアンス研修等で従業員全員に対する意識改革を促すことが必要である。
③ インセンティブ報酬
　FXNZ のインセンティブ報酬については、固定報酬に対して過大なインセンティブ報酬のバランスを見直し、また、売上のみを重視した基準ではなく、会社の持続的な成長や実質的な会社の利益を考慮した基準によってインセンティブ報酬が与えられるように変更すべきである。

(b) APO における再発防止策

調査報告書では、APO 固有の再発防止策として、以下の点が指摘されている（調査報告書 147 頁以下）。

① APO 内部監査部の権限の拡大及び人員の補充並びに独立性の確保
　APO 内部監査部の人数がカバーすべき範囲に比して 2 名と非常に少なかったことが問題発見が遅れた原因の 1 つであるため、APO 内部監査部

第 7 章　子会社不祥事の事例と教訓（ケーススタディ）

の人数を拡充するべきである。また、APO 内部監査部の独立性を確保して APO 営業本部長に直接レポートすることを徹底すべきであり、これに反する実務慣習がもし残っている場合は撤廃すべきである。
②　APO 経理部の体制の見直し
　　APO 経理部内に経理・会計を行う部署と海外子会社の予算や業績管理を行う部署の両方が存在することが、適切な会計処理の妨げとなった要因の 1 つである可能性がある。そのため、経理・会計と予算管理を行う部署は分ける等の体制の見直しが必要である。

(c)　FX における再発防止策

　調査報告書では、FX における再発防止策（改善策）として、以下の点が指摘されている（調査報告書 159 頁以下）。

①　子会社管理体制の再構築
　　FX においては、海外子会社に対する管理体制を定める十分かつ明確なルールを再構築することが喫緊の課題である。FX における責任部署、海外子会社における担当窓口、指揮命令系統、海外子会社の人事関係、報告体制、情報共有方法といった管理全般を定める網羅的な内容とすることが望ましい。
②　社内手続の客観性及び透明性の強化
　　FX においては、海外子会社の重要な意思決定について、いかなる手続を経る必要があるのか、明確なルールを定める必要がある。少なくとも、APO あるいは海外子会社の社長が、FX 経営陣の一部と直接協議を行い了解を得ることで、FX 社内で事実上コンセンサスが得られるという慣習や運用方法は望ましくない。このような意思決定プロセスでは、意思決定の内容や手続の適切性を検証することができず、違法又は不適切な意思決定を抑止できない可能性がある。
③　経営監査部の拡充及び権限強化
　　経営監査部は、社長直轄の監査部門として、十分な組織体制と機能が付されるべきであり、経営監査部の監査活動に対して積極的に協力するよう社内に周知するなど、経営監査部が十分に能力を発揮できるよう社内環境の整備や役職員の意識改革を行う必要がある。
　　さらに、経営監査部による監査結果の情報共有という観点から、社長だけでなく監査役及び監査役会との適時の情報共有制度の構築・運用も検

1 富士フイルムホールディングス

討されるべきである。

④ 経理部によるチェック機能強化

経理部門は本来専門的な会計知識により会計処理の適切性を担保し牽制機能を発揮することが期待されているが、FX では、海外子会社の予算や業績管理も担当しており、適切な会計処理の管理・監督よりも業績の管理・達成に重点を置く可能性があり、このような組織上の役割分担は再考の余地がある。

FX 経理部は、APO 傘下の各子会社の会計処理に関する情報を直接共有することはできず、必要の都度、APO に連絡しなければならないという運用になっていた。この運用が APO を通じた統一的情報管理体制としての合理性があるとしても、FX 経理部が子会社の会計処理の適切性を担保して牽制機能を発揮するのであれば、APO 統括の各子会社の数字やデータを機動的かつ統一的に管理できる体制の構築が必要である。

⑤ 取締役会及び監査役の活性化

意識改革等により、取締役会及び監査役の活動を活性化する運用が必要である。

⑥ 内部通報制度を利用した情報共有

内部通報制度が十分機能するために、制度の概要等に関して従業員に対する教育の実施等も検討されるべきである。

(d) FH における再発防止策

調査報告書では、FH における再発防止策（改善策）として、以下の点が指摘されている（調査報告書 166 頁以下）。

① 子会社管理体制の再構築

FH においては、FX にも適用される子会社管理体制の構築が必要である。また、必要に応じて、取締役会上程規程その他の関連規程を改定し、FX における一定以上の意思決定については FH も関与できるような体制を検討すべきである。このような体制構築に止まらず、FX の取締役会や執行役員に必要な人員を配置すること等により、日常的に FX の業務執行を監督し、情報を共有することも必要である。

② 監査体制の機能強化

FH 監査役は FF 監査役との兼任が多く、FX に対する監査活動に物理的限界があるため、FF に対する監査と FX に対する監査を物理的に可能とする体制の検討が必要である。また、FF 監査と FX 監査を適宜管理統合

461

第7章　子会社不祥事の事例と教訓（ケーススタディ）

するFH専任の監査役の設置も検討に値する。

FH監査部8名は全員がFF監査部を兼務しており、これではFXに対する十分な監査を実施できない可能性があるため、FX監査専任の人員や、FH監査専任の人員の配置を検討されてもよい。少なくとも、FXを監査するための人員数を含めた組織を整備することが望まれる。

FH監査部とFX経営監査部との間の連絡会を実施する等の方法により、監査情報を共有することも検討する必要がある。FHグループとしての効率的な監査業務を実施するため、FH監査部とFX経営監査部の機能の一部を統合したり人的な交流を深めるなど、より一体的な監査活動が可能な体制の構築の検討が必要である。

③　内部通報制度を利用した情報の収集と共有

FHグループでは、FFグループの内部通報制度とFXグループの内部通報制度が存在し、前者はFHと連携する仕組みとなっている。

FXグループの内部通報制度は、FHグループとは別個の制度であり、APOが統括する各子会社でも内部通報制度の整備が進められたが、海外子会社等に対して周知された形跡はなく、事実上はFX及び国内関連会社の利用を前提として運用されていた。

このように、本事案においては、FXNZ、FXAU及びFXAP傘下の各販売子会社における内部通報の通報内容が、FHはおろかFXにすら当然には共有されないという制度上の問題がある。FHグループにおける内部通報制度の在り方やFHにおけるFXグループとの内部通報情報の共有のあり方を再検討すべきである。

また、内部通報制度が十分機能するため、制度の概要等に関して従業員に対する教育の実施等も検討されるべきである。

(4)　再発防止に向けた留意点

　調査報告書では、本事案における問題点と再発防止策について、会社ごとに網羅的に指摘されており、改めて追加で指摘すべき点は見当たらないが、以下では、特に重要と思われるポイントについて整理してみることとしたい。

　本事案は、不祥事を起こした海外子会社（FXNZ、FXAU）をどのように管理するべきだったのかという点に加えて、買収して企業グループに加わった子会社を純粋持株会社としてどのように管理するべきだったのかという点についても様々な教訓が得られる事案であり、(a)FXにおける教訓と留

意点、(b) FH における教訓と留意点、に分けて検討する。

(a) FX における教訓と留意点

① 3線構造の実効性確保

調査報告書を読む限り、FX では内部統制システムとしての3線構造が適切に機能していなかったものと認められる。

3線構造とは、第4章で述べたとおり、業務執行部門による業務を通じたリスク・コントロール（第1線）、法務・財務・コンプライアンス・リスク管理などの内部統制部門による監視（第2線）、内部監査部門による監視（第3線）という3つのディフェンスラインを活用した内部統制の体制であり、グループ子会社の管理においても同様の発想で統制環境を整備することが求められる。

もっとも、FX グループにおいても、3線構造を意識した組織は置かれていた。FX には経理部（第2線）と経営監査部（第3線）が置かれている。また、FX にはアジア・パシフィック地区全体を統括する子会社である FXAP があり（これは APO と特段の区別されることがなく業務を行っている）、その中においても、経理部（第2線）と内部監査部（第3線）が置かれている。このように、FX グループではきちんと3線構造をとっており、形としては内部統制の仕組みを構築していたように見える。

しかし、本事案においては、第2線・第3線が適切な機能を発揮していなかったものと考えられる。

まず、経理部（第2線）については、財務情報の正確性を担保するという本来の役割を適切に果たしていない。

本事案においては、平成21年9月の APO 内部監査部による監査で、会計処理に疑義があることを指摘されている。にもかかわらず、経理部は、内部監査部の主張に耳を傾けず、将来については標準契約書に厳格に従うことを条件として既存契約についての会計処理を修正せず、かつ、条件遵守を徹底させるための措置もとらなかった。

本来であれば、経理部は財務情報の正確性を担保するために疑義のある会計処理については自ら積極的に是正に動くべき立場である。にもかかわらず、内部監査部が強く修正を主張したにもかかわらず、その主張を退けて不正会計を継続できる余地を残したことは、経理部としての本来的役割を放棄していたに等しい。

第 7 章　子会社不祥事の事例と教訓（ケーススタディ）

　調査報告書では、APO 経理部による牽制機能が働かなかった要因として、会計を行う部署と予算管理を行う部署の両方を所管していたため、会計上適切な対応をすべき場面で予算達成のインセンティブにより適切な対応が妨げられるという結果につながった可能性があると指摘されている（調査報告書 144 頁）。業績を推進する部署とそれを管理する部署を区分することは牽制機能の実効性を高めるためには必須であり、経理部の本来の役割（財務情報の正確性の確保）を適切に果たすことができるように業務分担を検討する必要がある。

　次に、内部監査部（第 3 線）については、物理的なマンパワーが足りていない。APO はアジア・オセアニア地域における地域統括会社として、本事案で問題となったニュージーランド、オーストラリアだけでなく、インドネシア、韓国、マレーシア、ミャンマー、カンボジア、タイ等の多数の子会社を統括しており、内部監査部もそれらの子会社に対して監査を行う職責を有している。にもかかわらず、APO の内部監査部は基本的に管理職及び一般職各 1 名の 2 名のみで構成されていたとのことであり（調査報告書 146 頁）、担当業務に比較して人員構成があまりにも貧弱であった。

　企業は営利を目的とする以上、経営トップはどうしても事業の推進・拡大に意識が集中しがちであり、経理・財務や内部監査などの間接部門に多くの人材を配置してもらえないという現象は、多かれ少なかれ、どこの企業にも見られる。

　しかし、内部監査業務を実施するために必要な最低限の人数は確保する必要があるという点は、子会社管理に限らず、適切な内部管理体制を検討する上で留意しておかなければならない。さらに、子会社という別法人を監査対象とし、その中には地理的にも文化的にも異質な海外子会社が含まれるということになれば、監査業務に要する手間や時間がよけいにかかることは自明であり、そのような事情も勘案して内部監査部の人員体制を検討する必要がある。

　また、本事案においては、平成 21 年 9 月に内部監査部が会計処理の疑義を指摘して修正を主張したのに対し、経理部の反対により受け入れられず、そのため、その後もリース契約に関する不正な会計処理を許容し、平成 27 年 7 月の告発メールに基づく内部監査が実施されるまで放置する事態となっている。

調査報告書では、このように内部監査部の独立性が欠如していたことを問題点として指摘しているが（調査報告書143頁）、まさにそのとおりである。内部監査部は、会社の中でも独立した立場で業務全般の適正性を確認し、問題があれば経営トップへ報告することが求められているのであるから、不正会計等を発見し、その是正を主張しても受け入れられないような場面では、FX社長あるいはFH内部監査部へ直接報告できるルートを構築しておく必要があろう。

②　情報収集・報告ルートの確立

適切な子会社管理を行うために、まず必要となるのは情報である。子会社に関する情報が報告されなければ、親会社としては管理しようにも何もできない。そのため、子会社管理体制を検討する上では、いかにして子会社の情報を収集するのか、子会社から親会社への報告体制をどのように整備するのかが重要である。

しかし、本事案においては、親会社（FXAPあるいはAPO）に対する報告体制が確立されておらず、一部の幹部社員に情報が集中し、それらの者が隠ぺいに走ったために不正会計の発覚が遅れたことが認められる。

まず、FXNZで横行していた不正会計を長期間にわたり発見・是正できなかった理由として、FXNZ内部における報告ラインがA氏に集中し、FXNZからAPO又はFXに対する報告もA氏を通じて行われるなど、報告ラインが集中してしまったことが指摘されている（調査報告書72頁）。また、FXAPとAPOの関係性が明確でなく、社内規程も不十分で、APO傘下の子会社からFXAP又はAPOへの報告体制も整備されていなかったこと、FXグループの内部通報制度が海外子会社においては周知されておらず、全く機能していなかったことも指摘されている（調査報告書149頁、172頁）。

もっとも、本事案では、FXNZのトップであったA氏が売上至上主義を掲げて不正な会計処理の横行を招いたこと、FXの副社長及び専務が不正会計を隠ぺいしようとする動きを見せていたことなどの事情があり、3線構造による通常の報告ルートだけでは不正会計の実態が明らかにされない状況にあった。経営幹部から隠ぺいを指示されれば、組織の論理として、経理部・内部監査部も適切な処理をしようにもできなくなる可能性が高い。

そのような事態を防ぐためには、報告ルートを何重にも整備し、一部の経営幹部が隠ぺいしようとしてもできない体制を構築しておくことが有益

第7章　子会社不祥事の事例と教訓（ケーススタディ）

である。

　本事案においても、FX 社長は、副社長及び専務の説明に納得せず、FX 経営監査部に対して繰り返し継続調査と報告を求めていたのであるから、FX 社長に直接報告されるルートがあれば、より早期に不正会計を発見して対処できた可能性がある。また、FXNZ の実態について A 氏を通さずに FX へ報告できるルートがあれば、A 氏がそこまで実権を握ることを防ぐことができたかもしれない。

　その意味では、現場の声を直接親会社や経営幹部へ届けるルートとして、内部通報制度を活用することも考慮すべきである。国内・海外を問わず子会社からも通報することのできる内部通報制度を整備することは、言葉の問題や費用、各国における法規制などハードルは高いものの、海外も含めた子会社管理体制の一環として検討すべきである。

　そのほか、子会社の情報を収集するためには、役職員を派遣するという方法をとることも多い。本事案においても、FH は、FX に役員2名を派遣していた。

　しかし、非常勤役員を派遣するだけでは、得られる情報には限りがある上、子会社側で隠ぺいしようとした場合には不正事実を発見することは難しい。本件においても、FX 取締役会での上程議案が限定されていたため、リスク情報の初期発見にはつながらなかったと指摘されている（調査報告書162頁）。

　したがって、子会社へ役職員を派遣する場合には、その目的は何なのか（経営判断に関与するのか監視のための情報収集か、どの程度詳細な情報を得ることを目的としているのか）を念頭に置いた上、どのポストに派遣するのがベストなのかを検討する必要がある。本事案で明らかになったとおり、非常勤の役員だけでは隠ぺいされてしまうリスクもある一方、業務執行取締役を派遣することには子会社側が難色を示すことも考えられる。そのほか、経理部・内部監査部といった幹部職員ポストに派遣することも有益である。

　③　適切なインセンティブ報酬の設計

　調査報告書では、FXNZ 及び FZAU で不正会計処理による売上の水増しが行われた背景には、売上至上主義ともいうべき社風があり、それをもたらした要因として、日本国内における業績低迷を受けたオセアニア地区への業績貢献への期待と過剰なインセンティブ報酬の存在が指摘されている

466

（調査報告書 72 頁、102 頁）。

　業務執行者に対するモニタリングとは、適切な業績評価と指名・報酬の決定への反映（すなわち、業績目標を達成したかどうかという評価を次期の指名や報酬金額の決定プロセスに反映させること）であり、適切なレベルのインセンティブ報酬は子会社管理においても有益である。しかし、これが行き過ぎてしまうと、売上げの架空計上、業績の水増しといった不正行為につながるリスクがある。

　子会社管理においては、親会社が子会社の経営にあれこれ関与するのではなく、独立法人たる子会社の自主性を尊重し、業績評価によるモニタリングを通じて管理するという手法もよく採用される。特に買収した子会社を管理する際には、そのような手法が採られることが多い。

　しかし、自主性を尊重し、管理の手法として事後的な業績評価だけに頼りすぎると、業績の水増しという不正行為を招きかねない。そのため、経営判断は子会社の自主性に任せるとしても、内部監査については親会社への報告体制を充実させ、場合によっては親会社から内部監査を実施できるような仕組みとしておくことが重要となる。

　また、インセンティブ報酬についても、過剰なインセンティブにならないよう、短期的な業績指標だけに連動させることなく長期的な企業価値の向上にも資するような設計を工夫するとともに、インセンティブ報酬の額があまりに多い部署や子会社がある場合には、当該部署や子会社を重点的に監査するなどの工夫も必要である。

(b)　FH における教訓と留意点

①　合弁子会社・買収した子会社に対する管理の難しさ

　本事案で問題となったのは、もともと英国企業と 50％ずつ出資して設立した合弁子会社（FX）の傘下のひ孫会社の不正会計であり、その子会社管理の難しさは、もともと別会社であったものを買収して子会社化した会社に対する管理の難しさと通じるものがある。

　FX は、もともと FH の前身である「富士写真フイルム株式会社」と英国企業が出資比率 50％ずつで設立した合弁会社であり、さらに株式を追加取得して 75％出資の子会社となった。その後、「富士写真フイルム株式会社」は持株会社体制に移行することとし、FH と商号変更して自らが持株会社となり、写真フィルムの製造・販売等を FF へ事業承継して子会社とした。

第7章　子会社不祥事の事例と教訓（ケーススタディ）

　そのため、FF と FX はどちらも FH 傘下の事業会社でありながら、FF は FH と一体的な関係にあり、FX は FH から独立した関係を維持していたようである。役職員の兼務状況を見ても、FH と FF は9名もの取締役が兼務しているが、FH と FX の取締役を兼務している者は2名に過ぎない。また、FH の内部監査部はスタッフ全員が FF の内部監査部と兼任している状況であった（調査報告書6頁、11頁）。

　このような経緯であったため、持株会社である FH は、FX については自主性を尊重し、FF については積極的に関与する方針で子会社管理を進めていたであろうことは想像に難くない。実際、FF と FX は、担当する事業も異なり（FF は写真フィルムの製造・販売等、FX はオフィス用複写機・複合機、プリンタ等の製造・販売）、企業文化・社風も大きく異なる（FF は日本企業的、FX は外資企業的）。FH の側には FX に対して遠慮があり、FX の側には FH にあまり口を出されたくないという気持ちが強かったものと推察される。

　このような FH と FX の関係性が、不正会計の疑いが広くマスコミ報道された後になっても両社の間で情報共有・連携がうまく進まなかった要因であるだけでなく、不正会計を招いた遠因となっている可能性がある。

　本事案においては、FXNZ 及び FXAU で売上至上主義の風潮があったこと、その背景には、FX グループにおいて日本国内の売上が伸び悩む中、オセアニア地域の販売子会社に対して売上拡大の強い期待が寄せられていたことが指摘されている。このような FX グループ内における業績必達の風潮は、業績を上げることで FH グループ内における FX グループの地位を向上させ、持株会社から FX の経営に口出しされないようにしたいという思惑から生じている可能性がある。

　また、FX の経営幹部である副社長及び専務の隠ぺい体質も指摘されているが、これも不正会計などの不祥事が明らかになった場合に親会社である FH から干渉されたくないという意識が背景にあるように思われる。実際、調査報告書では、不正会計疑惑がマスコミ報道された後、FX 副社長が、FH 監査部から FX 経営監査部への質問状に対し、「FX は独立した会社だ」等とコメントし、回答する必要はないと指示したこと、FX 専務が「どういうやり方で収めるのか考えないと、監査部（注：FH 監査部）が行うことになるぞ。このままだと FX の経営にダウトがかかる」と発言したことなどが指摘されている（調査報告書137頁、138頁）。

このような DNA の異なる子会社をどのように管理するべきかという問題は、お互いの歴史、事業の規模・性質やそれに伴うリスクの違い、企業文化・社風の違い、お互いの役職員の感情やモチベーションなど様々な要素を考慮しながら検討していかなければならないため、非常に難しい。どのような規程を設け、どのような制度設計をすればよいのかという単純な問題ではないということを、まず理解しておく必要がある。

　もともと違う会社であり、事業の性質・リスクも異なり、企業文化も異なる以上、過半数の議決権を保有したからといって、親会社のやり方を全て押し付けるのではうまくいくはずがない。やはり子会社の自主性を尊重しながら管理するという方針を採用することになるが、自主性尊重で任せきりになってしまうと、都合の悪いことを隠ぺいされても実態を把握できず、全く管理できていないことになってしまう。子会社の経営判断については自主性を尊重しつつ、重要な事項は必ず報告してもらって情報共有・連携を強めるとともに、何か問題が生じたときには親会社が株式市場に対する説明責任を負う以上、親会社からの内部監査・調査を受け入れてもらう必要がある。

　そのためには、ありきたりのことではあるが信頼関係の構築が何より重要であり、人事交流を図るなど、時間をかけて同じ企業グループの一員としての一体感を醸成していく努力を継続する必要がある。

　そのほか、本事案では、FH の内部監査部のスタッフは全員 FF の内部監査部と兼務していたということであるが、このように持株会社が傘下の事業会社の 1 つと一体化してしまうと、それ以外の子会社に対してはどうしても管理の目が行き届かなくなってしまう。FH グループで言えば、FH は、100％子会社の FF だけでなく、FX（75％）及び富山化学工業（66％）に対しても持株会社として管理するべき責任がある。

　したがって、FH の内部監査部のスタッフ全員が FF と兼務するといった状況は望ましくなく、持株会社として FF 以外の子会社もきちんと管理できる体制を整える必要がある。これは内部監査部だけでなく、経理部などについても同様である。

　②　非上場子会社における甘さ

　本事案は、不正会計により過年度決算（平成 23 年 3 月期から平成 28 年 3 月期）について 281 億円の修正を余儀なくされた事案であり、不正を告発

第7章　子会社不祥事の事例と教訓（ケーススタディ）

するメールがFX及びXCに届いて調査を開始することになった後、当該
調査を担当することとなったFX副社長及び専務は、告発メールが指摘す
る内容がほぼ真実である旨の報告を受けている。

　にもかかわらず、FX副社長及び専務は、告発メールを受領した大株主
（25％）であるXCに対して「問題ない」と回答するよう指示し、FX社長に
対しても不正会計はなかったと報告した。さらに、不正会計の疑惑がマス
コミ報道された後になっても、会計監査人からの問い合わせに対して不正
会計の事実はないと回答し、FH監査部からFX経営監査部に出された質
問状に対しては「FXは独立した会社だ」等とコメントして、FX経営監査
部に対し回答する必要はないと指示している。

　このようなFX副社長及び専務の取組姿勢は、不正会計によるリスクを
あまりに軽視し過ぎていると言わざるを得ない。

　第1章で述べたとおり、株式を上場している親会社は、金商法及び金融
商品取引所規則に基づき、企業情報の正確かつ迅速な開示を求められてお
り、投資判断に影響を及ぼしかねない重要事項について虚偽の情報を開示
したり開示すべき情報を開示しなかった場合には、厳しいペナルティが科
せられる。そのため、企業グループ内の子会社において不正会計等の疑い
を認識した場合には、速やかに調査を行って、開示するべき不祥事かどう
かを確認することになる。同じ企業グループ内の不祥事を積極的に開示し
たい者などいるわけもなく、誰もができることならソフトランディングし
たいと考えているが、それでも情報開示に踏み切るのは、重要情報を開示
しなかった場合には厳しいペナルティを科せられ、マスコミからバッシン
グされ、役員責任を追及されるリスクもあるからであり、端的に言えば、
株式市場の圧力にさらされているからである。

　そのような親会社（上場会社）の緊張感と比較すると、FX副社長及び専
務の不正会計への取組姿勢はあまりにも甘い。これはやはり、FXほどの
大企業であっても、上場していないために情報開示への意識が弱くなって
いるのではないかと考えられる。

　情報開示への意識だけでなく、コーポレート・ガバナンスやコンプライ
アンスといった点においても、常に投資家や金融商品取引所からの圧力に
さらされている上場会社の方が取組みに積極的であり、上場していない子
会社はどうしても緊張感を失いがちである。

470

そのため、親会社としては、いかに事業規模が大きく社内体制がしっかりしている子会社であっても、上場していないことによる緊張感のゆるみがあり得ることを念頭に置き、情報開示の重要性を子会社に伝えていくべきである。

親会社（上場会社）において適時適切な情報開示を行うためには、子会社から重要情報を報告してもらわなければならないのであるから、重要な子会社に対しては、親会社への報告体制をきちんと整備・運用するように強く働きかけていく必要がある。特に経理・財務部門においては、財務情報の正確性を担保するため、親子・グループ間の情報共有・連携を深める仕組みを構築していかなければならない。

2 東レ

(1) 事案の概要

(a) 概要

東レ株式会社（以下「東レ」という）の子会社である東レハイブリッドコード株式会社（以下「THC」という）において、THC が製造する製品につき品質保証室が行う品質保証検査において、顧客に提出する検査成績表に記載する数値の一部を、実測したデータの数値とは異なる数値に書き換えることによって、顧客との間で取り決めていた規格を満たしたものとして検査成績表を作成・提出していた行為（以下「本件データ書換行為」という）が行われていたという事案である。

(b) 問題発覚の経緯

平成28年7月、コンプライアンスの強化を目的として、東レによる指導の下に、THC の役職員を対象としたコンプライアンスに係るアンケート調査が実施された（以下「本件アンケート調査」という）。本件アンケート調査の結果、THC の品質保証室による製品の品質保証検査において、実測した検査データ（以下「実測データ」という）とは異なる数値をもとに検査成績表を作成・発行しているとの疑義（以下「本件データ書換問題」という）が生じた。

471

第7章　子会社不祥事の事例と教訓（ケーススタディ）

(c)　調査経緯

THC 及び東レにおいて事実関係及び当該問題が発生した経緯・背景等の調査（以下「本件会社調査」という）が行われた。その後、THC 及び東レは、当該調査結果をふまえて、問題発生の原因の分析や再発防止策の検討・策定を行うとともに、顧客等への対外対応を決定・実施した。

東レは、THC 及び東レが進めてきた本件会社調査及びそれに基づく再発防止策の策定や対外対応の実施の総括として、これらの妥当性について社外の有識者の調査及び評価を受けることとし、平成 29 年 11 月に有識者委員会に対して調査を依頼した。これを受けて調査を行った有識者委員会は、同年 12 月に調査報告書（以下「調査報告書」という）を公表した。本項の内容はこの調査報告書の記載に基づいている。

(d)　THC 及び東レによる調査の結果認定された事実

THC 及び東レによる調査の結果認定された事実として調査報告書に記載されているのは以下のとおりである。

なお、調査報告書においてもこれらの認定が不合理であるとは認定されていない。また、調査報告書には「本件データ書換行為については、前記実行者以外の役職員の関与はなく、組織的に行われたものではないと認められる」と記載されている（48頁）。

①　実行者

本件データ書換問題に関与した実行者は、本件データ書換問題が発覚した当時の品質保証室長及びその前任の品質保証室長の 2 名のみであり、品質保証室の品質保証室員又は実行者以前の品質保証室長を含めた組織的な関与はなかった。

②　背景

実行者が品質保証室長であった頃は、人員が足りていない状態にあったため、本来は品質保証室員が行うべき品質保証検査を品質保証室長が行わざるを得ないこともあったことが本件問題の背景にあった。

③　動機

動機について、実行者は、品質保証検査において実測データが規格値から外れると、再測や特別採用等の本来的に想定されている手続をしたのでは納期に間に合わないと考えた。そして、実測データが規格値から僅差の外れとなった場合又は測定装置・測定方法の瑕疵により実測データが規格

472

値から外れた場合には、製品が有する本来的な品質には問題がなく規格内にとどまるであろうとの思いから、再測や特別採用等の手続を採らずに、検査成績表に記載する数値を書き換えることとした。

④　データ書換えの手法

　実測データの検査結果が、測定装置から自動転送される検査項目については、測定後自動転送され、パスワード管理しているコンピュータに取り込まれ、その余の検査結果を手入力する検査項目についても、入力以降は同様にコンピュータに取り込まれるため、それ以降は、修正をするためのパスワードを管理している品質保証室長以外は書き換えることができない。その一方、品質保証室長は、コンピュータに転送された実測データについて、手入力時の桁数の誤りを修正するために、直接、コンピュータ内の数値を修正することができる権限を有していた。

　実行者は、当該修正権限を用いて、品質保証室員が品質保証検査を行い実測データがコンピュータに入力された後に、本件データ書換行為を行った。また、品質保証室長が検査成績表の承認の段階で本件データ書換行為をした場合に、ダブルチェックをするシステムが存しておらず、実行者は、品質保証室員が帰宅した後などに、誰からのチェックも受けることなく、本件データ書換行為を行っていた。

⑤　対象製品、対象顧客、期間、件数等

　対象製品は、タイヤコード、ベルト用コード等

　対象顧客は、合計 13 社

　期間は、平成 20 年 4 月から平成 28 年 7 月

　本件データ書換行為の件数は、149 件

⑥　法令違反及び安全上の問題

　THC 及び東レは、本件データ書換問題について、製品安全上の問題はなく、かつ、法令違反はないと判断している。

(2)　調査報告書で認定された不祥事の原因

　THC 及び東レが認定した本件データ書換問題の原因として調査報告書に記載されているのは以下の事項である。なお、調査報告書においてもこれらの原因の認定が不合理であるとは判断されていない。

第 7 章　子会社不祥事の事例と教訓（ケーススタディ）

① 品質保証に対する THC の経営層の関心が薄く、品質保証室において適性に欠ける者が品質保証室長であるという現状の把握を怠ったこと
② 本件データ書換行為のような不正が行われた際にそれを見抜くことができる強い体制作りや、誰かに見られているという意識を持たせるようにするなど不正を行うことができなくなる仕組み作りを怠ったこと
③ 測定装置の保守・管理が不十分であるという現状において、品質保証検査の精度が低下したこと
④ 品質保証室長が検査成績表を作成する際に数値を修正した場合には、品質保証室長による修正を事後的にチェックするシステムが存在しなかったこと
⑤ THC においては実測データが規格外となった場合に、品質異常発生連絡書又はメールで関連部署へ連絡するルールになっており、規格外製品については、品質管理会議で全社的にフォローされていたが、平成 24（2012）年以降は同会議の議題から外されて状況を全社的に共有する場がなかったこと
⑥ 品質保証室に対する社内監査においても、実測データまでの確認は行われていなかったこと
⑦ 品質保証室は、他の部署からの影響力を遮断するために、THC 社長直轄の組織とされていたが、THC 社長や他部署との関係が希薄であったこと

(3)　調査報告書で提言された再発防止策

　THC 及び東レが策定した再発防止策として調査報告書に記載されているのは以下の事項である。

(a)　品質保証室長の交代及び組織変更

　品質保証室長の業務が多様化し、業務の種類が増加する中で、それに対応するだけの能力を有する者を品質保証室長とすることとし、品質保証室長を他の者に変更した。

　品質保証室は社長直轄の組織ではあったものの、THC 社長や他部署との関係が希薄な組織となっていたために、品質保証室を品質保証部として格上げするとともに、THC の品質保証担当の常務取締役を THC の品質保証部長に選任し、経営層にも品質保証部長である役員から発信ができる組織体制へと変更が行われた。

474

(b) 検査成績表作成フローの見直し

品質保証室長が1人で検査成績表を作成した場合には、検査成績表に記載する数値を修正した場合においても、ダブルチェックを行う者がいなかった。その対策として、検査成績表作成時に品質保証部次長と検査責任者によるダブルチェックを行う体制（システム）が導入された。

従前は検査成績表の数値の修正についてチェックをするシステムが存在しなかったことへの対策として、品質保証室員が入力した数値を修正した場合に、事後的なチェックが可能なシステムへと変更をした。

実測データをコンピュータに手入力する検査項目については、手入力の際に誤りが介在し、又は検査成績表に記載されることとなる数値の書換えを行う機会が存することから、実測データを自動転送し、可及的に手入力を介在させないように検査体制の変更を行っている。

(c) コンプライアンス意識改革

僅差の外れについては本来的な品質に問題はないから書き換えても良いと考えてしまったことが実行者の動機の1つとなっており、この対策として、年2回、全社のコンプライアンス教育を行い、また、品質保証室所属メンバーと役員及び管理職による話合いを3か月ごとに実施することにより、品質保証の重要性についての再認識を徹底させ、品質保証に対するコンプライアンス意識の改革が行われている。

(d) THC社内の品質管理の強化

実測データが規格外になった際の状況を全社的に共有する仕組みがなくなっていたことが本件データ書換問題発生の原因の1つとしても挙げられている。そこで、対策として、THC上層部を含む関係者への規格外製品発生時の速報の送付が開始された。

実測データが規格外となった際の状況を全社的に共有する仕組みとして、THCにおいて、月次全社会議で、規格外データの報告が行われることとなり、また、社内共通ファイルで規格外データに関する取組みの進捗の確認をすることが可能となった。

品質保証室長が修正した数値をチェックするシステムが存在しなかったことの対策として、事後的に実測データと検査成績表の照合を可能とするために、実測データを検査成績表と同一期間保存するという取組みが開始され、事後的に、実測データと検査成績表を照合して、検査成績表の数値

第7章　子会社不祥事の事例と教訓（ケーススタディ）

の書換えが行われたのか否かを確認することが可能となった。

(e)　品質の安定化

THCで生産する製品の品種ごとに規格外れや工程能力不足となった場合にその原因を明確化するための活動を行うこと、工程能力や品質保証検査精度を向上させて製造及び検査の品質を安定・向上させること、測定装置の更新をして品質保証検査精度を維持することへの努力が行われている。

THCの製品自体の品質を向上させて規格外となる製品を少なくするため、THCの品質保証担当役員をリーダーとして東レ繊維加工技術部も参加するメンバーから構成される、品質改善プロジェクトを開始した。

(f)　品質監査

従前は、社内監査においても、実測データと検査成績表との照合は行われていなかったが、今後の対策として、①東レ製品安全・品質保証企画室及び繊維加工技術部による特別監査を行い、検査成績表の数値の書換えが行われていないか等の状況を監査することとし、また、②東レ繊維加工技術部による毎年1回の定期監査においても、実測データの抜き取りを行い、実測データと検査成績表との照合を行う監査項目が追加され、検査成績表の数値の書換えが行われた際に、東レとして速やかな検知が可能となるような監査体制を採ることとした。

(4)　再発防止策に関するコメント

(a)　不正行為の性質

調査報告書の記載によれば、本件データ書換問題は品質保証室長の地位にあった者が実行者であり、実行者以外の役職員の関与はなく、組織的に行われたものではないとのことである。

しかし、品質保証検査において実測データが規格値から外れた場合に、それとは異なる数値をもとに検査成績表を作成して顧客に発行していたというのが不正行為の具体的内容であり、品質保証検査を実施していたのは品質保証室長ではなく品質保証室員であった（場合もある）と思われることからすると、少なくとも品質保証室員は実測データが規格値から外れたことの認識は持っており、それにもかかわらず結果として規格値に適合した内容の検査成績表が発行されていれば、そのことを認識するのではないかと考えられる。そうすると、書換行為を実施したのは品質保証室長のみで

476

あるとしても、品質保証室員も書換行為が行われていること、又は少なくともその可能性を認識していたのではないかとも考えられるが、調査報告書の記載からはこの点の詳細は明らかではない。調査報告書に「契機となったアンケート回答者以外の者はデータ書換え自体を知らなかったというものであった」との記載はあるものの、上記のとおり本当に認識していなかったのかという点には疑問もあり、それ以上の説明はなされていない。

仮に複数名の品質保証室員がデータ書換えの可能性を認識していたという事実があるのであれば、それにもかかわらずより早期に不正行為が発覚しなかった原因についても十分に検討されるべきである。

(b) 本件データ書換問題の原因の整理、THC の内部統制における問題点

品質保証室長の地位にあった者による不正行為という性質を前提とすると、不正行為の原因は、①行為者が不正行為を行うに至った（避けられなかった）原因、②不正行為を直ちに把握することができなかった原因とに分けることができる。もちろん、不正行為が発覚しやすい状況にあればそもそも行為者は不正行為を行っていなかったであろうとも考えられるため、①及び②は明確に区別できるものではない。

そして、THC 及び東レが認定した原因は、①コンピュータに取り込まれた実測データを品質保証室長が変更したことを確認できる仕組みとなっていなかったこと、②実測データが規格値から外れたことを周知させる仕組みとなっていなかったこと、③規格値から外れた実測データと検査成績表の記載との間に相違が生じたことを確認できる仕組みになっていなかったこと、④社内監査でも実測データと検査成績表の数値との照合はされていなかったこと、と整理することができる。

そして、これらの原因に基づいて検討すると、本件データ書換問題を発生させた THC の内部統制における問題点は、(i)品質保証検査において実測データの改ざんが行われる可能性があるという認識を持っていなかったこと、(ii)当該認識に基づいた品質保証検査の体制が構築されていなかったこと、さらに、(iii)当該認識に基づいた内部監査が行われていなかったことにあると考えられる。

なお、調査報告書の記載によれば、本件データ書換問題の発覚後は、THC も実測データ改ざんが行われる可能性があるという認識を有するに

第7章　子会社不祥事の事例と教訓（ケーススタディ）

至り、当該不正行為を許さない検査体制の構築、監査体制が設置されているとのことであり、再発防止策の内容は合理的である。

(c)　親会社である東レの問題点

調査報告書には本件不正行為やTHCにおける品質保証検査の体制に関する東レの認識がいかなるものであったかの記載が少ないため、具体的事実関係に基づいた詳細な検討を行うことは難しいが、THCにおいて上記のような問題があったことを前提として親会社である東レの問題点を検討すると、①THCが上記(i)から(iii)までの問題を抱えていることを認識していなかったか、認識していたとしてもそれを是正するための管理を行っていなかったこと、②（THCの認識及び体制がいかなるものであるにせよ）東レとしてTHCの品質保証検査で不正行為が行われる可能性を前提とした監査体制を構築していなかったことにあると考えられる。

東レによる特別監査を実施して数値書換が行われていないか等を確認する体制を構築するという再発防止策の内容は合理的である。

(d)　本件事案から得られる子会社管理における教訓

本件において行われた再発防止策の内容は子会社管理における教訓ともなるものであり、あらためて整理すると以下のとおりである。

① 子会社において品質保証検査を始めとする各種検査の結果の改ざんが行われる可能性があることを認識すること
② 改ざん可能性を前提として業務体制が構築されているか確認すること
③ 改ざん可能性を前提として監査体制が構築されているか確認すること
④ 改ざん可能性を前提として親会社も主体となった監査を実施すること

また、調査報告書の記載によれば、THC及び東レは本件は組織的な不正行為ではなく、実行者たる2名しか認識していなかったという認定をしているため、原因認定や再発防止策にも含まれていないが、不正行為を多数の従業員が認識している可能性があることを前提とすれば、当該認識に基づいてより早期に問題が発覚するような体制整備（内部通報制度の整備等）も必要である。そして、親会社としては子会社におけるそのような体制整備の状況についても確認する必要がある。

3 イオンフィナンシャルサービス

本事例は、イオンフィナンシャルサービス株式会社（旧イオンクレジット
サービス株式会社。以下「AFS」又は「ACS」という）が平成25年10月4日に
公表した第三者委員会の「台湾子会社における不祥事等に関する報告書」
が調査対象とした AFS の海外子会社における会計不祥事に関するもので
ある。調査報告書は、台湾子会社における不適正な会計処理と董事（日本の
株式会社における取締役に相当する）による個人的な不法領得（着服）の2つ
の不祥事を取り扱っているが、以下では前者の不適正な会計処理について
のみを取り上げる。

以下の(1)から(4)は、当該報告書の内容を要約したものである。

(1) 事案の概要

AFS には、子会社として非上場の Aeon Financial Service (Hong Kong) Co.,
Ltd.（以下「AFS香港」という）があり、さらにその子会社として、いずれも
非上場の Aeon Credit Card (Taiwan) Co., Ltd.（以下「CC」という）及び Aeon
Credit Service (Taiwan) Co., Ltd.（以下「HP」といい、CC と併せて「台湾子会
社」と総称する）が存在した（これらの2社は AFS の孫会社となる）。

台湾子会社においては、平成19年12月期以降平成25年12月期第2四
半期まで、歴代総経理の下で、①割賦売掛金の過大計上（利息収入等の架空
計上及び営業費用の過少計上）、②未収入金等の過大計上、③貸倒引当金の過
少計上、④繰延税金資産の過大計上により、2社合計で8億4500万台湾ド
ルもの不適正会計処理を行っていた。

（単位：千台湾ドル）

	CC	HP	合計
割賦売掛金の過大計上	423,716	170,933	594,649
未収入金等の過大計上	36,031	4,821	40,852
貸倒引当金の引当不足	170,554	15,754	186,308

第 7 章　子会社不祥事の事例と教訓（ケーススタディ）

繰延税金資産の過大計上等	20,366	3,105	23,472
合計	650,668	194,614	845,282

　台湾子会社は、平成 15 年に台湾に進出したイオンの顧客に対して、分割払いのサービスを提供し、また、クレジットカードを発行していたが、イオンは平成 19 年までに台湾から撤退することになり、台湾子会社の収益を圧迫する要因となった。CC は、平成 14 年 7 月の設立以来平成 19 年 2 月期に至るまで赤字が継続し、欠損金が累積していたが、台湾当局の規制により欠損金が資本金の 3 分の 1 を超過すると営業できなくなるため（3 分の 1 基準）、平成 17 年 2 月期以降 3 期連続して当時の親会社から増資による支援を受けていた。イオンが撤退する中、CC はこれ以上の出資を親会社に要請することは困難であった一方、親会社の監査人は、CC の業績が低迷していることに着目し、親会社に対して CC の投資勘定の減損を示唆するようになっていた。このように、平成 19 年当時の CC は、イオン撤退と不良債権の急増という厳しい利益圧迫要因がある中、親会社の追加支援に頼ることなく 3 分の 1 基準を満たし、減損を回避するという経営課題を突き付けられていた。この状況下で HP 及び CC の総経理であった Y 氏は設立以来初めての黒字予算を編成するとともに、黒字決算を親会社に報告した。同年 12 月期決算は決算期変更により 10 か月しかなかったにもかかわらず、同年 2 月期決算（12 か月決算）と比較して、取扱高は前年比 114％、営業収益は前年比 122％を達成する一方、営業費用は前年比 68％におさえられ、当期純利益 9.9 百万台湾ドルを計上するに至った。

　なお、これらの不適正会計処理は、Y 氏の指示により、当初より全て董事兼経営管理本部協理である X 氏によってなされているが、X 氏は自らの横領の隠ぺい手段としてもこれらを利用していた。Z 氏は Y 氏の部下であり、CC・HP のいずれにおいても Y 氏の後任の総経理となったが、いずれの会社においても、虚偽の財務諸表を作成していた。

(2)　調査報告書で認定された不祥事の背景・原因

　調査報告書で認定された不適正会計処理の背景・原因のうち主だったものは以下のとおりである。

(a) CC の苦戦と黒字圧力

クレジットカード事業は、台湾当局の規制により、累積欠損金は資本金の3分の1以下でなければならないため、CC は、平成17年2月期から3期連続で親会社に増資引き受けの要請を行っており、厳しい経営環境の中、早期の黒字転換を図る必要があった。また、親会社である AFS の所有株式の減損の要否が監査人において検討されていたため、利益を確保する計画を策定する必要があった。

(b) ACS の企業風土と Y 氏・Z 氏

ACS は、強いリーダーシップを持ったトップの下、具体的な指示事項に対して従業員が着実に取り組んでいくことで成長を続け、自分たちが立てた予算は必ず達成する、という企業風土であり、HP 及び CC の総経理であった Y 氏はこのような予算達成について強い意志を体現していた。Z 氏は上海及び台湾で Y 氏の部下であり、両者の関係が緊密であったことが窺える。

(c) X 氏

X 氏は10年以上前より株式投資を頻繁に行っており、これにより生じた損失を埋めるために、会社資金の不正送金等を繰り返していたほか、家の購入資金、高級外車4台の購入資金等のために、クレジットカード残高の不正入金処理を繰り返していた。このように公私の区別等の倫理観が麻痺した者が、CC の財務・経理部門のトップを務めていた。

(d) 董事会の形骸化

CC 及び HP の董事会（日本の株式会社における取締役会に相当する）は、不正行為者である X 氏、Y 氏及び Z 氏のほかは、AFS グループの役員、従業員、CC 現地採用従業員のいずれかで構成されており、AFS グループ外の董事は存在しなかった。その上、少なくとも平成24年までは、董事会は年に1回か2回しか開催されず、非常勤董事は、董事長も含め実際に出席することはなく書類の持ち回りで決議する等によって形骸化していたため、監督機能を果たしていなかった。このような董事会の形骸化による監督機能の不全が、長期にわたって本件不祥事が発覚しなかったことの遠因となった可能性は否定できない。

(e) 監察人の機能不全

監察人（日本の株式会社における監査役に相当）は、株主総会により選任さ

第 7 章　子会社不祥事の事例と教訓（ケーススタディ）

れ、会社の業務執行を監督しなければならず、随時業務及び財務状況の調査、会計帳簿の検査を行い、また、取締役会又は支配人に報告の提出要求を行うことができる。CC の監察人には、設立時である平成 14 年 8 月から平成 19 年 6 月まで、AFS の役員 1 名が非常勤の監察人として選任されており、同年 6 月以降は、AFS 役員は退任し、現地採用従業員出身者の 1 名が監察人に選任されている。但し、平成 23 年 6 月以降は監察人は 2 名体制となり、現地採用従業員出身者のほか AFS の財務担当役員 1 名も非常勤の監察人に選任されている。

HP については、台湾会社法上、監察人は 1 名以上必要とされているにもかかわらず、設立時である平成 11 年 12 月から平成 19 年 6 月まで監察人は不在であった。同年 6 月以降は、CC と同一の現地採用従業員出身者が監察人に選任されており、平成 23 年 6 月以降は、CC と同様に AFS の財務担当役員 1 名も非常勤の監察人に選任され、2 名体制となっている。

上記の現地採用従業員の監察人は、従業員の業務を兼任することができないにもかかわらず、総経理の指示により、事実上、債権回収業務や審査業務等に従事し、実際上は、総経理の指揮監督下におかれ本来監察人に与えられる独立性を有していなかったといえる。

また、監察人の業務としては、数年前までは、年に 1 度の董事会において要約貸借対照表及び要約損益計算書を見る以外、財務諸表を確認することもなく、法律上与えられた権限を有していなかった。

(f)　内部監査部門の機能不全

台湾子会社の内部監査部門に当たる検査室は平成 17 年 3 月以降に設置されていることが確認できる。CC においては、検査室は同年以降、現地従業員が配置されることがあるが空席となることも多い。また、平成 19 年 6 月以降平成 22 年頃までの間は、現地従業員出身の監察人が事実上検査室の職務の一部を行っていたが、各部署が内部監査を確実に実行しているか否か、内部監査の実行による効果が合理的であるか否か等を検証し、随時、是正意見を出すこと等が期待されていたにもかかわらず、業務委託先に対する監査等を行うのみで、社内の財務経理に関する内部監査は行われていなかった。

HP については、記録上は平成 17 年 3 月に検査室が設置されているものの、平成 21 年 12 月まで検査室に人員が配置された記録はなく、同年 12 月

以降も財務的な内部監査は行われていなかったものと考えられる。

このように、形式的には内部監査部門が設置され、人員が配置されたかのような外形が作出されていたものの、実際上は、監察人が事実上その職務を行うだけで、業務分掌規程上行うべき内部監査は全く行われていなかった。このような内部監査部門の機能不全が、長期にわたって本件不祥事が発覚しなかったことの原因となった可能性は十分にある。

(g) 内部通報制度の機能不全

CC及びHPともに内部通報規程は平成21年2月に整備され、CCの事業所には、内部通報制度を告知するポスターが掲示されており、専用のE-mailアドレスが記載されている。しかし、この内部通報制度の通報先は、X氏、Z氏及び監察人等の社内の人間のみであったため、代表者らが関係している不祥事については機能していなかった。一方で、HPについては、内部通報制度のポスターの掲示もなく、制度の告知すらされていなかった。

これらの内部通報制度とは別に、イオングループには「イオン行動規範110番」という制度が存在する。この制度の通報先は、イオンの担当部署となっており、中国語での対応も可能とのことである。しかしながら、台湾子会社においては、この制度の存在自体が告知されていなかった。

以上のとおり、台湾子会社においては内部通報制度が存在しており、CCにおいては周知もされていたものの、連絡先が総経理及び財務担当責任者を含んでおり、総経理及び財務担当責任者が関与する本件不祥事では機能していなかった。また、HPにおいては周知もされておらず、また、イオングループの内部通報制度もCC・HPいずれの従業員に対しても告知されていなかったため機能していなかった。

(h) コンプライアンス知識及び意識の欠如

その他の海外子会社と同様に、台湾子会社2社は、いずれも30代半ばの日本人駐在員が若くして経営者となっており、結果的に代表者らのコンプライアンスの知識及び意識は不十分であったと言わざるを得ない。教育面においても、Y氏及びZ氏は、台湾子会社代表者として、台湾に赴任した後、イオングループの研修プログラムを受けていた。もっとも、Z氏の受講したプログラムについてはコンプライアンスのカリキュラムはなく、Y氏のプログラムもコンプライアンスに的を絞ったカリキュラムはないことから、コンプライアンス教育として十分であったとは言えない。コンプラ

イアンス意識醸成のためには、経営トップがコンプライアンスの重要性を認識した上で、役員、従業員向けのコンプライアンス教育を継続的に行うことが重要である。

(3) 子会社管理の問題点

調査報告書で指摘されている AFS における台湾子会社管理の問題点のうち主なものは以下のとおりである。

(a) 管理体制の不十分さ

AFS（当時 ACS）における海外子会社の管理主管は、関連企業管理部から、アジア事業本部、AFS 香港と変遷するが、一貫して損益予算と実績の管理は月 1 回の海外責任者会議で行われて、関連企業管理部等は事務局的な地位にあった。海外責任者会議は各子会社社長による報告、AFS 社長による多岐にわたる指示がなされているが、事業推進が中心で、営業面でのアドバイスが主である。

企業グループにおけるコーポレート・ガバナンスにおいて、子会社管理の主管部署や海外責任者会議を通じた管理は 1 つの側面に過ぎない。一般的に、親会社から営業、財務、会計、人事、総務といった諸機能に即した全般的統制が構築されることが本来は望ましい。全般的統制を構築することが困難であるとしても、例えば、新たな事業、新たな市場に進出するときは、社長が営業畑の場合、財務経理から社長を補佐する人を連れてきて、営業、財務経理二つのレポートライン体制にすることができれば、相互牽制が可能となる。そこで、関連事業管理部に対する営業中心のレポートの他、経理財務的なレポートラインをつくり、経理財務員による巡回指導をすることができれば、台湾子会社における不適正な会計処理、横領行為を防げた可能性がある。

また、本来 AFS にとって戦略的に重要な海外子会社については、内部統制やガバナンスが整備され、適正に経営されるように管理されるべきであり、そのために、会社設立の時点から、内部統制、ガバナンス及びコンプライアンスなどを意識した体制づくりがなされるべきであり、その後も、常に内部統制、ガバナンスやコンプライアンス上どのような問題が存するかに留意し、問題点を指摘し、改善させていく必要がある。このようなことが継続的に可能な組織体制づくりが必要となる。

(b) 監査体制の不十分さ

　監査体制、特に海外子会社に対する監査体制は極めて脆弱であった。主として、人員が不足しているところにあるが、台湾子会社2社については、平成24年に一度監査がなされただけであり、実際上は、全くガバナンス機能を果たすことができていなかったと言わざるを得ない。AFSにおいて海外進出が急速に進んでいることをふまえ、今後は、監査部の人員、特に海外監査の人員を充実させるとともに、香港統括会社であるAFS香港における監査部との連携を取っていく必要がある。

　次に台湾子会社における公認会計士監査の点であるが、そもそも、公認会計士監査は、財務諸表が一般に公正妥当と認められた会計原則に準拠して適正に表示しているかどうかをチェックするために行われるものである。よって、結果として不適正な会計処理（粉飾決算）を見逃したことには、当然に責任の是非は問われることになる。

　一方、不正摘発を目的とするものではなく、不正摘発ができなかったからといって、直ちに公認会計士監査が不適切であったということにはならない。しかしながら、公認会計士監査がコーポレート・ガバナンスの重要な一環をなすことは明らかであり、特に本件のように、長年にわたる横領と不適正な会計処理によって、多額の累積した欠損金額を生じた場合においては、公認会計士監査のガバナンス機能に問題がなかったかどうかについて、慎重に検討されなければならない。

　本件において、デロイト台湾は、3年前から、台湾子会社の債権管理システムから債権残高を照会し、会計帳簿上の債権残高と照合する監査手続を実施していた。しかしながらX氏は、デロイト台湾の会計監査が行われる前に、毎回、システム部従業員に対して、債権管理システムのパソコン画面において、粉飾された会計帳簿の残高に一致するよう表示させるプログラムを作成させており、デロイト台湾の目を巧妙に欺いていた。このような巧妙な欺罔行為があることを前提にした会計監査をデロイト台湾に期待することは酷である。また、AFSによればデロイト台湾は平成20年にY氏による不適正な会計処理を発見しており、一定の水準の監査は実施していたものと思われる。

　しかしながら、長年にわたり多額の不適正な会計処理を発見できなかったことは、より充実した会計監査を期待せざるを得ない。

第 7 章　子会社不祥事の事例と教訓（ケーススタディ）

　監査法人トーマツの連結監査において台湾の実地調査（往査）は、この 6 年間は実施されていない。台湾子会社の AFS グループにおける重要性が低いためである。これは容認されることである。しかしながら、重要性が低くとも、不正行為、不適正な会計処理が累積すると一定の影響を与えることになる。グループコーポレート・ガバナンスにおける公認会計士監査への期待からして、今後考慮すべき問題を投げかけているものと考える。

(c)　人事体制・教育体制の不十分さ

　台湾子会社 2 社において、Y 氏は懲戒を受けて CC 総経理の職を解かれるまで 9 年、Z 氏は Y 氏と共に台湾に赴任してから 13 年以上在籍していた。海外子会社の責任者人事は、AFS 社長が決め、市場を開拓し、最終的には上場することを目標とするため、長期間にわたることが少なくない。台湾においても、Y 氏と Z 氏が長期にわたって台湾現地法人の役員の地位にあり、かつ、その間、両者が上司と部下という関係であり、Y 氏が Z 氏を CC 総経理に推薦したと言う関係であったため、Z 氏は Y 氏の不正会計について表に出すことが困難となった。確かに、新市場の開拓に時間がかかるのはわかるが、ACS アジア設立から 25 年が経過しており、海外派遣できる人材も増加していることから、今後は、長期にわたり同一の組み合わせを避けるなど、システマティックな人事ローテーションも組み入れるべきであると思われる。

　また、海外子会社責任者となった場合の裁量や権限の大きさをふまえると、現状の研修制度は不十分であり、財務経理はもちろん、システム、法務・コンプライアンスなどの教育・研修がなされるべきである。

(d)　企業風土

　香港、タイ、マレーシアの海外上場 3 社は、いずれも責任者は 30 代で派遣され、一から事業を創り上げた。そもそも AFS の代表取締役であった A 氏自身、27 歳で創業メンバーとなり AFS（当時 ACS）を東証一部上場企業に成長させた。AFS のそのようなトップダウン型の積極的な経営姿勢が成長をもたらしたといえるが、他方、地道な内部管理面についての整備が軽視された面がないとはいいきれない。

(e)　子会社リスクの過小評価

　台湾子会社は 4 番目に進出した海外子会社である。しかし、厳しい経済環境の中で上場子会社 4 社のような発展はできず、相対的に規模が小さい。

③ イオンフィナンシャルサービス

よって、重要性が低いため、海外責任者会議を中心とした営業管理の中でも目が行き届かなくなった。重要性が低いため JSOX の対象とならず、整備、チェックの対象とならなかった。

内部監査においても、重要性が低いため監査の対象からはずれてきた。

監査法人の連結監査においても、重要性が低いため、実地調査の対象からはずれてきた。

重要性が低い部門、子会社は重要性が低いため、そこで不適正な会計処理が行われても、AFS（当時 ACS）グループ全体に影響を及ぼさないという考え方がある。しかし、今回台湾子会社としては、重大な不適正会計事件となり、台湾当局より厳しい措置を受けることとなった。AFS グループとしても金融庁への報告が求められる事件となってしまった。それは長年にわたり不正を許し、見逃してきたために不適正な会計処理、横領等が累積してしまったからである。

CC は台湾において銀行以外として初めてカード発行を認められた会社である。AFS グループ内では重要性は低くとも、台湾国内においては金融会社としての、ガバナンス、コンプライアンスを求められる会社である。結果的に、CC のリスク評価が過小評価となっていたと考えられる。

(4) 調査報告書で提言された再発防止策

調査報告書において提言された再発防止策のうち、親会社レベルにおいて実施すべきとされている主なものは以下のとおりである。

(a) 法令等遵守・子会社管理体制

① 子会社による AFS への報告・承認系統の明確化

平成 24 年の AFS 香港設立後、海外子会社を管理・監督する法人が複数存在しており、各海外子会社において、重要事項の報告・承認ラインに混乱が生じているほか、不正・不祥事等が生じた場合の担当部署や責任の所在もあいまいとなっている。したがって、AFS 及び AFS 香港双方においては、関連会社管理規程の統一的な見直しを含む、報告・承認系統の明確化を早急に図るべきである。

② 子会社組織体制整備へのサポート強化

子会社、特に海外子会社における人員配置政策については、当該子会社責任者に委ねられ、AFS による十分なサポートが得られない状態が継続し

第7章　子会社不祥事の事例と教訓（ケーススタディ）

ている。各子会社の人員の拡充、特に財務・経理面の人員の強化など、グループ全体として、人員配置政策を策定の上、各子会社において適切な人員配置を行うことに努めるべきである。

　　③　子会社における内部統制システム・コンプライアンス体制構築へのサポート強化

　子会社の新規設立、買収やその後の運営に当たっては、社内規程・業務マニュアル・内部統制やコンプライアンス方針の策定等についてのサポートに努めるとともに、当該規程の整備状況やその内容のモニタリング等を通じて、継続して内部統制システム・コンプライアンス体制構築へのサポートの強化に努めるべきである。

　　④　AFS財務経理部及び海外子会社間の財務・経理に関するコミュニケーションの強化

　AFSにおいては、財務・経理面におけるAFS・海外子会社間のコミュニケーションが十分であるとはいえない。財務・経理に関してAFS及び海外子会社間の情報共有等を目的とした委員会の設置を含め、財務・経理・会計制度に関して、AFS財務経理部と海外子会社財務・経理担当者が直接コミュニケーションを持つ体制の構築を検討すべきである。

　　⑤　海外子会社責任者の在任期間制限

　子会社責任者の長期在任は、当該責任者への権限の集中をもたらし、不正行為の発覚を難しくする。海外においては、日本との場所的・時間的間隔の大きさから、その傾向は特に強いものとなる。

　子会社責任者、特に海外子会社責任者に関しては、最大5年程度の在任期間制限を設けるとともに、その選定手続に関しても、一部の者への権力集中を防止する観点から、取締役会その他AFSの規程に基づく正式な会議体において選定がなされるべきである。

　　⑥　監査体制の充実

　AFS自体の監査部門の増員等、監査体制の充実を図るほか、AFS香港及び海外上場子会社3社の監査部門と連携を行った上で、全子会社について定期的に監査がなされる体制を構築すべきである。

　　⑦　内部通報制度の拡充

　不正行為者の早期発覚及び不正行為にかかる心理的抑制の観点から、全子会社について内部通報制度を設置すべきである。特に、内部通報体制が

不十分である海外子会社においては、早急な対応が望まれる。また、子会社責任者の不正に備え、内部通報制度におけるグループ内の社外通報窓口（AFS本社、イオン行動規範110番など）の周知を徹底するとともに、場合により弁護士事務所等の社外通報窓口の設置も検討することが望ましい。

(b)　システム上の再発防止策

AFSから海外子会社のシステム運用に関してガバナンスを効かせるためには、以下の3つの施策が考えられる。

①　内部監査の充実

現在、CC及びHPでは1名しか内部監査人がおらず、システム監査には全く手がついていない。日本から内部監査も簡略的なシステム監査しか行われていなかった。このため日本からシステム監査の専門家を海外子会社に定期的に派遣して監査を実施する必要がある。

②　シェアードサービスセンターの構築

アジア地域にシステムのシェアードサービスセンター（共同運用センター）を構築し、本番環境を全て集約する。各海外子会社には最低のメインテナンスやサポート要員だけを残し、本番環境へのアクセスを制限する。また、日本からログなど遠隔監視をすることも可能であるため検討する必要がある。

③　システム部長の派遣

よく教育され、金融機関のシステム運用経験のあるシステム部長を派遣する等が必要である。

(c)　企業風土の刷新

各子会社社長が競争しあいアグレッシブに行動することは否定されるものではない。しかし、会計数値をごまかすことに手をつけることは絶対に許されるものではない。経営者、上級管理者には「誠実さ」が求められる。

イオングループは、「お客様を原点に平和を追求し、人間を尊重し、地域社会に貢献する」を不変の理念と掲げる。AFSグループは、「お客さまの未来と信用を活かす生活応援企業」として、「お客様第一」、「生活に密着した金融サービスの提供」、「社会の信頼と期待に応える」、「活力あふれる社内風土の確立」をめざしてきた。

経営理念、行動規範に立ち返り、アグレッシブで誠実な企業をめざし、組織としての規律を守りながらも下位者が上位者にもものが言えるような、

第 7 章　子会社不祥事の事例と教訓（ケーススタディ）

企業風土に刷新すべきである。

(5)　再発防止策に関するコメント

　本件事案は、台湾子会社のトップ自らが不適正会計に手を染めた事案である。CC においては設立時以来慢性的に赤字を計上し、台湾当局の規制との関係で親会社に度々増資引受を要請するという苦しい立場にあった。また、親会社の監査人から、親会社における CC の投資勘定の減損が検討されるようになった。そこに「自分たちが立てた予算は必ず達成する」という企業風土も相俟って、子会社トップ自らが無理な予算を組んだ挙句に不適正会計に手を染めたのである。

　調査報告書においても指摘されているとおり、台湾子会社においては設立以来 Y 氏が 9 年にわたり総経理を務めており、その後も Y 氏の下で働いて目をかけてもらっていた Z 氏が総経理に就任している。海外市場に新規進出した場合、市場開拓に時間がかかるし、グループ内には当該市場に精通した者は限られるため、初期においては社長人事のローテーションを組むことはなかなか困難であることが多いと思われる。そうした実態に鑑みれば、この点についてはやむを得ないかもしれない。

　しかし、他方で、台湾子会社の置かれた厳しい経営状況に鑑みれば、財務・管理系の董事を親会社から派遣して、総経理である Y 氏や Z 氏に対して牽制を効かせる必要があった。特に、董事会も定期的に開催されていなければ、海外責任者会議も専ら営業面に関するアドバイスが中心であり、子会社トップに対する牽制が全く働いていなかった。子会社管理において最も重要なのは、財務・経理面であるから、上述のとおり、財務・管理系の者を親会社から CFO として派遣して少なくとも子会社の財務面はきちんとおさえておきたいところである。人的資源の観点から常勤の CFO を親会社から送りこむことができない場合には、営業、財務、会計、人事、総務、法務などの機能別にレポーティングラインを設けることにより、親会社による機能別統制をかけたいところである。

　加えて、日本の監査役に相当する監察人の体制が不十分であり、また、内部監査も形骸化しており、リスクアプローチの観点からはやむを得ないものの、親会社の監査法人による台湾子会社の往査は長期にわたって行われていなかったということであるから、三様監査による管理も全くなされ

ていなかったことになる。第4章で述べたとおり、親会社の監査役、内部
監査部門、会計監査人が密接に連携することによって効率的な監査を行う
ことは十分可能なのであるから、一般にリスクが高いといわれる海外子会
社については2～3年に一度は往査して監査すべきであろう。

4　タマホーム

(1)　事案の概要

　タマホーム株式会社（以下「タマホーム」という）は、同社の連結子会社で
あるジャパンウッド株式会社（以下「JW」という）に係る太陽光システムの
設置・販売事業（以下「太陽光事業」という）において、売上計上手続、代金
回収等について、不適切な処理が行われていたこと（以下「本件」という）
が確認されたことから、次の目的で、平成25年11月15日付で、タマホー
ムと利害関係のない外部の専門家から構成される第三者委員会（以下「第
三者委員会」という）を設置した。

① 　JWにおける太陽光システムの販売、与信、提携その他これに関連
　　する取引（以下「本件取引」という）に係る事実認定
② 　本件取引に係る法令違反又は内規違反その他の不正行為があった場
　　合、その背景、原因及び責任の所在の解明
③ 　JWにおける本件取引の内部管理体制に関する調査
④ 　タマホームにおける本件取引に係るJWの管理体制に関する調査
⑤ 　本件取引に関して不正行為又は内部管理体制若しくは子会社管理体
　　制の不備があった場合、その再発防止に関する提言

(2)　調査報告書で認定された本件取引の問題点

(a)　概略

　第三者委員会は、本件取引の問題点として、以下のとおりであると指摘
しているが、全体として、A社側への名義貸しになっており、半ばA社側
の傀儡となっていたことに問題があると断じている。

　本件の太陽光事業については、①太陽光事業の営業担当者及びローン審

第7章　子会社不祥事の事例と教訓（ケーススタディ）

査担当者の人件費の見合いとして、Ａ社側から販売協力金を受領すること、②太陽光事業の営業担当者の営業経費をＡ社側に全額負担させること、③Ａ社側に営業担当者の教育をさせること、④JWは手数料として売上の7％を得ること、⑤JWからＡ社側への支払サイトを金曜日締めの翌週月曜日払とすること、⑥JWの事業計画に運転資金の計画がないこと等、その取引条件及び事業計画がかなり特異なものであり、テレアポ、訪問販売による営業、工事の発注、工事の進捗管理、顧客又は信販会社からの代金回収といった業務フローによる事業においては、通常考えられない取引条件及び事業計画であった。これらの事情は、Ａ社側の資金繰りが逼迫していることを窺わせる事情であると共に、Ａ社側がJWによる業務管理を期待していないこと、言い換えればＡ社側の意のままにできる販売窓口といった程度にしか位置づけていないことを窺わせる事情である。

　しかし、タマホーム及びJWにおいて、そもそもこれらの取引条件及び事業計画の特異性に十分な注意が払われておらず、問題が生じるリスクが十分に検討されず、現実にもJWとしての太陽光事業に係る業務管理は皆無と言ってよい状態であった。

　実際、乗っ取り騒動、Ｌ社の代理店への商品代金の支払遅延などに見られるように、Ａ社側は資金繰りに失敗し、工事遅延（(c)）や恣意的な完工時期の早期化（(d)）の問題が生じた。

　また、JWにて業務管理が行われていなかったこと（(b)）から、この工事遅延や恣意的な完工時期の早期化の問題の発生を防ぐことができず、また、JW社員の二重在籍（(e)）、JW社員以外の者による訪問販売（(f)）、営業担当者による集金業務（(g)）、業務上の資金のやりとりに係る従業員の個人口座の利用（(h)）、完工時点の確認の不徹底（(i)）、HEMS機器の補助金申請に関する不適切な対応（(j)）、外部PC及び外部メールアカウントの業務への使用（(k)(l)）の問題が生じた。

　その他にも、会社印管理の不備も見られた（(m)）。

(b)　取引の実態及び状況管理の不備

　JWは、本社において、平成24年7月頃から、大阪事務所からFAXされてくる本件契約書等の情報に基づき、顧客情報の登録、完工日の登録、入金情報の登録、支払情報の登録、キャンセル情報の登録及び売上情報の登録をするなどして案件管理票を作成していたようである。

492

しかし、この案件管理票は、大阪事務所からFAXされてくる資料に基づき作成されていたに過ぎず、A社側による取引の実態をそのまま踏襲するだけのものになってしまっていた。すなわち、JWとして自主的に構築した業務フローにより確認される事実に基づいて作成されるものではなく、A社側の意のままに動く営業担当者らの動きをただ鵜呑みにして一覧化するだけのものであったため、下記(d)のような恣意的な完工時期の早期化の状況を把握することはできない問題があった。また、工事予定日が過ぎて、一向に完工の報告がない案件についても大阪事務所に照会するなどの対応を特段していないようであり、下記(c)のような工事遅延案件を把握し、対応する、取引の実態及び状況の管理が十分にできていない問題があった。

(c) 工事遅延案件の存在

A社手配工事において部品の不足による工事中断のまま2か月以上が経過している案件やA社手配工事後、電力会社による連系工事が行われない案件等の工事遅延案件が多数発生している。

JWは、工事が遅延したことにより顧客に損害が発生した場合には、その損害について賠償する責任が生じる可能性がある。また、工事の遅延により、JW及びタマホームグループに対するレピュテーションを悪化させ、JW及びタマホームグループの企業価値を損ねるおそれもある。したがって、JWとしても当然に工事が遅延しないよう、工事の案件管理が必要であるにもかかわらず、それが行われていなかった。

(d) 恣意的な完工時期の早期化

恣意的な完工時期の早期化が行われていた。ローン審査担当者が個人的に管理していたファイルには、工事日よりも完工日の日付が前になっているものもあり、平成25年9月下旬又は10月上旬頃まで、信販会社との間で完工の時期について統一的な認識がなかったとはいえ、通常完工であると考える余地のない工事着手前に、信販会社からJWに立替金の支払がなされていると見られるケースもある。

JWは、本来であれば信販会社から立替金の支払を受けられないにもかかわらず、立替金の支払を受けているものもあり、これは詐欺的で悪質な行為である。これに対して、JWの営業担当者がA社側の指示等により顧客もこれに協力するよう誘導していたことが認められる。JWとしては、これを把握し、JWの営業担当者を管理・指導するとともに、A社側にもそ

のような指示等を行わないよう管理・指導する体制を整えるべきであったが、それがなされていなかった。

(e) 従業員の二重在籍

大阪事務所の本登録社員の営業担当者及びローン審査担当者がJWのみならずA社にも在籍し、同社から報酬を受けていた。

これは二重就業の禁止を定めたJWの就業規則に違反するものである（就業規則68条）。

また、JWの従業員がA社の業務命令に従った業務を行うことになり、JWにおいて従業員の管理ができず、上記(d)のような恣意的な完工時期の早期化等の問題の原因となった。

(f) JW社員以外の者による訪問販売

JWにて管理していた仮登録社員以外にもJW社員以外の者がJWの従業員として訪問販売していた。

A社側の従業員で、当該JW社員以外の者が、JW名義で本件契約書等を作成することは、有印私文書偽造罪（刑法159条1項）に該当し得る行為であるにもかかわらず、これを把握し、A社側に中止するよう申し入れる体制を整えていなかった問題があった。

(g) 営業担当者による集金業務

現金案件について、営業担当者が集金業務を行っていた。

実際に集金事故が発生した形跡は窺われないが、集金事故が発生することが懸念される重大な問題であった。

この点については、タマホームから平成24年12月頃にこのような集金業務は行わないよう指示があり、また、タマホーム内部監査室がJWに対して実施した内部監査においても、集金事故を防ぐため、書面での振込依頼やクロスチェックなど防止手順を増やすことが指摘されていた。

(h) 業務上の資金のやりとりにおける従業員の個人口座の利用

現金案件において、営業担当者によって集金された売上の一部が、JW名義の口座に振り込まれる前に、いったん、JW大阪事務所副コールセンター長名義の口座に振り込まれ、その後JW名義の口座に振り込まれることがあった。同報告書によれば、本登録社員以外の営業担当者が顧客から集金した現金について、平成24年8月、JW元経営管理部長から、JW大阪事務所副コールセンター長に対し、新たにJW大阪事務所副コールセン

ター長名義の口座を開設し、その口座にいったん入金をし、その口座から
JW大阪事務所副コールセンター長がJWに振込を行うこととし、手数料
はJWの経費として精算するようにとの指示がなされた。そのため、営業
担当者から現金を大阪事務所で受け取ったときには、JW大阪事務所副
コールセンター長がいったん当該口座に入金した上で、JWに振込をし、
営業担当者から当該口座へ振込による方法で入金がなされたときには、
JW大阪事務所副コールセンター長がそれをJWに振込していた。

　実際に不正な入出金が行われた形跡は窺われないが、不正会計の温床に
もなりかねない重大な問題であった。

　この点については、平成25年3月頃、タマホームにおいてもこの問題を
把握し、社内調査をし、振込カードと当該口座の使用停止を指示している
ようである。

(i)　完工の時点についての確認の不徹底

　完工の時点についてJW内部では、A社側の業務フローに従ったA社手
配工事の完了時として概ね統一した認識を有してしまっており、JWとし
て、何時の時点をもって「完工」とすべきか、自発的に決定された形跡が
ない。また、平成25年9月下旬又は10月上旬頃まで、JW及び信販会社の
間でも認識が統一されていなかった。

　完工の時点は、その時点で、現金案件では顧客に対して代金の支払を求
めることができ、ローン案件では信販会社から立替金の支払を受けること
ができるものであり、さらには、会計上、売上計上の基準となるなど、重
要なものであるにもかかわらず、A社側の業務フローに従って完工の確認
が行われており、JWにおいて業務管理を行う体制が整えられていなかっ
た。

(j)　HEMS機器の補助金申請に関する不適切な対応

　HEMS機器の補助金（エネルギー管理、システム導入促進事業費補助金）申
請に当たっては、HEMS機器設置完了兼使用確認用写真が必要であったと
ころ、新規の補助金申請期限である平成25年10月31日までに連系工事
を完了させ、HEMS機器の使用状況の写真を撮影することが困難であった
ことから、連系工事前に一時的に発電させた試運転の状態の写真を用いて
申請手続を行っていたと見られるケースもあった。

　JWがA社側に顧客のクレームに対応するよう求めたのに対し、A社側

第7章　子会社不祥事の事例と教訓（ケーススタディ）

がこのような不適切な対応をしたものであると考えられるとのことであり、JWとすれば、A社側の不適切な対応に対し一応の指導をしていたといえる。しかし、その結果、A社側は、本来であれば顧客が補助金を受けることができなかったにもかかわらず、補助金を受けさせることとするなど詐欺的で悪質な行為を行い、また、工事関係者にもこれに協力させているのである。JWの対応は言わば片手落ちであり、A社側にクレームへの対応を要求する以上、A社側の対応内容をフォローして、問題のある対応を未然に防止する体制を整えておくべきであった。JW及びタマホームグループに対するレピュテーションを悪化させ、JW及びタマホームグループの企業価値を損ねるおそれもある。

(k)　外部PCの業務使用

　A社から貸与されたPC及び従業員が私的に調達したPCがJWの業務に使用されており、A社との二重在籍の従業員以外にもJW大阪事務所副コールセンター長がこれを認識していた。

　JWには外部PCの業務使用を明文で禁止する規程や情報セキュリティに関する規程はなく直ちに社内規則に抵触するものではないが、社内規則がないとしても、外部PCの使用は情報漏えい等のリスクがあるものであり、本来すべきではないと考えるのが通常ではないかと思われる。しかしながら、JW大阪事務所副コールセンター長は、A社から貸与されたPC及び従業員が私的に調達したPCがJWの業務に使用されていることを報告する必要はないと考えていたとのことであり、情報管理に関する従業員の意識が希薄であるという問題があったものと考えられる。また、JWの業務に関する機密情報及び顧客の個人情報が外部に流出した事実は窺われないが、万が一、業務に関する機密情報が外部に流出したり個人情報が外部に流出すれば、レピュテーションも含めJW及びタマホームの事業に及ぼす影響は甚大であり、重大なリスクを内在する状況にあった。

(l)　外部のメールアカウントの業務使用

　A社から、A社関連の情報のやり取りについてはJWのメールアドレスを使用しない方がいいとの説明があったとのことであり、少なくともA社との二重在籍の従業員の一部は、外部のメールアカウントもJWの業務に使用しており、A社との二重在籍の従業員以外にもJW大阪事務所副コールセンター長がこれを認識していた。

496

従業員のコンプライアンス意識及び従業員の管理体制の不整備の問題並びに情報セキュリティ上の問題があることは上記(k)と同様である。その他、本件のような問題が発生した場合に、会社として、迅速な対応や事後検証ができないといった問題もある。

(m) 会社印管理の不備

JW 大阪事務所において、JW 代表取締役社長であった A 氏が存在を認識していない会社印（角印）が存在し、実際に本件契約書に押印されていた。本件契約書への押印は当初東京事務所で行っていたが、手間がかかることから大阪事務所でも押印できるよう、JW 元経営管理部長により新たに当該会社印（角印）が作成され、大阪事務所で管理・使用されていた。

印章取扱規程によれば、印章の管理統括責任者は社長である（規程 4 条）にもかかわらず、A 氏は会社印（角印）の存在を認識しておらず、また、経営管理部で保管する印章登録簿にて印章を登録する必要がある（規程 7 条 1 項）にもかかわらず、当該印章に関して社内手続は一切経ていないようであるから、印章取扱規程に違反するものである。また、組織的な管理が徹底されておらず、印章の紛失、不正使用等が発生した場合に、JW に不測の損害が生じ得る問題があった。

(3) 調査報告書で認定された JW における内部管理体制

(a) 本件取引の開始に際しての手続

JW は、本件取引の開始に際しては、単年度予算案及び中期事業計画の一部として取締役会の承認を経ていることが認められ、取締役会資料について、取締役・監査役が事前に十分に検討する時間が与えられていなかった可能性はあるものの、その審議に際しては、それなりの議論がなされていることは認められる。しかしながら、B 社との取引については言及・説明されておらず、別途取締役会の決議もなされていない。B 社との取引開始時点では個人向け販売事業よりも法人向け販売事業を業務の中心に据えることを想定していたことが窺われることから、まだ B 社の取引先としての重要性は低かった可能性はあるが、いずれにせよ個人向け販売事業に関しては、もっぱら B 社との取引が想定されており、かつ、B 社との取引は、JW が顧客から受領した代金の 7％を手数料として控除した上で、その残額を、代金の支払があった日の翌週月曜日に B 社に支払うという極めて特

異な決済条件となっていたこと等からすれば、B社との取引について取締役会決議が不要であった可能性は低い。

また、JW社内において、一応与信審査が行われていたことは認められるが、その結果、追加の与信調査が必要であることが示唆されているにもかかわらず、それを行っていない可能性もあるなど、与信審査が十分に機能していなかった可能性も否定できない。

(b) D社への取引先の変更に際しての手続

D社との取引開始については、平成25年3月15日開催の取締役会において事後的に経緯報告がなされているものの、取締役会決議はなされていないが、当該時点におけるD社との取引の重要性及びD社との取引開始が必要となった背景事情の異常性に鑑みれば、少なくともD社との取引開始については、「重要な業務執行」として取締役会決議が必要であった可能性が高い。したがって、D社との取引開始について取締役会決議を経ていない点は、会社法違反の可能性が高い。また、D社は保険業を営む会社であり、太陽光事業については単に間に入る名義貸しのようなことしかできないことは明らかであったのであるから、その先の商流についてきちんと確認の上、その点も含めて取締役会に諮られるべきであったものと考えられる。

また、平成25年3月15日開催の取締役会における経緯報告においても、B社が事実上の事業停止となってしまったことに対応する後継の受け皿企業として、A社代表取締役社長であったB氏の紹介したD社を選定し、同種の取引を継続して行っていることについて、同社との取引は緊急避難としてのつなぎ的暫定措置にとどめた上で、同様の債権差押え通知等の混乱が生じる可能性が高いA社代表取締役社長であったB氏の関係企業ないし個人との取引を一切停止し、早急に対外的な与信力も高い財務基盤の安定した優良企業を新たに取引先として選定して継続取引先の変更を行うべきとの説明がなされ、当該説明の後、JW代表取締役社長であったA氏も問題を認識し、再発防止のために早急に対応措置を講じたいとの意見を述べている。しかしながら、その後、何ら対応措置が講じられた形跡がない上、JWの平成25年5月開催の取締役会において、オブザーバーから質問があった点を除いて、その後の取締役会で審議された形跡もない。

また、上記のとおり、D社についてはタマホームの法務室による与信調

査が行われ、取引不可という結果が出ているが、それが肝心の JW 代表取締役社長であった A 氏に伝えられていない可能性があるなど、JW において、タマホームの法務室による与信調査の結果を十分に活用していたとは言い難い。

⑷　本件取引の問題点を認識する端緒

　本件取引には様々な問題点があったことが認められるが、以下のとおり、それらを認識する端緒は少なからず存したものと考えられる。

　まず、JW の平成 24 年 6 月開催の取締役会において、中期事業計画が提出され、承認されているが、これによれば、平成 25 年 5 月期から平成 27 年 5 月期にかけての売上高と営業人員の推移において、初年度の平成 25 年 5 月期から 10 人の営業人員で 16 億円を超える売上高を上げることが見込まれており、その後平成 27 年 5 月期には売上高が 66 億円を超え、4 倍以上伸びているにもかかわらず、営業人員の伸びはわずか 2 倍にとどまっている。運転資金の計画も不明である上、そもそも太陽光事業に精通した人材もいないゼロからのスタートであることからすれば、その実現可能性に疑問を抱くのが通常の事業計画であった。同計画については、タマホームの経営企画部において事前にチェックした上で、JW の取締役会に上程されていたのであるから、その時点で、タマホームの経営企画部や JW の当該取締役会に出席していた取締役・監査役において、事業計画の実現可能性に疑問を抱き、ビジネスモデル等の詳細について確認していれば、ビジネスモデル等に問題があったことに気づいた可能性がある。

　また、内部監査室作成の平成 25 年 2 月 1 日付内部監査報告書によれば、集金業務について、集金事故を防ぐため、書面での振込依頼やクロスチェックなど防止手順を増やすことが指摘されている。これについては、改善結果及び経過報告書が未提出のままとなっているが、かかる内部監査報告書の指摘に従い改善に取り組んでいれば、クロスチェックなどの防止手順を増やす過程で、そもそも JW の太陽光事業の営業担当者に対するチェックが全くなされていないという問題点が判明した可能性もあった。また、JW 監査役作成の平成 25 年 3 月 1 日付監査調書によれば、有限責任監査法人トーマツ（以下「トーマツ」という）より、代金回収について、事故防止のため営業員を一人ではなく、複数で行わせるよう指導を受けてい

第7章　子会社不祥事の事例と教訓（ケーススタディ）

たほか、さらに、トーマツからは、受注契約計上及び工事完了引渡の2か所について会計上の売上証票についてチェック機能が働いていない、売上計上がノーチェックの場合、前倒し計上のリスクがあるとの指摘も受けている。特に後者については、この時点で上記指摘を受けて詳細を調査していれば、完工の時点について認識が統一されておらず、恣意的に完工時期を早期化させることが行われていたという本件取引の問題点をより早く発見できた可能性もある。

　また、何よりも、平成25年1月頃にA社とB社に対する乗っ取り騒動が起き、その後、それを契機としてA社代表取締役社長であったB氏から紹介を受けたD社に発注先の変更を行っており、そのことは、JW代表取締役社長であったA氏からタマホームの玉木社長にも報告されており、JWの平成25年3月開催の取締役会においても報告されている。そもそもこのような乗っ取り騒動が起こること自体、通常の会社では考えられないことであり、上場会社であるタマホームの子会社であるというJWの立場からすれば、それのみでもA社及びB社との取引を見直す理由として十分なものがあった。また、A社及びB社にこのような問題が発生した以上、取引の変更先をA社及びB社の代表であるA社代表取締役社長であったB氏から紹介を受けたD社とすることの合理性を直ちには見出し難く、少なくともD社がどのような先か、また、D社との取引がどのようなものとなるのか等を慎重に確認する必要があったものと考えられる。そのような確認がなされていれば、この時点で本件取引の問題点が発見できた可能性は十分あるものと考えられる。

　また、JWの営業に関する苦情がタマホームの支店等においても聞こえてきており、JW代表取締役社長であったA氏らにも注意をしていたようであるが、その後それがどのように改善されたかまで確認された形跡はない。JWがタマホームグループを名乗って営業を行っている以上、このような苦情が多発することは、タマホームグループ全体の信用にも影響する可能性があることから、親会社として正式に調査・報告を求める等していれば、本件取引の問題点が明らかになった可能性も皆無ではない。

　また、JW従業員が業務上外部PCや外部のメールアカウントを使用していることは認識していたが、それが問題であることは認識しておらず、JW代表取締役社長であったA氏やJW元経営管理部長にも特に報告しな

500

かったとのことである。この点も業務上外部のパソコンや外部のメールアカウントを使用することが情報管理等の観点から問題であることが JW 内で周知徹底されていれば、より早く問題の発見・解決につながった可能性もあった。

(5)　内部管理体制の不備

本件取引の営業及び事務の担当者は A 社の出身者で占められており、それらの者に対する明確な指揮命令系統は存在しておらず、監督・監視体制も存在しなかったことが認められる。JW では、一元的な工程管理はしていないとのことであり、実際にもそのような管理はなされていなかった。その意味で、JW の内部管理体制には重大な不備があったと言わざるを得ない。

また、JW の「太陽光発電システムの販売に関するコンプライアンス体制」と題する書面によれば、JW 代表取締役社長であった A 氏がコンプライアンス管理責任者、JW 元経営管理部長がコンプライアンス管理担当者となり、本社経営管理部が大阪事務所から情報提供を受けるとともに同事務所を監視し、問い合わせコールセンターから情報収集をするとともにそれに対応するという体制が採られていたようであるが、少なくとも JW 代表取締役社長であった A 氏に関する限り、同氏自ら、内部のことは JW 元経営管理部長に任せていたことを自認しており、同氏の説明と実態が大きく食い違っているように思われることからすれば、コンプライアンス管理責任者としての職責を十分に果たしていたとは言い難く、JW のコンプライアンス体制が十分に機能していたかどうかは甚だ疑問である。

また、JW の大阪事務所において社内手続を経ずに作成された会社印が存在したようであり、会社印に対する管理の不備もあったようである。

さらに、外部 PC 及び外部のメールアカウントが業務に使用されており、情報管理の観点からも不備があったものと考えられる。

(6)　調査報告書で認定されたタマホームにおける本件取引に係る JW の管理体制

タマホームの平成 24 年 3 月 15 日開催の取締役会において、JW 設立の件が承認可決されているが、子会社の設立は、タマホーム自身の業務でも

第7章　子会社不祥事の事例と教訓（ケーススタディ）

ある。そうであるとすれば、かかる決議を行う際には、子会社において行う新規事業のビジネスモデル等についてタマホームとしても詳細に検討すべきであった。

また、「（製造販売会社）K社1社」「（輸入販売会社）J社1社」と太陽光パネルの取引先を特定して決議されているところ、JW代表取締役社長であったA氏が当時構想しており、玉木社長も把握していたと合理的に考えられるJWとA社又はB社との取引について一切報告がなされていない点は、意図的に隠した可能性も疑われ、少なくとも適切さを欠く面があった。

また、タマホームによるJWに対する内部監査の結果、集金事故を防ぐために防止手順を増やすことが指摘され、JWに対して改善結果及び経過報告書の提出を求めていたが、期限を過ぎても未回答のままとなっており、タマホーム側においてもそれを未回答のまま放置していた点には問題がある。

さらに、タマホームの関係会社に対する内部監査の項目がわかる資料として提出を受けた「グループ会社・内部監査対象の書類及び要提出一覧」によれば、実地監査も行っており、規程、業務マニュアル等について、管理・運用状況等ヒアリングも実施することになっているが、JWの個人向け太陽光事業については、営業担当者や案件に対する業務管理が殆どなされていなかった実態を全く発見できなかったことからすれば、ヒアリング等が十分ではなかった可能性も否定できない。

また、JW監査役による監査に際してトーマツより指摘を受けた事項については、JW監査役において信販会社による確認も行われているので問題ないという思い込みもあったように思われ、当該指摘を真摯に受け止め、より詳細を調査していれば、本件取引の問題点を発見できていた可能性があった。

(7)　調査報告書で提言された再発防止策

(a)　新規事業の審査体制の整備

タマホームにおいてJWを設立するに際し、太陽光事業のビジネスモデルやリスク等について詳細な検討がなされた形跡は窺われない。しかしながら、JWの設立は、子会社の設立として、タマホーム自身の業務でもある。

したがって、本来はその時点で、新規事業のビジネスモデルやリスク等についてもっと詳細に検討しておくべきであった。

また、JW において、一応、予算案や事業計画が作成され、それについてタマホームの子会社管理部署である経営企画部において検証され、JW の取締役会決議を経ていることが認められるが、個人向けの太陽光事業のビジネスモデルやリスク等が詳細に検証された形跡はなく、子会社の経営陣任せで、検証が形式的で、不十分であった感は否めない。より突っ込んだ検証がなされていれば、およそ名板貸しに近いビジネスモデルであることや、業務管理ができず、工事の遅延等のリスクがあることや取引先であるB 社の資金繰り等に問題があることが発見でき、本件を未然に防止することができた可能性もある。したがって、新規事業の開始に際して、その事業計画のフィージビリティ・スタディやビジネスモデル、リスク等の検証を十分に行う体制を整えることが、本件のような事件の再発防止につながるものと考えられる。

(b) 子会社からの報告体制の整備・充実

本件においては、子会社の JW の代表取締役社長であったA 氏から、タマホームの玉木社長に対して非公式なルートで随時報告がなされ、了承を得るといった人的な関係を基に意思決定がなされ、それが第三者による検証を妨げ、問題の発見を遅らせた原因となった。

これが子会社社長から子会社管理部署である経営企画部に対する定期的な書面による報告という正式なルートでなされていれば、不合理な意思決定等がなされていないか経営企画部でモニタリングすることも可能となっていたと思われるし、書面化されていれば記録に残り、事後的な検証も可能となることから、場合によっては、監査役や内部監査室、監査法人による監査を通じて、より早く問題点が発見できていた可能性もある。

その意味で、現行の関係会社管理規程の運用の見直し、場合によっては規程自体の見直しをすることにより、子会社からの報告体制の整備・充実を図ることも本件の再発防止策として検討されるべきものと考えられる。

(c) タマホーム法務室による与信調査の制度化及び子会社における与信審査の整備・充実

タマホームの法務室による与信調査の結果によれば、A 社は「△」であり、D 社は「×」であった。これらが有効に活用されていれば、本件取引が

漫然と継続されることはなかったと思われ、本件のような事件の発生は未然に防止できていた可能性がある。これらが有効に活用されなかった原因としては、タマホーム法務室の与信調査には根拠規定もなく、そもそも調査を依頼するか否かが担当部署や担当会社により裁量的な判断に委ねられていた上、その結果について関係者に周知するルールもなく、それに従うかどうかも担当部署や担当会社の判断に委ねられていたことがあったものと思われる。したがって、タマホーム法務室による与信調査を制度化すること、すなわち、その根拠を明確化した上で、関係者へ周知し、その結果を尊重すること等をルール化することも再発防止策として検討されるべきである。

　また、JWにおいてもタマホームとは独自に与信審査を行っていたことが認められるが、その結果、追加の与信調査等が必要であることが示唆されているにもかかわらず、それがなされていないなど、十分な与信審査がなされているとは言えないものであった。この点は、JWが設立間もない会社で、人的体制が整っていなかったということもあるものと思われるが、子会社における与信審査の整備・充実も再発防止策として検討されるべきものと考えられる。

(d)　関係会社に対する内部監査制度の見直し

　タマホームにおいては内部監査制度が整備されており、関係会社に対する内部監査も定期的に行われていることが認められるが、JWに関しては、内部監査を実施しているにもかかわらず、個人向け太陽光事業に関して、業務管理が全くなされていないことに全く気づかなかったというのは実地監査における管理、運用状況等のヒアリング等が十分になされていなかった可能性がある。

　再発防止策として、内部監査制度の運用の見直しも含めて検討されるべきであると考えられる。

(e)　グループ全体のコンプライアンス体制の整備・充実

　JWにおいては一応形式的にはコンプライアンス体制なるものが存在していたようであるが、実体を伴っておらず、従業員においても、個人名義の口座に会社の資金を一時的にせよ入金することや、顧客情報を外部PCや外部メールで取り扱うこと等の問題性が認識されていないなど、コンプライアンス意識も希薄であったことが窺われる。

実体を伴ったコンプライアンス態勢が整備され、従業員のコンプライアンス意識が醸成されていれば、もっと早く本件取引の問題に気づき、本件のような事態になることを未然に防止できた可能性もある。JW は設立されたばかりの会社であり、コンプライアンス態勢の整備はまだ途上であったということはあるにせよ、これを契機に、子会社を含めたグループ全体のコンプライアンス態勢の整備・充実に取り組むべきであると考えられる。

また、コンプライアンスは、体制の整備も重要であるが、やはり最も大切なのは役職員のコンプライアンス意識である。

中でもトップの意識がその下で働く役職員のコンプライアンス意識に大きな影響を与えるが、タマホームのトップである玉木社長においては、子会社である JW が問題を認識して関係を断絶しようとしていた A 社代表取締役社長であった B 氏の会社に個人的に出資するなど、上場会社のトップとして、コンプライアンス意識が希薄であったことは否めない。

コンプライアンス意識の醸成は、トップが先頭に立って行うべきものであり、本件を契機に玉木社長自らが意識を改めることが不可欠であると考えられる。

(8) 再発防止策に関するコメント

前記のとおり、調査報告書において詳細かつ網羅的に再発防止策について検討がなされているため、以下においては、重要なポイントあるいは調査報告書に記載されていない点に絞ってコメントを行う。

(a) 子会社のブラックボックス化の防止

子会社管理において留意しなければならないことは、何をしているのかが知り得ないようなブラックボックスの子会社をつくらないことである。こうなってしまうと、その会社で「やりたい放題」となってしまい、その会社において発現するリスクを回避することすらできなくなってしまうからである。

そのため、経営管理契約やグループ経営管理規程により、子会社が親会社に対して報告すべき事項を定めたり、親会社から事前承諾を取得するべき事項を定めて、子会社のブラックボックス化を防止すべきであることは既に述べたところである。

調査報告書によれば、本事例でも、タマホームの当時の関係会社管理規

程は、新規事業計画及び新製品の生産販売に関する事項、予算及び利益計画に関する事項、取締役会付議事項及びその他重要な事項等を事前協議事項と定め、また、当時の職務権限規程は、かかる事前協議事項については、経営企画部長が起案し、社長が決裁することと定めていた。

しかし、かかる事前協議事項は基本的に関係会社の取締役会決議事項であるため、案件ごとに取締役会上程資料が経営企画部に届き、そこで口頭やメールにて修正の指示等を行って、その修正が終わったものが結果として取締役会資料となることで事前協議がなされたことになっていた。

このように、タマホームの関係会社管理規程や職務権限規程の定めに従い、正式なルールで経営企画部長が起案し、社長が決裁した様子は見受けられず、もっぱら、子会社のJWの代表取締役社長であったA氏から、タマホームの玉木社長に対して非公式なルートで随時報告がなされ、了承を得るといった人的な関係を基に意思決定がなされていた。

そのため、第三者による検証を妨げ、問題の発見を遅らせた原因となったと調査報告書でも指摘されているが、翻って、読者の会社グループはどうであろうか。

本事例は、自社グループにおいても、本事例のように経営管理契約やグループ経営管理規程がその定めるところに従って適用されていなかったりしないか、改めて検証すべきという警鐘をならすものといえる。

第3章で仕組みづくりについて詳述したが、「仏作って魂入れず」ということとならないよう、その適用にも継続的に注力されたい。規程化したものでワークしないものがあれば、随時見直し、適切な子会社管理ができるように最適化するべきである。

(b) 三様監査の連携強化

調査報告書では、再発防止策として、タマホームにおける内部監査制度の運用の見直しも含めて検討されるべきであるとしている。

その理由として、タマホームにおいては内部監査制度が整備されており、関係会社に対する内部監査も定期的に行われていることが認められるが、JWに関して有効に機能していなかったことが指摘されている。

確かに、内部監査を実施しているにもかかわらず、個人向け太陽光事業に関して、業務管理が全くなされていないことに全く気づかなかったことが認定されており、実地監査における管理、運用状況等のヒアリング等が

なされていないか、なされていても十分でなく、表層的で真相に到達できなかったのであるから、監査方法の進化、監査技術自体の向上等が図られなければならないだろう。

しかし、子会社の不正は容易に発見できるものではない。すなわち、監査を担当する者が職業的懐疑心を持って、監査における違和感を取り除く作業が行われなければ不正の発見は容易ではなく、一面的な監査には自ずと限界がある。

監査を担当する者が監査の過程において業務執行の効率性や妥当性に疑問を抱き、その疑問を解決しようとする過程において不正のおそれが浮上することが多いが、監査役監査も、会計監査も、親会社内部監査部門による内部監査も、子会社に常駐して行われる監査ではなく、各監査による情報収集はどうしても断片的なものになりがちである。

子会社管理においては、とりわけ、内部監査、監査役監査、グループ監査の三様監査を連携して行うことが、効率性の観点からも、また、不正発見の観点からも重要であることは既述のとおりであり、これらの三様監査で入手した情報を広くこの三者で共有することができるような運用を導入することが有用であろう。

(c)　監査結果の適切なフォローのための親会社経営陣等への報告

他方で、調査報告書では、タマホームの内部監査の結果、JW の集金業務について、集金事故を防ぐため、書面での振込依頼やクロスチェックなど防止手順を増やすことが指摘されていたにもかかわらず、これについては、改善結果及び経過報告書が未提出のままとなっていたことが認定されている。

また、監査法人より、代金回収について、事故防止のため営業員を一人ではなく、複数で行わせるよう指導を受けるとともに、さらに、受注契約計上及び工事完了引渡の2か所について会計上の売上証票についてチェック機能が働いていない、売上計上がノーチェックの場合、前倒し計上のリスクがあるとの指摘も受けていたにもかかわらず、上記指導に従った形跡はなく、上記指摘を受けての実態調査もなされていなかったように見受けられる。

このように JW の内部監査結果がフォローされていなかったがために、本件取引の早期発見ができなかった可能性があると調査報告書で指摘され

第 7 章　子会社不祥事の事例と教訓（ケーススタディ）

ているが、このような子会社の監査結果は、そもそも親会社であるタマホームの経営陣、あるいは、子会社管理部署に報告されていたのであろうか。

　この点については、調査報告書から事実関係を明らかにすることができなかったが、子会社監査の結果を子会社経営陣に報告するだけにとどまると、同じ会社内の身内同士という意識が強いこともあり、現場の「もっともらしい説明」に流され、「大したことはないだろう」と高をくくって先送りにされることもあるのではなかろうか。

　子会社監査の結果が子会社経営陣のみならず、親会社経営陣に報告され、その問題が親会社にも共有されると、親会社に集約されているグループ会社の経営管理のノウハウや知見から同じ事象でも異なる感度で検証されることもあり、改善措置など異なるアプローチがなされることもあろう。

　子会社監査の結果を、親会社取締役会や親会社のグループ経営管理部署に報告することを制度化し、親会社がその問題点の把握をし、必要に応じて改善措置を講じることができるようにすることも検討に値しよう。

5　KDDI

　本事例は、KDDI 株式会社（以下「KDDI」という）が平成 27 年 8 月 21 日に公表した外部調査委員会の「調査報告書（公表版）」で分析された（M&A によって子会社化された）海外子会社での会計不祥事について述べるものである[1]。

(1)　事案の概要

　KDDI は、平成 21 年 12 月 1 日、第三者割当増資により、シンガポール証券取引所に上場する DMX Technologies Group Limited（以下「DMX」という）の株式の約 51.7％を取得し、上場を維持したまま同社を連結子会社とし、非常勤 4 名・常勤 2 名合わせて 6 名の取締役を派遣し、11 名で構成される DMX の取締役会の過半数を確保した。

　平成 26 年より DMX の会計監査人をデロイトトーマツから元々 KDDI

1）　KDDI の事例に関する(1)～(3)は、同調査報告書の記述を適宜引用又は要約したものである。

508

の会計監査人であったプライスウォーターハウスクーパース（以下「PwC」という）に変更したところ、PwC より、会計監査の過程で、DMX 及びそのグループ会社が関与する取引の一部に、その実在性に疑義がある取引（以下「本件対象取引」という）の存在が指摘された。平成 27 年 2 月 3 日には、当時 DMX の CEO であった Jismyl Teo 氏（以下「ジスミル氏」という）及び当時 DMX の CFO であった Skip Tan 氏（以下「スキップ氏」という）が、DMX の取引に関連する犯罪の嫌疑で香港警察当局に逮捕された。この逮捕を受け、DMX は、社内調査委員会を設置し、香港の法律事務所を起用したが、同法律事務所からも本件対象取引に関し、不適切な会計処理が行われている可能性が示唆された。

　そのため、KDDI は、平成 27 年 3 月期の連結決算の発表に当たり、本件対象取引に関する不適切な会計処理が継続的に行われていたことを前提とした決算処理を行うべきであると判断し、それまでに残存していた売掛金残高等合計 33,798 百万円を特別損失として計上するとともに、①KDDI の DMX に対する資本参加及び②その後の子会社管理に関する事実関係を調査・分析し、③原因の究明及び④再発防止策の策定を目的として、外部調査委員会を設置したという事案である。

　DMX は、中国、香港を中心にアジアの複数国でシステム・インテグレータ事業（以下「SI 事業」という）及びデジタル・メディア事業を展開している会社である。本件対象取引は、中国通信事業者ないし中国の CATV 事業者をエンドユーザーとし、通信機器等をサプライヤーから仕入れ、エンドユーザーに対してこれを納品、設置した上で、その運用から保守管理までのサービスを総合的に提供すること等を内容とする SI 事業を内容とする取引であった。

　DMX グループに所属する会社は、本件対象取引の商流において、取引対象となった通信機器等の調達先であるサプライヤー、及びそのエンドユーザーとの間に直接の契約関係を有しておらず、実際に、通信機器等がサプライヤーから出荷され、エンドユーザーに納品されていることを示す証ひょうが DMX には存在せず、その証ひょうをサプライヤーやエンドユーザーから入手できていないため、本件対象取引の実在性に疑義が生じたものである。

第7章 子会社不祥事の事例と教訓（ケーススタディ）

(2) 調査報告書で特定された不祥事の原因

(a) 買収の意思決定プロセスにおける問題

① 適切なリスク評価・対応を行わないまま買収の意思決定に至っていること

DMX の買収に際しては、デューディリジェンス（以下「DD」という）が、法務、財務の観点から行われたが、財務 DD では、DMX 特有の売上計上方法による多額の売掛金の発生や、売掛金の長期滞留現象が生じている状況などについて指摘がなされるとともに、売掛金の回収可能性についての慎重な判断や個別契約の検討が推奨された。

この指摘にある多額の売掛金残高及び長期滞留といった現象は、一般的には、会計不正の典型的な兆候の１つであって、不正の疑いを抱かせるものであり、そうでなかったとしても、回収不能リスクを否定できなかったのであるから、一層深い問題意識を持ち、そのような疑問やリスクを払しょくすることができるような更なる検討・調査を行うべきであった。しかし、DMX 側の一方的な説明を額面どおりに受けとめてしまった。この姿勢そのものに問題があった。

② DMX 側の一方的な説明をほぼそのまま受け入れ、そこに虚偽・誇張が含まれるリスクをおよそ想定していなかったこと

KDDI は、法務 DD、財務 DD などの調査を進める一方で、DMX 経営陣から業務内容や最終顧客についての情報を得るとともに、KDDI が実際の顧客となって DMX に本物の案件を発注して業務内容の品質確認を行うなど一応の裏づけも取得していた。

しかし、KDDI と DMX はもともと面識がなく、信頼のおける第三者から紹介を受けた等の事情がないにもかかわらず、KDDI は、DMX 経営陣のバックグラウンド・人物評価に焦点を当てた調査を実施していなかった上、DMX の業界内での多面的な評価・評判を確認したり、DMX と最終顧客との取引関係等についての裏付け調査を実施した形跡も認められない。

また、法務 DD において顧客との契約関係書類の開示も DMX 側から拒まれるなど、全体として、情報開示が不十分であったにもかかわらず、それ以上の確認を求めることなく、買収に向けた検討が進められている。

このような検討姿勢は、要するに、買収により得られるであろうメリッ

510

トに重点が置かれる一方、現実的なリスクへの配慮が十分でなかったことに起因していたと見るのが相当である。

それゆえ、検討の過程において買収に伴うリスクが発見され、これを認識したにもかかわらず、DMX の説明に虚偽はないだろうとの思い込みで、表面的で中途半端な対処で済ませたものと考えられる。

③ 海外 M&A、特に海外の現地企業を対象にした案件に対する知識・経験が乏しかった上に、その体制も脆弱であったこと

本来、買収の検討を進めるに当たっては、担当事業部門のみならず、リスクマネジメント本部、財務部、経理部、法務部等の関連部門の知見を社内横断的に集約した上、様々な視点をふまえ、結果として総合的に適正な判断を導くべきものであった。

しかし、当時 KDDI ではこのような社内体制は敷かれておらず、部門間での情報共有も行われる仕組みとなっておらず、横の連携を欠いた縦割りの発想でプロジェクトが推進されていた。

そのため、コーポレート部門に属する経営管理本部財務部ないし経理部等では、DD において開示された資料が十分でなく DMX の事業内容が不明瞭である、グループ会社が多数存在しているためグループ会社間での取引が複雑であるなどとして、買収自体に慎重な見方も存在し、このような異なる見方が存在すること自体については、経営陣にもある程度報告がなされていたが、海外 M&A 案件を進めるに当たって、これを所管するグローバル ICT 本部とコーポレート部門が連携・協力する体制が不十分であった上、コーポレート部門が決裁過程に関与する仕組みもなかったことから、DMX への資本参加に係る最終的な決裁に際し、そのような問題意識が十分に斟酌されなかった可能性がある。

④ 買収に先立ち、PMI を見据えた体制構築、明確な管理方針・計画が整備されていなかったこと

KDDI は、当初 DMX の COO、CFO といった重要ポストに KDDI からの派遣取締役を充てることを想定し、買収を決定する際の社内の経営会議及び取締役会においてもその旨の説明がなされていた。

しかし、実際には、DMX 側との上記ポストに関する合意は、ジスミル氏との間で口約束をしたに過ぎず、買収直後、DMX 側の強い抵抗に遭い、これらのポストを KDDI からの派遣取締役が確保することを断念せざるを得

第 7 章　子会社不祥事の事例と教訓（ケーススタディ）

なくなった。

　また、業務執行上の決裁ルートについても、KDDI としては、派遣取締役が DMX の決裁ルートに加わるよう新たな規程を策定しようとしたが、これも DMX 側からの強い反発に遭ったため、結局、KDDI の派遣取締役は、何らの決裁権限もなく、単に提供される情報を受け取るという受動的な立場に甘んじざるを得ず、業務関連の資料・情報へのアクセスは事実上大きく制限された。

　それに加えて、KDDI の派遣取締役が、当初予定していた CFO の権限、あるいは実質的な「金庫番」の権限を確保していたか否かについて、KDDI の内部における認識にすら齟齬があった。

　これらは、前記のような海外子会社の買収に伴うリスク分析ないし検討の不十分さに加え、買収後の適正な PMI を見すえた買収交渉が十分に行われなかったなど、買収交渉における詰めの甘さが、DMX による不正の発見が遅れたことの 1 つの要因となったものと見られる。

⒝　買収後の子会社管理における問題
　　①　DMX のコントロールの在り方について必要な検討、対策が講じ
　　　　られなかったこと

　KDDI の派遣取締役が当初予定していた COO、CFO といった重要ポスト及び業務執行上の決裁権限を確保できなかった。そのため、DMX の財務面に対する抑止力が乏しく、かつ、業務関連の情報アクセスも事実上大きく制限されてしまい、DMX に対するコントロールは KDDI の当初の想定を大幅に下回るレベルとなった。

　このように、子会社管理上、極めて憂慮すべき事情が発生したにもかかわらず、KDDI では、当時このような想定外の事態を受けて十分な対策を講じるには至らなかった上、その状況が、正確には上層部に伝わっておらず、その後、社内で真剣な検討を十分行った形跡も見当たらない。

　このことは、買収直後の DMX からの抵抗が一種のトラウマとなり、KDDI 関係者の中で、KDDI の DMX に対するコントロールを強化すれば、同社の中核的な人材の流出のおそれがあり、そうなれば、この買収ひいてはグローバル事業戦略の意義自体が失われかねないとの危惧感から、全体としての管理方針が「及び腰」となっていたことを示している。

512

② 内部統制についても DMX の説明が真実であることを前提とした
調査が行われたこと

多額の売掛金残高の存在及び売掛金の長期滞留、キャッシュフローの目減りといった会計不正の兆候は、（買収以前から一貫して続いていたのみならず）買収後は、KDDI による内部監査、月次会議、売掛金に関する現地調査等の機会に何度も俎上に上っていた。にもかかわらず、そのたびに DMX 側から毎度繰り返される同様の説明（中国の商慣習や政府系の優良顧客がメインで回収懸念は少なく貸倒れ実績もないなどといった説明）を真に受けるだけで、それ以上突っ込んだ調査・検討を実施しなかった。

(3) 調査報告書で提言された再発防止策

(a) 不正リスクに対する意識の向上を図ること

不正の兆候や不正の手口に関する知識の習得を含め、全社的に不正リスクへの認識・理解を深め、常に不正が内在する可能性に留意しつつ、先入観を排除し、健全な懐疑心をもって、不正の兆候が窺われる場合には、「もっともらしい説明」を鵜呑みにすることなく、必ず、現物・現場の実態を把握し、裏づけ資料を確認するというマインドを徹底し、これを社内風土として根づかせるための取組みを実行すべきである。

(b) M&A 戦略及び海外子会社への経営ガバナンス（子会社に対する経営関与・管理）の基本方針を策定すること

M&A 戦略や海外子会社の経営ガバナンスに関する明確な方針を立てておくことが不可欠である。この経営ガバナンスの基本方針には、ガバナンスの組織構造、取締役など主要ポストの人選、レポートラインの基本的な在り方、親会社との役割分担、各ポストの責任と権限、モニタリングの基本的な仕組み・方法などが盛り込まれることが望ましい。

(c) グローバルグループ全体にわたる共通のリスクマネジメント体制等を構築し、適切に運用すること

事業のグローバル展開をする以上、進出先における種々のリスク要因の内容等を正確に認識・把握し、適正なリスクテイクができるような環境整備を行っておくことが極めて重要である。個別のリスク管理及び対策については、本来、子会社各社が当事者意識を持って取り組むべき問題であるが、親会社としては、子会社の内部統制システムの構築及び運用を監督・

第7章　子会社不祥事の事例と教訓（ケーススタディ）

監視する責任があることから、グループ全体に適用されるリスクマネジメントの具体的な方法論を決定し、子会社各社の実情に応じて適切な導入を図るべきである。

(d) 海外子会社の買収及び管理に係る内部統制の改善・強化

① 買収及び PMI における体制強化等

　i　海外子会社の買収や、その後の経営統合作業を行うに際しては、事業部門のみならず、財務・経理部、法務部、人事部、リスクマネジメント部等の管理部門を関与させる仕組みを構築すべきである。

　ii　DD の指摘事項は、クロージング前に問題解決を図るべきであるが、解消されない場合には、リスクの大小により撤退することも考慮されるべきである。また解消されなかった場合には、買収後の経営管理の中で、重点的な対応により早期の問題解決を図るべきである。

　iii　買収前の段階で、子会社の経営者の個性・資質、バックグラウンド等については、特に海外企業の買収の場合には、可能な限り背景調査を行うことが望ましい。

　iv　買収後のガバナンス上、決定的に重要な取締役、執行役員等の重要ポストの人選、権限の明確化、レポートラインの在り方等に関し、現経営陣との間で、可能な限り明確な取決めを行い、買収後に関係当事者間で認識の齟齬がないよう共有化しておくべきである。

　v　原則として、買収担当責任者が、買収後の事業統合が完了するまでの数年間は、買収子会社の管理上の責任者となることが望ましい。

② 海外子会社の定常的管理に関する体制強化

　i　海外子会社の定常的管理についても、直接所管する事業部のみならず、何らかの形で、管理部門の関与ないし支援を受けられるような体制を構築すべきである。また、子会社管理を担当する部署に財務・会計面ないしリスク管理の知識・経験を有する人材を配置すべきである。

　ii　海外子会社の経営管理に当たっては、事業採算ベースのみなら

514

ず、子会社の状況に応じたリスク要因をふまえ、DD や PMI の過程で認識された問題点を十分に念頭に置きながら、不正の兆候を見逃さないよう緊張感を持った姿勢で臨むべきである。

iii 定常的管理においても、ガバナンスに力点を置いたチェック項目を体系的に整備し、検討・対策に漏れのないよう留意すべきである。

iv 直接の所管部門である事業部門と管理部門が日頃から十分なコミュニケーションをとり、必要な連携を確保できる仕組みを構築し、海外子会社管理上の問題を共有し、必要に応じて適切な対策を迅速に講じることができるようにすべきである。

(e) モニタリングシステムの改善・強化

① 内部監査の充実・強化

i 内部監査部門は、社内のリスクマネジメントの要の１つであり、不祥事の発生防止や早期発見等に果たす役割は極めて大きいことから、リスク認識（＝アンテナ）の精度を高めることに努め、限りあるリソースの中で、より効率的かつ的確な内部監査を実施するための仕組みを構築すべきである。

ii 内部監査の実施に際しては、必要に応じて、財務・経理といった他部門から人材の応援を得たり、外部専門家を活用するなど、効果的で充実した監査を実現できるような工夫を行うことが必要である。

iii 内部監査に際しても、先入観を排し、健全な懐疑心を持ち、不正の兆候が窺われる場合には、現場・現物主義、事実重視・裏取り励行をモットーに、粘り強く厳密な監査を行うべきである。

iv 定常的に子会社管理を行っている事業部門に、内部監査の結果を適切かつ十分にフィードバックするとともに、懸念事項については、確実なフォローアップを欠かさないようにすべきである。

② モニタリングの多元化・複層化

KDDI では、本件発覚後、海外の地域統括拠点の CFO に域内子会社のモニタリングの役割を担わせる仕組みを導入するとともに、海外子会社自体においても、リスクマネジメント部門の設置がなされているが、これらと

第7章　子会社不祥事の事例と教訓（ケーススタディ）

合わせ、(i)事業部門によるガバナンスに力点を置いた定常的管理、(ii)内部監査部門による監査統制活動、(iii)IT技術を利用したモニタリングシステムといった仕組みを有機的・一体的に運用していくことが有用である。

③　子会社に派遣した役職員に対する支援、コミュニケーションの充実・実質化

子会社に派遣した役職員は、グループガバナンスの観点からみると、子会社モニタリングの重要な一翼を担っているところ、派遣先子会社の実情に応じ、このグループガバナンスの担い手としての役割を十分発揮できるよう、親会社による十分な支援体制を整備するとともに、密接なコミュニケーションを保つように心掛けるべきである。

④　グローバル内部通報制度の充実・活性化

KDDIにおいては、平成23年から海外子会社を対象とした内部通報制度を導入しているが、全体としてその運用実績は低調であり、DMXに関してはこれまで内部通報された事例は皆無であった。

内部通報制度は、特に海外子会社については、物理的な距離、時差、言語・習慣等の違いから、親会社が入手できる情報は質・量ともに不十分であり、情報収集の手段も限られる中、海外子会社の現地職員を対象とした内部通報制度は非常に有益であるといえる。

そこで、内部通報制度を浸透させるために、経営トップのメッセージを明確かつ効果的に伝えてこれをグループ全体に浸透させることや、通報者の保護の徹底、リニエンシー制度の採用など、機能性を高めるための工夫を行い、利用実績を高めていくための取組みを進めるべきである。

(f)　その他

①　派遣取締役の意識の向上

海外子会社に派遣された取締役は、自らがグループガバナンスの重要な一翼を担っているとの自覚を持ち、海外子会社における取締役会の構成員としてCEO等の業務執行を監視・監督することはもちろん、現地経営陣や職員と緊密なコミュニケーションをとりつつ、子会社自身の内部統制において実質的な役割を果たしていくことが肝要である。そのためにも、何か問題を感じた場合には、自発的・積極的な報告・相談を励行すべきである。

② 海外人材の育成・強化、補強

海外 M&A、海外子会社の経営管理に必要なスキルを兼ね備えた海外に通用する人材を育成・強化していくことは不可欠である。そのための社員教育を充実させるとともに、弁護士、公認会計士等の外部の専門家等の人材の採用・登用にも積極的に取り組むべきである。

③ 海外 M&A の経験の蓄積・共有化

海外 M&A や海外子会社管理で得られたノウハウなどを文書化、マニュアル化して社内に蓄積し、関連業務の標準化や社内教育への活用等を検討すべきである。

(4) 再発防止策に関するコメント

前記のとおり、調査報告書において詳細かつ網羅的に再発防止策について検討がなされているため、以下においては、重要なポイントあるいは報告書に記載されていない点に絞ってコメントを行う。

(a) 買収前に関する事項

① DD に関する事項

本事例の DD に関して着目すべき点は 2 点ある。

まず、財務 DD では、DMX 特有の売上計上方法による多額の売掛金の発生や、売掛金の長期滞留現象が生じている状況などについて指摘がなされるとともに、売掛金の回収可能性についての慎重な判断や個別契約の検討が推奨されていた。法務 DD では顧客との契約関係書類の開示も DMX 側から拒まれるなど、全体として、情報開示が不十分であった。にもかかわらず、これらの問題点については解決されないまま買収の意思決定がなされている。

これに対しては、調査報告書でも指摘されているが、対象会社側の「もっともらしい説明」を鵜呑みにしてはならず、必要十分な裏づけ資料による確認を行う必要がある。そのためには、健全な懐疑心を持つ必要がある。中国などの進出先の「商慣習だから大丈夫」といった説明に対しては特に注意が必要である。また、問題を冷静かつ客観的に分析し、クロージング前に解決可能な問題なのかを見極め、解決可能なのであれば解決したことをクロージングの前提条件として契約書に規定する必要がある。クロージング前に問題が解決しない場合には、子会社化した後にも当該問題は残る

ことを意味する。本事例でも、売掛金の長期滞留問題などは子会社化した後も問題として指摘され続けていた。こうした問題は、自社にとって果たしてとれるリスクなのか、リスクをとるとしてその管理方法などを慎重に検討する必要がある。

次に、本事例では、財務部ないし経理部等では、DD において開示された資料が十分でなく DMX の事業内容が不明瞭である、グループ会社が多数存在しているためグループ会社間での取引が複雑であるなどとして、買収自体に慎重な見方が存在していた点が指摘される。

多額のコストをかけ、DD を一気呵成に行ってディールの成立に向けて動いている際には、ディールを成立させることが至上命題となり、上記のような慎重な見方は、いきおい軽視されがちであって、結局、本件でもこの意見が聞き入れられることはなかった。しかし、このような反対意見がDD 等のプロセスを通じて出てきたのであれば、それを関連部署間で共有するとともに、必要に応じて意思決定機関にも情報をインプットし、このような反対意見やその根拠等も検討材料として慎重に吟味した上で最終的な経営判断を行うべきである。

②　契約時に関する事項

海外で買収を行う場合、突然本社から経営陣を派遣して全ての事業を遂行しようとしても、実際の経営はうまくいかないのであって、そのような意味で、海外子会社の経営については、現地経営陣・幹部への依存度が高くならざるを得ない。

そうすると、契約を行う前の段階で、現地経営陣の経営能力や資質等について十分な DD を行うべきは当然であるが、対象会社と締結する資本業務提携契約書などの契約書においても、(i)クロージング後の役員構成を含む経営体制・ガバナンス体制、(ii)親会社の事前承認事項、親会社への報告事項、(iii)日本の親会社から派遣する役員、従業員の地位及び権限など子会社管理に関する事項を明確に規定しておくことが必須である。

仮に、契約時の段階で、日本の親会社から派遣された役員に対して必要な業務執行権限を与えることを始め、子会社として管理されることに消極的なようであれば、そのような現地経営陣と本当に一緒に協業していけるのか疑義が生じるのであって、いったん立ち止まってディールを進めるかを含めて慎重に検討しなければならない。

⑸　買収後の子会社管理に関するコメント

①　現地経営陣の横暴を許さない仕組みづくり

本事例では、買収交渉の過程において、DMX 側との間で、COO、CFO などのポストの割振りに関する合意が口頭でしかできてない状態のまま買収手続を進めたことが起因して、DMX の新 CFO となるはずの KDDI からの派遣取締役が現地に赴き、CFO 就任及び決裁権限規程の見直しを求めると、DMX 経営陣から辞職もちらつかせられて強く抵抗された。これを受けて、KDDI は、DMX 経営陣の流出をおそれたため、COO、CFO の確保及び決裁権限規程の見直しに関しては、全面的に譲歩することとした。その結果、数の上では取締役の過半数を確保したものの、DMX の会長、CEO、CFO は従来どおり、ウー氏、ジスミル氏らが務めることとなった上、決裁権限規程の見直しもされず、連結子会社の業務執行をジスミル氏ら中心の体制に委ねざるを得なかった。結局、監視・監督体制も十分構築できないままに、現地経営陣のやりたいように経営を行える状態（野放し状態）となってしまったのである。

本件における子会社管理上の問題は、上記の点にあると言っても過言ではない。上記の問題は、M&A 契約時に書面で合意していなかったことにも起因するが、買収後においては、DMX 経営陣に辞められたら困るから彼らと摩擦を再び生じさせないように（気を遣いながら）子会社管理を行っていく必要があるという会社としての価値判断が影響していたものであって、このように現地経営陣に全面的に譲歩してしまったことにも子会社管理上大きな問題がある。

このようなガバナンスの効かない野放し状態というのは、業績以前の問題であり、売上等の数字に優先して解消しなければならない問題であるという意識を日本の親会社が持つことが重要である。

②　会計監査人の交替

KDDI は、国内外の子会社について、KDDI が起用している監査法人と同グループに属する監査法人に統一するという社内施策（One Firm Policy）を採用していたため、平成 26 年 12 月期より、DMX の会計監査人を従来のデロイトから PwC に変更した。PwC は、DMX の平成 26 年 12 月期決算に関し、DMX グループの取引に係る監査を実施する過程で、DMX グループの会社が関与する取引の実在性に疑義があることを指摘していた。

第 7 章　子会社不祥事の事例と教訓（ケーススタディ）

その後、平成 29 年に英領バミューダ諸島に拠点がある法律事務所など
から流出した膨大な電子ファイル（いわゆる「パラダイス文書」）には、実際
に交替された 2 年前の平成 24 年 11 月に会計監査人の変更を KDDI が求め
たが、DMX の役員が抵抗して立ち消えになったことを示す DMX の監査委
員会の議事録が存在する旨報道されている[2]。その真偽は定かではないが、
本事例において新たな会計監査人が不正の兆候を指摘したことは事実であ
り、会計監査人の変更も、不正発見の端緒となる場合がある。特に、本事
例のように、買収した子会社が、親会社と異なる監査法人を起用している
場合には、上記の One Firm Policy に従い、会計監査人を変更することも検
討に値する。

6 住友ゴム工業

(1) 事案の概要

住友ゴム工業株式会社（「SRI」）の南アフリカ所在の 100％子会社（「SRSA」）
が工場で製造し、販売する乗用車用タイヤについて、顧客の承認を得るこ
となく、検査規格の変更及びスペックの変更が行われ、承認された規格か
ら逸脱した製品が顧客に納入されていたという事案である。調査報告書で
は、検査規格の変更及びスペックの変更は、収益改善を目的として SRI か
ら SRSA に主席駐在員として派遣されていた社員の指示で行われたもので
あり、SRSA の幹部の一部は当該不適切行為を認識していたと認定されて
いる。

(2) 子会社管理という観点からの指摘事項

調査報告書では、駐在員による不適切行為を防止できなかった原因とし
て、①当該駐在員に対する牽制・監督機能を欠いていたこと、②SRSA の
品質管理、品質保証体制（IT システムを含む）が脆弱であったことが指摘さ
れるとともに、SRI に関して、SRSA との連携が不足し、SRI の欧州・アフ

---

2)　朝日新聞デジタル版の平成 29 年 11 月 6 日 18 時 20 分付記事。

520

リカ本部の統括機能も十分発揮されていたとはいえず、SRSA に対するガバナンスが弱かったことも指摘されている（調査報告書 16〜17 頁）。

　以上をふまえ、調査報告書では再発防止策として以下の事項が指摘されている（18〜21 頁）。

① 本社と海外拠点の間の責任・権限の見直しと連携の強化
　本社と地域本部及び子会社間のコミュニケーションの強化（子会社の事業環境を考慮した適切な助言、指導、支援が不十分であったため、本社機能と海外拠点の責任と権限を見直す）。
② 牽制機能を確保した人員配置の徹底
　人事委員会を通じた適材適所の実現（適切でない人材を要職に起用しないようにするとともに、相応の牽制機能を確保した人員配置を徹底する）。
③ 本社による品質監査の見直し・強化
　品質保証本部の設立による品質管理体制の強化（海外子会社に独自のリスクが認められる場合にはそれをふまえた期間、監査項目について内部品質監査を実施する、必要に応じて他の部門の協力も得られるよう社内体制を整備する）。
④ 品質に対するコンプライアンス意識の強化
　本事案をベースにしたオンライン研修の実施（定期的に外部専門家を入れて研修を実施する）。
⑤ 内部通報制度の実効性確保
　内部通報制度の周知徹底（通報制度をより利用しやすいものとし、通報対応や通報者のサポートを充実させる、海外子会社に赴任中の日本人駐在員は通報者の特定がされやすいため通報後のサポートに対する不安を軽減する措置を講じて制度の信頼感を高める）。
⑥ 報告体制の整備
　危機管理の際の報告体制を整備する（あらかじめ具体的に想定される事象を挙げて当該危機ごとに情報伝達する担当者を決定しておく）。

　本件は駐在員の指示に基づく意図的な不正行為の事案であることから、不正行為を認識している役職員からグループ内部通報制度等を利用した情報提供がなされていれば、より早期に発覚して問題の解消につながったと考えられる。また、調査報告書でも指摘されているが、システムを構築することにより規格外品の納品を防ぐという対処も有効と考えられる。

第7章　子会社不祥事の事例と教訓（ケーススタディ）

7 川崎重工業

(1)　事案の概要

　川崎重工業株式会社（「KHI」）の子会社である川重冷熱工業株式会社（「KTE」）において、①出荷前試運転の際に検査成績書類に実測していないデータを記載する（冷房能力90％程度で試運転を行っているにもかかわらず、冷房能力100％での試運転結果であるようにデータを作成して検査成績書類に記載する）、顧客による立会検査の際には計測器を調整して冷房能力100％の運転を行っているように装う、②昭和61年から平成21年までに販売された一部の製品について、冷房能力及びCOPがJIS規格の性能を満たしていなかったものの、カタログ及び仕様書にJIS規格に準拠する旨を記載して販売する等の不正な製品検査が行われていたという事案である。

　特別調査委員会の調査により、既に判明していた顧客向けのデータ虚偽記載に加え、東京都や環境省などが機器の環境性能を認定する制度でも虚偽データで申請するなど、新たに5種類の不正が行われていたことが確認された。

(2)　原因分析

　調査報告書では、不適切行為発生の原因として以下のとおり指摘されている。

---

① コンプライアンス所管部署が不明確であった。また、性能表示を審査する部署がなく、虚偽表示に対して牽制機能を発揮する部署や担当者が不明確であった。
② 社内ルールが不明確であり、外部向けの性能表示に関する書類の作成プロセスや記載内容に関する明確な定めがおかれていなかった。
③ システム対応等が不十分であり、出荷前試運転により得られた実測値が自動的に検査成績書に反映されるようになっていなかったため、改ざんが容易な状況であった。
④ 品質管理を主導すべき品質保証部門が検査成績書の虚偽記載を行っており、機能不全となっていた。多くの従業員が不適切行為を認識しなが

522

ら実施又は黙認していた。

⑤ 滋賀工場と営業・サービス部門との分断（不適切行為が行われていた滋賀工場の品質保証部門、技術部門、生産部門と、営業・サービス部門との間に人事交流は少なく、後者の従業員の多くが不適切行為を認識していなかったことにより、発覚が遅くなったと考えられる）。

⑥ 不適切行為に関する通報が行われなかっただけでなく、過去10年間の通報もわずかであり、内部通報制度が有効に機能していなかった。

⑦ 内部品質監査の内容は品質マニュアルの遵守状況や規程類の遵守状況等といった、業務プロセスが既存のルールに従っているかという観点からの監査であり、個々の不正行為の検出に焦点を当てた監査ではなく、監査機能が脆弱であった。

⑧ KHIグループとしての品質管理がなされておらず、グループ内部監査もプロセスの監査にとどまっており、個々の不正行為の検出を目的とするものではなかった。

(3) 子会社管理という観点からの指摘事項

調査報告書では、品質保証部門を有するKTEに対してはKHIによる直接の品質管理はなされておらず、また、グループ内部監査については品質管理も含まれるものの、プロセスの監査であり、本件不適切行為等のような個々の不正行為の検出を目的とするものではなかったとの指摘がなされている（調査報告書73頁）。

なお、平成29年に発生したN700系新幹線台車枠の製造不備事案を契機としてKHIが社内で実施したアンケートに並行して、KTEでも同様のアンケートを実施したが、当該アンケートは当該事案の直接の原因である作業指示の不遵守の有無に焦点が当てられたものであり、品質全般について問題の有無等を確認するものではなかったため、本件不適切行為等を検出するには至らなかったことも指摘されている。

以上をふまえ、調査報告書では再発防止策として以下の各事項が指摘されている（調査報告書80頁）。

① 親会社のグループ監査の重点項目として品質問題を追加
KHIでは、本件不適切行為等をふまえて、監査等委員会によるグループ監査における重点項目として品質問題を追加したことを受けて、プロセ

第7章　子会社不祥事の事例と教訓（ケーススタディ）

スチェックの実効性を向上させ、KTE内の監査及びKHIによるグループ監査という重畳的な監査において品質問題が注視されることは不正抑止効果を有すると指摘している。

② KHIとしてKTEの品質保証部門の体制強化のためのサポート提供

現時点ではKHIからKTE品質保証部門に対して人材派遣がされているが、このような品質保証における人材派遣を今後の永続的な措置とすることや、逆に、KTEの品質保証部門のレベルアップや外部の意識・常識を吸収していくため、KTEの従業員をKHIによる長期又は短期の研修に定期的に参加させたり、KHIがKTEの従業員に対する教育の機会を提供したりすること等の方策も検討されるべきである。

③ KTEとKHIとの人材交流

品質保証部門に限らず、他部門についても、異なる意識・常識を有する者との交流を意識的に行わせるべく、KTEとKHI（及びそのグループ会社）との間での人材交流を充実させることも検討に値する。

　本件についても意図的な検査不正の事案であり、それを認識している職員も多数存在したと認定されているため、グループ内部通報制度等を利用した情報提供がなされていれば、より早期に発覚して問題の解消につながったと考えられる。検査における不正の可能性に着目したグループ監査が親会社によって実施されたとしても、それを見越して検査不正が隠蔽されることも考えられることからすると、本件事案のような不適切行為の抑止のためには、内部告発に期待するところが大きくなるのではないかとも思われる。

8 シャープ

(1) 事案の概要

　シャープ株式会社の連結子会社であるカンタツ株式会社において、不正・不適切な売上計上、架空の売上計上、簿価を有しない製品の循環取引、棚卸資産についての評価損計上上の回避等の不適切会計処理が行われていたという事案である。

カンタツは昭和 54 年に設立されたマイクロレンズユニットの設計及び製造等を事業とする会社であり、平成 30 年にシャープが子会社化した。それ以降、シャープから転籍した者が代表取締役に就任したほか、令和 2 年 3 月時点でシャープからはカンタツに対して 11 名が出向している。

シャープグループでは、本社に管掌本部、管掌責任者、経営管理部門等を設けて管掌責任体制を構築し、子会社等の事業の推進及び管理を行わせている。

(2) 原因分析

調査報告書では、不適切行為の発生原因について、不正の動機という観点から、①事業計画遵守の要請の厳格化、②滞留在庫に関する評価損計上回避の要請、③カンタツの子法人の黒字化の要請、④資金繰りの円滑化の必要という事情が、不正の機会という観点から、①カンタツの経営者による会計基準の軽視、②業績優先の意識という社内風土、③牽制機能の形骸化（第 1 線の牽制の不存在、第 2 線の監督・牽制の不奏功、取締役会等への報告の懈怠、監査役による監査・牽制の不奏功、会計監査人監査に対する隠蔽工作）、④管理体制の不備・脆弱性（経営者層の違法意識や会計リテラシーの不足、一部の取締役に依存した製品販売、杜撰な契約管理・与信管理、管理部門の連携の不備、財務報告等の適正の軽視、内部通報制度の不利用）、という事情が、不正の正当化という観点から、①経営層による会計基準等の軽視を背景とした事業現場での不正の正当化、②経営環境の急激な変化の他責化という事情が指摘されている（調査報告書 40〜47 頁）。

(3) 子会社管理という観点からの指摘事項

調査委員会の公表した調査報告書では、不適切会計処理の発生原因の 1 つとして、「シャープにおけるグループガバナンス上の課題」を指摘しており、その具体的内容は以下のとおりである。

---

① 親会社であるシャープのカンタツに対する内部統制機能不奏功
・管掌本部による関与が限定されていた（シャープのカメラモジュール事業本部がカンタツを管掌することとされていたが、率先垂範して業績向上を図るというよりも自律的な事業運営を期待するという状況で、カンタツの

第7章　子会社不祥事の事例と教訓（ケーススタディ）

内部統制の機能不全が情報提供されることもなかった）。
・管掌体制による指導・牽制が十分でなかった（管掌責任者を補助すべき経営管理部門として指定されていた調達部門は経営管理の体制・知見が乏しく、経営状況を把握して指導できる状況になかった）。
・会計基準・シャープルールの周知、徹底が不十分であった（平成30（2018）年の連結子会社化後も収益認識基準や棚卸資産の評価減ルールは従来のカンタツ基準のままで運用され、解釈・運用上の留意点も理解されていなかった）。
・適切な財務報告が重要であることの意識（規範意識）の醸成が不十分であった（上場企業のグループ会社として適切な会計処理、財務報告が重要であるとの規範意識の醸成が不十分であった）。
②　子会社役員人事についての親会社としての管理の不十分性
・カンタツの経営層の管理意識・管理能力の不足・欠如（管理意識、管理能力が不足・欠如しており、不正を主導・黙認等した経営幹部を人選した点に問題があった）。
・カメラモジュール事業本部出身者に対する適切な牽制の不存在（カメラ事業本部の本部長であった人物がトップを務める組織に内部統制を及ぼすことに心情的に一定の困難を伴った）。
③　子会社の経営管理（モニタリング）が不十分であった
・不正が生じるリスクが高いと捉えて管掌本部、管掌責任者、経営管理部門その他本社管理部門において経営状況のモニタリングを強化していれば、より早期に不正を発覚できていた可能性がある。
④　親会社による子会社監査の拡充
・売上計上という基本的な会計基準について適切に基準を理解して処理がなされているかを確認・モニタリングするなどの踏み込んだ対応を行うことも可能であった。シャープの内部監査部門及びカンタツの内部監査部門との連携等の実効性を適切に検証し、売上計上等の会計不正が看過されることのないように監査を実施する工夫が必要である。

　以上をふまえ、調査報告書では、再発防止策の1つとして、シャープによる管理・監督の強化が指摘され、具体的には、①子会社への派遣者の選定に際して、経営能力を重視しつつも業務が適正に行われるよう管理する能力があるか、派遣者に牽制を行うことのできる体制となっているかを吟味すること、②シャープの管掌本部、管掌責任者、経営管理部門その他本社管理部門が経営状況のモニタリングを十分に行うこと、③経営管理部門

は事業に直接関与させず、経営管理に知見を有する部門を設定して管掌体制を強化すべき、と指摘されている（調査報告書54頁）。

9 ラサ商事

(1) 事案の概要

　ラサ商事株式会社の連結子会社である旭テック株式会社において、赤字工事の発覚を免れるために工事番号を付け替えて売上及び売上原価を先送りする等の不適切会計処理が行われていたという事案である。

　旭テックは平成26年12月にラサ商事の完全子会社となり、それ以降、ラサ商事は同社に対して、常勤取締役、社外取締役、監査役、総務・経理部長等を派遣していたほか、令和2年5月にはラサ商事の出身者が旭テックの代表取締役社長に就任していた。このような役職員の派遣のほか、ラサ商事では、内部監査室による年に1回の監査、グループ連絡会による情報共有を通じて子会社の管理を行っていた。

(2) 原因分析

　調査報告書では、不適切行為の発生原因について、①過度に業績と連動させた年俸制とノルマ達成の厳格化、②業務の属人化と旭テックにおける会計基準遵守の不徹底、③管理部門を軽視する傾向と社内における牽制機能の形骸化、④ラサ商事（取締役会）による不十分な子会社管理とリスク顕在化を最小限に抑えるための取組みの不足という事情が指摘されている（26～27頁）。

(3) 子会社管理という観点からの指摘事項

　調査委員会の公表した調査報告書では、ラサ商事（取締役会）による不十分な子会社管理とリスク顕在化を最小限に抑えるための取組みの不足が指摘されており、具体的には、本来であれば、旭テックを含む子会社において不正が行われることのないように、監視・監督を行うなどして適切に管理しなければならなかったが、子会社の管理に対する意識が希薄であり、

第7章　子会社不祥事の事例と教訓（ケーススタディ）

子会社における問題点を積極的に把握しようと努めて適切にガバナンスを
及ぼすという役割を十分に果たしていなかったと指摘されている。

　その上で、ラサ商事によるガバナンス上の問題点として以下の各事項が
指摘されている（調査報告書28〜29頁）。

---

① グループ内部統制の機能の不奏功
　　建設業である旭テックについては業界特有の事情を考慮し、内部監査室
　による内部監査を通じて改善を要請するというように、業態の異なる子
　会社等のやり方に委ねる部分が多い管理にとどまっていた。
② 管掌部門による指導・牽制が十分でなかったこと
　　旭テックにおいて平成31（2019）年3月期の未成工事支出金に差異が生
　じていたことを認識しながら問題を解決するための施策を講じないな
　ど、管掌部門によるガバナンスが不十分であった。
③ 適切な財務報告の重要性に係る意識の醸成が不十分であった
　　専門的な会計知識を十分に有しない者を経理担当に任命することを余
　儀なくされていた結果、会計基準の遵守に対する意識や感度が希薄とな
　り、会計年度をまたいだいわゆる「期ずれ」による会計処理を行うこと
　の問題意識が共有されず、不適切な会計処理が看過されていた。
④ 不十分なコンプライアンス教育
　　不正行為及び不適切な会計処理に関するコンプライアンス研修を実施
　する機会がなく、本件事案等の発生及び適切な財務報告の重要性に係る
　意識の醸成が不十分であった。
⑤ 内部監査上の問題点
　　内部監査室による監査では未成工事支出金が増加傾向にあることや売
　上計上時期の恣意性が否定できないことに着目した監査を実施できて
　いなかった。
⑥ 内部通報制度の運用面に関する課題
　　匿名性の維持など通報者保護の仕組みをより一層周知すべきであった。

　また、以上をふまえた再発防止策として、①グループ内部統制の重要性
に係る意識改革、②管掌部門による適切な指導教育体制の徹底、③適切な
財務報告の重要性に係る意識の醸成が指摘されている（調査報告書31〜32
頁）。

528

10 ナイガイ

(1) 事案の概要

株式会社ナイガイの連結子会社であるセンティーレワン株式会社において、不適切な商品在庫の計上（営業利益の予算達成のための在庫金額の水増し）が行われていたという事案である。センティーレワンは大阪市に所在し、服飾雑貨のインターネット通信販売を事業内容とする会社であり、平成19年にナイガイが完全子会社化した。また、調査の過程において、その他の海外子会社における会計不正も確認された。

(2) 原因分析

調査報告書においては、不適切行為の発生原因として以下のとおり指摘されている。

---

① 低いコンプライアンス意識下での誤った予算達成企図
・一部役職者が予算達成に対して過度に執着していた。
・PDCA報告書をプロセスを検証して改善に繋げるという本来の目的ではなく、期待する数字で予算を作成するよう何度も修正を求めるという誤った運用が行われていた。
・従業員を管理すべき立場にある執行役員等の役職者が、不正を主導し又は他者の不正を黙認するなどしたものであり、コンプライアンス意識の欠如した役職者が会社の業務管理を行っていた。
・各子会社の一部役職員が、最終的に帳尻を合わせれば、会計処理の時期をずらしてもさほど問題はないとの誤った認識を有しており、コンプライアンス意識が欠如し、会計知識が不足していた。
② ナイガイの管理部門、管理システムの脆弱性
③ センティーレワン固有の問題として、管理機能が極めて脆弱であること、企業風土

第7章　子会社不祥事の事例と教訓（ケーススタディ）

(3)　子会社管理という観点からの指摘事項

　調査報告書においては、ナイガイの管理部門・管理システムの脆弱性として、以下のとおり子会社管理が十分に機能していなかったことが指摘されている（46～48頁）。

---

① 　経理財務部門による子会社管理が機能していないこと
・ナイガイの経理財務課が経理部門を有しない国内子会社の会計処理及び海外子会社の連結決算を行っていたが、国内子会社の会計処理に際して、在庫の原資料を確認しないまま子会社の報告書のみに基づいて会計システムへの入力のみを行い、会計システム上も在庫金額等の確認をなし得る仕組みを有していなかった。
② 　内部監査が不十分であること
・内部監査部は、子会社に対して最低限実施すべきものとして内部統制報告制度（J-SOX）における監査を行っていたのみであり、十分な内部監査がなされていなかった。
・内部監査部は、課長以下2名のみにより構成され、課長が内部監査業務以外に法務等の業務も兼任するなど業務過多の状況にあり、経験からしても十分な監査業務を行える体制にはなかった。
③ 　人材不足であること
・役職員を問わず子会社の管理に充てられる人材が不足し、子会社管理は担当役員（子会社の代表者）に委ねざるを得ず、十分な監視監督ができなかった。

　以上をふまえ、調査報告書では再発防止策として、「ナイガイの管理部門・管理システムの強化」として、以下の各事項が指摘されている。

---

① 　経理財務部門による子会社管理システムの構築
② 　子会社担当役員による子会社管理
③ 　人材の確保
④ 　役割分担、権限の明確化
⑤ 　ナイガイ内部監査部による監査の実施
⑥ 　海外子会社が利用できる内部通報システムの設置

---

11 ホシザキ

11 ホシザキ

(1) 事案の概要

　ホシザキ株式会社の販売子会社のうち、ホシザキ東海株式会社（名古屋市）、ホシザキ北海道株式会社（札幌市）、ホシザキ北関東株式会社（さいたま市）、ホシザキ阪神株式会社（大阪市）、ホシザキ中国株式会社（広島市）の各社において、別の取引間での売上原価の付け替え、仮装代理店販売、協力業者への架空販売、架空・水増し発注、売上の先行計上、撤去機等の無断転売（及び売却代金の着服）等の不適切行為が行われていたという事案である。

　ホシザキグループの主な事業内容は、フードサービス機器の研究開発、製造、販売及び保守サービスであり、販売及び保守サービスは15の販売子会社（いずれもホシザキの連結子会社）等が行っている。

(2) 原因分析

　調査報告書において、不適切行為の原因について、以下のとおり指摘されている。

---

① 販売子会社内における目標達成プレッシャーの増幅が招いた不正行為の蔓延
　ホシザキ東海では、過度に高い達成意欲を抱いた元社長を中心とした上層部が高い業績目標を掲げ、売上利益の目標達成プレッシャーを増幅して中間管理層に伝える状況が見られ、不正行為の蔓延を招いた。
② 取締役の過剰な兼務と販売子会社間の競争促進
　ホシザキで国内営業部門という1つのセグメントを担当する取締役が2名並び立って国内の販売子会社を二分して所管するという特異な手法がとられていた。
③ 販売子会社管理部門の脆弱化
　親会社であるホシザキの営業担当取締役が販売子会社の取締役を過剰に兼務することにより販売子会社の管理部門を脆弱化した。
④ 経営人材育成の不奏功

531

第7章　子会社不祥事の事例と教訓（ケーススタディ）

　　　短期主義的な人材登用により経営人材育成が奏功していない。
　⑤　グループ内部統制の脆弱さ
　⑥　不正行為の組織的要因に踏み込まない対症療法的な行動パターン
　　　不正行為が発覚した際にその背景にある組織的要因に踏み込んで原因
　　　を究明するという意識が薄く、不正行為は単に個人の問題であるとして
　　　個人的要因を特定して行為者を処分して終わるという処分を終点にし
　　　た対症療法的な行動パターンである。
　⑦　危機管理における問題点
　　　当初、ホシザキ東海において不正行為が発覚した際に、真の原因に踏み
　　　込むことなく、ホシザキ東海のみの問題として処理され、親会社や他の
　　　販売子会社に累が及ぶことは避けられた。

⑶　子会社管理という観点からの指摘事項

　調査報告書においては、上記のとおり、不適切行為の原因として「グループ内部統制の脆弱さ」が指摘されており、その具体的内容は以下のとおりである（149頁）。

　すなわち、売上と売上原価の適正な計上は販売子会社でこそ徹底される必要があるが、販売子会社には健全な財務報告リテラシーが備わっておらず、ホシザキは販売子会社の管理責任者及び管理部の強化を十分に行っていなかった。また、グループ内部統制システムのグランドデザインを描き、グループ管理部のミッションを明確にし、グループ管理部に十分な経営資源（人材、スキル、予算等）を投入してきたかというと、そうとは言えない。

　以上をふまえ、調査報告書では、再発防止策として以下の内容が指摘されている（152頁以下）。

　①　大幅な人事刷新と営業の基本動作の徹底
　・ホシザキ東海に長年培われてきた純血主義を打破するため、組織の半分を
　　他の販売子会社から入れ替えるような大胆な人事異動も検討に値する。
　・営業の基本動作を徹底するように教え込む、地に足の着いた教育研修が有
　　効である。
　②　次代を担う経営人材の育成
　・販売子会社各社に常勤社長を選任し、権限と責任を明確にすべきである。
　・販売子会社社長の人材育成は短期主義に陥らず、中長期的な視野に基づい

532

て行われる必要がある。

③　競争から協働へという経営方針の転換

・販売子会社間の競争を促進して組織に遠心力が働くような経営方針を見直し、競争から協働へという経営方針を明確に打ち出すことを検討すべきである。

・統一的な営業戦略を打ち立て、協力業者との関係についても議論する。

・親子会社間、販売子会社間での人材交流を促進すべきである。

④　2軸を意識したグループ内部統制の強化

・管理部門が営業部門に健全な牽制を効かせることにより目標達成プレッシャーに駆られた営業部門の暴走を防ぐ。

・グループ管理部は販売子会社の管理責任者及び管理部による内部統制が有効に機能するように統括するとともに、十分な経営資源が備わっているかどうか検証し、不足があれば支援を行う。

・このためにもグループ管理部自身に十分な経営資源（人材、スキル、予算等）を備える。

⑤　不正行為の組織的要因に踏み込む再発防止策の推進
　　実効性ある再発防止策を講じるためには不正行為の背景にある組織的要因の究明が不可欠であることを理解して実践しなければならない。

　子会社における不祥事が問題となる多くの事例では、子会社への関与や把握が不十分であったために問題が発生したという事情が認められるが、本件はそれと反対に、取締役の過剰な兼務と販売子会社間の競争促進というように、親会社による積極的関与が不祥事発生の大きな原因として指摘されているところに特徴がある。

12　理研ビタミン

(1)　事案の概要

　理研ビタミン株式会社の100％子会社である青島福生食品有限公司において、実在性の確認できない取引、滞留在庫・棚卸資産の評価に関する不適切な会計処理が確認されたという事案である。

　理研ビタミンが東京証券取引所に提出した改善状況報告書によれば、青

第 7 章　子会社不祥事の事例と教訓（ケーススタディ）

島福生食品は、平成 6 年、日本の加工食品用の原料供給基地として中国が有望であるとの考えに基づいて買収されたものの、それまで冷凍野菜を事業として扱ったことはなく、元国営企業であり指示命令系統が強いトップダウン型であったことから、買収時の総経理であった者に引き続きマネジメントを任せていた（経営陣の派遣を行っていなかった）とのことである。理研ビタミンでは、買収を主導した元名誉会長と、その後に青島福生食品の管理を引き継いだ元会長が同社の管理を行っているという認識があり、他の取締役から同社の施策について意見を出すことが難しい状況（取締役会が適切に監督を行うことができない状況）となっていた。

(2)　原因分析

調査報告書では、滞留在庫・棚卸資産の評価に関する不適切な会計処理の発生原因について、青島福生食品における問題点として、①在庫に係る管理体制の脆弱さ、②財務報告に係る意識の低さ、③経営管理上の問題点という事情が、理研ビタミンにおける問題点として、①報告事項のチェック体制に係る問題点、②棚卸への立会いにおける問題点、③青島福生食品へのガバナンスの根本的な問題点という事情が指摘されている（第二次調査報告書 22～25 頁）。

(3)　子会社管理という観点からの指摘事項

改善状況報告書では、グループガバナンスという観点からも、理研ビタミン創業のルーツである「理化学研究所」から由来する自由闊達な社風という理念から、子会社においても自主自立の考えが重視され、総務や経理などの管理部門を含めた運営についての全般的な管理・指導となっておらず、管理手法を大きく見直すといった対策はとられなかった、海外の子会社運営に関するリスクにつき重点リスクとしての認識が十分ではなかったと指摘されている。

また、調査報告書においても、①買収以来、事業上の関係が希薄であり、人材の派遣もなされておらず、経営はほぼ現地任せの歴史が長いため、理研ビタミングループとしての価値観の共有がなされていない、②青島福生食品をグループ内においてどう位置づけるのかが明確になっていない、③青島福生食品の事業展開がうまくいかずに赤字に陥った平成 28 年以降も

534

支援は強化されたものの、ガバナンスや管理面での強化を図るには至らなかったと指摘されている（調査報告書25頁）。

　以上をふまえ、調査報告書では、「グループ・ガバナンスの見直しに係る提言」として、①青島福生食品が理研ビタミングループの基本的な理念や価値観を共有する、②頻繁なメッセージの発信、人材の相互交流等により、相互のコミュニケーションの量及び質を飛躍的に高める、③経営陣又は管理職の一部を理研ビタミンから派遣するなどによって、現地における事業運営の状況を理研ビタミンの視点からより的確かつ適時に把握する、等の事柄が指摘されている（調査報告書27頁）。

　本件は、元国営企業であり指示命令系統が強いトップダウン型であったことから、買収時の総経理であった者に引き続きマネジメントを任せており、親会社による管理が不十分であったという点に特徴のある事案である。

13 東洋機械金属

(1)　事案の概要

　東洋機械金属株式会社の子会社である東洋機械金属（広州）貿易有限公司（「東洋機械（広州）」）の従業員（副総経理であり従前経理業務を担当していた者）が資金の私的流用及びこれを隠蔽するための虚偽と考えられる仕訳の計上を行っていたという事案である。

　東洋機械（広州）は、平成20年2月14日に東洋機械金属の100%子会社として設立された会社であり、不正行為を行った社員は会社設立時からの従業員であった。

(2)　原因分析

　調査報告書では、不適切行為の原因分析として、東洋機械（広州）における原因として、①単独での資金移動を可能とする体制であったこと、②不正行為を行った従業員が経理業務を掌握しており他の役職員からの実効的な監視がなかったこと、③金銭の管理及び出納の手続を定める内規が存在しなかったことを指摘している（調査報告書73～74頁）。

535

第 7 章　子会社不祥事の事例と教訓（ケーススタディ）

⑶　子会社管理という観点からの指摘事項

　調査報告書では、東洋機械グループでは親会社による海外子会社の管理体制及び監査体制に以下のとおりの問題があったと指摘されている（調査報告書 74 頁以下）。

---

　①　現地法人への一任体制
・東洋機械の営業本部長は東洋機械（広州）の董事長であり、東洋機械の経理部長は東洋機械（広州）の監事であったが、董事長や監事としての業務は行われておらず、名ばかりの状態であった。子会社管理を司るとされる管理本部長も具体的な活動や対応を行わなかった。東洋機械の会議体では海外グループ会社の現況を監視・監督する議論はなされていなかった。
・子会社の総経理であった者は遅くとも平成 31（2019）年 1 月の時点で平成 30（2018）年の資金流用の事実を認識しながら、自らの管理責任を問われることを避けるため、あえて東洋機械へ報告しなかったが、これは東洋機械（広州）の運営が当該総経理への一任体制であったからこそ生じた事象である。
　②　海外グループ会社管理に関する責任部署・役割分担が曖昧であった
・東洋機械の関係会社管理規程において、関係会社管理の責任部署は管理本部とされているが、他方で組織図上は、東洋機械（広州）は、東洋機械と法人格は別でありながらも、東洋機械の営業本部の一部門である中国営業部の下部組織として位置づけられており、営業本部（長）がその統括管理を行うべきとの解釈もあり得るというように、誰が、どのような事項について、具体的にどのように管理をすべきかについて曖昧な部分があった。
　③　銀行預金残高証明書等を基礎にした確認がなされていなかった
・東洋機械の経理部は、令和 4（2022）年 7 月に、同年 3 月末日時点の海外グループ会社の銀行預金残高証明書等の提出要請を行った以外には、東洋機械（広州）の銀行預金残高証明書等の資料を確認していなかった。
　④　監査室監査に不十分な点があった
・監査室による内部監査の海外グループ会社に対する質問事項及び調査事項において、ネットバンキングに関し、操作用 USB キー及び承認用 USB キーの管理者は誰かという事項を含めていなかった。また、東洋機械（広州）に対する内部監査においては、少なくとも直近 2 年間の WEB 監査の際には、東洋機械（広州）保有の銀行口座に係る銀行預金残高証明書のサンプルチェックは行われていなかった。

以上をふまえ、東洋機械金属では、管理体制の強化に関する再発防止策として、以下の各施策を講じることとされた（調査報告書 83 頁以下）。

---

① 海外グループ会社管理の責任部署の明確化
・海外グループ会社の管理について責任を負う部署及び担当取締役を明確に定める。
② 経理面に対する管理体制の強化
・海外グループ会社の管理につき経理部又は経理の知見を有する人材を関与させる。
・海外グループ会社の銀行預金口座を本店から直接監視できる仕組みであるモニタリングサービスの導入を速やかに進捗させ、全ての海外グループ会社の銀行預金口座を当該サービスの対象とする。
③ 監査室による監査体制の強化等
・監査室において、全社統制チェックリストのチェック項目及び業務監査調書の調査項目について、海外グループ会社内における相互牽制が機能しているかを確認するための項目（ネットバンキングに係る振込及び承認の担当者に関する項目を含む）や、経理面に関する確認方法の履践状況を確認するための項目等を追加するなど、当該各項目の充実化を図る。
・チェックリスト等での質問に対する被監査部門からの回答について、客観的な資料を入手して確認すべき事項（預金の実在性を含む）を見直し、確認の頻度、確認の方法（精査か試査）等の検討を、監査室において速やかに行う。
④ 人員体制の強化に向けた取組み
・海外グループ会社の管理に関する経理の知見を有する人材を外部から獲得することを検討するとともに中長期的な視点で内部の人材育成に注力する。

---

14 NTT 西日本

(1) 事案の概要

NTT 西日本（西日本電信電話株式会社）の完全子会社でシステムの保守管理を請け負う NTT ビジネスソリューションズ株式会社（「BS 社」）において

第7章　子会社不祥事の事例と教訓（ケーススタディ）

運用保守業務等に従事していた元派遣社員が、約10年間にわたり顧客情報（氏名、郵便番号、住所、性別、生年月日等）をUSBメモリーに抜き取り、外部に提供（名簿業者に売却）していたという事案である。

　BS社は、NTT西日本の完全子会社である株式会社NTTマーケティングアクトProCX（「ProCX社」）から委託を受け、同社が営業するコールセンター事業で利用するシステムの提供・保守運用を行っていた。

(2)　原因分析

　調査報告書においては、不正行為の原因及び背景の分析として、まず、BS社について、①情報セキュリティに係る社内規律が遵守されていない状況にあること、②第1線における情報セキュリティ体制の機能不全、③実態把握のための仕組みの機能不全、④第2線の脆弱性、⑤内部不正による情報漏えいリスクに対する危機意識の弱さ、⑥情報セキュリティ上のリスクに対するリスクマネジメントプロセスの不存在、⑦人員配置等の人事に関する問題、⑧内部監査について、⑨経営陣の責任、⑩度重なる組織再編の影響が指摘されている（調査報告書29～51頁）。

　また、ProCX社の問題として、①委託先管理に係る規律が遵守されていない状況にあった、②顧客情報の漏えいに対する危機意識の乏しさ、③内部不正による情報漏えいリスクに対する情報セキュリティ体制の脆弱性、④ProCX社とBS社の関係性に由来する問題が指摘されている（調査報告書51～53頁）。

(3)　子会社管理という観点からの指摘事項

　調査報告書においては、本件事案の根本的な原因・背景の分析を行う中で、NTT西日本に関して、以下の事項を指摘している（調査報告書53頁以下）。

---

① 　内部不正リスクへの対応状況
　　情報セキュリティに関してNTT西日本グループ全体の第2線の機能を果たす情報セキュリティ推進部では、内部不正による情報漏えいリスクを情報セキュリティ上の主要なリスク要因と位置づけていたが、相対的にリスクが低いと受け止め、対策強化の指示や支援は重視していなかっ

た。
② 情報セキュリティ自主点検の取扱い

情報セキュリティ自主点検は、情報セキュリティ推進部の指示により実施されていたが、不備なしとされた事項について回答の正確性を独自に検証したり自ら確認したりする運用はしておらず、内部不正による情報漏えいリスクに対する情報セキュリティ体制の実態を把握する有効な手段を持っていなかった。

③ グループ各社の第2線との役割分担

グループ各社の第2線と情報セキュリティ推進部との間の役割分担に認識の相違が生じていた可能性がある。グループ会社の第2線による実効的な監督に必要な人的リソースを配分できていない状況にあった。

④ グループ全体での経営資源の配分の歪み

グループ全体での人員削減とそれによる人員不足を派遣社員等の外部リソースで手当てしていること、予算上の制約により情報セキュリティ体制の抜本的な解決が図れないとの指摘がある。

　以上をふまえ、調査報告書では、NTT西日本における再発防止策として、①グループ全体での情報セキュリティ体制上の技術的な管理措置に係る不備を是正すること、②グループとして取り組むべきシステム上の対処策（外部記録媒体（USBメモリ等）の使用に関する制限、私有端末（私有PC等）の使用に関する制限、インターネットの使用に関する制限、アカウントの管理方法の改善等）、③ガバナンス面の改善（グループ全体の情報セキュリティ体制の改善に向けた経営陣のコミットメント、内部不正による情報漏えいリスクに対する危機意識の周知・浸透、リスクマネジメントプロセスの確立、第2線の強化、情報セキュリティ自主点検等の定期点検の見直し、システムライフサイクルにおけるガバナンス、エスカレーションの徹底に向けた改善）、④情報セキュリティに係るルールの見直し、⑤経営上の課題（人事施策、経営資源の配分等）、⑥組織文化の変革（無謬性への執着、自分事として捉えない行動様式と前例踏襲、現場任せの風潮、顧客の立場に立つ目線の不足、変革の必要性）を指摘している（調査報告書171〜184頁）。

第 7 章　子会社不祥事の事例と教訓（ケーススタディ）

15　九州旅客鉄道

(1)　事案の概要

　九州旅客鉄道株式会社（JR 九州）の子会社である JR 九州高速船株式会社が博多港と韓国・釜山港を結ぶ高速船「クイーンビートル」の浸水を隠して運航を続けていたという事案である。令和 6 年 2 月に少量の浸水を確認したが国土交通省に報告せず、3 カ月以上にわたって運航を継続しており、この間、航海日誌を偽装し、浸水を知らせる警報装置を上にずらすなどして隠蔽していた。5 月末になって浸水が悪化したことで初めて同省に報告された。JR 九州高速船の前社長と、運航管理者、安全統括管理者ら幹部 4 人が不正を主導していた。

　なお、JR 九州高速船は令和 5 年 6 月にも浸水を報告せずに運航を続けたとして国交省から最も重い行政処分を受けていた。①子会社の社長が浸水隠蔽を指示していた、②子会社の経営幹部や船長・船員ら 21 人が隠蔽を把握していたとされている。

　JR 九州高速船は、JR 九州の船舶事業部が実施していた事業を分社化した沿革があることから、元々 JR 九州船舶事業部の従業員として勤務していた者の多くが JR 九州高速船に出向・転籍する形で勤務を継続しており、JR 九州高速船の役員・幹部のほか、運航部運航課所属の従業員及び船員の多くが JR 九州からの出向者・転籍者である。

(2)　原因分析

　調査報告書においては、不適切行為の原因分析として、以下の各事項が指摘されている（調査報告書 77〜84 頁）。

---

①　令和 5（2023）年 6 月の行政処分にもかかわらず、航行の安全最優先及び法令・社内規程遵守に対する真の意識改革が成し遂げられていなかった。

②　安全な運航業務の遂行に際して正しい判断を下すための体制・仕組み作り（誤った判断を是正するための仕組み作りを含む）が不十分であっ

540

た。
③ 法令や社内ルールにつき理解が不十分ないし曖昧なまま職務を遂行し
続け、それに対して対策を講じなかった。
④ 幹部及び船長と船員らとの間で一層円滑なコミュニケーションを図る
ための土壌・環境の構築がなお不十分であった。
⑤ JR九州高速船における令和5（2023）年7月以降の改善措置の実践に関
し、親会社としてのJR九州の関わりが必ずしも十分でなかった。

(3) 子会社管理という観点からの指摘事項

　調査報告書の原因分析の箇所では、上記のとおり、JR九州高速船におけ
る令和5年7月以降の改善措置の実践に関して、親会社としてのJR九州
の関わりが必ずしも十分でなかったことが指摘されている（調査報告書83
頁以下）。具体的には、本件事案発生当時、JR九州高速船にあっては、同
年2月浸水事象への対応を巡り、行政処分や刑事処分を受けるほどの不祥
事となり、同年7月以降、その再発防止に向けた取組みを鋭意進めていた
が、不祥事の再発防止を念頭に置いたJR九州の積極的な関与は不見当で
あった（当時JR九州の執行役員の一人であったA氏をJR九州高速船に出向さ
せて、新しい社長に就任させたが、船舶運航事業の知見・経験が乏しく、JR九
州高速船における再発防止策の実践に向けて、そのリーダーシップがどの程度発
揮できるかは未知数であった）と指摘されている。親会社であるJR九州の関
わりが物足りないものであったことは否めないともされている。
　これを受けて、再発防止策として、以下の各施策の実行が公表されてい
る。

① 担当する部署である主管部門によるモニタリングを行う。
② JR九州在籍の非常勤取締役がJR九州高速船の会議への参加や現地での
現物確認とあわせて現場とのコミュニケーション等を通じ、業務の実態
把握を行う。
③ JR九州の監査等委員によるJR九州高速船に対する監査（経営層への経
営状況ヒヤリング、社員の意見交換等）を、改善が確認できるまでの間、
毎年実施する。

第 7 章　子会社不祥事の事例と教訓（ケーススタディ）

④　JR 九州の鉄道の運輸部門を所管する担当役員を JR 九州高速船の担当役員に指定し、改善報告書の具体的な施策の進捗状況の確認とその後の安全管理体制等の維持に努めるほか、主管部を経営企画部から運輸部に変更し安全に関するフォローを強化すると共に、安全創造部による、改善に関する全般的な検証を実施する。

16　東亜建設工業

(1)　事案の概要

　東亜建設工業株式会社の子会社である信幸建設株式会社において、支社長を含む社員 9 人が外注先と共謀し、①架空の工事代金や水増しした代金を支払い、後に一部を還流（キックバック）させる、②領収書精算及び水増し代金の支払い、③資金プール及び補填等の不正行為を行い、計約 7 億 8500 万円を着服していたという事案である。

　信幸建設は、平成 5 年に東亜建設工業の海上工事部門の一部を分社化して設立された会社であり、横浜港の護岸工事や羽田空港の滑走路建設、宮城県の漁港の災害復旧等の海上土木工事を手がけている。

(2)　原因分析

　調査報告書においては不適切行為の発生原因として、以下の事項が指摘されている（調査報告書 37〜41 頁）。

①　コンプライアンス意識及び知識の不足・欠如
②　予算管理及び発注業務フロー等に関するチェック体制の不適切な運用又は形骸化
③　要員配置の長期固定化
　　施工管理に当たる従業員のみならず、支社幹部職員についても、要員配置が長期的に固定化されており、不正行為が継続的に行われる環境となった。
④　取引業者との不適切な関係構築を可能にした環境

⑤ 経営陣の内部統制に関する意識の不足
親会社として、子会社である信幸建設内のコンプライアンス教育や予算管理・発注管理等のチェック体制の整備、要員配置の方針の決定、内部監査等への関与が充分でなかった。
⑥ モラルの欠如（架空・水増し工事代金の支払、キックバック）
⑦ 誤った上司部下の在り方（架空・水増し工事代金の支払、キックバック）
⑧ 正当な業務上の交際等の誤った理解（領収書精算及び水増し代金の支払い）
⑨ 工事原価管理に関する誤った理解（資金プール及び補填）

(3) 子会社管理という観点からの指摘事項

　社内調査委員会の作成した調査報告書では、発生原因の分析において、①東亜建設工業の地盤改良工事における不祥事以降、信幸建設においても、安全管理や品質管理などの当該事案に関わる教育だけでなく、コンプライアンス教育全般を強く推進するべきところであったにもかかわらず、これを怠っていた、②東亜建設工業の経営陣においては、グループ全体の内部統制システム構築の責務があるが、信幸建設については工事代金支払等に関わる内部統制の取組みが不充分であった、③具体的には、信幸建設内のコンプライアンス教育や予算管理・発注管理等のチェック体制の整備、要員配置の方針の決定、内部監査等への関与が充分でなかった、と指摘されている（調査報告書39頁）。

　また、再発防止策の検討においては、東亜建設工業による内部監査等では長期間にわたる本件不正行為を発見することはできなかったことに関して、施工体制図や工事日報などの当社が保有する資料と信幸建設が保有する外注取引の見積書・検収書を突き合わせることで、架空取引の実態を把握するといった調査過程で実施された手法を今後の内部監査等においても用いることが検討されるべきとの指摘がなされている（調査報告書45～46頁）。

第7章　子会社不祥事の事例と教訓（ケーススタディ）

17 DTS

(1)　事案の概要

株式会社 DTS の海外子会社（X 社）において、経営幹部による取引先に対する不正な金銭のやり取りが確認された（実際には存在しない業務に関して取引先に支払いを行った後に現金（キックバック）を回収し、それを原資として現地の銀行員や税務当局に不正な支払を行って案件を得ていた）という事案である。

(2)　原因分析

調査報告書においては、不適切行為の X 社側における原因として、①経営トップのコンプライアンス意識の問題（X 社では経営者である取締役兼 CEO 及び業務執行取締役の承認のもとに不適切な支払が行われていた）、②コンプライアンス体制の問題（X 社にコンプライアンスを所管する部署は設置されておらず、法務やコンプライアンスは CFO の職責とされており、コンプライアンスの責任者や担当者が置かれていなかった）、③外部の共謀者の存在（顧客関係者に対する不適切な支払いを実行するに当たり、原資の捻出に協力する仲介業者のネットワークを構築し、顧客から案件を受注する都度、特定の仲介業者を選択して X 社が架空の業務を委託する業務委託契約を締結し、仲介業者からの請求に応じて資金を支出することにより原資を捻出する手口を活用していた）、④ガバナンスの問題（不適切な支払いは、いずれも X 社の CEO や業務執行取締役、CFO といった経営者や経営幹部の承認のもとで組織的に行われていたものであり、X 社においては、経営者を監督するガバナンスが有効に機能していなかった）との点が指摘されている（調査報告書 45〜48 頁）。

(3)　子会社管理という観点からの指摘事項

調査報告書においては、不適切行為の原因として以下のとおり指摘されている。

544

① X社に対する出資時のDDにおける贈賄リスク対応の問題
・X社における金融関連事業の顧客関係者に対する不適切な支払いは、DTS社が当初出資をする前の遅くとも平成23（2011）年から行われていた形跡があるが、出資に際して行われたDDでは贈賄リスクについて特段の検討は行われなかった。X社の所在するY国は一般的に贈賄リスクが高いと認識されている国であった。
② X社の子会社化後の子会社管理（PMI）の問題
・X社のPMIの過程では、贈賄リスクを含むコンプライアンスリスクの把握・評価を目的とした施策は実施されておらず、そのような施策が計画された形跡もない。
・子会社化後にX社の業務執行取締役からX社の事業において「政府系」の顧客に対する不適切な支払いを行って獲得した案件があるというリスク情報がDTS社側の非常勤取締役に伝達されたが、DTS社のスタッフ部門と連携して対応を検討するなどのフォローを行った形跡はなく、リスク情報を察知したものの是正に向けた対応がとられていない。
③ グローバル戦略を推進する知見や体制の問題
・X社に対するDTS社の出資は、贈賄リスクの対応に限定して問題があったというよりは、そもそもグローバル戦略を推進する知見や体制が十分に構築されていない状況のもとでなされた。
④ 有事対応における情報共有の問題
・令和6（2024）年3月1日と同月3日に本件内部通報のメールを受信して以降、委託先の外部専門家との間で不正調査の体制とスコープの協議に1か月以上の時間を要しており、社内での十分な情報共有が行われていない。

　以上をふまえ、調査報告書においては、DTSにおける再発防止策として、①DTSのグローバル戦略の明確化（今後もノンオーガニック拠点を獲得する海外戦略を推進するのか、あるいはオーガニック拠点を中心に海外事業を展開するかといった点を含め、DTS社グループとしての今後のグローバル戦略を明確化し、グローバル戦略を推進するのであれば、クロスボーダーM＆Aの知見やノウハウを獲得するための取組みや必要な人材の採用などの体制整備を進める）、②グローバルなコンプライアンスリスク対応の強化（担当部署を明確にした上、グローバルなコンプライアンスリスクの対応を強化する取組みを検討するとともに、、海外子会社管理全般についてスタッフ部門の機能や体制を十分に備え、責任部署が明確になっているか見直しを行う）、③監査室の体制・監査項目等

第7章　子会社不祥事の事例と教訓（ケーススタディ）

の見直し（監査室に専門性のある人材を採用あるいは育成し、コンプライアンスリスクに精通した現地の外部専門家を起用するなどして内部監査の体制を強化するとともに、ノウハウや知見の蓄積に努める）、④有事対応における多角的な検討と情報共有の改善（重要な情報が関係者に共有されることを確保するとともに、決算・監査への影響など多角的な視点を入れて対応を検討するような仕組みの構築ができるか検討する）、が指摘されている（調査報告書52〜53頁）。

18 天馬

(1) 事案の概要

　天馬株式会社の海外子会社において、役職員が税金の追徴を免れるため、複数回にわたり現地公務員（税務局職員）に対して現金を交付したという事案である。

　なお、令和元年に一部の海外子会社における不適切行為（外国公務員への現金交付）を認識した取締役ら（監査等委員を除く）は、事後承認を与えるとともに、コンサルタント料に仮装して交付した現金相当額を経費処理しようとした。

(2) 原因分析

　調査報告書においては、不適切行為の原因について以下のとおり指摘されている（調査報告書65〜73頁）。

---

① 外国公務員への現金交付を未然に防止できなかった原因
・海外子会社において本来の経理処理とは異なる仮装の経費処理を容易に実行できる杜撰な統制環境が存在していたこと、子会社の経営陣がこれを容認して内部統制を無効化したことが原因である。
・海外子会社におけるこうした杜撰な統制環境や内部統制の無効化を放置してきた点、海外子会社の経営陣が外国公務員に交付するための現金を出金することに対する有効な統制を効かせてこなかったことにより、本社の内部統制部門及び内部監査部門は不正の機会を提供した。

・外国公務員から金銭要求されたときにどのように対処するか、その現実的な対処法を策定し、役職員に研修して指導してこなかったこと、外国公務員からの金銭要求に対して「無防備」なまま海外展開したこと、外国公務員への金銭交付によるコンプライアンス・リスクを甘く見ていた。

② 外国公務員への現金交付を知った取締役らが合理性を欠く危機対応をした原因

・天馬では、外国公務員贈賄が重大なビジネスリスクであることを理解せず、外国公務員贈賄リスクに対して無防備なまま海外事業展開を続けてきた。

・令和元（2019）年に外国公務員への現金交付を知った際も、取締役らは、関与した役職員や会社が外国公務員贈賄罪の刑事責任を問われる可能性があり、企業価値が大きく毀損されるリスクがある重大なコンプライアンス違反であることを理解できなかった（天馬の取締役にはリスク認識や知識が欠落していた）。

・利益とコンプライアンスとを天秤に掛ける（利益を得るためにはコンプライアンス違反も厭わない）企業風土にあった。

・取締役らが十分な情報収集とその分析・検討に基づく意思決定を行っていなかった。

③ 取締役会が取締役の判断や行動を是正するガバナンス機能を発揮できなかった原因

・令和元（2019）年に外国公務員への現金交付を知った際も、取締役らは、重大なリスク情報を監査等委員に正しく説明せず、むしろ隠蔽した。

・名誉会長らと会長らとの対立構造が取締役会に持ち込まれ、取締役会メンバー間に相互不信が醸成された結果、取締役会の一体的運営が損なわれた。重大な意思決定について取締役会の場に全ての情報を集約し、多様な知見や経験を集めてオープンに議論して分析検討し、最後に全員で責任ある意思決定を下すという、本来の取締役会のガバナンス機能を発揮することを大きく阻害した。

・平成25（2013）年6月に代表取締役会長を退任して取締役の権限も責任も持たない名誉会長による経営介入を容認してきた。

(3) 子会社管理という観点からの指摘事項

調査報告書においては、子会社管理という観点から、「海外子会社の管理が経営企画部のみに集中し、同部の判断や行動が他部署から検証される機会が失われてブラックボックス化してきた」、「経営企画部による海外子会

第 7 章　子会社不祥事の事例と教訓（ケーススタディ）

社の管理が業績管理中心となりリスク管理面での牽制機能が働かなかった」との指摘がなされている（調査報告書 66 頁）。

　また、調査報告書では、再発防止策として、以下の事項が指摘されている（調査報告書 75 頁以下）。

---

①　本社相談窓口の設置、経営トップのコミットメント、本社からの支援

・外国公務員から金銭要求を受けた際に、海外子会社の役職員が自分で悩むことなく即座に本社に相談できる窓口を設置し、相談を受けたら即座に的確な指示を出せるように本社相談窓口担当者の専門性と倫理観を高めておく。

・過酷な状況に置かれている海外子会社の役職員を孤立させないこと、本社から物心両面で確実な「支援」を与える。

②　リスクベース・アプローチによる統制活動

・展開している国や地域、行っている事業の内容、外国公務員との関係性などにより、外国公務員贈賄リスクの程度には高低があることから、本社の内部統制部門が主体となって網羅的なリスクの「評価」を実施し、リスクの高い箇所と低い箇所を特定し、リスクの高い箇所に集中的にリソースを投入してリスクを「低減」する活動を行う。

③　適正な経理処理、CFO の職業的倫理観の確保

・仮装の経理処理を許さず適正な経費処理を確保できる体制を整備する。

④　外国公務員への支出の記録化、説明責任の履行

・一切の外国公務員への支出について事実関係を記録し、本社の内部統制部門や内部監査部門は、記された記録から支出の合理性や適法性を事後検証し、記録化が不十分であれば指摘して改善させる。

⑤　第三者（エージェント、コンサルタント）の管理

・外国公務員への支出に第三者を関与させることは、外国公務員贈賄リスクを低減させるどころか、逆に増大させるという一般常識的な理解を持つ。

⑥　役職員に対する手厚い教育研修

・海外子会社の役職員に対し、手厚い教育研修の場を繰り返し与えることにより、海外子会社の役職員の理解と実践を確実に「支援」する。

⑦　役員トレーニングによる知識、意識、リテラシーの向上

・海外事業リスク管理、外国公務員贈賄リスク管理、利益とコンプライアンスとを天秤にかけない企業風土作り、虚偽の経理処理を容認しない財務報告に係る内部統制、経営判断の原則、情報収集とその分析・検討、コーポレートガバナンス、CG コード各原則の理解、不祥事を把握した後のある

548

べき危機対応等の項目につき役員トレーニングを実施する。

⑧　取締役会のガバナンス機能の再構築

・取締役会メンバー相互の信頼関係を再構築する。

・名誉会長による経営介入を排除し、取締役会のガバナンス機能を回復する。

・創業家支配株主と会社との間に生じる利益相反を適切に管理・監督する。

・創業家支配株主との利益相反を適切に管理・監督するため、独立社外取締役のリーダーシップを求める。

・独立社外取締役を主要な構成員とする指名・報酬諮問委員会を新設する。

●索　引

アルファベット・数字

Bribery Act ……………………… 403
Call option ……………………… 277, 364
COSO ……………………… 306, 398
ERP パッケージ ……………………… 392
EU 一般データ保護規則（GDPR）
……………………… 408, 417
FCPA ……………………… 360, 403
First refusal rights ……………………… 277, 278
IT システム ……………………… 392
M&A 契約 ……………………… 362
PDCA サイクル ……………………… 362
PMI（Post Merger Integration、
ポスト・マージャー・インテグ
レーション）……………………… 365
Put option ……………………… 277, 364
Tag along rights ……………………… 277, 278
Tone at the Top ……………………… 377
Transparency International ……………… 360
100％子会社 ……………………… 71, 86, 91
3 線構造 ……………………… 98
3 線ディフェンス（The Three Lines
of Defense）……………… 310, 380, 386
3 点セット ……………………… 135, 136

あ行

アーン・アウト条項 ……………………… 363
域外適用 ……………………… 417
イグジット（Exit）……………………… 276, 364
意見陳述義務 ……………………… 222
意思決定権限の分配 ……………………… 374, 389
一体管理型 ……………………… 372
違法行為差止請求権 ……………………… 220
インサイダー情報 ……………………… 430
受付言語 ……………………… 406
営業秘密管理指針 ……………………… 291

親会社以外の株主 ……………………… 220
親会社が決定すべき事項 ……………… 190
親会社等 ……………………… 153
親会社取締役 ……………………… 371, 441
親会社に対する付議・報告基準
……………………… 82, 93
親会社への報告事項 ……………………… 374
親法人等（銀行法）……………………… 196

か行

海外 M&A 研究会 ……………………… 355
海外子会社 ……………………… 80, 91, 354
海外子会社管理 ……………………… 362
海外贈賄防止ガイダンス（手引）… 360
外国公務員贈賄防止指針 ……………… 360
外資規制 ……………………… 360
改善報告書 ……………………… 10
架空取引 ……………………… 359
各事業部門による管理方式 ………… 382
確認書制度 ……………………… 21
課徴金納付命令 ……………………… 8
株主間契約 ……………………… 73, 75
関係者の処分 ……………………… 440
監査権 ……………………… 362
監査等協力規定 ……………………… 273
監査における不正リスク対応基準
……………………… 292, 293
監査役監査 ……………………… 212
監査役監査基準 ……………………… 320, 329
監視義務 ……………………… 50, 63
カントリーリスク ……………………… 357
管理の手段 ……………………… 373
関連会社 ……………………… 68, 75, 91, 92
関連会社管理規程 ……………………… 373
関連事業部管理方式 ……………………… 381
関連法人等（銀行法）……………………… 197
機関設計 ……………………… 93

551

索　引

危機管理規程 …………………………… 434
危機管理マニュアル …………… 370, 434
企業結合 ………………………………… 201
企業結合審査 …………………………… 201
企業サステナビリティ報告指令
　（CSRD）……………………………… 419
企業集団における内部統制システ
　ム構築義務 ……………………………… 4
企業集団の業務の適正を確保する
　ための体制（企業集団における
　内部統制システム）
　…………… 6, 13, 15, 23, 32, 35, 47, 122
キャッシュ・マネジメント・
　システム ……………………………… 116
競業関係 …………………………… 18, 48
業績予想等に係る適時開示体制 ……… 146
業務フロー ……………………………… 374
銀行持株会社 …………………………… 33
金融システム改革（金融ビッグ・
　バン）……………………………… 7, 8
クラスアクション ……………………… 441
グリーンフィールド型投資 …………… 356
グループ ………………………… 204, 224
グループ・ガバナンス・システムに関
　する実務指針（グループガイドラ
　イン）…… 11, 19, 69, 75, 104, 105, 154
グループ一元管理 ……………………… 118
グループ会社 ………………… 205, 224, 225
──との関係 ……………………… 210
──の整理・統合 ………………… 388
グループ管理体制 ……………………… 375
グループ業務執行体制 ………………… 115
グループ経営管理規程例 ……………… 203
グループ経営管理
──の基本原則 …………………… 206
──の基本方針 …………………… 226
──の合意 ………………………… 227
──の手法 ………………………… 227
──の詳細 ………………………… 247
──の対価 ………………………… 239

──の対象 ………………………… 233
──の対象会社 …………………… 225
──の内容 ………………………… 231
──の範囲 ………………………… 233
──の方法 ………………………… 235
グループ経営管理本部 ………… 207, 217
──が分掌する業務 ……………… 211
──における業務遂行 …………… 208
──の決定 ………………… 211, 212
──の役職員 ……………………… 214
グループコンプライアンス体制 ……… 118
グループ設計 …………………………… 379
グループ報告体制 ……………………… 107
グループリスク管理体制 ……………… 111
グループ稟議規程 ……………………… 373
グローバル人材 ………………………… 378
グローバル内部通報制度 ……… 404, 405
経営管理契約 ………………… 82, 373, 420
経営管理契約例 ………………………… 228
経営管理対象事項 ……………………… 248
経営管理
──の基本原則 …………………… 206
──の基本方針 …………………… 226
──の合意 ………………………… 227
──の手法 ………………………… 227
──の詳細 ………………………… 247
──の対価 ………………………… 239
──の対象 ………………………… 233
──の対象会社 …………………… 225
──の内容 ………………………… 231
──の範囲 ………………………… 233
──の方法 ………………………… 235
経営判断原則 …………………………… 372
経済安全保障リスク …………………… 410
経済制裁リスク ………………………… 410
継続開示制度 …………………………… 20
決裁権限規程 …………………………… 373
権限配分 ………………………………… 370
兼務取締役 ……………………………… 430
公益通報者保護法第 11 条第 1 項

索　引

及び第2項の規定に基づき事業
者がとるべき措置に関して、そ
の適切かつ有効な実施を図るた
めに必要な指針 ……………… 334
公益通報者保護法に基づく指針
（令和3年内閣府告示第118号）
の解説 ……………………… 334
公共目的 …………………… 231
行動規範（Code of Conduct）……… 376
公表・情報開示 …………… 440
合弁契約 …………………… 362
コーポレート・サステナビリ
ティ・デューディリジェンス指令
（CS3D）…………………… 419
コーポレート・マネジメント（CM）
…………………………… 204
コーポレートガバナンス・コード
…………………… 426, 429
子会社 ………………… 68, 92
──が決定すべき事項 ……… 190
──の監査役の善管注意義務 … 213
──の議決権保有割合 ……… 91
──の業務内容等の開示請求権 … 4
──の取締役の善管注意義務 … 212
──の取締役の善管注意義務違反
…………………………… 236
──の役員等の善管注意義務 … 214
子会社（銀行法）………… 195
子会社化の手法 …………… 356
子会社監視義務 …………… 32
子会社管理 ………………… 362
子会社管理規程 …………… 373
子会社管理体制（金商法）……… 137
子会社調査権 …………… 4, 5, 13
子会社等の決定事実に係る適時開
示体制 …………………… 141
子会社等の発生事実に係る適時開
示体制 …………………… 143
個人データ ………………… 416
子法人等（銀行法）……… 196

コンプライアンスDD ……………… 360

さ行

サイバーセキュリティ ……………… 96
再発防止策 ………………… 408, 440
裁判管轄 …………………… 247
財務報告 …………………… 21
──に係る内部統制 ……… 8, 21, 62
財務報告に係る内部統制の評価及び
監査に関する実施基準
…………… 124, 126, 127, 137, 139
差止請求 …………………… 214
サプライチェーン ………… 419
三様監査 …………………… 304
シェアードサービス ……… 385
ジェンダー ………………… 429
事業の全部の経営の委任 ……… 219
事業持株会社 ……………… 98
事後報告 …………………… 248
事実調査 …………………… 439
自主性の尊重 ……………… 368
システム化 ………………… 374
事前協議 …………………… 248
事前承認 …………………… 248
事前承認規定 ……………… 268
事前承認事項 ……………… 237, 362
支配株主 …………………… 151
支配株主等 ………………… 151
──に関する事項の開示体制 … 151
指名委員会 ………………… 427
社外監査役 ………………… 61
社内稟議体制 ……………… 76
十分性の認定 ……………… 418
重要情報 …………………… 20
準拠法 ……………………… 246
純粋持株会社 ……………… 98, 422
常勤監査役 ………………… 61
上場子会社 ………………… 74, 423
──のガバナンス体制 ……… 426
──の指名委員会 …………… 429

553

索　引

――の報酬委員会 …………………… 431
上場廃止 ……………………………… 10, 23
少数株主 ……… 18, 34, 48, 72, 86, 87, 91
情報提供規定 ……………………………… 270
情報の提供 ……………………………… 237
将来予測情報 …………………………… 146
初期対応 ………………………………… 438
職務権限規程 …………………………… 76
自立分権型 ……………………………… 368
人権 …………………………………… 410
人権監視法 ……………………………… 419
人権侵害 ………………………………… 419
信頼回復 ………………………………… 441
信頼の原則 …………………………… 51, 62
善管注意義務 ………………………… 371, 430
贈収賄汚職関連 ………………………… 410
相当な注意 ……………………………… 59
組織体制 ………………………………… 93
その他の関係会社 ……………………… 151

た行

第 1 線 ……………………………… 382, 386
第 2 線 …………………………………… 386
第 3 線 …………………………………… 387
第三者委員会 …………………………… 440
多重代表訴訟制度 ………… 6, 14, 32, 85
タテ串 …………………………………… 386
ダメージコントロール ………………… 404
地域統括会社 ………………………… 97, 384
中央集権型（一体管理型）…………… 368
中期経営計画 …………………………… 116
重畳的委嘱 ……………………………… 218
停止条件 ………………………………… 241
データ改ざん …………………………… 374
適時開示制度 …………………………… 9
デッドロック ………………………… 275, 364
デュアルレポートライン ……………… 98
デューディリジェンス ………………… 356
投下資本回収 …………………………… 364
特別注意銘柄 ………………………… 10, 23

独立社外取締役 ……………………… 74, 426
独立的評価 ……………………………… 400
独禁法 …………………………………… 402
取締役会運営規定 ……………………… 265
取締役会規程 …………………………… 398
取締役会出席義務 ……………………… 222

な行

内部監査部門 ………………………… 77, 88
内部通報 ………………………………… 437
内部統制システム
　……………… 46, 62, 380, 402, 427, 437
内部統制システムに係る監査の実
　施基準 ……………………………… 321
内部統制報告書 …………………… 8, 20, 21
内部統制報告制度に関する Q&A
　…………………………… 135, 138, 140
日常的モニタリング …………………… 399
任務懈怠責任 …………………………… 372

は行

パッケージソフトウエア ……………… 374
「ビジネスと人権」に関する行動
　計画 ………………………………… 419
ビジネスと人権に関する指導原則
　……………………………………… 419
非常勤監査役 …………………………… 87
非常勤取締役 …………………………… 87
非上場の親会社等の決算情報の開
　示体制 ……………………………… 153
秘密保持 ………………………………… 243
費用負担 ………………………………… 246
表明保証保険 …………………………… 364
不祥事対応のプリンシプル …………… 436
不祥事予防のプリンシプル …………… 355
不正会計 ………………………………… 358
不正競争防止法 ………………………… 402
不正調査体制 …………………………… 434
不正
　――の兆候 ………………………… 437

554

索　引

——のトライアングル ……………… 292
不正リスク ……………………………… 357
腐敗認識指数
　（Corruption Perceptions Index）…… 360
ブラウンフィールド型投資 ………… 356
ブラックボックス化 ………………… 381
文書管理規程 …………………………… 76
報告事項 ………………………………… 362
報告体制 ………………………………… 391
報酬委員会 ……………………………… 427
本社 ……………………………………… 366

ま行

マイノリティ出資 ……………………… 265
孫会社 …………………………………… 92
窓口 ……………………………………… 406
持株会社 ……………………… 5, 11, 31, 420
モニタリング …………………………… 398
モニタリング型 ………………………… 372
モニタリングベース …………………… 121

や行

役員指名規定 …………………………… 267
役員の指名 ……………………………… 428
役員報酬 ………………………………… 431
役職員の派遣 ……………………… 85, 393
有価証券上場規程 ………………… 9, 23

有価証券報告書 ………………………… 20
有価証券報告書提出会社
　…………… 124, 135, 137, 138, 191, 192
有価証券報告書等不実記載
　………………………… 8, 10, 21, 23, 52
有効期間 ………………………………… 243
有事対応 ………………………………… 436

ら行

利益相反 ………………………………… 423
利益相反・競業関係 ……… 72, 86, 87, 95
利益相反関係 ……………………… 18, 48
リスクオーナー ………………………… 386
リスク管理 ……………………………… 425
リスク管理体制 ………………… 47, 49, 94
リスクベース・アプローチ ………… 369
リスクマップ …………………………… 96
理念・価値観の浸透 …………………… 376
レピュテーション・リスク ………… 78
レポートライン ………………………… 382
連結計算書類 ……………………… 13, 69
連結計算書類制度 ………………… 4, 5
連結財務情報の開示体制 …………… 124
連結パッケージ ………………………… 396
ローカライズ（現地化） …………… 394
ローカライゼーション ………………… 376
ローカルカウンセル …………………… 359

555

実効的子会社管理のすべて〔第2版〕

2018年6月25日　初　版第1刷発行
2025年6月20日　第2版第1刷発行

	松	山	遙	水	野	信	次
著　　者	野	宮	拓	西	本		強
	小	川	尚	史			

発 行 者　　石　川　雅　規

発 行 所　　^{株式}^{会社}商 事 法 務

〒103-0027　東京都中央区日本橋3-6-2
TEL 03-6262-6756・FAX 03-6262-6804〔営業〕
TEL 03-6262-6769〔編集〕
https://www.shojihomu.co.jp/

落丁・乱丁本はお取り替えいたします。　　　　印刷／三報社印刷㈱
© 2025 Haruka Matsuyama et al.　　　　Printed in Japan
Shojihomu Co., Ltd.
ISBN978-4-7857-3163-2
＊定価はカバーに表示してあります。

JCOPY ＜出版者著作権管理機構　委託出版物＞
本書の無断複製は著作権法上での例外を除き禁じられています。
複製される場合は、そのつど事前に、出版者著作権管理機構
（電話 03-5244-5088、FAX 03-5244-5089、e-mail：info@jcopy.or.jp）
の許諾を得てください。